D0409469

Bill Napier

Nemesis

Karakter Uitgevers B.V.

Oorspronkelijke titel: Nemesis

Vertaling: Yolande Ligterink

Omslag: Björn Goud
Opmaak binnenwerk: ZetSpiegel, Best

ISBN 978 90 6112 530 3
NUR 332

Voor de pater familias

Deel een

EEN AMERIKAANSE *SHINDIG*

shindig 1. partij(tje), feest(je), fuif(je)
2. herrie, heibel, tumult, opschudding, rumoer

De eerste dag

$E=10^7$ Mt, I=45°, doelwit = Tertiair andesiet

De meteoor komt hoog boven de Golf van Mexico binnen, met een felle gloed die de middagzon verduistert van de Florida Keys tot aan Jamaica.
Tweeëndertighonderd kilometer naar het noorden en tien minuten voor zijn dood zit kolonel Peter 'Foggy' Wallis in zijn kantoor televisie te kijken. In het kantoor zelf is het donker; het is een comfortabele en rustgevende plek. Het is opgetrokken uit staal. Het staat op veren die bestaan uit stalen stangen met een diameter van zeveneneenhalve centimeter. Stalen wandelpaden verbinden het kantoor met nog veertien gelijksoortige en op zichzelf staande ruimtes. Het hele complex bevindt zich in een enorme grot die is uitgehakt in een granietberg. Stalen pinnen tot wel tien meter lang zijn in de wanden van de grot gedreven en onder het hoge plafond is een stalen net opgehangen om hem te beschermen tegen losgeraakte rotsblokken voor het geval een vijandige reus ooit een klap op de berg zou geven. Je komt binnen door twee stalen deuren van vijfentwintig ton elk en via een gang die ruim vierhonderd meter lang is.
Het televisiebeeld komt van een camera op veertigduizend kilometer boven het aardoppervlak. Het wordt doorgegeven aan een enorme antenne bij Alice Springs, over twee oceanen en via een kabel van driehonderd meter de rots in gestuurd om vervolgens op de televisie van de kolonel te verschijnen.
De kolonel trekt een Seven-Up open en neemt een slokje van de bruisende frisdrank. In Iran staat een olieput in brand. De grote rookpluim, helder in infrarood, is elke dag dat hij dienst heeft langer geworden en heeft nu de noordelijke Himalaya bereikt. Verder is er niet veel veranderd. Hij drukt op een knop en nu verschijnt de zwarte, nachtelijke Grote Oceaan, omrand door lichtjes. Aan de linkerkant gloeit de Japanse Zee zachtjes, vanbinnen verlicht door de lampen van de Japanse garnalenvissers. Hawaï is een stip in het midden. Hij haalt

een schakelaar over en de stip valt uiteen in een rij kustlichten, gedomineerd door Honolulu op Oahu en Hilo op Hawaï.
Plotseling gaat het licht uit. Het VDU-beeldscherm vertoont alleen nog sneeuw en wordt vervolgens zwart. Uit het donker klinkt een koor van verraste verwensingen, maar bijna meteen flikkeren de lampen en gaan ze weer aan, en komen de beeldschermen weer tot leven.
'Wat was dat nou?' vraagt Wallis aan niemand in het bijzonder. Hij kijkt snel de beeldschermen langs en controleert de signalen van sensors te land, ter zee, in de lucht en in de ruimte. Ze onthullen niets, geen onregelmatigheid of storing. Maar er is nooit eerder een stroomstoring geweest.
'David, kijk jij er eens naar.'
Terwijl de jonge majoor die links van Wallis zit aan het telefoneren slaat, tikt Wallis zelf een bevel op het bedieningspaneel voor hem. Over zijn godenblik op de wereld verschijnt een massa gekleurde symbolen. Hij typt nog iets in en alle symbolen, op een handvol na, verdwijnen weer.
Boven de Barentszzee, net ten noorden van Nova Zembla, vliegt een groepje oude Tupolev Blackjack-bommenwerpers hoog boven het pakijs en de zeehonden; als ze hun koers nog drie uur aanhouden, komen ze het Canadese luchtruim binnen, op weg naar de raketsilo's in Kansas. Boven de Japanse Zee bevindt zich een aantal MiG 23's; als ze zover zouden kunnen komen, zouden ze over zes uur Hawaï hebben bereikt.
Nog maar tien minuten eerder was er een grote KH-11 satelliet over Kirovsk op het schiereiland Kola gegaan, die de Badgers, Backfires en MiG's die als bijen de vier militaire luchthavens rond de stad in en uit waren gezwermd had geregistreerd; elders in de berg hielden waakzame mannen zorgvuldig hun bewegingen in de gaten. Ze vergeleken en analyseerden met behulp van enorme computers, lettend op ongewone zaken, onverwachte dingen meteen argwanend. Maar de computers zagen niets ongewoons in de patronen en de waakzame mannen ontspanden zich.
Na de ineenstorting van de Unie was Kirov twintig jaar een spookstad geweest. De bijen vlogen naar verre bases in het Oosten of werden vernietigd als gevolg van ontwapeningsverdragen. Een aantal van de waakzame mannen had toen opdracht gekregen kleine dictatoriale staatjes in de gaten te houden, maar de meeste waren vertrokken en hadden lucratieve banen bij McDonnell Douglas of IBM aangenomen.

Zij vergeleken en analyseerden niet langer. Maar toen kwamen de voedselrellen en de muiterij in de Zwarte Zee, die als de pest oversloeg naar de Pacifische Vloot en vervolgens naar elitedivisies in Tamanshaia en Kanterimov, en daarna vonden de chaotische verkiezingen plaats waarbij Vladimir Zhirinovsky, zwaar gesteund door het Rode Leger, een klinkende overwinning had behaald. De man die in het openbaar had gedreigd Japan en het Verenigd Koninkrijk met kernbommen te bestoken en die verklaard had het Russische Rijk met geweld uit te zullen breiden, zat in het Kremlin.

En nu waren de Badgers terug op Kola en waren de waakzame mannen terug in de berg.

Wallis zit er helemaal niet mee. Het maakt het werk alleen maar interessanter.

Hij typt nog iets in. Dertig schepen in formatie. Slava-kruisers en Kirov-kruisers met kernreactors die om Noorwegen heen varen, op weg naar Scapa Flow.

En wat dan nog?

Er verschijnt een handvol stipjes op het scherm, tegen grote kosten verkregen via series hydrofoons op de zeebedding van de GIUK gap, het strategische zeegebied tussen Groenland, IJsland en de Orkneys. Een paar oude Yankees en een Foxtrot varen de Noord-Atlantische Oceaan op. Gisteren heeft het team een Typhoon gevolgd die naar het noorden ging, vierentwintigduizend ton waterverplaatsing, waarvan de signalen snel verloren gingen tussen het klikken van de garnalen en de kreten van de walvissen.

Ach wat. Dit zijn geen abnormale bewegingen; de computers zien geen verdachte patronen. Het is een lange dienst geweest en vijf minuten voor zijn dood leunt de kolonel achterover in zijn stoel, rekt zich uit en geeuwt.

Hij komt neer in de Morelosvallei, zestienhonderd kilometer ten zuiden van Mexico-stad. Dat is spaarzaam begroeide, harde grond en het landschap bestaat uit droge, stenige paadjes met te zwaar beladen pakezeltjes, maïsvelden en enorme cactussen.

Terwijl Wallis geeuwt, is de asteroïde gevaporiseerd en heeft hij zich zestien kilometer in de grond ingegraven, waarbij hij een vuurbal genereert van acht kilometer breed en met een temperatuur van honderdduizend graden. Schokgolven met een luchtdruk van vier miljoen atmosfeer snellen bij de vuurbal vandaan en oeroud graniet stroomt als water.

'Meneer, de mensen van de generator zeggen dat het een soort piekspanning was. Het nationale elektriciteitsnetwerk schijnt er ook last van te hebben gehad.'
'Was daar een bepaalde oorzaak voor?'
'Dat zijn ze nog aan het bekijken. Er hangt een groot onweercomplex bij Boulder.'
'Oké. Je ziet er moe uit, jongen.'
De majoor grijnst. 'Dat komt door de baby, meneer. Ze slaapt nooit.'
'De eerste zestien jaar zijn het ergst,' zegt Wallis.
Tijdens het gesprekje over de baby van de majoor schuurt de vuurbal een gat van tachtig kilometer in het Mexicaanse platteland. Het gat is dertig kilometer diep en door de gebarsten en gespleten mantel stroomt een zee van withete lava naar buiten. Aan de randen van het grote gat bouwt zich een ring van bergen op door een stortbui van graniet. Gesmolten bergen worden de stratosfeer in geslingerd en laten een withete hekgolf van uitdijende lucht achter. De luchtstroom verspreidt zich over de kaart. Mexico-stad verdwijnt als een onbelangrijk rookwolkje.
Ook grondgolven snellen vanaf het gat naar buiten en laten een spoor van vloeibaar geworden puin achter. Er vormen zich rimpels op dat puin en die rimpels – omslaande, rotsige brekers die acht kilometer de verstoorde lucht in steken – rollen brullend naar Panama, Guatemala en de Verenigde Staten.
Langs de hele westkust komt de ochtendmist aanrollen. Rond Vancouver Island huilen de misthoorns als voorwereldlijke monsters, San Francisco gaat schuil in een dikke witte wolk en het verkeer kruipt in lange files naar het centrum van Los Angeles. Maar de vuurbal dringt door tot de stratosfeer en terug door het gat dat de asteroïde heeft gemaakt, en elektrische ontladingen flitsen door de lucht terwijl de elektronen heen en weer schieten tussen de magnetische polen van de aarde. Schichten en gordijnen scheuren de zwarte poolhemel uiteen en voeren een stille, opgewonden en wervelende dans uit, terwijl de bevroren woestenij daaronder het glinsterende rood en groen weerkaatst. Tegenstrijdige elektrische stromen spoelen over Amerika; kabels smelten, telefoonverbindingen vallen uit, radio's houden er met een knal mee op, het verkeer komt tot stilstand in de straten.
Net over de grens met Mexico ziet het vroege winkelpubliek in Tucson, Yuma en San Diego lange zwarte vingers oprukken vanuit de zuidelijke horizon. De vingers reiken naar de hemel. En terwijl de win-

kelende mensen blijven staan om te kijken, rijst ook de blauwwitte vuurbal als een opgezwollen zon boven de horizon uit en daarmee komt de hitte. Alles wat brandbaar is, barst in vlammen uit en alle levende wezens vervormen en verschrompelen.

En in het kantoor van Wallis dient de apocalyps zich aan.

'Meneer, we hebben een storing op OTH,' zegt de majoor. 'We zijn Chesapeake en Rockbank kwijt.'

'Begrepen.'

'Hé, kolonel, ik krijg geen signaal meer van de DSP's.' Dit komt van luitenant Winton, de enige vrouw in het team.

'Sir, Ace is er net mee opgehouden.'

'Wat krijgen we nou?' zegt Wallis terwijl de beelden weer plaatsmaken voor sneeuw.

'Meneer. We zijn Alaska, Thule en Fylingdales kwijt. Kolonel... we zien niets meer in het noorden.' Wallis krijgt het koud; hij heeft het gevoel alsof er opeens een lijkkist is opengegaan.

'Oké, soldaat, rustig aan. Laat de generaal komen. Majoor, neem contact op met Offutt. Pino, ondervraag REX en zet een besluitvormingsboom op scherm vijf.' Wallis deelt de bevelen met effen stem uit.

'Meneer, worden we aangevallen?' De nerveuze vraag komt van Fanciulli, een harde, grijsharige sergeant die rechts naast Wallis zit.

'Pino, hoe zit het met de kernkoppen?'

'We hebben een elektromagnetische ontlading of zo...'

'Onzin, het is niet meer dan wat storing in de kabels.'

'Nee, meneer.' Het is luitenant Winton weer en haar kleine, ronde gezicht is ongewoon bleek. 'We hebben te maken met een troposferische verstrooiing en we zijn de VHF kwijt. Er is een of andere enorme ionosferische storing...'

'Zonnevlekken?'

'Dat kan niet, meneer.'

'Kolonel, we hebben een verminderde bandbreedte op alle...'

Er gaat een alarm af in de ruimte en er begint een rood licht te flitsen. Iemand jammert. En Pino mompelt met een wasbleek gezicht een reeks vloeken terwijl hij snel op een toetsenbord typt.

'Kolonel, scherm drie.'

De muren van het kantoor zijn bedekt met enorme beeldschermen. De meeste laten saaie lijsten met gegevens zien – gecodeerde bijtankpunten, de banen van satellieten, het aantal vliegtuigen in de lucht – maar een ervan laat niets aan duidelijkheid te wensen over. Het is een kaart

van de Verenigde Staten. En op die kaart beginnen rode lampjes te knipperen.
'De generaal, meneer.' Wallis kijkt op naar de ramen van de observatieruimte. Generaal Cannon is verschenen, vergezeld van een burger en nog een generaal: Hooper, de voorzitter van de gezamenlijke chefsstaf. Wallis grist een telefoon van de haak, maar Cannon, even onverstoorbaar als een indiaans opperhoofd, negeert het dringende gerinkel. Op een van de schermen is iets veranderd. Er is een vaag, schokkerig beeld verschenen. Iemand filmt vanuit de cockpit van een vliegtuig. Het vliegt hoog over een stad en het vliegtuig hangt scheef, zodat de camera kan registreren wat er beneden gebeurt. Er zijn wolkenkrabbers en lange rechte wegen met auto's en parken te zien. De camera zoomt in en ze zien een oceaangolf. Hij reikt bijna tot aan het vliegtuig en bedekt de halve stad. Hier en daar, in de ondiepe gedeelten van de golf, steken de toppen van de wolkenkrabbers boven het water uit, waarvan sommige al langzaam overhellen. Wallis staart ernaar in volkomen ongeloof. De golf torent hoog boven de overgebleven gebouwen uit; hij lijkt bevroren, maar er vallen witte vlekken vanaf en hier en daar bevinden zich piepkleine autootjes in de brede, oprijzende watervlakte. Iemand roept iets en er klinkt paniek door in de stem. 'Dat is San Diego!' Wallis zet het alarm uit.
De camera wijst naar achteren. Het beeld is onvast als bij een amateurfilm. De oceaan strekt zich uit in de verte en de golf ook. Ze zien een lange, rokerige condensstreep en vangen een glimp op van de vleugel, en van achteren komt er een kolkende zwarte muur aanstormen die zo hoog is als de hemel, en dan trilt de camera en komt er een helm in beeld met daarin een jong, zwart gezicht met angstig starende ogen en een stil schreeuwende mond, en daarna wordt het beeld zwart.
De majoor praat ratelend in de telefoon. Fanciulli wijst naar een van de grote schermen, en de tranen stromen over zijn wangen. Er verschijnen bijna elke seconde nieuwe rode knipperlichtjes. Winton zegt: 'Meneer, waarom zegt de generaal niets.' En dan: 'Offutt, meneer.'

Wallis grist een andere telefoon van de haak, de blauwe. Maar er verschijnen al nieuwe berichten; lijsten met namen tuimelen sneller dan ze gelezen kunnen worden over het scherm. Wallis staart met de telefoon aan zijn oor naar de kaart van de Verenigde Staten. De rode lampjes, die elk een verwoeste Strategic Air Command-basis voorstellen, hebben een breed front gevormd, dat langzaam vanuit het zuiden omhoogkruipt.

De besluitvormingsboom is verschenen. REX vraagt om meer gegevens. Een stem aan de telefoon. Hij spreekt in harde, staccato tonen. Wallis dwingt zichzelf weg te kijken van de oprukkende golf en luistert. Hij antwoordt en hoort tot zijn verbijstering dat zijn stem trilt van angst: 'Meneer, ik ben het ermee eens dat een conferentie om de dreiging te beoordelen... Nee meneer, we hebben geen duale fenomenologie... nee, nee... Niet als we volgens het boekje handelen... We hebben geen bewijs voor vijandelijke kernkoppen of vijandelijke bedoelingen... Inderdaad... Inderdaad... Meneer, hoe moet ik dat in godsnaam weten? Een of andere klap vanuit Mexico... Ik raad u dringend aan Eagle niet in Kneecap te zetten... herhaal, laat de president niet opstijgen... Nee, meneer, houd de B-2's op de grond, hun vleugels zouden afscheuren... Meneer?'
De verbinding is verbroken.
Hij ruikt de stank van vers braaksel. Wallis voelt iemand aan zijn mouw trekken. De majoor heeft blijkbaar zijn spraakvermogen verloren en hij staart voor zich uit alsof hij zijn eigen dood ziet. Wallis volgt de blik van de jonge man. De golf rode lichtjes trekt nu in een lange boog van Californië door Kansas naar Virginia. Ze vordert langzaam maar gestaag en heeft bijna de Rots bereikt.
'Meneer, alles zit dicht. De luiken zijn gesloten en de luchtfiltersystemen staan aan. Meneer?'
Maar Wallis kijkt hulpeloos op naar de observatieruimte. De burger en de generaals kijken met stalen gezichten terug.
Dan bereikt de golf hen.

Ontvoering

Buachaille Etive Mor, Glencoe, Schotland. 06.30 GMT.

Iets.

De jongeman opende geschrokken zijn ogen terwijl een droom uit zijn geheugen vervloog, en staarde in het donker. Om de een of andere reden bonsde zijn hart in zijn borstkas.

Aanvankelijk hoorde hij alleen het geklepper van het canvas, centimeters van zijn hoofd, en het huilen van de wind rond de tentlijnen. En toen was het er weer, een ver gebrul, diep en krachtig, dat kwam en ging boven de herrie van de storm uit. Verbaasd spitste hij zijn oren.

Toen ging hem een lichtje op.

Een lawine!

Hij schoot uit zijn slaapzak en trok paniekerig aan de lijn waarmee de voorkant van zijn tent dichtzat. De knoop was onontwarbaar en de intensiteit van het geluid nam toe. Hij tastte haastig in het donker naar een mes, vond er een, sneed het touw door, sloeg het canvas weg en dook de donkere nacht in.

De storm sloeg tegen hem aan met een kracht die hem de adem benam. Eén paniekerig moment dacht hij erover het donker in te rennen, maar toen herinnerde hij zich waar hij zich bevond: op een bergkam naast een steile afgrond. En het gebrul kwam uit de diepte.

Hij dook de tent weer in en zocht op de tast naar de olielamp en een doosje lucifers. De wind blies de lucifer uit, en ook de volgende en die daarna. De vierde lucifer bleef branden en hij haakte de brandende lamp aan een aluminium tentstok. Hij keek om zich heen. De sneeuwvlokken joegen als lichtgevende insecten uit het niets de lichtkring van ongeveer tien meter rond de tent in; hij kon net de rand van de afgrond onderscheiden, ongeveer twintig meter verderop.

Er rees een kegel van blauwwit licht op uit de afgrond, die van links naar rechts bewoog en toen uit het zicht verdween.

Bij een lawine zie je geen blauw licht.

De benen van de man trilden, maar hij wist niet of het nu van de kou of van opluchting kwam. De lichtkegel zwaaide heen en weer en je zag de sneeuw door de straal naar beneden storten.
Het kwam bij hem op dat een man in een sneeuwstorm in Glencoe, alleen gekleed in een boxershort, waarschijnlijk een levensverwachting had van een paar minuten. Op zijn rug voelde hij al de scherpe, ijskoude pijn. Hij stak haastig zijn arm de tent in om zijn corduroybroek en zijn trui te pakken, trok ze aan en duwde zijn voeten in zijn klimschoenen. Hij struikelde over de losse veters, kwam weer overeind en ploegde door de diepe sneeuw naar de rand van de afgrond, waar hij uitkeek over de Lost Valley. Hij besefte dat de trui hem op zijn hoogst vijf minuten extra zou opleveren; de wind ging erdoorheen als een kettingzaag door boter.
De lichtkegel kwam omhoog en dichterbij. Hij gleed over de berghellingen. Plotseling spoelde het licht over de grond om hem heen. Een felle schijnwerper steeg op in de ruimte en naderde; het gebrul werd oorverdovend; de grond trilde. Verblind ving de man een glimp op van een draaiende rotor, recht boven zijn hoofd. Een gigantisch insect, een geel vliegend monster cirkelde om hem heen en daalde toen naar een afhellend stuk sneeuw, ongeveer dertig meter verderop. Hij verdween bijna in de sneeuwstorm die door de rotors werd veroorzaakt. Hij probeerde te landen, deinsde terug en probeerde het nog eens, maar het onderstel gleed weg over de sneeuw en het toestel glibberde opzij naar de rand van een afgrond. De piloot gaf het op en ging boven de man hangen.
Het silhouet van een spin verscheen aan de zijkant van het toestel, dat langs een zwaaiende draad begon af te dalen. Het kwam terecht in de kniediepe sneeuw op armlengte van de jongeman en bleek een jonge vliegenier in een kakikleurige overal. 'Flt Lt A.W.L. Manley' stond er op zijn helm. 'Doctor Webb?'
Webb staarde hem verbijsterd aan en knikte.
'U gaat mee naar boven. Snel, alstublieft.'

St-Pierre de Montrouge, Parijs. 07.30 uur, Midden-Europese tijd.
De Atlantische storm was achthonderd kilometer naar het zuidoosten, in Parijs, van de harde realiteit van een potentieel dodelijke sneeuwstorm afgezwakt tot een bittere, natte, vlagerige wind.
Zoals zijn gewoonte was, verliet de professor om exact half acht zijn appartement. Donkere wolken joegen vlak boven de daken voorbij,

een krant dwarrelde over de weg en een eenzame duif deed een poging een snelheidsrecord te vestigen, maar hij was goed gekleed in trenchcoat en baret en wandelde zoals gewoonlijk de tweehonderd meter naar het Café Pigalle. Daar trok hij zijn doornatte trenchcoat uit en ging aan de marmeren bar zitten. Zonder dat hij erom vroeg, zette Monique twee sterke espresso's en een croissant met boter en aardbeienjam voor hem neer, die hij verorberde terwijl hij de matineuze Parijzenaars haastig langs zag lopen.

Om tien voor negen liep hij zoals altijd over de Rue d'Alésia, waarbij hij over de stromende goten sprong en de boeggolven van passerende vrachtwagens ontweek. Hij sloeg af bij de kerk van St-Pierre de Montrouge en liep met ferme pas door naar de Sorbonne. Hij had geen enkele reden om op de man te letten die sigaretten kocht bij de kiosk. De man was stevig gebouwd en had grijs haar, dat bijna tot op zijn hoofdhuid was weggeschoren. Zijn stierennek werd tegen de regen beschermd door de omhoogstaande kraag van zijn doorweekte trui. Aan de rand van de stoep, naast de kiosk, stond een politieman met zijn rug naar de professor door de waterval langs de klep van zijn natte pet naar het verkeer te kijken.

Toen de professor op gelijke hoogte kwam met de kiosk, draaide de stevig gebouwde man zich opeens om. 'Professor Leclerc?'

Leclerc keek de man verrast aan, maar diens ogen waren volkomen uitdrukkingsloos. 'Wie bent u?'

Vanuit zijn ooghoek zag de professor een grote Citroën stoppen, het achterportier opengaan en een andere man uitstappen: een magere man met strakke lippen en diepliggende ogen. Plotseling en instinctief werd de professor bang.

'Komt u alstublieft met ons mee, professor.'

'Waarom? Wat moet dit?'

'Ik weet het niet. Een kwestie van nationale veiligheid. Stap in de auto.'

Leclerc dacht aan een moordaanslag en draaide zich om om weg te rennen, maar hij werd gegrepen door krachtige armen die hem in een pijnlijke houdgreep hielden. Hij kronkelde woedend en zijn baret viel op de grond, maar een ander stel handen draaide zijn arm op zijn rug. Half stikkend probeerde hij te roepen, maar hij werd op de achterbank van de auto geduwd met een man aan weerskanten. Leclerc rukte zijn arm los en sloeg ermee op de achterruit. De politieman draaide zich nog iets verder af, zodat hij vierkant met zijn rug naar de professor stond. De chauffeur ging er snel vandoor en sneed een taxi. De man in de kiosk legde zijn kranten recht, de Parijzenaars haastten zich voorbij en de politieman, bij wie het water van zijn glanzende cape stroomde, gooide de baret in een afvalbak terwijl hij strak naar het glinsterende spitsverkeer bleef kijken.

Baltimore, Maryland. Middernacht.
De warme oceaan die de Atlantische storm had aangewakkerd, dumpte zijn energie ook in het verre noorden van de planeet; hier werd de lucht, die afgekeerd was van de zon, blootgesteld aan de interplanetaire kou. Ze reageerde op de oeroude rotatie van de aarde en circuleerde tegen de klok in over de Poolzee. Een enorme sneeuwstorm gierde over het pakijs, de zeehonden, de walvissen en de zonloze woestenij. De sneeuwstorm woedde over de pool, tot aan Alaska en de North West Territories, blies over zestienhonderd kilometer Baffineiland en huilde langs een paar groepjes Inuitjagers, die hem de Chinook noemden, een vijandige kracht die doordrong in hun neusgaten en de piepkleine kiertjes van hun sneeuwbrillen wist te vinden. Boven de provincie Québec en de staat New York was de sneeuwstorm nog steeds een sneeuwstorm, maar zo ver van de hittemotor van de oceaan begon hij in kracht af te nemen. Toch wervelde de stervende sneeuwstorm over Broadway en Times Square en wist hij nog steeds late theaterbezoekers naar warme bars te verjagen en verkeersagenten in een staat van misnoegde paranoia te brengen.
Boven de Grote Meren nam de wind snel in kracht af tot hij in Baltimore, Maryland en Washington eindelijk wegstierf en er nog slechts sneeuwvlokken neerdaalden op de slapende huizen: een traditionele Kerstmis met Bing Crosby, *Stille Nacht* en kerstbomen achter een miljoen donkere ramen.
Maar in één huis in een buitenwijk in Maryland was de nacht allesbehalve stil en de eigenaar hoorde amper de deurbel boven het feestelijke rumoer en de harde dansmuziek uit. Hilary Sacheverell maakte zich met tegenzin los van haar witharige, lange danspartner en baande zich een weg tussen de feestgangers door. In de gang stapte ze over een jong stelletje heen dat met de ruggen tegen de muur zat. Ze deed de deur open met een halve glimlach op haar gezicht, in de verwachting verlate genodigden binnen te laten. Er blies een vlaag ijskoude lucht om haar blote schouders en ze rilde.
Twee mannen van in de dertig, de een blank, de ander zwart. Vreemden.

Er lag sneeuw op hun hoofd en op hun donkere jassen, als glinsterende kerstversiering. Een zwarte Buick cabriolet had op de een of andere manier een weg gevonden tussen de Mercedessen en Dodges door die de oprit versperden. Een derde man was net zichtbaar achter de donkere voorruit van de Buick. Plotseling was de vrouw op haar hoede.
'Mevrouw Sacheverell?' vroeg de zwarte man.
Ze knikte argwanend.
'Is uw zoon thuis?'
'Welke?'
'We zoeken doctor Herbert Sacheverell, mevrouw.'
'Herby is hier,' zei ze. 'Zijn er problemen?'
'Als we hem even zouden kunnen spreken.'
Iets hards in de ogen, een professionele waakzaamheid. Haar instinct verhinderde dat ze hen binnen vroeg, uit de bittere kou. 'Als u even wilt wachten.'
Het duurde een volle minuut voordat ze de broodmagere man van middelbare leeftijd met de dikke brillenglazen en het rode, piekerige haar had gevonden aan de keukentafel, met die meid van Ellis. Tussen hen in stond een bijna lege fles Jim Beam. Het meisje leunde met haar ellebogen op de tafel en staarde met haar hoofd in haar handen bewonderend in Sacheverells blauwe ogen. Sacheverell, die zich aangemoedigd voelde, weidde uit over de voordelen van de legalisatie van wiet en telde de punten af op zijn benige vingers.
'Herby. Twee mannen voor je,' zei mevrouw Sacheverell, die dwars door die meid van Ellis heen keek. 'Ze zien er nogal officieel uit. Ben je ondeugend geweest?'
Herby schudde verbaasd zijn hoofd. Hij stond voorzichtig op, focuste zijn blik op de openstaande keukendeur en liep er met overdreven vaste passen naartoe.
'Vermaak je je een beetje?' vroeg mevrouw Sacheverell.
'O ja, mevrouw S. Herby is zo lief voor me.'
'Zeg eens, heb je al iets geprobeerd voor die grote plek op je kin?' vroeg mevrouw Sacheverell, die haar lippen vertrok tot een glimlach.
De glimlach werd beantwoord. 'Ik gebruik er een crème voor. Die moet ook heel goed zijn voor rimpels. Ik zal hem eens geven.'
'Dat zou fantastisch zijn, liefje. Neem gerust nog een borrel.'
Een minuutje later ging de deurbel opnieuw. Herb Sacheverell stond tussen de twee mannen in. Zijn lippen waren strak en zijn gezicht was bleek en gespannen. 'Ik moet een paar dagen weg. Dringende zaken.'

Ze keek geschrokken naar de mannen aan weerszijden van haar zoon. 'Hier is iets vreemds aan de hand. Wie zijn die mensen?'
'Het is oké, mam. Maar het is wel belangrijk dat je er met niemand over praat. Als iemand naar me vraagt, zijn er vrienden van me op komen dagen en heb ik een paar dagen vakantie genomen.'
De argwaan van Hilary Sacheverell werd verdrongen door haar praktische instelling. 'Ik zal een koffer voor je pakken.'
'Daar is geen tijd voor. Ze zorgen wel voor me. Ik moet gaan.'
Hilary Sacheverell keek de donkere Buick na toen die over de oprit manoeuvreerde en snel wegreed toen hij eenmaal op de weg was. Ze liep terug naar de woonkamer met een onuitwisbare glimlach op haar gezicht.

Noord-Atlantische Oceaan, 06.50 uur GMT.
'Jullie hebben de verkeerde voor. Ik ben geen arts.'
'Dit is geen reddingsoperatie. Als u Webb bent, moeten we u hebben.'
'Wie zijn jullie eigenlijk?'
'We hebben niet veel tijd, meneer!' riep de man van de luchtmacht.
'Loop naar de hel!' riep Webb terug.
'Meneer, ik heb toestemming om geweld te gebruiken.'
'Waag het eens. Op wiens gezag?'
'We hebben niet veel tijd, meneer.' De man deed een stap naar voren. Webb draaide zich instinctief om en wilde wegrennen, maar toen hij de wervelende sneeuwstorm en de duisternis verderop zag, realiseerde hij zich meteen dat een dergelijke actie een fatale dwaasheid zou kunnen zijn. Hij hief in een boos gebaar van overgave zijn handen en baande zich een weg door de sneeuw, terug naar zijn tent. De neerslaande wind van de grote rotor dreigde hem tegen de grond te slaan en de lijnen rukten aan de haringen. Binnen was het kabaal van het klapperende canvas oorverdovend en zwaaide de olielamp gevaarlijk. Er dwarrelden papieren rond in de tent. Hij pakte ze bij elkaar, greep zijn laptop, draaide de lamp uit en ploegde terug naar de luitenant met de papieren en de computer stevig in zijn armen. De luitenant wees naar de voortjagende sneeuw en hij rende ertegenin; onder de grote rotor stond een felle wind en hij had het gevoel dat hij gevriesdroogd werd. De luitenant schreeuwde: 'Hou je vast!' en sloeg een tuig om hem heen. Toen bungelden Webbs voeten in de lucht en hij moest de papieren met alle macht vasthouden toen de takel begon te draaien en hen door de windvlagen naar boven trok.

In de lengte van het toestel lag een stevig vastgebonden kerstboom met versieringen eraan. Op de vloer lagen een stuk of zes zakken met het opschrift KERSTMAN in rode letters. Twee burgers, mannen van in de vijftig, zaten achter in de helikopter. Ze waren identiek gekleed in grijze parka's en felgele reddingsvesten en hadden koptelefoons op. Webb herkende een van hen, maar kon zijn ogen niet geloven.
De luitenant wees en hij wankelde naar voren en liet zich op de stoel achter de piloot vallen. De natte trui plakte akelig tegen zijn huid.
De piloot keek om. Hij had een rood boerengezicht en leek nog jonger dan zijn navigator. Op zijn helm stond dat hij W.J. Tolman heette en op de achterkant van zijn overall stond 'Bill T.'
Manley zei: 'Het is buiten windkracht acht, meneer; we horen helemaal niet in de lucht te zijn. Doe een reddingsvest aan!'
Webb keek naar buiten. Het daglicht probeerde door de duisternis heen te breken. Aan de overkant van de smalle vallei kon hij nog net sneeuwvlagen zien die horizontaal voortjoegen tegen de achtergrond van de granietbergen. De bovenkant van de bergrug tegenover hem ging schuil achter donkere, voortrazende wolken. Hij werd overvallen door een gevoel van zwakte.
De piloot trok aan de *collective* en het grote toestel ging scherp omhoog. Webbs maag draaide om. Tolman keek over zijn schouder. 'Wat moet dit allemaal? Ben jij een soort James Bond of zo?'
De helikopter begon heftig te steigeren. Webb keek naar beneden en ving een glimp op van zijn tentje, een zwart stipje tegen de massieve witte top van de Big Herdsman. Toen brulde het toestel over de Lost Valley en stegen ze met horten en stoten in de richting van de Three Sisters. Toen het de top bereikte, werd het getroffen door de volle kracht van de storm. Het bokte en helde over en Webb werd tegen de romp geworpen. 'Jezus Heilige Maria Moeder van Christus!' schreeuwde de piloot. Toen trok de helikopter weer recht en worstelde tegen de wind in. De ruitenwissers vochten tevergeefs tegen een witte muur, terwijl een andere muur, van graniet, langs schoot.
Webb staarde naar buiten. Het gevoel van zwakte maakte plaats voor doodsangst. Onder hen kwamen en gingen witte Highlandpieken tussen de donkere, voorbijsnellende wolken, en toen passeerden ze Loch Linnhe en de Sound of Mull en vlogen ze over een oceaan van witte, kolkende melk, waarin de golven groter dan huizen waren en zich in een langzame, statige optocht voortbewogen.
De piloot draaide zich nog eens om. 'Ik had vanavond een afspraakje

met een verpleegster,' zei hij beschuldigend. 'Tieten als meloenen en voor alles in. Ik heb geen behoefte aan een verdomde James Bond met een geheime missie. Trouwens, je vrienden van Smersh zitten te wachten.'

De jongeman liep onvast naar achteren. 'Je vindt het toch niet erg als ik rook, Webb?' vroeg de koninklijke astronoom terwijl hij een pijp opstak die Sherlock Holmes waardig was geweest. Hij zat in de gordels op een stoel aan een rond tafeltje dat aan de metalen vloer was vastgeschroefd. Het was niet te zeggen wat er uit zijn blauwe ogen sprak en Webb ging ervan uit dat de man op de stoel naast hem ook geen onschuldige boerenjongen was. Hij liet zich in de stoel tegenover hen vallen, maakte de gordel vast en zette de koptelefoon op die voor hem lag.

'Dit is hem,' zei de KA.

'Walkinshaw,' zei de vreemde. Hij zag eruit als een hoofdmeester met zijn halve brilletje op een grijs doodskopachtig hoofd. Zijn handdruk was die van een ambtenaar: voorzichtig, behoedzaam, economisch. De helikopter kwam nu op gang en vloog hortend, maar in een stevig tempo ongeveer honderdvijftig meter boven de grote golven. De ambtenaar wierp een blik op de mannen van de luchtmacht voorin; ook zij droegen koptelefoons.

'Je zult je wel afvragen wat er aan de hand is, Webb,' zei de koninklijke astronoom terwijl hij de dop van een heupfles draaide.

'De vraag is wel even bij me opgekomen, Sir Bertrand,' zei Webb boos. 'Ik ben tenslotte zojuist ontvoerd.'

'Niet zo overdrijven. De Sea King brengt ons naar Skye.'

'Skye?'

'Skye. Daar worden Walkinshaw en ik afgezet. Maar jij gaat door naar IJsland.'

'IJsland?'

'Webb, je bent geen papegaai. Ik heb te horen gekregen dat we slechts twintig minuten hebben om je op de hoogte te brengen. Daar zijn er al zes van voorbij.' Er flakkerde een lucifer op en Webb wachtte tot de koninklijke astronoom meer rook bij elkaar had gepuft. 'Mijn vader rookte dertig gram per dag en is negentig geworden. Walkinshaw hier is van God mag weten welke afdeling van het ministerie van Buitenlandse Zaken. Webb, we hebben een probleem.'

'Eén moment, Sir Bertrand. Het spijt ons dat we uw kerstvakantie hebben moeten onderbreken, doctor Webb.' Walkinshaw knikte naar

de A4'tjes vol met de hand geschreven wiskundige vergelijkingen die de man nog steeds in zijn hand hield. 'Hoewel het eruitziet als een werkvakantie.'
'Wil iemand me nu eens vertellen wat er aan de hand is?' zei Webb. Hij trilde van schrik, angst, boosheid en kou. Hij vouwde de papieren op en stopte ze in zijn achterzak.
'Eerst moeten we een paar formaliteiten afhandelen. Nummer een.' Walkinshaw boog naar voren en stak Webb een plastic kaartje toe. Webb hield het bij het dichtstbijzijnde raampje. Er zat een polaroid-foto op van de ambtenaar waarop hij wel een begrafenisondernemer leek, met daaronder een onleesbare handtekening. Naast de foto stond een toelichting.

> W.M. Walkinshaw, graad zes, wiens foto en handtekening hiernaast staan, is in dienst van de regering van Zijne Majesteit de Koning van Groot-Brittannië op het ministerie van Buitenlandse Zaken en de Commonwealth, afdeling Informatie Research.

Webb knikte bedachtzaam en gaf het kaartje terug.
'En nummer twee.' De ambtenaar haalde een vel papier uit zijn koffertje. 'Een E.23, een routinezaak. Als u daar wilt tekenen.'
De koninklijke astronoom ritste zijn parka open. 'Het is hier warm,' zei hij, en hij stak Webb een pen toe. Webb deed alsof hij hem niet zag en begon te lezen.

> WET OP HET STAATSGEHEIM
> Ter ondertekening door leden van ministeries en indien wenselijk door burgers als zij voor het eerst toegang krijgen tot vertrouwelijke informatie.
>
> De bepalingen van de wet op het staatsgeheim, zoals beschreven aan de achterkant van dit document, zijn onder mijn aandacht gebracht en ik ben me volledig bewust van de grote consequenties van enige overtreding van deze bepalingen.

Webb voelde de haartjes in zijn nek prikken. Op de achterkant las hij dat indien enige persoon die enig officieel geheim codewoord, wachtwoord, schets, plan, model, artikel, memorandum, document of informatie in zijn bezit of onder zijn beheer had dat betrekking had op of gebruikt werd op een verboden plek of enig voorwerp op een dergelijke plek, of dat gemaakt of verkregen was in strijd met deze wet, of dat hem was toevertrouwd door enige persoon die enig ambt bekleedde onder Zijne Majesteit of dat hij had verkregen of waartoe hij toegang had vanwege zijn positie als persoon die onder contract stond of staat ten behoeve van Zijne Majesteit, of als persoon die in dienst is of is geweest van enige persoon die een dergelijk ambt bekleedt of heeft bekleed of onder een dergelijk contract staat of stond, genoemde schets, plan, model, artikel, memorandum, document, officiële geheime code of wachtwoord of informatie doorgeeft... of gebruikt... of bewaart... of er niet voldoende zorgvuldig mee omgaat of zich zo gedraagt dat de veiligheid daarvan in gevaar komt, die persoon schuldig zal zijn aan een misdrijf.

Hij gaf het ongetekend terug.

De koninklijke astronoom deed geen moeite zijn ergernis te verbergen; zijn kaken verstrakten zichtbaar om zijn pijp. Hij deed de pen weer in zijn binnenzak en wierp een snelle blik op Walkinshaw. De laatste knikte kort.

Tolmans stem klonk scherp over de intercom: 'Niet roken. Doe die pijp onmiddellijk uit.'

Sir Bertrand pufte genoeglijk door. Het grauwe Atlantische licht dat door het raampje viel, had zijn gerimpelde gezicht in een bergachtig terrein veranderd. De helikopter vulde zich met blauwe rook. Hij zei weloverwogen: 'De Amerikanen vermoeden dat een asteroïde in het geheim uit zijn baan is gebracht om op hun land neer te storten.'

Webb staarde hem aan en was zich ervan bewust dat hij licht in zijn hoofd werd terwijl hij dit probeerde te doorgronden. 'Wát? Dat zou een inslag van wel een miljoen megaton kunnen betekenen.'

'Webb, ik weet dat jij me niet meer dan een saaie ambtenaar vindt. Maar zelfs ik kan een massa vermenigvuldigen met het kwadraat van zijn snelheid.' Sir Bertrand duwde een kleine metalen stamper in zijn pijp. 'De Amerikanen hebben gisteravond laat hun bondgenoten van de NAVO op de hoogte gebracht – uiteraard met uitzondering van de partners uit het Oostblok – en Buitenlandse Zaken heeft me om vier uur vanmorgen om assistentie gevraagd. Maar zoals je weet zijn asteroïden niet mijn specialiteit.'

'Zo'n asteroïde zou de halve planeet verwoesten. Dit kan niet kloppen.'

'Was het maar waar.'

'Om welke asteroïde gaat het?'
'Je begrijpt het niet,' zei de KA. 'Het idee is dat jij ons dat gaat vertellen.'
Webb probeerde te begrijpen wat hem net was verteld. De KA en de ambtenaar keken hem indringend aan. 'Goed, jullie hebben me bang gemaakt. Wat jullie willen, is idioot. Het zou gemakkelijker zijn om een naald in een hooiberg te vinden.'
'Toch moet het gedaan worden, en snel ook. De Amerikanen moeten een manier verzinnen om hem van richting te doen veranderen.'
'Jullie moeten er meer over weten.'
De KA schudde zijn hoofd. 'Totaal niet. We kunnen niet meer zeggen dan dat hij op een onbekend tijdstip in de toekomst aan de Amerikaanse hemel zal verschijnen als een enorm intense meteoor.'
'Een inslag van een asteroïde op Noord-Amerika kan tweehonderd miljoen doden tot gevolg hebben. Stel dat het me niet lukt of dat ik de verkeerde aanwijs? Daar kan ik geen verantwoordelijkheid voor nemen.'
'Er is niemand anders. En ik zou graag willen dat u een wat respectvoller toon aanslaat.'
Webb voelde dat hij een droge mond kreeg. 'Neem me niet kwalijk, Sir Bertrand, maar zodra ik ja zeg, word ik opgeslokt door God mag weten wat. Probeer maar iemand anders.'
De stem van de koninklijke astronoom klonk uitermate zuur. 'Ik weet dat dit heden ten dage absurd klinkt, Webb, maar er is ook nog zoiets als je plicht tegenover de mensheid.'
'Nou moet u eens even luisteren. Ik ben niet zonder reden naar Glen Etive gegaan.' Hij tikte op zijn achterzak waarin de papieren zaten. 'Luister. Ik ben iets op het spoor. Ik denk dat ik de algemene relativiteitstheorie wat vlees op de botten kan geven. U weet dat de ART niet meer is dan fenomenologie en dat er geen basis voor bestaat in de natuurkundige theorieën, en dat Sacharov van mening was dat...'
De stem van de koninklijke astronoom was ijskoud. 'Er is je gezegd dat je geen tijd meer mocht besteden aan speculatief theoretisch onderzoek.'
'Ik had vakantie en probeerde me voor de verandering eens met echte wetenschap bezig te houden. Jullie hebben een probleem met een asteroïde? Zoek maar iemand anders om daarnaar te kijken.'
De koninklijke astronoom haalde de pijp uit zijn mond en zijn gezicht was vertrokken van ongelovige boosheid. Hij wilde iets zeggen, maar Walkinshaw hief snel zijn hand. 'Alsjeblieft, Bertrand.' De ambtenaar

boog zijn hoofd alsof hij wilde nadenken. Toen ging hij voorover zitten om zich verstaanbaar te maken boven het lawaai van de motor. 'Doctor Webb. Ik bied u mijn verontschuldigingen aan voor ons melodramatische neerdalen uit de hemel, maar de kwestie is dat we bezig zijn aan een wedloop met een asteroïde, die we niet mogen verliezen.'
De helikopter helde over en Webb greep zich vast aan de tafel. Hij voelde dat zijn gezicht grauw werd. 'De Amerikanen proberen een klein team samen te stellen om hiernaar te kijken. Ze hebben specifiek gevraagd om een Britse bijdrage. We weten niet wanneer de asteroïde zal inslaan, maar het is duidelijk dat er haast bij is. We moeten zorgen dat u zo snel mogelijk in New York komt. Zoals Sir Bertrand al heeft gezegd, is er in dit land niemand anders.'
De KA schonk eindelijk wat zwarte vloeistof in de plastic dop van de fles. Webb pakte hem aan en nam een slokje warme thee. Zijn maag speelde op en hij voelde zich een beetje misselijk. 'Wie heeft die asteroïde uit zijn baan gebracht?'
De ambtenaar zweeg.
'Er zit een zeker risico aan dit alles vast, nietwaar?' Webb keek Walkinshaw scherp aan, maar de man had de ogen van een pokerspeler.
De KA wendde zich tot Walkinshaw. 'Een vergeefse reis,' zei hij verachtelijk. 'Laat de Sea King maar omdraaien. Ik haal Phippson wel bij de UCL.'
'Phippson? Die idioot?' zei Webb verbaasd.
De KA wachtte af.
'Maar die man is volslagen incompetent.'
De KA schraapte zijn keel.
'Hij kan in een donkere nacht de volle maan nog niet vinden!'
De KA stampte met een glimlachje om zijn lippen de tabak in zijn pijp aan.
'Verdomme, Sir Bertrand,' zei Webb.
Sir Bertrand haalde zijn pijp uit zijn mond, liet zijn tanden zien en stootte een serie luide, staccato grommen uit, waarbij zijn schouders ritmisch meebewogen. Webb voelde een golf van nicotine doordrenkte adem over zich heen komen. Hij dronk de thee op en gaf de dop terug aan de koninklijke astronoom, die triomfantelijk grinnikte.
Walkinshaws ogen vielen half dicht van opluchting. 'Heel goed, het land is je dankbaar, enzovoorts. Nou, de snelste route hiervandaan is via de pool. Na dit gesprek...' Walkinshaw keek op zijn horloge, '...dat over vier minuten moet zijn afgerond, worden we afgezet op een stil

strandje bij de Cuillins. Jij gaat meteen verder naar Reykjavik Airport. Daar ga je aan boord van een toestel van British Airways, dat naar New York gaat. Het is de snelste route die we konden bedenken vanuit dit godverlaten oord.'
Hij haalde een dikke envelop uit zijn koffertje. 'Je ticket, wat dollars, een American Expressnummer waar je geld van kunt opnemen en een paspoort.'
'Hoe komen jullie aan een foto van mij?'
'Dat zou je verbazen, en dat om vier uur vanmorgen. Je bent de heer Larry Fish, goudsmid. Een voorzorgsmaatregel voor het geval vijandelijke ogen de asteroïdenexperts in de gaten houden. Wat weet je over goud, Webb?'
De Sea King daalde nu snel en Webbs maag kwam omhoog.
'Atoomnummer 79, nietwaar? Vertoont weinig reactiviteit, maar kan gelegeerd worden met kwik.'
Walkinshaw dacht even na over dit antwoord. Toen zei hij met toonloze stem: 'Je mag onderweg onder geen beding met iemand praten.'
'Vijandige ogen,' zei Webb. Hij werd bijna verlamd door angst. 'Loop ik nou risico of niet?'
'Goeie hemel, nee,' zei Walkinshaw minzaam.
'En als er toch problemen ontstaan?'
'We hebben nog nooit van je gehoord. Je bent gek.'
'Die opvatting is bij sommige mensen tóch al populair,' antwoordde Webb met een blik op de koninklijke astronoom. De KA keek onverstoorbaar terug.
De lange ruggengraat van de Cuillins ging schuil achter lage, snelle wolken die vanaf de Atlantische Oceaan kwamen aanstormen. Toen ze uitstapten, sloeg de natte sneeuw tegen hen aan. Vijftig meter verderop op het zwarte zand stond een donker insect klaar om te springen. Het was groter dan een huis. Het had mysterieuze uitstulpingen en een rij raampjes langs de donkere flank, en twee enorme rotors wierpen waterspiralen in de wind. Het zand onder de Sikorsky golfde en de Sea King leek opeens niet meer dan een kinderspeeltje.
Webb staarde verontrust naar het monsterlijke ding.
Walkinshaw riep: 'De luchtmacht zorgt ervoor dat je in Reykjavik het vliegtuig haalt. Teken de creditcard met Larry Fish. Alle uitgaven moeten worden verantwoord, maar je zult hem niet nodig hebben.'
'Waarom geven jullie hem dan?'
'Een voorzorgsmaatregel,' was het raadselachtige antwoord. 'Ik heb

vernomen dat je het Goddard Institute op Broadway kent. Je wordt daar nú ongeveer verwacht. Maar ze zeggen dat je op de polen de zon kunt verslaan. Het schijnt iets te maken te hebben met de draaiing van de aarde, maar we betalen jullie om dat soort dingen te weten, nietwaar, Bertrand?'
'En mijn tent?'
'Webb,' zei de KA met groot vertoon van oneindig geduld, 'begrijp je de situatie wel helemaal? Het gaat hier niet om jouw wetenschappelijke onderzoek, je duidelijke vliegangst of het lot van die verdomde tent van je. Het gaat om het voortbestaan van het Westen. De koninklijke luchtmacht heeft reisbenodigdheden voor je klaargelegd in de Chinook en de koninklijke astronoom zal hoogstpersoonlijk je tent afbreken en terugbrengen naar je kantoor.'
'Ze zullen me missen op het instituut,' probeerde Webb nog.
'Dat had je gedacht!' brulde de koninklijke astronoom. 'Niemand weet wat je de hele dag in die verdomde kelder uitvoert. En ik heb een briefje gestuurd met de boodschap dat je langer vrij hebt genomen. Mijn secretaresse kan handtekeningen vervalsen.'
'Ik ga dat ding niet in!' riep Webb ten slotte, maar hij wist dat hij het wel zou doen.
'Zorg dat je die asteroïde vindt, Webb,' riep de koninklijke astronoom terug. 'En snel een beetje! En houd je mond dicht!'

De ijskoude regen sloeg in het gerimpelde gezicht van de koninklijke astronoom en hij kneep zijn ogen dicht toen de enorme helikopter opsteeg en met zijn staart omhoog over zee verdween. Hij keek hem na tot hij hoger was geklommen en in de wolken was verdwenen. Hij trok peinzend aan zijn pijp en de wind blies een dunne straal rook over het strand.
Walkinshaw keek bezorgd. 'Bertrand, weet je zeker dat we hier goed aan doen? Wat voor man gaat nu met Kerstmis alleen op een berg in een sneeuwstorm zitten rekenen?'
'Een kluizenaar, natuurlijk. Als zijn directeur moet ik zeggen dat hij een nachtmerrie is.'
'In welk opzicht?'
'Hij is rusteloos en duivels moeilijk onder controle te houden. Als je het mij vraagt, heeft hij een vrouw nodig. Hij blijft van de algemeen geaccepteerde onderzoekslijnen afdwalen voor kosmologische speculaties. Daar zijn tegenwoordig geen fondsen voor, en bovendien be-

grijpt niemand precies waar hij het over heeft. Maar hij jaagt zijn ideeën met grote vastberadenheid en veel enthousiasme na.'
'Familie?'
'Daar weet ik weinig van, behalve dat hij uit een groot, arm gezin komt zonder enige academische achtergrond.'
'Dan begrijp ik hem wel,' verklaarde Walkinshaw. 'Een grote familie met weinig privacy zorgt ervoor dat hij zijn eigen privé-ruimte bedenkt, een wereld waarin hij kan dagdromen. Vandaar die kosmologische speculaties. En de noodzaak om met broers en zussen te wedijveren heeft ertoe geleid dat hij heel erg gericht is op zijn eigen doeleinden. Doe daar een buitengewone intelligentie bij, en je kunt hem uittekenen.'
Er gleed een uiterst sceptische uitdrukking over het gezicht van de KA. 'Keurig, Walkinshaw, een heel soepele verklaring. Je doet naast amateur-psychologie zeker niet ook nog aan handlezen?'
'Zijn duidelijke wereldvreemdheid komt uit dezelfde bron. Er bestaat geen genialiteit zonder enige gekte. Dat heeft Seneca gezegd, niet ik. Maar toch maak ik me zorgen, Bertrand. We moeten een teamspeler hebben, geen excentrieke eenling.'
De koninklijke astronoom trok een dun, zuur glimlachje. 'Ik vrees dat dat het probleem is van onze Amerikaanse vrienden. Zij wilden hem tenslotte hebben. Ze drongen zelfs erg aan.'

Het Goddard Institute, New York

Buiten de warme aankomsthal op Kennedy deed een ijskoude windvlaag pijn aan Webbs oren. De tranen sprongen in zijn ogen en zijn enkels waren bevroren, en hij merkte dat de Royal Air Force hem een pak had gegeven dat nog geen zuchtje wind tegenhield. Een man met een kozakkenmuts bereed een vreemde, schuddende machine die donkergestreepte sneeuw van de weg opzoog en naar hem toe blies. De ochtendhemel was grijs en dreigend. Hij begaf zich naar de bus, maar twee mannen, warm ingepakt tegen de kou, traden uit de achtergrond naar voren en onderschepten hem. 'Meneer Fish? Ik ben agent Doyle van de FBI en dit is mijn collega, agent O'Halloran. Neem ons niet kwalijk dat we op zo'n openbare plek onze penningen niet laten zien. Wilt u alstublieft met ons meekomen?'

Webb ging op de achterbank van een onopvallende Buick met getinte ramen zitten. Het was heerlijk warm in de auto. Agent O'Halloran stuurde hem zwijgend over de Brooklyn Bridge naar Central. Tussen de wolken door werden stukjes kristalblauwe hemel zichtbaar. Op Broadway bleven ze noordwaarts rijden, tot aan de rand van Black Harlem. Er kwamen heerlijke geuren uit de delicatessenwinkels en cafés. De sneeuw lag hoog aan de rand van de weg en de adem van de voetgangers dampte in de bittere kou.

Ze stopten bij de ingang van het Goddard Institute, een onopvallende deur zonder enig teken of symbool dat aangaf dat hij iets met de NASA te maken had. Webb stapte uit de auto. Aan de overkant van de straat schalde rapmuziek via een raam op de eerste verdieping uit een stereo. Een groepje zwarte kinderen stormde dreigend op hem af, maar ontweek hem op het laatste moment en kwam daarna met wonderbaarlijke precisie weer bij elkaar. De stereo ging met een klap uit en de skateboarders verdwenen met gillende gettoblasters om de hoek. De limousine reed weg.

'Meneer Fish, goedemorgen, we verwachtten u al,' zei de stevige,

zwarte bewaker achter de balie opgewekt. 'Eerste verdieping, de lift is daar.'
Op de eerste verdieping bevond zich een deur met een vel papier erop vastgeprikt waarop de woorden 'geen toegang' stonden. Webb klopte en er werd een sleutel omgedraaid. Hij kwam in een sombere en bijna ongemeubileerde kamer, op wat stoelen en een tafel na waarvan het groene laken bezaaid was met aantekenblokken en waterkaraffen. Er zaten vier mensen rond de tafel. Degene die de deur had opengedaan, een tengere man met kortgeknipt haar en lichtblauwe ogen, schudde Webb de hand. 'Welkom in New York, doctor Webb,' zei hij. 'Ga zitten, dan kunnen we verder.'
Webb ging zitten en keek de tafel rond. Er hing een lichte geur van sigarenrook in de lucht, en Webb dacht dat hij ook nog een zure geur bespeurde die hij niet helemaal kon plaatsen. Hij kende drie van de gezichten; de anderen waren vreemden.
Een van de mannen, Noordhof, nam het woord. Zijn toon was informeel, maar beslist. 'Eerst een kleine organisatorische kwestie. Dit is een project van de USAF en jullie staan vanaf dit moment onder mijn leiding. Ook de Europeanen, met toestemming van jullie respectievelijke regeringen. Heeft iemand daar bezwaar tegen?' Hij keek de tafel rond. 'Goed dan. Nu we er allemaal zijn, zal ik iedereen even voorstellen. Vanaf mijn rechterkant hebben we Herbert Sacheverell, van het Sorel Institute van Harvard.' Een magere man van een jaar of veertig, met rood haar dat rechtop op zijn hoofd stond, een vette huid en een smerige zwarte hoofdband, knikte het gezelschap toe. 'Doctor Sacheverell is onze beste man op het gebied van asteroïden.' Jezus, dacht Webb, de Amerikaanse Phippson. Wie heeft die blaaskaak in het team gezet? Sacheverells gezicht sprak ook boekdelen.
'Naast hem zit Jim McNally, de directeur van de NASA.' McNally, een slanke, kalende man van een jaar of vijftig, gekleed in een zakenpak met een lichte, dure glans erover, glimlachte en zei hallo.
'De Amerikaanse afvaardiging wordt gecompleteerd door Wilhelm Shafer. Wat kun je zeggen over een hippie met anderhalve Nobelprijs?' Dat was niet nodig; er lag duidelijk een enorme intelligentie in Shafers rusteloze grijze ogen. Hij was net als McNally een jaar of vijftig, droeg een koperkleurig T-shirt met een boeddha erop en zijn lange grijze haar was met een elastiekje bijeengebonden tot een paardenstaart. Hij grijnsde en knikte naar Leclerc en Webb. Voor Webb onderstreepte de aanwezigheid van de beroemde Willy Shafer in het team de ernst van

het noodgeval beter dan de toespraak van de koninklijke astronoom. 'Aan mijn linkerkant ziet u onze twee Europese partners. Oliver Webb, die nog een beetje op adem moet komen, is de Britse asteroïdenexpert. Naast hem zit André Leclerc. André weet meer dan wie ook in het Westen van de ruimtevaart in het voormalige Sovjetblok.'
Een lange, magere man met een rood strikje en een zwart met witte geitensik glimlachte en boog naar het midden van de tafel.
'En ik ben kolonel Mark Noordhof. Ik weet het een en ander over raketschilden en zo.'
'Waar hebben we de Britten voor nodig?' vroeg Sacheverell, die openlijk vijandig naar Webb keek. 'We beschikken hier in Amerika over alle knowhow die we nodig hebben.'
'Dat is voor een deel politiek,' zei Noordhof. 'Een aanval op Amerika is ook een aanval op de NAVO. Als wij op maandag worden uitgeschakeld, kunnen de Russen op dinsdag over Europa heen denderen. Maar het belangrijkste is dat we voor dit karwei de beste mensen nodig hebben.'
Sacheverell bleef vijandig uit zijn kleine oogjes achter de dikke brillenglazen kijken. 'Webb is een slechte keus.'
Noordhof voegde er nog aan toe: 'En veiligheid. Natuurlijk, we zitten tot over onze oren in de burgerdeskundigen, maar stel dat die op grote schaal uit het zicht verdwijnen? We kunnen dit niet aanpakken zoals het Manhattanproject. Dus beperken we ons tot een minimaal aantal mensen uit zeer uiteenlopende kringen. Hoe kleiner, hoe beter, zo wil de president het. Goed, laten we aan het werk gaan.'
Noordhof haalde een sigaar voor de dag en speelde met de cellofaanverpakking. Hij vervolgde: 'Mijn instructies komen van de president. Ik moet een team leiden dat de asteroïde zal vinden, dat berekent waar en wanneer hij zal inslaan, inschat wat de schade zal zijn en vast gaat stellen of hij kan worden vernietigd of afgewend. Ik breng direct verslag uit aan de minister van Defensie, Nathan Bellarmine. Hij stelt op zijn beurt de president, het hoofd van de CIA, en de gezamenlijke chefsstaf op de hoogte van onze bevindingen. Alle middelen die deze mensen hebben, staan tot onze beschikking en dat is geen kattenpis. Als jullie de Zesde Vloot in Lake Michigan willen hebben, hoeven jullie het maar te vragen en het zal geschieden.'
'Zoekt en gij zult vinden,' zei Shafer. 'Hoop ik.'
'Eén ding mag duidelijk zijn,' zei Noordhof. 'Dit is geen gezellige academische conferentie. Dit is een wedloop en de prijs is overleven. Er is geen precedent voor deze situatie, geen ervaring waaruit we kunnen

putten. We moeten al doende de regels vaststellen. Nog iemand commentaar?'
'Ik kom net uit bed,' zei Webb. 'Hoe weten we dat er een asteroïde naar de Verenigde Staten is geleid?'
'Daar kan ik nu niets over zeggen.'
'Wat zijn de politieke implicaties? Houdt het verband met de machtsovername van het Rode Leger?' vroeg Leclerc in het Engels van een Parijzenaar.
'Dat weten we niet.'
'Ik moet meer weten over het tijdsbestek,' zei Sacheverell. 'Het kan uren, weken, maanden, maar ook jaren duren voor die asteroïde inslaat.'
Er kwam een kringetje rook tussen de getuite lippen van Noordhof vandaan. 'We hebben vijf dagen om de asteroïde te identificeren en te bepalen hoe we hem kunnen afwenden. Het is nu maandagmorgen. We hebben tot vrijdag middernacht.'
Sacheverell lachte ongelovig. 'In godsnaam...'
Noordhof vervolgde: 'En het volgende mag ik wél zeggen: als wij aan het eind van die vijf dagen niet in staat zijn gebleken de asteroïde te identificeren, zal het Witte Huis ervan uitgaan dat hij voor de inslag niet gevonden zal worden. Ik denk dat we er wel van uit kunnen gaan dat het daaropvolgende beleid hoogst agressief van aard zal zijn.'
Shafer zei zachtjes: 'Ik denk dat de kolonel ons wil zeggen dat we die asteroïde vrijdag om middernacht gevonden moeten hebben, of dat het Witte Huis anders een kernaanval zal uitvoeren.'
Het werd heel stil in de kamer. Sacheverell verbleekte, McNally liep paars aan en Leclerc blies zijn wangen op. Noordhof leunde achterover en nam op zijn gemak een trekje van zijn sigaar, waarna de spiralen blauwe rook naar boven kringelden. Webb voelde zich opeens misselijk.
'Dus verdelen we onze krachten. Punt een. Onze bazen willen weten wat er gebeurt als die asteroïde inslaat. Wie van jullie knappe koppen wil zich daarover buigen?' Noordhof keek de tafel rond.
'Ik denk dat ik me daar maar mee bezig moet houden,' zei Sacheverell. 'Zo te horen is het een enorm karwei voor de computer en op Sorel hebben we de hardware.'
'Is iedereen het daarmee eens?' vroeg Noordhof met een blik op Webb, die knikte. Het onderwerp was al uitgebreid behandeld door deskundigen; Sacheverell kon er niet veel aan verknoeien.

'Punt twee. Stel dat we de asteroïde op tijd identificeren. Wat kunnen we er dan aan doen?'
'Dat probleem is al opgelost,' zei McNally. 'De NASA heeft zich hier een paar jaar geleden op verzoek van het congres over gebogen, toen het allemaal nog een theoretische oefening was. We zullen naar boven moeten en het ding moeten wegknallen.'
'Ho eens even, hoe wou je dat doen?' vroeg Shafer scherp.
'Met kernbommen, natuurlijk.' McNally keek verbaasd.
'Ik heb dat rapport gelezen, en die van de Planet Defense Workshop in Livermore en Air Force 2025. Het is allemaal inderdaad niet meer dan theorie. Wat denk je dat je gaat wegknallen, doctor McNally, scheerschuim of een enorm brok nikkelijzer? Als je dat bestookt met kernbommen, wordt een regen van brokstukken ons fataal. We moeten het ding uit zijn baan zien te krijgen zonder het aan stukken te schieten. Hoe wil je dat doen als je niet weet waar het uit bestaat?'
'Het was maar een suggestie,' sputterde McNally tegen.
'Willy, Jim, jullie zoeken samen uit wat we aan de asteroïde moeten doen als we hem eenmaal gevonden hebben. Ik zorg voor toegang tot de geheime rapporten van het Lawrence Livermore National Laboratory en voor hun openbare verslagen. Dan houden we punt drie over: waar is dat ding? Iemand een idee?'
'Ik kan wel een lijst kandidaten opstellen,' zei Webb, die zich nog steeds een beetje onpasselijk voelde. 'Daarna kan ik ze controleren. We zullen groothoektelescopen nodig hebben.'
'Zoals de UK Schmidt?' opperde Sacheverell.
'Die hebben ze afgedankt. Ik denk meer aan de telescopen waarmee supernova's worden getraceerd, een snelle Hewitt camera met CCD bijvoorbeeld. De Australiërs hebben er een in Coona.'
'Kolonel, dit is nou een typisch voorbeeld van de geheimhouding die u van deze mannen kunt verwachten,' zei Sacheverell. 'Tijd op deze apparatuur is kostbaarder dan goud. Je kunt niet gewoon de vaste observatieprogramma's onderbreken zonder dat mensen moord en brand gaan roepen.'
'Ooit gehoord van onderhoudstijd?'
'Rustig aan, heren,' zei Noordhof. 'Wacht tot jullie gezien hebben wat wij kunnen klaarspelen.'
Sacheverell zei: 'Wat u ook kunt klaarspelen, kolonel, onze kansen om dat stuk steen binnen vijf dagen te identificeren zijn praktisch nihil. Vooral als Webb de zoektocht leidt.'

'Jezus christus, zeg zulke dingen toch niet.' Noordhof drukte geagiteerd zijn sigaar uit.
Webb zei: 'Waar ik me vooral zorgen over maak, is dat die dingen het grootste deel van de tijd onzichtbaar zijn. Hij kan uit de richting van de zon komen, en in dat geval merken we hem pas op als hij inslaat.'
Noordhof schonk water uit een karaf in een glas en nam een slokje om zijn droge lippen nat te maken. Er stonden gespannen rimpeltjes in zijn gezicht toen hij Webbs woorden tot zich door liet dringen. Hij zei: 'Laten we dat ding een naam geven.'
'Ik stel Nemesis voor,' zei Sacheverell. 'Naar de Griekse godin van de wraak.' Er werd instemmend geknikt.
Noordhof zei: 'Nemesis. Goede naam. Ik moet jullie zeggen dat we hem niet zullen kunnen identificeren via de conventionele inlichtingenmethodes. Het komt op ons aan.'
'Veel asteroïden zijn onbereikbaar voor de Russische Federatie, zelfs met hun Energia-boosters,' zei Leclerc. 'Misschien kunnen doctor Webb en ik samenwerken.'
'Ik heb programma's in Oxford die ons zouden kunnen helpen,' zei Webb.
Noordhof knikte kort. 'Jullie krijgen de faciliteiten om ze via FTP hierheen te halen. En nu, heren, gaan we op weg naar Arizona. Op La Guardia staat een Gulfstream op ons te wachten. En vanaf dit moment wordt jullie vrije geest stevig in de hand gehouden. Geen wandelingetjes, geen telefoontjes, geen e-mails naar collega's. En als jullie dat paranoïde vinden, moeten jullie hier maar eens aan denken. Als de Russen erachter komen dat wij op de hoogte zijn van Nemesis, kunnen ze verwachten dat we terug zullen slaan met kernwapens. Dus zullen zij die van hen het eerst afvuren om de schade voor henzelf te beperken.'
Shafer maakte de redenering af. 'Alleen zullen wij moeten zorgen dat we eerder zijn, want we weten dat ze zo zullen denken.'
Noordhof knikte nog eens. 'Eén achteloos uitgesproken woord van een van jullie en we krijgen een kernoorlog.'
Ze keken elkaar geschrokken aan. Eindelijk herkende Webb de zure geur. Het was de stank van zweet, niet het zweet van inspanning, maar van angst. De stoelen schraapten over de houten vloer toen ze opstonden. 'Strikt genomen,' zei Webb, 'is Nemesis de godin van de gerechtigde wraak. Hebben jullie soms iemand boos gemaakt?'

Zuid-Arizona

Het was koud in de woestijn, de zon ging onder en er stond een felrode Pontiac Firebird op hen te wachten die rechtstreeks uit de jaren zeventig kwam. Hij had brede banden en een grille als een stel neusgaten, en van de luchtinlaat liepen vlammen over de motorkap en de zijkanten, een prachtig voorbeeld van de psychedelische kunst uit die periode. De vrouw die tegen de auto geleund stond, was een jaar of dertig en klein en ze had krullerig, van nature blond haar tot op haar schouders. Ze droeg een ietwat ouderwetse jurk die het elegante lichaam daaronder niet verhulde. Ze wuifde opgewekt naar hen.
Noordhof ging achter het stuur zitten en Shafer nam de stoel naast hem. Webb voegde zijn tas toe aan de stapel bagage in de kofferbak en wurmde zich bij de blondine op de achterbank. Naast zijn sterke, 1 meter 83 lange lichaam leek ze heel klein. Leclerc zat aan haar andere kant en begon meteen een stapel papieren door te nemen.
'Judy Whaler,' zei ze terwijl ze Webb de hand schudde. 'Dus jij bent onze Europese astronoom.'
'Wat is jouw terrein, doctor Whaler?'
'Ik ben van Sandia.'
'Is dat een religieuze sekte?'
Ze glimlachte vergevend. 'Sandia National Laboratories. De afdeling Geavanceerde Concepten. We worden geacht bedreigingen voor de nationale veiligheid op te sporen en tegenmaatregelen voor te stellen.'
Noordhof zei over zijn schouder: 'De rest van het team is al ter plaatse.' Hij stuurde de auto de weg op. Eenmaal op de hoofdweg drukte hij het gaspedaal in en reden ze brullend in noordelijke richting over de brede straat, langs Mexicaanse restaurants en goedkope motels. Het kostte ongeveer twintig minuten om de stad te doorkruisen en toen ze eruit waren bleven ze noordwaarts rijden, waar de grijze Catalinabergen steeds groter werden. Langs de weg en tot waar het oog reikte, groeiden paloverdecactussen en creosootstruikjes. De hemel was

blauw, maar rond de pieken vormde zich streperige bewolking en daarboven bevonden zich hoge cirruswolken. Een viermotorige jet tekende een condensstreep in de lucht.
In de kleine ruimte werd meteen duidelijk dat Judy een royale liefhebster van goedkoop parfum was. Haar bovenbeen lag warm tegen dat van Webb, maar hij probeerde er niet op te letten – ze was tenslotte een collega. De weg begon te klimmen en te kronkelen en ze reden over smalle bruggetjes die diepe canyons overspanden. Webbs scrotum trok samen, zoals altijd bij grote hoogten of dreigend gevaar. Het zou de komende paar dagen nog heel wat keren samentrekken.
Een halfuur ten noorden van de stad bleef de ongeduldige Noordhof achter een grote, glanzende, Amerikaanse vrachtwagen met verticale uitlaatpijpen hangen. Op de metalen deur aan de achterkant zat een vraatzuchtig kind met een sluwe blik in de ogen en een met ijs bedekt hoofd een Monster Headfreeze Bar te eten. De weg ging steil de berg op en de vrachtwagen schakelde met veel lawaai en een dikke wolk uitlaatgassen over op een lagere versnelling om moeizaam naar boven te klimmen. Aan de horizon verscheen een tweede vrachtwagen die als een vijandige indiaan met afschrikwekkende snelheid op hen afkwam. Noordhof gaf plankgas en ze passeerden gemakkelijk.
'Een 6,6 liter V8,' zei Judy, '335 paardenkrachten. De ophanging is te simpel en is er niet echt tegen opgewassen.' De vrachtwagenchauffeurs lieten hun luide claxons horen, maar de grote Pontiac was al een heel eind verder. Boven op de heuvel remde Noordhof af en draaide scherp een onverhard pad vol stenen op. Na een paar seconden zagen ze de snelweg niet meer en gingen ze steil omhoog naar de hoge bergen. Op de top van een hoge, verre piek glinsterde even iets. De cactussen maakten plaats voor verspreide dwergeiken en pijnbomen.
Na een paar minuten kwamen ze bij een groepje houten huizen, rechtstreeks uit het Wilde Westen. Op een bordje stond PIÑON MESA, ALT. 5500 FT. Er was geen teken van leven te bespeuren.
'Een gemeenschap van survivalisten,' zei Noordhof. 'Tot de tanden gewapend en ze moeten niets van ons hebben. Maar jullie zitten hier niet.'
Het pad eindigde bij een houten hek en Noordhof liet de motor draaien terwijl Webb met een ongemakkelijk gevoel het hangslot openmaakte. Het geraas van een kettingzaag klonk uit de bossen, maar hij zag niets. Daarna begon het echte klimmen; de motor moest nu echt zijn best doen, de lucht werd kouder en Judy's bovenbeen werd war-

mer en de dwergeiken maakten plaats voor coniferen, die op hun beurt het veld moesten ruimen voor grote, zware ponderosadennen. Tussen de bomen door ving Webb aan de linkerkant af en toe een glimp op van de ondergaande zon en van kleine insecten die in een lint door de woestijn kropen. De ophanging van de Firebird was goed bestand tegen de gaten in de weg, maar de verwarming leek niet te werken. Nog hoger waren de takken bedekt met een dunne laag pas gevallen sneeuw en volgden ze het spoor van een voertuig dat eerder naar boven was gereden.

Ze reden van onder af de wolken in en het volgende kwartier waren ze omgeven door een licht aanvriezende mist en was het zicht nog maar vijftig meter. Eindelijk liep de weg weer over een vlak stuk en boven de bomen uit verschenen de daken van gebouwen, en toen kwam de auto de laatste haarspeldbocht door en reden ze langs een gebouw een verhard parkeerterrein ernaast op. Noordhof draaide zich naar hen om. 'Eagle Peak. Ik heb gehoord dat hier in de winter nooit andere mensen komen dan astronomen en af en toe een zwarte beer. Maar ik wil toch dat jullie dicht bij het observatorium blijven. Geen wandelingen in de bergen.'

'Waarom hebben jullie de boel niet afgezet, kolonel?' vroeg Shafer.

'Voor het geval er een verdwaalde rugzaktoerist voorbijkomt. Bewakers en hekken rond een burgerlijk gebouw kunnen de aandacht trekken. Onze beste bescherming is een doodnormaal voorkomen.'

Ze stapten stijfjes uit de auto en hun adem vormde wolkjes. De lucht was fris en geurde naar dennen. Judy sloeg zich warm met haar armen. Door de combinatie van haardracht en jurk zag ze er in Webbs ogen uit als een verzetsheldin uit een film over de Tweede Wereldoorlog. Hij rekte zich uit en liep naar de voorkant van het gebouw om zijn nieuwe omgeving te verkennen. De sneeuw was poederachtig en Shafer had moeite er een bal van te maken. Noordhof zette hun bagage op de grond.

Een kleine, pezige man met een keurig grijs baardje verscheen in de voordeur. 'Doctor Webb,' zei hij, en hij stak zijn hand uit. 'Ik heb u vorig jaar in Versailles horen spreken. Geweldig om u eindelijk te ontmoeten. En ik heb natuurlijk een flink aantal van uw essays gelezen. Ik heb het gevoel dat ik u al ken.' Dit was dus Kenneth Kowalski. Zijn Poolse afkomst bleek uit zijn beleefde manier van doen en zijn licht afgemeten accent; een Amerikaan van de tweede generatie. Webb kende Kowalski van reputatie. Hij stond hoog aangeschreven onder obser-

vators, een nauwkeurige sterrenkijker die Eagle Peak van een vervallen museumstuk had veranderd in een gerespecteerd wetenschappelijk instituut. Het had niet het aanzien van Gemini op Cerro Pachon of de enorme tien-meter Keck-telescoop op Hawaï, maar voor een snelle bestudering van de hemel, wat voor dit probleem nodig was, kon hij ruimschoots tegen deze monsters op. 'Als dit allemaal voorbij is, moeten we eens praten over uw werk met betrekking tot de herziene steady-statetheorie. U hebt het natuurlijk mis. Uit waarnemingen blijkt duidelijk dat het universum bij een grote roodverschuiving anders is.'
Webb lachte terug en boog. 'Alle weldenkende mensen zijn het met u eens. Dus dit is het beroemde Eagle Peak-observatorium?'
'Dit is nog maar het basiskamp,' zei Kowalski. 'De telescopen bevinden zich op nog veel grotere hoogte.' Hij wees naar een vierkant grijs gebouw op vijftig meter afstand, net zichtbaar in de mist. Door de ramen ervan kon Webb een kleine, zilverkleurige cabinelift onderscheiden. Een dunne kabel liep van het dak van het gebouw als een gigantische metalen bonenstaak naar boven en verdween in de grijze mist. Hij keek bezorgd naar het levensgevaarlijke geval en besefte toen dat hij als theoreticus geen reden had om ermee omhoog te gaan.
Hij glimlachte opgelucht en zei: 'Eagle Peak is een particulier observatorium?'
'Ja, het was in de jaren dertig een geschenk aan de natie van de Prestondynastie. Het is een paar jaar geleden gemoderniseerd met geld van de National Science Foundation. Het wemelde hier gisteren van het luchtmachtpersoneel, dat extra voorzieningen kwam aanbrengen voor onze bezoekers.'
Leclerc en Whaler kwamen erbij staan en ze liepen naar het gebouw. Boven de voordeur was in het rode zandsteen een opgerolde slang uitgehouwen die in zijn eigen staart beet: het pythagorische symbool voor volmaaktheid en eeuwigheid. Binnen werd het atrium van de rest van het gebouw gescheiden door een dubbele klapdeur van glas met een mahoniehouten omlijsting. Op elk paneel stonden de tekens van de zodiak gegraveerd, zes op elk ervan, in twee kolommen. Toen ze door deze deuren het eigenlijke gebouw in liepen, voelde Webb de warmte als een deken om zich heen vallen. Kowalski ging hen voor door een gang met ingelijste NASA-foto's aan de muren. Aan de linkerkant waren twee deuren, die allebei openstonden.
De eerste gaf toegang tot een grote, vierkante keuken met een lange boerentafel vol spullen. De andere onthulde de zitkamer, luchtig en

ruim, met een groot raam en uitzicht op de mist. In deze ruimte stonden een snookertafel, leunstoelen, een boekenkast vol paperbacks en een salontafel met tijdschriften en schalen vers fruit en snoep. Sacheverell en McNally waren in een geanimeerde discussie verwikkeld. Toen Judy langs de open deur liep, brak Sacheverell het gesprek abrupt af en zei: 'Hé, hallo.' Webb hoopte dat Nemesis door het dak zou storten en Sacheverell tot een rode pulp zou verbrijzelen.
Aan het eind van de gang was een open ruimte met een glazen wand en nog meer deuren. Een ervan gaf weer toegang tot de zitkamer. Kowalski wees naar een rode deur daartegenover. 'Het zenuwcentrum,' zei hij. 'Dat komt later.'
Recht voor hen was een trap met hoogpolige, blauwe vloerbedekking om de nachtobservators, die overdag sliepen, zo min mogelijk te storen. Ze gingen naar boven en kwamen in een lange gang. 'De vier kamers aan het eind zijn bezet. Als u uitzicht wilt over de woestijn, neemt u nummer een of twee. Wilt u uitzicht op de bergen, dan neemt u zeven of acht.' Webb stond het dichtst bij de deur van kamer een en nam die. Leclerc nam nummer twee, terwijl Judy Whaler blijkbaar meer van bergen hield en op kamer acht af liep, recht tegenover die van Webb.
De kamer had de sfeer van een blokhut en rook naar vers pijnbomenhout, hoewel ook hier hoogpolig tapijt op de vloer lag. Een rode, opgezwollen zon begon door de mist heen te dringen.
Toen hij eindelijk alleen was, liet Webb zich op het bed vallen en probeerde hij de hele toestand te evalueren:

(a) Hij was van een afgelegen Schotse berg gehaald,
(b) had een verhaal over dreigende rampspoed gehoord,
(c) was in een enorme helikopter in een sneeuwstorm naar IJsland vervoerd
(d) was over het dak van de wereld gevlogen en toen weer naar beneden, tot bijna in Mexico en
(e) bevond zich nu op een afgelegen berg, omringd door woudbewoners.
(f) En hij dacht: hier zit ik niet op te wachten.

Zonder geld was niets mogelijk, had Webb al snel nadat hij bij het instituut was gaan werken gemerkt. Wetenschap was iets waar je je mee bezighield in de kostbare momenten tussen het schrijven van beursaanvragen en publiciteitsbrochures door. En tussen de vergaderingen door; het management was verzot op vergaderingen. En dan moest die wetenschap ook nog goedgekeurd zijn, had hij gemerkt. Slimme lui mochten zachte vloerkleden en dure bureaus verwachten, maar de beeldenstormer bleef in een ijskoude kelder zitten. De bedoeling van de tocht naar Buachaille Etive Mor was om te ontsnappen en tijd te kunnen besteden aan echte wetenschap. Webb vroeg zich af hoe ze hem hadden gevonden op die afgelegen berg.

Wat ik nodig heb, is acht uur diepe, droomloze slaap. Hij nam een douche om het kampeergevoel en de reis van zich af te wassen en sloeg een grote, witte handdoek om. En het beste moment kwam toen hij op het bed af liep en zijn vermoeide spieren tintelden van verwachting om zich erop te laten vallen. Hij genoot van het moment, liet zich vallen en toen werd er scherp op de deur geklopt.

Noordhof was een en al zakelijkheid. 'De kabelbaan. Vijf minuten. Observatiepakken in de kast.'

Of je in het leger zit, dacht Webb.

In de kleine zilveren cabine van de kabelbaan pasten amper vier mensen en hij zag eruit alsof een enthousiasteling hem in elkaar had gezet met een meccanodoos. Noordhof, Sacheverell en Webb wrongen zich naar binnen, gekleed als eskimo's, en Sacheverell pikte driekwart van Webbs bankje in. Op een bordje stond:

> Niet opstaan, van plaats verwisselen, de cabine laten zwaaien of uit het raam leunen. Tijdens het vervoer nooit de deurhendel aanraken.

Kowalski stapte op het bedieningspaneel af, drukte op een rode knop en haalde een hendel over. Op het paneel ging een rij lampjes aan. Er klonk een geratel van in elkaar grijpende tandraderen, een luid gejank en toen begon er een groot metalen rad te draaien. Hij draafde snel naar de cabine, ging naast Webb staan en trok de deur dicht op het moment dat de kabel spande en de cabine begon te bewegen. 'Het is volkomen veilig,' zei hij. 'Maar als je alleen bent, moet je zorgen dat je snel instapt.'

Op ongeveer vijftig meter verdween de grond in de mist en leek het bijna alsof ze helemaal niet meer bewogen. Ze zaten in een licht wiegende kabelcabine, omgeven door een meebewegende, grijze bel. Na een paar minuten kwamen ze boven de mist uit. Een heel eind naar boven, bijna recht boven hun hoofd, bevond zich een rotspunt waar de zon nog op scheen. Op de top kon Webb nog net een gebouw onderscheiden. Het was aan alle kanten omgeven door bijna verticale rotswanden en in de hoeken en geulen lag ijs. Webb keek op naar de duizelingwekkende hoogte en dacht: Waarom niet? Wat kunnen ze me nog meer aandoen? Onder hen bleek de terugwijkende wolk vrij beperkt van omvang en hij kon het pad dat ze in de Firebird hadden gevolgd door het bos zien kronkelen. Daaronder was de woestijn inmiddels donker.

Webb nam aan dat die hypothetische meccanoliefhebber alles had geweten over windresonantie, metaalmoeheid en de treksterkte van oud en vermoeid staal. Hij zag tot zijn genoegen dat Sacheverell nog banger was dan hij. Er stond zweet op zijn voorhoofd en hij staarde strak naar één punt. Hij haalde een zakdoek voor de dag en veegde zijn gezicht ermee af. Webb pestte hem een beetje. Hij vroeg zo nonchalant mogelijk aan Kowalski: 'Zijn er ooit ongelukken gebeurd met dit ding?'

Kowalski keek hem nieuwsgierig aan en wierp een snelle blik op Sacheverell. Toen knikte hij plechtig. 'Eén keer.'

De cabine begon te zwaaien in een lange, trage slingering en de kabel trilde als een snaar. Na een paar minuten stierf de trilling weg en vertraagde de cabine; de machinerie leek moeite te hebben met de klim. Slechts een paar meter verder bevond zich een ijzige, verticale rotswand; de cabine werd bijna loodrecht langs de kabel omhooggetrokken. Sacheverell giechelde, maar het klonk een beetje gespannen. De cabine kroop naar boven en kwam in een uitsparing terecht van een betonnen platform dat de ruimte in stak. Ze stapten uit. Er zat een spleet van meer dan twintig centimeter tussen de cabine en het platform en onder die spleet bevond zich zo'n negenhonderd meter lucht. Eagle Peak was een ruim, natuurlijk platform van ongeveer honderd bij tachtig meter. De buitenrand werd gemarkeerd door een stenen muur van zo'n 1 meter 20 hoog. Er stonden twee observatoria, waarvan de koepels koperkleurig glansden in het licht van de ondergaande woestijnzon. Er was een kleine met een diameter van niet meer dan vierenhalve meter, die volledig werd overschaduwd door zijn grote metgezel met een diameter van dertig meter. De lucht was prachtig helder en bitter koud.

Kowalski nam hen mee de kleine koepel in. Hij pakte een metalen afstandsbediening van de beweegbare trap en drukte op een knop. De koepel galmde van het geluid van de machinerie toen de luiken open-

gingen. Webb had even de illusie dat hij op een roterend platform onder een statische koepel stond, een illusie die astronomen goed kennen. Kowalski draaide de koepel tot het licht van de ondergaande zon door de opening naar binnen viel. Midden in het ronde gebouw bevond zich een rond platform van een meter hoog, met een diameter van 1 meter 80. De bovenkant van dit platform kon draaien en er staken twee stangen uit die iets ondersteunden dat wel een grote afvalbak leek van een meter doorsnee en 1 meter 80 hoog.
'De supernovatelescoop,' zei Kowalski, volgens Webb met iets van trots in zijn stem. 'Op een altazimut-montering,' voegde hij er volkomen onnodig aan toe, 'om gewicht te besparen. Het is een heel snel zoekinstrument en moet licht kunnen bewegen. Om supernova's te zoeken, meten we gewoon de magnitude van melkwegstelsels, op zoek naar een verandering die erop zou kunnen duiden dat er een ster is geëxplodeerd. Snelheid is van essentieel belang en we hebben geen lange belichtingstijd nodig.'
Webb vroeg: 'Hoe zwak gaat hij?'
'De 21^{e} magnitude in tien seconden over een veld van een graad. Het instrument heeft een scheidend vermogen van een boogseconde. We hebben geen equatoriale montering meer nodig nu we computers kunnen gebruiken om de hoogte en de azimut van de doelster te updaten. En hij draait binnen een seconde van het ene sterrenstelsel naar het andere. Het is waarschijnlijk de beste supernovajager in het veld.'
Het was een indrukwekkend instrument.
Sacheverell giechelde. 'Neem me niet kwalijk, doctor Kowalski, maar hij heeft net zoveel kans om Nemesis binnen zes dagen te vinden als ik heb om de loterij te winnen.'
'Zeg dat nou niet,' zei Noordhof.
Kowalski glimlachte beleefd en zei: 'Ik zal u de andere telescoop laten zien.'
Ze gingen naar de grote koepel. De zon was inmiddels onder en toen Kowalski het licht aandeed, onthulde hij een telescoop van ongeveer achttien meter op een klassieke equatoriale montering. Hij nam hen via een metalen trap mee naar een rond balkon. Ze verspreidden zich over het balkon en keken naar het enorme, slagschipgrijze instrument. Op een metalen plaatje stond GRUBB PARSONS 1928; hij moest op een bepaald moment uit het Verenigd Koninkrijk of Ierland verscheept zijn. Bovenop het mainframe was een tweede telescoop gemonteerd en daarnaast een mobiel platform met een reling, dat omhoog en omlaag

kon, afhankelijk van waar de telescoop naar wees. Aan de onderkant van de telescoop, ter hoogte van het oculair, zat een metalen doos van ongeveer 1 meter 20 in het vierkant, waarvandaan kabels naar een rij monitors op de metalen vloer gingen, vrij van het instrument. Bij de primaire focus van de telescoop, hoog boven hun hoofden, bevond zich een cilindrische kooi. In de kooi was de secundaire spiegel opgehangen. Ook daaraan waren een stoel en een gordel bevestigd; de observator moest zelf zorgen voor de stalen zenuwen.

Het was technologie uit de jaren twintig van de vorige eeuw, een meesterwerk van precisie en vermogen, aangepast aan het nieuwe millennium met de meest geavanceerde instrumenten. Als middel om Nemesis te ontdekken, zou Webb zonder enige aarzeling de voorkeur hebben gegeven aan een verrekijker.

'Dit is natuurlijk de reflector van negenentwintig meter,' zei Kowalski. 'Zoals jullie kunnen zien, hebben we een spectrograaf bij de primaire focus opgesteld. De atmosferische *seeing* is op deze plek uitstekend. In goede omstandigheden is het minder dan een boogseconde en ik heb zelfs meegemaakt dat het diffractiepatroon heel rustig was.'

'Je verwacht Nemesis toch niet te vinden met dit ding?' vroeg Sacheverell op ongelovige toon.

Webb zei: 'De Grubb Parsons zal heel nuttig zijn als we Nemesis eenmaal hebben gevonden. We kunnen hem gebruiken voor astrometrische back-up om de baan vast te stellen en we zullen hem nodig hebben om het spectrum te bepalen.'

'Waarvoor heb je een spectrum nodig?' vroeg Noordhof.

'Nikkelijzer of scheerschuim, kolonel? We zouden de mineralogie van het oppervlak kunnen bepalen, wat van essentieel belang kan zijn bij het formuleren van onze strategie. Maar eerst moeten we het ding zien te vinden.'

Noordhof keek Webb even aan. 'Dat is jouw taak, jongen.'

Kowalski zei: 'De Grubb kan alleen hierboven worden bediend. Als je breedband-spectrofotometrie wilt, moet je de optische filters verwisselen, en dat betekent dat je de kooi in moet. Maar de supernovajager kan van beneden af worden bediend. Hij kan in een maand de hele hemel afzoeken tot de 21^{e} magnitude.'

Sacheverell schudde zijn hoofd binnen zijn bonten capuchon. 'Dat is lang niet goed genoeg. Nemesis is een bewegend doelwit.'

Intussen was de woestijn helemaal zwart geworden. De hemel was donkerblauw en de sterren begonnen zonder te twinkelen te schijnen in de stabiele lucht. Ver beneden hen was het basiskamp een oase van licht in het donker. De cabine schommelde toen Sacheverell, Webb en Noordhof zich naar binnen wrongen. Hij schokte en Kowalski kwam de stuurhut uit rennen en sprong erin op het moment dat de cabine begon te zakken. Hij trok met een blikkerige klap de deur dicht en een seconde later daalden ze snel.

Sacheverell keek naar de donkere klip, die op slechts een paar meter afstand voorbijtrok. Zijn adem vormde wolkjes in de ijskoude lucht. Op overdreven nonchalante toon vroeg hij: 'Even over dat ongeluk. Wat is er gebeurd?'

'Blikseminslag. De cabine stopte halverwege met een van onze technici erin en het duurde drie dagen voor iemand het in de gaten kreeg. Dat was afgelopen winter.'

'Heeft hij het overleefd?'

'Natuurlijk niet. We moesten het lijk laten ontdooien op een keukenstoel voordat we het in een lijkenzak konden doen. Je had hem moeten horen kraken.'

Er ging een trek van pure ontzetting over Sacheverells gezicht en Kowalski grinnikte. Hij had zijn wraak gehad.

Eagle Peak, 24.00 uur, maandag

De rode deur was zwaar en solide – of misschien, dacht Webb, voelde hij zich gewoon zwak. Er zat een klein, koperen plaatje op met het woord *vergaderzaal.*

De vergaderzaal was fel verlicht als een toneel en was ongeveer zes bij zes meter. Aan de linkerkant hing een zwaar, donkerblauw gordijn, aan de rechterkant een lang schoolbord en aan de muur tegenover hem een ouderwetse, ronde klok, die wel van de spoorwegen afkomstig leek. De wijzers stonden op drie minuten na middernacht. Verder werd elk stukje muur in dit zenuwcentrum in beslag genomen door bureaus, computers, printers, scanners en diepe boekenplanken vol wetenschappelijke bladen en boeken en glanzende koperen instrumenten uit vroeger tijden.

Het middendeel van de ruimte werd ingenomen door een lange grenen tafel, die al vol lag met papieren. Er stonden diepe leren leunstoelen, waarvan het donkerblauw paste bij het gordijn, en om de grote tafel stonden bureaustoelen waarop zeven collega's zaten te wachten op Webbs eenzame binnenkomst. Rond Noordhofs lippen stonden verticale, afkeurende rimpels. 'Webb, je bent drie minuten te laat. Ik zeg het nog eens: dit is geen gezellige academische conferentie. Als Nemesis met een snelheid van dertig kilometer per seconde op ons af komt stormen, heb je ons net 5.400 kilometer van zijn baan gekost. Dat is de helft van de diameter van de aarde. Het verschil tussen raak of niet raak.'

Webb liet zich aan het eind van de tafel op een stoel zakken. 'Ik voel me een beetje zwakjes.' De soldaat wierp Webb een giftige blik toe en wendde zich toen tot Sacheverell. 'Laten we beginnen. Herb, hoe staat het met de sterrenwachten?'

Sacheverell leunde achterover. 'Zoals te verwachten was, hebben de Amerikanen de beste. We hebben vier grote burgerwachten, een in New Mexico en twee hier in Arizona. Het Lowell Observatory heeft een

0,6 meter Schmidt in Flagstaff, maar een paar bergen ten noorden van ons, en de Universiteit van Arizona heeft Spacewatch Two op Kitt Peak, in het zuiden. De vierde Amerikaanse burgersterrenwacht bevindt zich op Maui, een van de Hawaïaanse eilanden: JPL gebruikt een telescoop van een meter, die wordt bemand door USAF-mensen.'
'Is dat alles?' vroeg Noordhof.
'Er zijn fotografische projecten, maar als je geen CCD hebt, doe je niet mee. Zet een *charge-coupled device* op het oculair van je telescoop en je krijgt in twee minuten net zoveel licht als met twee uur belichten op een Kodakplaat. In die twee minuten kan Flagstaff tien vierkante graden hemel bestrijken tot op de twintigste magnitude. Spacewatch Two bestrijkt maar één vierkante graad, maar komt in de helft van de tijd tot de 21ᵉ magnitude.'
'Sacheverell heeft de rest van de wereld over het hoofd gezien,' merkte Webb op. 'De Japanners hebben bijvoorbeeld een particulier netwerk van amateurs en ze zijn inmiddels ook bezig met een paar uitstekende één-meter telescopen. De Italianen hebben een klein netwerk rond hun instrumenten in Campo Imperatore, Asiago en Catania. De Fransen en de Duitsers hebben een één-meter Schmidt aan de Côte d'Azur.'
Sacheverell maakte een afwijzend gebaar. 'Ik wil niet dat het voortbestaan van Amerika afhangt van een groepje Japanse amateurs. En wat de Italianen betreft, die hebben geen cent te makken. Hun telescopen worden de helft van de tijd niet gebruikt. Flagstaff ontdekt per nacht dertig aardscheerders van meer dan een halve kilometer doorsnee, en de nieuwe Spacewatch zelfs nog meer.'
Kowalski zei: 'En we hebben onze telescopen boven. We bedienen onze Schmidt vanuit deze ruimte als robottelescoop. Normaal gesproken voeren we een van te voren opgestelde lijst van sterrenstelsels in, maar we kunnen net zo gemakkelijk de hemel afzoeken naar een bewegend voorwerp.'
Noordhof tikte op de tafel. 'Zoals ik in New York al heb gezegd, kunnen jullie beschikken over elke faciliteit die jullie maar kunnen verzinnen.'
'Bedoel je GEODSS?' vroeg McNally met grote ogen. 'Het hele systeem?'
'Jazeker.'
Sacheverell knikte tevreden. 'Space Command beheert een netwerk van breedbeeld satellietvolgers van een meter. Ze verwerken per dag

zo'n vijftigduizend observaties en houden de baan van zeven of achtduizend kunstsatellieten in de gaten. Ze hebben een station op het tafelland bij Flagstaff, naast de apparatuur van Lowell, en ze hebben de oude STARFIRE-reeks bij Albuquerque gemoderniseerd. Dat zijn één-meter Schmidts. Ze gebruiken Maui al voor de jacht op asteroïden. GEODSS is een verdomd krachtig systeem.'
Noordhof zei: 'En jullie kunnen er met onmiddellijke ingang over beschikken.'
'Wat voor CCD-chips hebben ze?' vroeg Webb.
Sacheverell wuifde met een paar vellen papier. 'Terwijl onze symbolische Brit zich zwak voelde, heb ik met de hulp van de kolonel wat gegevens gedownload vanuit Albuquerque. Groot formaat, hoge quantumefficiëntie, snelle uitlezing. Ze komen heel dicht bij wat theoretisch mogelijk is.'
Shafer zat als een razende op een geel aantekenblok te krabbelen. Hij had nu geen paardenstaart en zijn lange, grijze haar viel over zijn schouders. 'Wat is het bereik van die GEODSS-telescopen?'
Sacheverell zei: 'Sterrenvelden van twee vierkante graden, twintigste magnitude met een belichting van twintig seconden. Ze gaan niet zo zwak als Spacewatch Two, maar zoals ik al zei hebben hun CCD's een heel snelle uitlezing. Ze kunnen een volledige zoektocht uitoefenen in de helft van de tijd die Spacewatch ervoor nodig heeft. Spacewatch heeft diepte, Albuquerque heeft breedte.'
Webb zei: 'Ik ben onder de indruk. Herb, maak die indruk nog beter. Vertel ons wat je in de zuidelijke hemisfeer hebt.'
Sacheverell aarzelde: 'Oké, daar staan we zwak.'
'Wat wil je zeggen, Oliver?' vroeg Noordhof.
'We hebben bijna geen dekking van de zuidelijke hemel. Nemesis kan ons vanaf de zuidelijke sterrenhemel besluipen terwijl al onze telescopen de noordelijke hemel aan het bestuderen zijn. Maui kan in beperkte mate naar het zuiden kijken en de Schmidt van de ESO in Chili had hem bij gelukkig toeval ontdekt kunnen hebben als die niet was afgedankt.'
'De Britten hebben de Schmidt in Coonabarabran op non-actief gesteld,' zei Sacheverell en hij stak een magere, beschuldigende vinger naar hem uit. 'Waarom hebben jullie alle mogelijkheden om asteroïden op te sporen opgegeven?'
'De giechelfactor. Ons ministerie van Defensie vond het gevaar van een inslag een lachertje.'

'Willen jullie zeggen dat we de helft van de hemel niet kunnen bekijken?' vroeg Noordhof ontzet.
'Het is nog erger. Ik denk aan de Aten-planetoïden.'
'Pardon?'
'Ik vind het niet leuk om je problemen nog groter te maken, maar rond de zon bevindt zich een blinde vlek met een straal van ongeveer dertig graden. Daar kan van alles in zitten. Een Aten is een asteroïde met een baan die hem binnen de baan van de aarde brengt, die zich daardoor het grootste deel van de tijd in de blinde vlek bevindt. Er zijn er nog maar een handvol ontdekt, maar niemand weet hoeveel er in werkelijkheid bestaan. Stel dat de Russen er een hebben gevonden waarvan de baan vlak langs die van de aarde ging.'
Het gezicht van Noordhof werd bedachtzaam. Leclerc had in een kleine, roodleren organizer zitten schrijven. Hij keek op en zei: 'De kans dat wij hem op onze beurt zouden ontdekken, is klein. Hij zou zich kunnen verschuilen in het zonlicht tot hij zou inslaan. Een Aten is een heel logisch wapen.'
Webb ging verder: 'Sacheverells telescopen zijn allemaal ingesteld op de hemel tegenover de zon. Ze wijzen hoog de nachtlucht in, ver van de zon. Maar als er een Aten op ons afkomt, komt hij niet daarvandaan. Hij komt laag aan de hemel, dicht bij de zon. Herbs telescopen kunnen over het algemeen niet eens zo laag reiken. Als Nemesis een Aten is, zou je hem voor zonsopgang kunnen zien, of net na het invallen van de nacht, een paar dagen voor de inslag. Je zou er niet meer dan een verrekijker voor nodig hebben.'
Noordhof haalde een sigaar uit zijn zak. 'Ik moet zekerheid hebben over het probleem van de opsporing. Kunnen jullie hem vinden of niet?'
Shafer was klaar met zijn gekrabbel. Nu stond hij op en liep naar het schoolbord. Hij pakte een geel krijtje en begon snel en geoefend te schrijven. 'Zoals die telescopen bediend worden, wordt de kans om een Aten te vinden zeker kleiner. Maar ik ben het niet eens met Ollie als het gaat om een Aten als wapen. Voor precisiewerk zouden de Russen iets moeten hebben dat ze lange tijd, misschien wel jaren, in de gaten konden houden, en dat gaat niet bij een Aten. Ik zou zeggen dat Nemesis op te vangen is met Spacewatch en GEODSS. Er zijn 4π steradialen hemel en elke steradiaal is $180/\pi$ graden aan elke kant. Dat geeft ons 43.000 vierkante graden hemel over de hele hemelbol. Welk deel daarvan kunnen we bekijken? Om te beginnen zijn die dingen zwakke lichtbronnen, wat betekent dat we diep zullen moeten gaan. Maar dat

kan alleen bij een pikdonkere hemel. Goed, er is deze week geen maan. Maar om de schemering te mijden moet de zon minstens twaalf graden onder de horizon gezakt zijn en om geen last te hebben van atmosferische absorptie moet het stuk hemel dat we afzoeken zich daar minstens dertig graden boven bevinden. Ik denk dat we per nacht misschien maar vijf- of zesduizend vierkante graden hemel hebben die te doorzoeken zijn.'

'En dat wordt nul als het bewolkt is,' merkte Judy Whaler op.

'De plaatselijke weervoorspellingen voor de komende vijf dagen zijn goed,' zei Kowalski. 'Op de laatste dag na.'

Shafer vervolgde: 'Oké, uit Herbs gegevens leid ik af dat alle asteroïdejagende telescopen op de wereld niet meer dan twee- of driehonderd vierkante graden hemel per uur kunnen afzoeken. Dat betekent een maand of zo om de hele hemel één keer te bestrijken.'

'En wij hebben vijf dagen,' zei Whaler. 'De kans wordt zes tegen één, in ons nadeel.'

'Bij lange na niet,' sprak Shafer haar tegen. 'Je kijkt op maandag naar vak A en volgens de wet van Murphy bevindt Nemesis zich dan in vak B. Op dinsdag kijk je in B en dan is hij verhuisd naar A of C. Bovendien zal hij het grootste deel van de tijd te zwak zijn om gezien te worden, omdat hij te ver weg is of verborgen is in het zonlicht, zoals Ollies Atens, of gecamoufleerd wordt door de Melkweg.'

'Hoe lang gaat het dan duren, Shafer?' vroeg Noordhof ongeduldig.

Shafer tekende een grafiek. Hij mat punten af tegen de assen en zette bij de horizontale 'diameter in km' en bij de verticale 'p % per tien jaar'. Toen tekende hij een S-vormige curve, die hij zorgvuldig vanuit zijn boekje kopieerde. Webb zag wat de natuurkundige had zitten berekenen en had niets dan ontzag voor de snelheid waarmee hij dat had gedaan. Shafer tikte tegen het schoolbord. 'We gaan ervan uit dat Nemesis een doorsnede heeft van een kilometer en de reflectiviteit van houtskool. Dat geeft hem een absolute magnitude van 18 op één AU van de aarde en de zon.' Hij tekende een verticale lijn van het 1 kilometerpunt op de X-as tot aan het punt waar deze de curve kruiste, en bewoog toen horizontaal naar de verticale as, waar hij 0,85 aflas. 'Als je Nemesis met een waarschijnlijkheid van tachtig tot negentig procent wilt vinden en alle asteroïdentelescopen op de wereld op volle kracht laat draaien, en bovendien aanneemt dat het geen Aten is, kost het ons tien jaar.'

'We hebben vijf dagen,' merkte Noordhof op vlakke toon op.

‘Neem een helderziende in de arm,’ zei Shafer, die terugliep naar zijn stoel.
De gespannen stilte die daarop volgde, werd verbroken door het luide gekraak van cellofaan toen Noordhof zijn sigaar uitpakte.
‘Willy, volgens mij klopt je berekening niet,’ zei Webb, in de wetenschap dat het nogal gewaagd was om zoiets te beweren tegen de machtige Shafer. ‘Als hij uit een donkere hemel in een rechte lijn op ons afkomt en al dichtbij en helder is, hoeven we geen tien jaar te zoeken.’
De natuurkundige wierp Webb een verontrustend harde blik toe. ‘Ollie, als hij dichtbij en helder is en in een rechte lijn op ons afkomt vanuit een donkere hemel, zijn wij er geweest.’
‘Het is onze enige kans om hem te vinden.’
Sacheverell schudde triest zijn hoofd. ‘Het moet de jetlag zijn. Willy zegt in wezen dat het te laat is om hem tegen te houden tegen de tijd dat hij dichtbij genoeg is om gevonden te worden.’
‘We kunnen dit verder uitwerken.’ Webb liep naar een leeg stuk van het schoolbord. ‘Stel dat Nemesis over dertig dagen inslaat. Elke dag heeft 86.400 seconden. Als hij een snelheid heeft van vijftien kilometer per seconde is hij nu nog maar 30 x 86.400 x 15 = 19 miljoen kilometer weg, een kwart van een AU. Herb, wat is de helderheid van een asteroïde van een kilometer op één AU?’
‘Achttien voor een koolstofhoudend oppervlak. Dat weet iedereen.’
Shafer zat op een zakrekenmachine te tikken. Hij zei: ‘Het omgekeerde kwadraat van de helderheid, vergeet fasehoeken. Ja, als Nemesis zich op een maand van de inslag bevindt, kan hij de vijftiende magnitude hebben. Dan zouden we hem nu moeten kunnen oppikken.’
Webb zei: ‘Ga voor de zestiende of zeventiende visuele magnitude en dan kunnen we de belichting terugdringen naar een paar seconden. We zouden zelfs een continue scan kunnen doen. Dan kunnen we de hemel in een week bestrijken. Als we tenminste niet de pech hebben dat hij vanuit de richting van de zon of uit het zuiden komt.’
McNally’s tengere vingers trommelden geagiteerd op de tafel. ‘Kunnen we dit misschien ook een beetje realistisch bekijken? Als de inslag over een maand is, wat moet ik dan doen: Superman bellen? Ik heb op zijn minst een jaar nodig en liever twee of drie om de hardware te bouwen.’
‘Maar als Nemesis zich een jaar van ons af bevindt, ontdekken we hem toch pas over elf maanden, als hij vlak bij ons is. Het enige scenario

waarvan je kunt uitgaan, is dat je hem op het laatste moment uit zijn baan moet brengen.'
'Laat me dit goed begrijpen,' zei Noordhof. 'Als jullie gelijk hebben, is de kans honderden tegen één dat we dit ding binnen de komende vijf dagen vinden. Tenzij hij zo dichtbij is dat de inslag misschien al over een maand of twee maanden zal plaatshebben. En zelfs dan misschien niet als hij uit de richting van de zon komt.'
Iedereen om de tafel zweeg instemmend.
'Verdomme,' ging Noordhof met een bezorgd gezicht verder. Hij keek naar de directeur van de NASA. 'McNally, je moet een strategie verzinnen om hem af te wenden terwijl hij nog maar een maand van de inslag is.'
'Jezus christus, dat is gewoon onmogelijk.' Het gezicht van de NASA-directeur was rood.
'Je hebt geen keus.' Noordhof speelde nerveus met zijn nog niet aangestoken sigaar. Webb had eèn visioen van Captain Queeg die metalen balletjes in zijn hand liet rollen.
'Jim,' Shafers toon was verzoenend. 'Wij zijn het A-team. Misschien kunnen jij en ik iets bedenken.'
McNally schudde boos zijn hoofd.
Leclerc vroeg, om de spanning te verbreken: 'Wat zou er gebeuren als iemand in Japan bijvoorbeeld een asteroïde vond?'
'Dan zou de hele astronomische gemeenschap het binnen een paar uur weten,' zei Sacheverell. 'Ontdekkingen van burgers gaan rechtstreeks naar het Minor Planet Center, dat het elektronisch doorgeeft aan alle belangrijke observatoria. Maar je kunt Japan, Europa en Atens en dat soort onzin wel vergeten. Het gebeurt in Lowell, Spacewatch en op Hawaï' – Kowalski trok even een gezicht, maar hij zei niets – 'en daar hebben we verbinding mee. We krijgen de beelden meteen door.'
Webb zei: 'Ontdekking is niet genoeg. Als we hem niet volgen, raken we hem kwijt. We moeten hem lang genoeg in de gaten houden om een betrouwbare baan te krijgen.'
Sacheverell zei: 'Dat betekent dat we om de paar uur bij hem terugkomen en de tussentijd gebruiken om naar andere asteroïden te zoeken. Een interval van een paar uur geeft je zijn beweging ten opzichte van de sterren, zodat je hem de volgende nacht weer kunt oppikken. Voor een betrouwbare baan moet je hem minstens een week volgen. Als je enige nauwkeurigheid wilt, bijvoorbeeld om er een ruimtesonde op af te sturen, moet je de gegevens maandenlang bijhouden. Er zijn volg-

telescopen in Brits Columbia, op Oak Ridge in Massachusetts en in de Tsjechische Republiek. En op Maui.'
Kowalski knikte. 'Dat kunnen we hier ook prima. Onze Grubb Parsons heeft een grote focale lengte en de *point spread function* is klein. Op een goede nacht kunnen we heel nauwkeurige astrometrie uitvoeren.'
'De Grubb Parsons is van essentieel belang,' stemde Webb in. 'Als we die niet hadden, zou de belasting van de ontdekkingstelescopen dubbel zo zwaar worden.'
Leclerc vroeg, met zijn pen boven zijn organizer, nogmaals: 'Stel dat je een asteroïde vindt en hem volgt, wat dan?'
Webb zei: 'Bijna elke asteroïde die we vinden, zal volkomen onschuldig zijn. We zoeken een naald in een veld vol hooibergen. De oude Spacewatch kon op een heldere winternacht zeshonderd bewegende voorwerpen oppikken en vijfentwintigduizend asteroïden per jaar. Daarvan waren er nog geen vijfentwintig aardscheerders. De rest hoort bij de hoofdgordel. Maar nu we al die nieuwe systemen kunnen koppelen, is de kans op ontdekking vijftig keer zo groot. Maar dat betekent dat we ook vijftig keer zoveel troep krijgen die bekeken moet worden. Met de CCD-mozaïeken waar jullie het over hebben, denk ik dat we elke tien seconden ongeveer een miljard pixels moeten bestuderen. Mijn computers zijn lang niet krachtig genoeg om al die data te verwerken.'
Noordhof glimlachte gedwongen. 'We hebben de Intel Teraflop bij Sandia. Daar gaat je haar van overeind staan. Die kunnen we ook gebruiken, een persoonlijk geschenk van een dankbare natie.'
Judy zei: 'Dat is te gek, maar hoe brengen we de data over? Een gewone kabelverbinding kan dat niet aan.'
'Daar hebben we satellieten voor.'
'In dat geval,' antwoordde ze, 'is het probleem opgelost. Ik download de verwerkingssoftware van de CCD van Spacewatch en stuur die door naar onze magische machine.'
'We hebben op het Sorel programma's om banen te berekenen,' zei Sacheverell. 'Ik zal ze overzetten op jouw computers. Het is zeker allemaal op basis van Unix?'
Noordhof knikte. 'Alle communicatie tussen deze plek en Albuquerque moet beveiligd worden. Ik zal een cryptografiepakket installeren wanneer ik de toegang tot onze computers regel. Judy, werk er de hele nacht aan door. Ik wil dat alles morgen tegen de avond draait. Herb, wanneer kun je me een schadeprofiel geven voor Nemesis?'

'Over twee of drie dagen, als ik verbinding kan krijgen met het Sorel.'
'Heb je wel geluisterd, Herb? In dat tempo kunnen we net zo goed wachten tot het ding inslaat. Ik wil bij het ontbijt een rapport. Om zeven uur precies, iedereen present, en niemand die zich zwakjes voelt.'
Webb zei: 'We pakken dit helemaal verkeerd aan.'
Shafer antwoordde: 'Oliver, dat van die helderziende was een grapje.'

Dag twee

Eagle Peak, dinsdagmorgen

De geur van roerei en koffie drong Webbs kamer binnen en het zonlicht had zwakke plekken gevonden in de verdediging van de zware gordijnen. Hij stak een loden arm uit naar zijn horloge, probeerde de wijzertjes scherp in beeld te krijgen en wist dat hij weer een boze blik van Noordhof zou krijgen. Hij rolde op zijn buik en keek verlangend naar de laptop en de gekreukte vellen papier die over de vloer verspreid lagen en die hij met zich mee had genomen vanaf Glen Etive. Maar hij had geen tijd. Hij sloeg het scheren over en kwam uiteindelijk maar twee minuten te kort.

Er stonden ontbijtspullen op de keukentafel en Shafer was bezig met de magnetron. Judy zat in een strenge witte blouse en zwarte rok met haar bord op schoot op een gemakkelijke stoel en gebruikte haar scherpe, rood gelakte vingernagels om zorgvuldig een hardgekookt ei te pellen. Sacheverell zat naast haar, ook met een bord op schoot. Hij schonk haar koffie in en zij glimlachte tegen hem. McNally, Leclerc en Kowalski stonden bij het raam koffie te drinken en keken uit over een grote woestijnvlakte, waar hier en daar een met bomen begroeide berg uit oprees als een eiland in de zee.

Noordhof zat een croissant te eten. Uit de zak van zijn overhemd stak een rijtje sigaren. Hij keek veelbetekenend op zijn horloge toen Webb binnenkwam.

Webb schonk zichzelf koffie in uit een grote kan, schepte een bord vol worst en roerei en ging aan de boerentafel zitten. 'Je kijkt weer boos, kolonel.'

'Alsjeblieft God, lever deze man uit aan mijn sergeant,' bad Noordhof.

Er was een scherm op een statief gezet en aan het eind van de keukentafel stond een overheadprojector die er wit licht op wierp. De soldaat knikte tegen Sacheverell, die stoppels had en er een beetje moe uitzag. Sacheverell schoof zijn bord met zijn vork weg, veegde zijn vingers af met een zakdoek, nam een stapel transparante bladen mee naar de projector en legde ze beurtelings op het apparaat terwijl hij sprak. Op het eerste blad stonden drie teddyberen van verschillende afmetingen met een tekstballon uit hun bek, als in een stripverhaal. De eerste beer zei '10^4 Mt', de tweede '10^5 Mt' en de derde '10^6 Mt'. 'Ik heb drie scenario's bekeken die in het scala aan mogelijkheden passen. Ik noem ze Babybeer, Mamabeer en Papabeer. Zoals jullie zien is Babybeer tienduizend megaton, Mamabeer honderdduizend megaton en Papabeer een miljoen megaton.

Eerst heb ik naar Babybeer gekeken, een inslag in de diepe oceaan. Ik had het idee dat de agressors – de Russen? – misschien meteen het Verenigd Koninkrijk of Japan zouden willen uitschakelen nu ze toch bezig waren. In ieder geval zijn de Atlantische Oceaan en de Stille Oceaan grote, gemakkelijke doelwitten. Goed. Dus een halve minuut na de inslag hebben we een ring van water van drie- of vierhonderd meter hoog. De golfamplitude daalt als de ring wijder wordt, maar duizend kilometer van het punt van inslag heb je het nog steeds over golven van vijftien meter.'

'Op open zee?' vroeg Shafer.

'Op open zee. Tsunami's kunnen zo ver komen omdat de oceaan een oppervlak is en specifieke energie afgezet tegen afstand lineair afneemt in plaats van volgens het omgekeerde kwadraat. In 1960 veroorzaakte een aardbeving in Chili oceaangolven die meer dan zestienduizend kilometer verderop in Japan een heleboel mensen doodden.'

'Wat was de hoogte van die golven?' vroeg McNally, die van het raam vandaan liep.

'Op open zee twintig centimeter. De golflengte is honderden kilometers.'

'Zijn er mensen omgekomen door een golf van twintig centimeter?' vroeg McNally verbaasd.

Sacheverell trok een pijnlijk gezicht. 'Nee. Als de golf ondiep water bereikt, wordt dezelfde hoeveelheid energie gedragen door steeds minder water. Dus als hij een kust nadert, komt hij omhoog. De golf van twintig centimeter werd een meter of twee hoog. Daar zijn een paar honderd mensen aan doodgegaan, als je degenen meetelt die nooit meer gevonden zijn.'

'Wat is de stijgingsfactor van jouw golf van vijftien meter, Herb?' vroeg Shafer.

'Tien tot veertig, afhankelijk van de kustlijn. Stel dat het twintig is, dan is de golf driehonderd meter hoog als hij aan land komt, aangenomen dat de inslag duizend kilometer van de kust was.'

'Zo hoog als de Eiffeltoren,' zei Leclerc. 'Hoe ver gaat zo'n golf het binnenland in?'
'Dat hangt er weer van af. De topografie, hoe ruw het landoppervlak is. Vlak agrarisch land zou tot een afstand van tien of twintig kilometer overstromen. En als ik overstromen zeg, bedoel ik dat de golf misschien vijf kilometer van de kust nog steeds tweehonderd meter hoog is.'
Webb zei: 'Bij zo'n grote golf in de Atlantische Oceaan zouden bijna alle grote steden in Groot-Brittannië onderlopen.' Hoewel hij eigenlijk voor zich probeerde te zien hoe een tsunami van bijna een kilometer tegen Glen Etive op brulde.
'Europa wordt beschermd door een steile continentale richel,' merkte Sacheverell op. 'Die kaatst zo'n driekwart van de energie terug naar de oceaan.'
'Fijn,' zei Webb. 'Helemaal fantastisch. Nu weet ik dat de golf die over Piccadilly op me afkomt maar honderd meter hoog is.'
Noordhof liep naar het koffiezetapparaat en kwam terug met een verse kop koffie. 'En als Babybeer op het land inslaat?'
'Een explosie, hitte en aardbevingen. De explosie veroorzaakt een drukgolf, gevolgd door een hete wind. Die lui van de kernwapens gebruiken een overdruk van vier psi om de verwoesting te definiëren, hoewel er bij twee al grote schade ontstaat aan gebouwen. Babybeer zou alles binnen een paar honderdduizend vierkante kilometer met de grond gelijkmaken, dus een gebied ongeveer ter grootte van Californië.'
'Of Groot-Brittannië,' viel Webb hem in de rede, nog steeds op de vaderlandslievende toer.
'Wie zou dat zwakke eilandje willen wegvagen?' vroeg Sacheverell. 'Ik heb de drempel voor spontane ontbranding gelegd op ongeveer een kilowatt per zesenhalve vierkante centimeter per seconde. Dan gaat binnen een paar honderd kilometer alles wat brandbaar is in vlammen op. Iedereen in de openlucht binnen vierhonderd kilometer zou eerstegraads brandwonden oplopen.'
'Dat zal er toch zeker van afhangen of de asteroïde de grond raakt of in de lucht in stukken spat,' zei McNally.
'Nee. De hitte komt van de hete lucht die achter de vuurbal aan komt. En ten slotte de aardbeving. Ik heb Gutenberg-Richter negen aangehouden voor totale verwoesting en ik ben ervan uitgegaan dat vijf procent van de kinetische energie opgaat aan het schudden van de aarde.

We hebben het over kracht negen over een gebied met een doorsnede van ongeveer duizend kilometer.'
Noordhof nam een slokje koffie. 'Dus Babybeer verwoest een paar staten of laat een deel van onze kust overstromen. Maar hij vernietigt de VS niet totaal en laat ons kernpotentieel intact. Laten we de duimschroeven wat aandraaien. Herb, vertel over Mamabeer.'
'De golfhoogte neemt toe met de vierkantswortel van de inslagenergie en het overstroomde gebied breidt zich uit met vier derde van de kracht van de golf. Dit zijn schattingen. Ze worden onbetrouwbaar als je met grote getallen gaat werken. Mamabeer veroorzaakt op duizend kilometer een golf van vijftig meter in de open oceaan. De factor waarmee hij groeit blijft hetzelfde, dus wordt de kust geraakt met een golf van een kilometer of twee hoog. Ik denk dat de Rockies en de Appalachen het middendeel van de VS wel zouden beschermen. Als de Atlantische Oceaan wordt getroffen, weet ik niet hoeveel er van Europa overblijft.'
Shafer zei: 'Ik denk dat hele landen zouden onderlopen, zoals Denemarken, Nederland en België. En wat dacht je van Manhattan, Washington...'
Noordhof viel hem in de rede: 'Onze silo's in Kansas blijven intact.'
Shafer zei: 'Maar je wordt niet geacht terug te schieten. Het gaat toch om een enorme natuurramp?'
'En een inslag op het land? Drukgolven, hitte, aardbeving?' De stem van Noordhof klonk scherp.
'De klap neemt toe met de vierkantswortel van de inslagenergie, dus Mamabeer verdrie- of verviervoudigt gewoon het getroffen gebied ten opzichte van Babybeer. De drukgolven zouden een paar staten verwoesten. Maar nu komt er iets nieuws. De vuurbal. Hij gaat omhoog tot de bovenkant van de atmosfeer en alles in zijn gezichtsveld verbrandt. Alles binnen een cirkel van tweeduizend kilometer gaat in vlammen op. Het zou nog erger kunnen zijn als de bolling van de aarde niet als schild werkte.'
'Dat staat me niet aan,' zei Noordhof.
'En de Richter negen gaat nu van kust tot kust. Behalve de branden zou heel de VS verwoest worden door een aardbeving.'
'Wil je ons nog over Papabeer vertellen?' vroeg Noordhof grimmig.
'Geef me tien extra megaton en ik bekogel de VS met brokstukken. Op de plek van de inslag gaat alles tot aan de horizon in rook op. Het wordt tot boven de atmosfeerlaag geworpen, verandert bij een tempe-

ratuur van duizend graden in deeltjes van minder dan een millimeter en valt terug boven een gebied ter grootte van de VS. Rekening houdend met de hitte die in de ruimte verdwijnt enzovoorts, is de thermische uitstraling volgens mijn berekeningen op het oppervlak ongeveer tien kilowatt per vierkante meter, voor een uur of langer na de inslag. Het is alsof je in een oven zit. Als je probeert adem te halen, verbranden je longen. Heel Amerika verandert in één grote vuurstorm. Ik denk dat er niets zou blijven leven.'
Sacheverell maakte een keurig stapeltje van zijn papieren om aan te tonen dat hij klaar was. Er viel een bedachtzame stilte. Die werd onderbroken toen Webb zei: 'Deze berekeningen bevatten allemaal grote onzekerheden. Volgens mij krijg je minder aardbevingen en meer hitte. Je zou Amerika zelfs met Mamabeer totaal verbranden. Ik denk hierbij aan de fragmenten van de komeet Shoemaker-Levy 9 die in 1994 op Jupiter zijn neergekomen. We kregen een continue stroom gegevens van twintig inslagen op de planeet. De hitte van het uitgeworpen en weer ingeslagen materiaal was honderd keer zo hoog als van de vuurbollen zelf.'
Shafer roerde in zijn koffie. 'Papabeer is dus goed nieuws.' Er viel een verbaasde stilte. Noordhof hield zijn kopje aan zijn lippen.
Webb knikte. 'Dat denk ik wel, Willy. Er zijn misschien een paar miljoen komeetasteroïden daarboven, die allemaal de inslag zouden geven van een waterstofbom. Dat gebeurt zo ongeveer elke twee eeuwen. De vorige eeuw hadden we Toengoeska op het Centraal Siberische Plateau, op 30 juni 1908. Hij kwam laag vanuit de richting van de zon, om ongeveer 19.15 uur. Dat was tien tot dertig megaton. Asteroïden van honderd megaton komen om de paar eeuwen. Ze zijn beschreven als hemelse mythen in de *Theogonia* van Hesiodus. Als je naar een paar duizend megaton gaat, kom je waarschijnlijk uit bij de verwoesting van de bronstijd: de klimaatverandering, Schaeffers geheimzinnige aardbevingen in het Nabije Oosten.'
'Wat heeft die vent gerookt?' vroeg Sacheverell.
'Accepteer je je eigen getallen over inslagen? Die getallen die je steeds opnieuw blijft publiceren?'
'Wat is daarmee?'
'Met een behoorlijke mogelijkheid van een duizend megatonner in de laatste vijfduizend jaar?'
'Natuurlijk,' snauwde Sacheverell. 'Waarschijnlijk op de Noordpool.'
'We hebben dus in 1908 tien megaton gehad in Siberië, in 1930 een me-

gaton in het Amazonegebied en in 1935 nog een paar megaton in Brits Guyana, maar de vijfduizend jaar beschaving daarvoor waren helemaal vrij van inslagen? Wat dacht je dan van de opgravingen van Courty in Syrië, die een stad uit de bronstijd aan het licht bracht die door een ontploffing was verwoest? In Openbaringen hebben ze het over een rossige draak in de hemel, een brandende berg die op de aarde valt, een door rook verduisterde zon en maan, een brandende aarde door vallende hagel en neerstortend vuur en over een rokende afgrond. Diezelfde hemelse draak blijft in het hele Nabije Oosten steeds de kop opsteken; in 800 v.Chr. bij Hesiodus, in 1400 v.Chr. in Babylon, enzovoorts. Zoroaster voorspelde dat een komeet de aarde zou raken en grote verwoestingen zou aanrichten. Maar dat zijn zeker allemaal dichterlijke verzinsels, uit het niets opgekomen, en niet gebaseerd op ervaring? Je bent je er toch van bewust, Herb, dat kometen in het verleden werden omschreven als draken? Dat een grote komeet een rode staart heeft? Heb je eigenlijk wel gehoord van de komeet Encke en de Tauriden?'
Het gezicht van Sacheverell was een en al ongeloof. 'Niet te geloven dat ik dit hier moet aanhoren. Wou je ons in ernst vertellen dat een verantwoordelijk beleid gebaseerd moet zijn op een interpretatie van de geschiedenis á la Velikovsky? Wil je de Bijbelse zondvloed er soms ook nog bij halen? Of misschien Von Däniken en vliegende schotels?'
'Dit is verbijsterend,' zei Webb. 'We hebben het hier over honderden miljoenen mensenlevens en jij denkt dat je bewijzen van catastrofes uit het verleden gewoon kunt negeren omdat je niet het lef hebt om ermee om te gaan?'
Sacheverell wees naar hem met een magere vinger. Zijn stem was schril en de ogen achter de dikke bril stonden boos. 'Wil jij goden gelijkstellen aan kometen en oorlogsmythes aan inslagen? Wat voor wetenschapper ben jij? In mijn ogen ben je een charlatan.'
'Goed zo, Herb, laat jij je maar lekker met de stroom meedrijven, als een braaf jongetje. Je kunt naar de hel lopen met je culturele obsessies en je intellectuele lafheid.'
Judy zat verstard met haar mond wijd open om er een hardgekookt ei in te doen. Shafer grijnsde van oor tot oor. Noordhof, wiens gezicht strak was van woede, sloeg met zijn vuist op tafel. 'Genoeg! Nou moeten jullie eens goed luisteren. Ik zou er uren naar kunnen luisteren hoe jullie elkaar in de haren vliegen. Maar helaas hebben we geen uren de tijd. Bedaar, Ollie, en kom terzake. Leg ons eenvoudige stervelingen uit waarom Papabeer goed nieuws is.'

Sacheverell ging rood aangelopen en geagiteerd met een plof op zijn stoel zitten. 'Omdat we naar Herbs babybeertjes twee- of drieduizend jaar zouden kunnen zoeken. Omdat de kans dat we Papabeer op grotere afstand zouden ontdekken veel groter is. En omdat we een grote wellicht harder kunnen treffen zonder hem in brokstukken uiteen te laten vallen.'

Shafer streek met beide handen zijn grijze haar van zijn schouders. 'En omdat we statistisch gezien in onze historie waarschijnlijk al eens geraakt zijn door een paar Toengoeska's en misschien zelfs een Babybeer of twee en de beschaving dat overleefd heeft. De schade is relatief plaatselijk. Als je Amerika helemaal zou willen vernietigen, moet je iets uitzoeken tussen een halve kilometer en twee kilometer doorsnee. Als je een te kleine asteroïde neemt, krijg je te maken met een overlevend gedeelte met een heleboel vuurkracht en vol opgekropte woede.'

'Jullie zitten er helemaal naast,' zei McNally. 'We worden alleen kwaad als we weten dat de inslag een oorlogsdaad was. En zoals Herb al heeft gezegd, worden we niet geacht dat te weten. Hoor eens, zelfs met Babybeer wordt de halve Amerikaanse bevolking uitgeroeid, wordt de industriële basis weggevaagd, blijft er geen enkele politieke infrastructuur over en heerst er waarschijnlijk alleen nog chaos en anarchie. Dit is een bewapende samenleving. We zouden elkaar naar de keel vliegen en het werk van de Russen zelf afmaken. Zhirinovsky zou kunnen doen wat hij wilde, waar dan ook, en wij zouden het te druk hebben om ons er ook maar iets van aan te trekken.'

Shafer zei: 'Jim, jij wilt alleen maar dat het een Babybeer is omdat die gemakkelijker uit zijn baan te brengen is.'

Noordhof liet peinzend zijn hoofd zakken. Toen zei hij: 'Ik ben het met McNally eens. Er zijn te veel onzekerheden om iets te kunnen zeggen over de politieke bedoelingen van de vijand, of hij ons wil verlammen of ons helemaal wil vernietigen. Onze zoektocht moet het hele spectrum omvatten, van Babybeer tot Papabeer.'

'Neem me niet kwalijk, maar dat is gewoon niet te doen,' zei Kowalski. 'Als je ook asteroïden van tienduizend megaton wilt vinden, moet je heel zwakke magnitudes meenemen. Dat houdt in dat we zelfs met een lage quantumefficiëntie lange belichtingstijden nodig hebben. Je zou honderd jaar kunnen wachten, zoals Oliver zegt. Boven kunnen we slechts tot de 22[e] visuele magnitude gaan als er helemaal geen maanlicht is, bij een elongatie van meer dan vijfenzeventig graden.'

Shafer zei: 'Als je dronken bent en je sleutels kwijt bent, kijk je onder

de straatlantaarn. Niet omdat ze daar zullen liggen, maar omdat je daar de beste kans hebt om ze te vinden. Dat betekent dat we dit praktisch moeten aanpakken. Heel zwakke magnitudes duren gewoon te lang.'
Webb voerde de druk nog wat op. 'Je zit verkeerd, Mark. Het belangrijkste is om zo snel mogelijk de hele hemel af te zoeken en dat te blijven doen tot Nemesis in zicht komt. We moeten maar hopen dat Nemesis een grote is. Op die manier hebben we een kans om hem te vinden terwijl hij nog ver weg staat. En dan hebben we misschien wel maanden de tijd. Ik stel voor dat we ons erop richten de hele hemel in een week te bestrijken. We kunnen kiezen voor een belichting van tien seconden met Kenneths supernovajager en ons beperken tot de zeventiende magnitude.'
Noordhof keek naar Sacheverell, die aarzelend knikte. De soldaat zei: 'Nou, jullie zullen wel gelijk hebben. Vergeet de Babyberen. Voorlopig.'
Shafer vroeg: 'Regelt u de GEODDS voor ons, kolonel? Met instructies voor een zoektocht tot de zeventiende magnitude?'
'Ik doe nog iets beters. We zullen de FIRESTAR-telescopen van hieruit kunnen besturen. De signalen worden in beide richtingen gecodeerd.'
'We kunnen de boel spreiden en via een stuk of zes sites doorgeven.'
'Flagstaff en Spacewatch Two hebben hun telescopen zo afgesteld dat ze elk een ander stuk hemel afzoeken,' zei Kowalski. 'Dat moeten wij ook doen. We hebben ruimte genoeg die niet in de gaten wordt gehouden.'
Noordhof haalde een sigaar uit zijn zak en begon het cellofaan open te maken. 'Oké. We hebben een zoekstrategie. We weten wat er gebeurt als we dit ding niet kunnen vinden en we weten dat het vechten tegen de bierkaai is. Dat is een begin.' Hij haalde een lucifer tevoorschijn, schraapte die over de onderkant van de tafel, keek op zijn horloge, stak zijn sigaar aan en bleef praten, en dat allemaal tegelijk.
'Ik weet dat we allemaal even rust nodig hebben, maar de tijd staat niet stil. Dus maken we teams. Kowalski en ik zullen verbinding maken met GEODDS en met de andere observatoria. McNally en Shafer bedenken een strategie om het ding uit zijn baan te brengen. Hoe, dat kan me niet schelen, als het maar lukt. Webb gaat ons vertellen waarom we dit verkeerd aanpakken. Werk samen met Leclerc, zoals hij heeft voorgesteld. Sacheverell, jij moet later vandaag de gezamenlijke chefs-staf en de president op de hoogte brengen van wat er gebeurt als dat ding inslaat.'
'Wát?'

Noordhof grinnikte sadistisch. 'Wat is het probleem, Herb? Je hebt vijf uur en misschien heb je zelfs een moment over om je te scheren. Zorg dat het niet al te technisch is, een filmpje misschien. Dit is je programma: om één uur word je boven opgehaald door een helikopter en naar een jet op de Kirtland Air Force Base gebracht. Je arriveert om drie uur in Cheyenne Peak en praat de hoge heren bij. Ze zijn bezig met een simulatie en hebben je hulp nodig. Om acht uur woon je een briefing bij van het hoofd van de CIA en om negen uur stel je de president op de hoogte.'
Sacheverell was helemaal uit het lood geslagen en wendde zich nogmaals met een engelachtig lachje tot Judy Whaler. 'Kun jij me helpen? Met de simulaties misschien?'
Judy at het laatste stuk van haar gekookte ei op, wierp Noordhof een ongelovige blik toe en zei: 'Geef me een uur, Herb. Ik moet met Ollie praten.' Sacheverell haastte zich met gebogen rug de kamer uit, op weg naar de vergaderruimte of misschien naar het toilet.
'Mag ik alsjeblieft ook een helikopter?' vroeg Shafer.
'Binnen het uur. Als je je mond maar stevig dichthoudt, dus ook tegen de piloot. En zorg ervoor dat je om negen uur precies terug bent met antwoorden. Dat geldt voor ons allemaal.' Webb kreeg een dwingende blik.
'Ik heb eens in de keukenkastjes gekeken,' zei Webb. 'Kenneth, je hebt een fantastische voorraad kruiden.'
Kowalski grinnikte. 'Doctor Negi komt hier regelmatig.'
'We moeten eten. Vanavond zal ik een uur vrijmaken en een curry bereiden die ons meteen in hemelse sferen brengt. Dat bedoelde ik niet letterlijk,' voegde Webb eraan toe.
McNally zei: 'Ik lijk niet tot je door te dringen, Mark. Er bestaat geen hardware die me in staat stelt Nemesis over een week of over een maand uit zijn baan te brengen.'
Noordhof blies een van zijn rookkringen. 'Ik zal je vertellen waarom je het mis hebt, Jim. Omdat we dood zijn als je gelijk hebt.'
Judy veegde wat schilfers eierschaal van haar goed gevulde blouse. Ze keek Webb met grote ogen aan en zei: 'Heeft Herb het niet goed gedaan?'
Webb liet zijn tanden zien. De sukkel was met geen enkele originele gedachte gekomen. Hij had niets gezegd over de kernreactors die opgeblazen zouden worden, de catastrofale gevolgen van het feit dat de balans in de atmosfeer verstoord zou worden, de onzichtbare, kokend

hete stoom die over de kust zou jagen. Hij had niets gezegd over de tyfus en de pest die zouden uitbreken onder de overlevenden, die van de meeste basisbehoeften beroofd zouden zijn. Hij had niets gezegd over het feit dat de grote tsunami keer op keer zou toeslaan voordat de oceaan tot rust kwam, misschien nog wel vijf of zes keer in het tijdsbestek van een paar uur. En hij had al helemaal niets gezegd over de kosmische winter, de verduisterde hemel na de inslag, waaronder niets zou groeien, de ijskoude winden die in de weken na de klap alles wat van Amerika over was zouden veranderen in een Siberische woestenij en het angstaanjagende risico van een klimaatverstoring, waardoor de Golfstroom en de passaatwind zouden ophouden te bestaan en de rampspoed zich tot ver buiten de Amerikaanse kusten zou uitstrekken.

Aan de andere kant, dacht Webb, hadden de anderen die dingen ook gemist en hij moest toegeven dat Sacheverell een redelijk competente zoektocht op het internet had uitgevoerd. Voor een idioot.

En nu, dacht Webb, weet iedereen wat hij kan verwachten en is het eenvoudig. Er zal weinig tijd zijn om iets te doen. Er zal een enorme brandende berg op de aarde worden geworpen, die de aarde in vuur en vlam zal zetten door een vuurhagel, de zon en de maan zullen verduisterd worden en we zullen in een rokende afgrond worden geworpen.

De vrouw van Vincenzo

De hemel was nog dofblauw en de vroege ochtendmist hing over de Toscaanse velden toen de soldaten van Christus Vincenzo kwamen halen.

De monnik werd wakker toen er heftig aan zijn schouders werd geschud. Zijn vrouw stond over hem heen gebogen. Haar grijze haar viel over zijn gezicht en haar ogen waren groot van angst. 'Vincenzo! Rovers!'

Hij gooide de lakens van zich af, rende naar het raam en wierp de luiken open. Paarden kwamen kletterend de binnenhof op.

Beneden klonk een zware bons. Het hele huis trilde ervan en toen klonk het geluid nog eens. De vrouw gilde, maar het gebonk hield aan en toen hoorden ze het geluid van versplinterend eikenhout en rennende voetstappen op de marmeren trap. Een jongeling van een jaar of zestien rende de kamer binnen. Hij droeg een witte buis, een wit hoofddeksel en zwart met wit gestreepte hozen. Hij hijgde, zijn ogen glansden van opwinding en hij had een kort, breed zwaard in zijn hand. Het zag er nieuw en ongebruikt uit. Hij keek naar Vincenzo en richtte zijn blik toen op de vrouw. Hij leek niet goed te weten wat hij nu moest doen. Hij bleef opgewonden met het zwaard zwaaien.

Een oudere man, stevig gebouwd en met een baard, volgde hem de kamer in. 'Kleed je aan!' beval hij Vincenzo, zonder acht te slaan op de vrouw. Er kwamen nog meer mannen binnenrennen. Ze begonnen kasten en laden open te trekken, kleren op de vloer te gooien en in de weg staande tafels en stoelen omver te werpen. Vincenzo's vrouw trok snel een wollen jurk aan en toen greep ze de jongeman bij de arm. Hij bloosde van vernedering en wilde haar slaan, maar hield zich in toen er een man in een lange, donkere mantel, geborduurd met gouden crucifixen, de slaapkamer in stapte.

De man liep naar de oude monnik. 'Vincenzo Vincenzi, zoon van Andrea Vincenzi van Padua, je staat onder arrest.'

'Waarom? Wat heb ik gedaan?'
'Je wordt meegenomen naar Bologna, waar je terecht zult staan wegens ketterij.'
De vrouw gilde van angst en begon met steeds heftiger stem een stroom van scheldwoorden uit te stoten. De oude monnik probeerde haar te kalmeren en haalde eindelijk een doodsbang dienstmeisje dat om de deur gluurde over om haar mee te nemen naar de keuken.
De monnik had amper zijn tuniek vastgemaakt toen ze hem al naar beneden dreven. Daar stond een open rijtuig te wachten. De vroege ochtenddauw rees als stoom van het rode pannendak op de plekken waar het zonlicht erop viel. Een groepje bedienden, sommige half aangekleed, stond met open mond toe te kijken vanuit de schaduwen van een kloostergang. Toen het rijtuig de binnenhof af kletterde, keek Vincenzo achterom en ving hij een glimp op van een kar waar zijn aantekenboeken en instrumenten op werden gegooid, inclusief zijn kijkbuis die, zouden ze later zeggen, was uitgevonden door de ketter Galileo, zo niet door Satan zelf. Minuten later stegen de soldaten, die duidelijk haast hadden, op en galoppeerden ze de binnenplaats af, gevolgd door de kar die luidruchtig over de keien ratelde.
Vincenzo's minnares was op het moment dat de soldaten aan de voorkant vertrokken de achterdeur van de keuken uit gestormd en vluchtte over een breed grindpad door een tuin vol cipressen en mirte, standbeelden en tinkelende fonteinen. Ze rende twee kilometer naar het huis van haar broer en zakte daar bijna in elkaar. Haar broer, een welvarende wolkoper, had een stal met een stuk of zes paarden. Een bediende zadelde er een voor haar en ze ging op weg naar Florence, veertig kilometer verderop, gevolgd door haar broer, wiens rijvaardigheid werd beperkt door zijn leeftijd en de jicht. Ze kwam de stad binnen door de Porta alla Croce en leidde het uitgeputte paard, dat inmiddels niet verder kwam dan een draf, naar het centrum. Ze gebruikte de domkoepel van Brunelleschi en de hoge klokkentoren van het Palazzo Vecchio om de weg naar de Ponte Vecchio te vinden. Aan de overkant steeg ze af bij het groothertogelijke paleis en bond het paard aan een ijzeren ring bij een raam.
Een soldaat met een hellebaard en de fleur-de-lis van de familie De Medici op zijn tuniek stond voor een toegangsboog. Ze ging op hem af, bijna te zeer buiten adem om iets te zeggen. 'Ik moet een audiëntie hebben met Zijne Hoogheid.'
De soldaat keek haar verbaasd aan en lachte. 'Franco! Kom hier. Je

grootmoeder wil de hertog even spreken. Misschien heeft hij gisteravond niet betaald.' Er kwam een gezette man met een volle mond en een boterham in zijn hand naar buiten, die één blik wierp op de ruwe werkhanden, het gerimpelde gezicht en de goedkope wollen jurk. 'Probeer de achteringang eens. Hij is aan het helpen in de keuken.'
De vrouw hield een hand tegen haar pijnlijke zij. 'Als je me de toegang ontzegt, met wat ik hem te vertellen heb, laat hij je buik openrijten en je in de Arno gooien.'
Het geamuseerde gezicht van de man met het brood maakte plaats voor een boze blik. 'Let op je woorden, teef. Wat moet je hem dan vertellen?'
'De woorden zijn bestemd voor Zijne Hoogheid, niet voor zijn honden.'
De soldaat zei angstig: 'Franco, is dit een heks?'
'Houd je kop, Steffie. En jij, wacht hier.'
'Schiet op,' zei de vrouw. 'Als je je dikke buik tenminste heel wilt houden.'
Er ging een kwartier voorbij voor een lange, in het zwart geklede, magere man van middelbare leeftijd bij het wachthuis verscheen. Ze maakte een reverence. Hij wenkte haar zonder iets te zeggen en ze liep achter hem aan het gebouw in, over een grote binnenplaats en door een volgende boog. Er ging een deur open en de vrouw van Vincenzo volgde hem naar een klein voorvertrek.
'Ik ben de secretaris van de Altezza. En jij gaat me vertellen wat je komt doen.'
'Meneer, Vincenzo Vincenzi is door soldaten meegevoerd.'
De man ging rechtop zitten. 'De wiskundige van de Altezza? Wat voor soldaten? Wanneer is dit gebeurd? En wie ben jij?'
'Meneer, ik ben de vrouw van Vincenzo...'
'Ah!' Er daagde herkenning in de ogen van de man. 'Natuurlijk, ik heb je gezien in de Poggia. Ga alsjeblieft verder.'
'Het is een uur, twee uur geleden gebeurd, bij het aanbreken van de dag. Ze hebben Vincenzo en al zijn boeken en kaarten en zijn instrumenten meegenomen.'
'Die soldaten. Beschrijf ze.'
'Wat kan ik zeggen? Ze droegen allemaal witte tunieken en hoofddeksels, en...'
'Soldaten? Dat lijkt meer op rondzwervende muzikanten. Hun wapens?'

'Hellebaarden, dolken, haakbussen.'
'Gewone bandieten. Als ze denken dat ze losgeld kunnen vragen van Zijne Excellentie...'
'Dat dacht ik eerst ook. Maar toen zei hun aanvoerder dat Vincenzo naar Bologna werd gebracht om terecht te staan wegens ketterij.'
De man stond op en staarde de vrouw verbaasd aan. 'Onmogelijk!' zei hij in zichzelf. Toen: 'Wacht hier.'
Een paar minuten later stond Vincenzo's vrouw voor een deur. De secretaris draaide zich naar haar om. 'Je maakt een reverence als je binnenkomt en als je weggaat. Spreek de groothertog aan met Altezza of Serenissimo en spreek alleen als je wat gevraagd wordt. Nou, zet je schrap.'
Ze liep door de deur en een kamer met een hoog plafond door naar een brede veranda, waar een man en een vrouw aan de ontbijttafel zaten met melk, brood en een schaal abrikozen en appels. Er liepen bedienden rond en een van hen had een baby op zijn arm. De man was een jaar of dertig. Hij had een dikke neus, een brede snor met omhoog gedraaide punten en wallen onder zijn ogen. De vrouw was dik en had een onderkin, en ze keek met openlijke minachting naar Vincenzo's vrouw. De man wenkte de vrouw naderbij. Vol ontzag, maar vastberaden vergat ze haar reverence en begon zonder daartoe uitgenodigd te zijn aan haar verhaal over de ontvoering. De man toonde geen andere emotie dan dat hij zijn zware oogleden optrok en wachtte geduldig tot ze was uitgesproken.
'Je hebt er goed aan gedaan me zo snel op de hoogte te stellen. Enzo, zorg ervoor dat ze een paar dukaten krijgt.'
'Hoogheid, het enige wat ik wil, is dat mijn Vincenzo terugkomt.'
'Aanvaard in ieder geval een escorte voor de terugweg naar de villa. En mijn mensen zullen de schade herstellen die deze mannen hebben aangericht.'
Toen de vrouw weg was, gooide de groothertog boos zijn servet op de tafel. 'Barberini?' vroeg hij.
De secretaris knikte. 'Wie anders?'
De groothertog knipte met zijn vingers naar een trillende bediende. 'Haal dat dikke varken van een Aldo uit zijn bed.'
Het dikke varken verscheen een minuutje later met verwarde witte haren, terwijl hij een indigo geverfde mantel over zijn rode tuniek trok. 'Ga zitten, Aldo. En gebruik die verwrongen geest van jou om me te vertellen wat Zijne Heiligheid nu weer voor spelletjes speelt.'

'Excellentie, dit is een schande.'
'Heb je het over de ontvoering van een geleerde die onder mijn bescherming staat of over het feit dat je uit je wellustige bed bent gehaald?'
'Sire, de wet is in dit geval heel duidelijk. Het Heilige Officie heeft niet het recht buiten de pauselijke staat ketters te arresteren zonder de toestemming van de wereldlijke autoriteiten, die in dit geval belichaamd worden door Uwe Excellentie. De noodzaak van toestemming is in het bijzonder geldig als het om een uitlevering gaat. Deze arrestatie is een grove overtreding van de algemeen geaccepteerde procedure en een onwettige inbreuk op uw gezag en bezit. Een belediging die nog wordt verergerd door het feit dat deze Vincenzo onder de bescherming en het patronaat van Uwe Excellentie staat.'
'Ik heb nog geen antwoord gehad op mijn vraag: wat voor spelletje speelt prins Maffeo Barberini?'
Aldo vervolgde: 'Ik kan maar één reden bedenken.' Hij zweeg.
'Nou?'
'De reden die al gegeven is. De Kerk tolereert geen ketterij.'
De secretaris kwam tussenbeide: 'Serenissimo, het is een waarschuwing. Mag ik vrijuit spreken?'
De hertog knikte, maar zijn gezicht waarschuwde tegen al te veel vrijheid.
'Ook ik heb u gewaarschuwd,' zei de secretaris. 'U staat alom bekend als een beschermheer van de kunsten en de muziek, en het doet velen onder ons deugd om te zien dat u deze prachtige traditie voortzet, die al sinds Lorenzo in uw familie bestaat. De mens prijzen is zijn Schepper prijzen. Maar die Vincenzo? Hij wordt verdacht van toverij en nog ergere dingen. En vergeef me, Uwe Excellentie, maar ik heb vaak horen zeggen dat u te tolerant bent ten opzichte van joden en bezoekende buitenlanders. Er wonen meer joden in Livorno dan in elke andere Italiaanse stad. En veel van die buitenlanders worden ervan verdacht dat ze Luther aanhangen.' De secretaris aarzelde even, zich afvragend of hij al te ver was gegaan, maar de hertog, die een appel zat te schillen, spoorde hem met een gebaar aan.
'Het ergste van alles, sire, is nog de clandestiene boekhandel. Die bloeit en u doet er niets tegen. Het laatste jaar had ik in de straten van Pisa, Lucca en Pistoia verboden boeken kunnen kopen van aartsketters als Melanchton, Bullinger, Brenz en Bucer. Ik heb met mijn eigen ogen gezien dat venters op straat Calvijns *Institutes*, Castellio's *De*

Haereticis en Luthers *Cathechismus Genevensis* verkochten op nog geen steenworp afstand van de Duomo. Deze goddeloze mannen halen ze van over de Alpen, bij de reformatorische drukpersen in Genève en Bazel. De ontvoering van Vincenzo is een waarschuwing, sire.'
De groothertog stond op en stelde zich vlak voor zijn secretaris op. Hij was duidelijk boos, maar zijn stem bleef beheerst. 'Beste Enzo, met de belofte van religieuze tolerantie zet ik slechts de traditie voort die is ingesteld door mijn grootvader. Florence is er wel bij gevaren; Livorno is een juweel in de kroon van de De Medici's. En moet ik je eraan herinneren dat mijn eigen vader Galileo uitnodigde naar Florence te komen, waar hij de laatste jaren van zijn leven heeft doorgebracht? Wordt mij dat onthouden? En waarom hebben ze Vincenzo's werk meegenomen? Om verbrand te worden? Zullen ze nooit worden toegevoegd aan de grote bibliotheek waaraan Gian Carlo, Leopoldo en ik ons leven hebben gewijd? En moeten wij hier blijven staan discussiëren over mijn politieke filosofie terwijl ruiters wegrijden met een wetenschapper aan wie ik bescherming en veiligheid heb geboden?'
De secretaris boog. 'Dus, Altezza. Laat ons Barberini's huurlui onderscheppen voordat ze Bologna bereiken en ze langs de weg ophangen.'
De groothertog wendde zich tot Aldo. 'Aldo, je zit op je lip te bijten.'
'Ik denk dat ze hem naar Rome brengen. Waarom zouden ze anders Bologna zeggen waar iedereen het kan horen? Maar dat is niet de reden waarom ik op mijn lip bijt. Uwe Excellentie, we moeten dit voorzichtig aanpakken.' Aldo zweeg even, alsof hij zijn gedachten op een rijtje moest zetten.
'Aanschouw ons geweldige geduld, Aldo, terwijl we wachten op jouw wijze woorden en de ruiters ervandoor gaan met mijn geleerde.'
'De Kerk ziet erosie. Erosie van het geloof. Het wordt niet alleen door de Lutheranen in het noorden in twijfel getrokken, maar ook hier in ons midden, door mannen die naar de hemel kijken. Ze heeft al uitspraak gedaan over de ketterij van Copernicus. En toen Galileo vorig jaar was overleden, een ketter die onder bescherming stond van uw vader, verbood de Kerk u een monument tot zijner nagedachtenis te plaatsen.'
'En dat heb ik ook niet gedaan.'
'Inderdaad. Maar wat heeft Uwe Excellentie in plaats daarvan gedaan? U hebt de overblijfselen van de ketter begraven in de novicenkapel in Santa Croce. Het is gevaarlijk om een gewond dier uit te dagen.'
'De man die de kleine lichamen heeft ontdekt die om Jupiter zweven

en ze de Medici-sterren heeft genoemd, verdient daarvoor eerbetoon. En de paus is hier de wetsovertreder,' merkte de groothertog op. 'Wat kan hij eigenlijk doen?'
'Hij zou zijn tegendraadse verwanten ertoe kunnen aanzetten een oorlog tegen u te beginnen...'
'God behoede me voor die Barberini's...'
'... en hij kan u excommuniceren. In dat geval worden de burgers van Florence ook geëxcommuniceerd als ze u niet uit uw ambt ontzetten. Als ze geen vergiffenis kunnen krijgen voor hun zonden, lopen ze het risico op eeuwige vervloeking. Het zou een gevaarlijke situatie kunnen scheppen voor het Huis De Medici.'
De secretaris viel hem bij. 'Op een dag zal deze stad ten onder gaan onder het gewicht van haar zonden.'
'Dus ik laat gewoon toe dat Barberini me een loer draait? Dat mijn wettelijke gezag ondermijnd wordt?'
Aldo zei: 'Dat is beter dan bloed in de straten, Altezza.' Hij voegde er sluw aan toe: 'En Zijne Heiligheid heeft niet het eeuwige leven.'
'Aldo, jij denkt als een gifmenger. Ik wil er niets meer over horen.' De groothertog beende in gedachten heen en weer. Toen wendde hij zich tot zijn secretaris. 'Ga naar Rome. Vraag Zijne Heiligheid om me te zegenen. Wens hem een lang en gelukkig leven. Aldo heeft gelijk, zoals altijd. Ik zoek geen moeilijkheden met het Heilige Officie. Maar doe wat je kunt voor Vincenzo. Ik wil niet dat ze hem verbranden.'
De secretaris boog en wilde weggaan. De groothertog riep hem na: 'Enzo, ik wil Vincenzo's werk terug. Ze moeten op een dag hun plaats innemen in de Palatina.'
'En als Vincenzo alleen gered kan worden door ruzie te maken met het Heilige Officie?'
De groothertog zuchtte. 'Kom niet terug met ruzie, Enzo.'

Piñon Mesa

Noordhof voelde de spanning en zei: 'Oké mensen, neem een korte pauze. Daarna gaan we aan het werk in de afgesproken teams. Om vier uur komen we hier weer bij elkaar.'
Webb en Whaler zetten luidruchtig de vaat in de vaatwasser. Sacheverell kwam terug van het toilet. Hij toverde een stralende glimlach tevoorschijn. 'Hé atoomjuffie, wat dacht je van een spelletje pingpong?'
Webb voelde even een zuivere, gedistilleerde haat. Maar Judy schudde slechts beleefd haar hoofd. Sacheverell haalde zijn schouders op en niet lang daarna sloegen hij en McNally in de zitkamer tegen een pingpongbal aan. Shafer had een bevroren pakje in de magnetron gezet en keek er gespannen naar. Noordhof en Kowalski voerden een heftige discussie onder het genot van nog meer koppen koffie.
Webb onderbrak hen. 'Kolonel, ik heb een vriend op Tenerife, Scott McDonald, met een op afstand bestuurbare Schmidt. Ik zou hem van hieruit kunnen bedienen.'
Noordhof keek verbaasd. 'Echt waar?'
'Ik wist niet dat dat ding werkte,' zei Kowalski.
'Dat doet hij ook niet. Ze zijn hem nog aan het programmeren, en dat betekent dat er nog niet veel mee gedaan wordt. Hij zou met Kerstmis vrij moeten zijn. Ik kan inloggen op Scotts computer in Oxford en hem van hieruit bedienen, als je het goedvindt.'
'Ik zal erover nadenken, Oliver.'
Nu was het Webbs beurt om verbaasd te kijken. 'Hoezo, nadenken? We kunnen alles gebruiken wat de lucht in kijkt. Met een tijdverschil van negen uur kunnen we onze dekking van de nachthemel aanzienlijk vergroten.'
'We moeten ook om de veiligheid denken.'
'Mark, laten we niet al te paranoïde worden. Een telescoop op afstand bedienen is wat je geacht wordt te doen met een op afstand bestuurbare telescoop. De signalen gaan via Oxford.'

'Ik zei dat ik erover zou denken.'
Webb zuchtte. 'Het is jouw land.' Hij trok zich terug in zijn kamer, nam snel een douche en keek toen wat er allemaal in de kast hing. Hij vond een zware trui van Shetlandwol, achtergelaten door een bezoekende observator. Rode en gele bliksemschichten waren niet zijn idee van mode, maar het was een warm kledingstuk.
'Oliver.' Hij schrok van Leclerc. De Fransman zag er bezorgd uit. Hij praatte zachtjes, bijna samenzweerderig. 'Oliver, we moeten praten.'
'Prima.' Webb nodigde hem in zijn kamer en deed de deur stevig dicht. Leclerc keek Webb onzeker aan. 'Oliver, er is hier iets heel vreemds aan de gang.'
Ik ben het helemaal met je eens, had Webb bijna gezegd, maar hij wachtte tot de man verder zou gaan. Maar Leclerc keek hem onzeker aan en wist blijkbaar niet in hoeverre hij Webb kon vertrouwen.
Er werd kordaat op de deur geklopt. 'Ga je mee hardlopen, Oliver? Of voel je je nog steeds zwakjes?' Judy stond voor Webbs deur op en neer te springen.
'Eén minuutje!' riep hij, en ze hoorden wegstervende voetstappen.
'We praten later wel,' zei Webb zachtjes.
'Dat moeten we doen. Maar onder vier ogen. Niemand anders erbij.'
Judy sprong in een grijs trainingspak op en neer voor het gebouw, wachtend op haar collega's. Webb kwam naar buiten. Ze wenkte hem en nam het moment van oogcontact te baat om hem met een snelle vrouwelijke intuïtie te beoordelen. Zijn gespierde lichaam en zijn slordige bruine krullen gaven eerder de indruk van een buitenmens dan van de rustige wetenschapper die hij duidelijk was. Subtiele lijntjes rond zijn kaak wezen op een vastberaden trekje en rond zijn blauwe ogen op een ongewone intelligentie, maar tegelijkertijd had hij iets naïefs. Ze voelde dat hij humor kon hebben, maar dat hij ook verlegen en zelfs onhandig was in gezelschap. Een interessante en ongewone collega, dus.
Webb draafde naar Judy en rekte zich uit in de frisse lucht en het zonlicht.
'Dit is een werkloopje, hè?' zei Webb.
'Absoluut!' riep Judy al springend uit. 'We moeten de dufheid verjagen.'
Leclerc kwam een minuut later voor de dag en had geen enkel risico genomen: hij droeg hetzelfde Eskimopak als de vorige avond. Parijse elegantie gluurde uitdagend over zijn met bont gevoerde kraag in de

vorm van een rode strik met stippen. Webb had nog nooit een hardloper met een strik om gezien, maar vreemd genoeg steeg Leclerc in zijn achting door die kleine excentriciteit.
'Remmen los!' riep ze uit. Ze liepen in een langzame draf de weg af. Ze glimlachte breed tegen Webb. 'Dat was leuk. Wat is dat toch tussen Sacheverell en jou?'
'Herb is een maffiamoordenaar. Hij is een bullebak, een megafoon, een windvaan, een willoze ambtenaar van het ergste soort...'
'Maar Oliver,' lachte Judy, 'hij is onze beste man op dit gebied.'
'Natuurlijk, als je wetenschappelijke prestaties afmeet aan hoe vaak iemand in de media verschijnt.'
Leclerc ging puffend buitenom bij de haarspeldbocht. 'Waarom die ziedende haat, Oliver? Wetenschappelijke rivaliteit? Of heeft hij kritiek geuit op een van je artikelen?'
Judy begon snelheid te maken. Webb liet haar voorop lopen. 'Helemaal niet, het is omdat ik waarde hecht aan de waarheid. Herb herschrijft de geschiedenis op een manier waarvan Stalin zou gaan blozen. Hij manipuleert conferenties, zet zijn eigen mensen in commissies, bespeelt de publieke opinie...'
'Aha, dit is waar de pijn zit,' merkte Leclerc op. 'Hij brengt zijn ideeën aan de man, terwijl jij...'
'... maar zijn wetenschappelijke talent is minimaal. Hij heeft zijn hele leven nog niet één origineel idee gehad. Hij heeft onze tak van wetenschap tien jaar achteruit gezet.'
'Oliver,' riep Judy over haar schouder, 'we hebben hier geen slimme nieuwe inzichten voor nodig. Het ding vinden is genoeg.'
'Herb probeert vast de show te stelen en als hij daarin slaagt, wordt het niets.'
Judy begon nu echt hard te lopen. Ondanks het feit dat haar benen korter waren, begon Webb te hijgen en had hij moeite haar bij te houden. Leclerc raakte achter. 'Ik denk dat je gewoon dwars wilt liggen.'
'Lieve doctor Whaler, dat is een schandelijke aantijging. Ik ben een rustige wetenschapper die onder protest is weggehaald van een belangrijk onderzoek.'
'Belangrijker dan de planeet?'
'Dus ze hebben jou ook ontvoerd, Oliver?' vroeg Leclerc, die hen met moeite had ingehaald.
'Het was meer een aanbod dat ik niet kon weigeren. En jij, Judy? Of ontvoeren ze in deze contreien geen mensen in vliegende schotels?'

'Geen ontvoering. Ik ben hier gewoon naartoe gereden vanuit Albuquerque. De Pontiac is van mij.'
'Oliver, over hoeveel hemellichamen hebben we het hier?' Leclercs gezicht was rood aangelopen.
'De bekende aardscheerders? Ongeveer vijfhonderd. En Spacewatch ontdekt er elke nacht nog twee of drie.'
'Ik wist niet dat het zo druk was in de interplanetaire ruimte. Het is een wonder dat het leven op aarde is blijven bestaan.'
'Dat was bijna niet zo geweest. Aan het begin van het Trias is het bijna uitgeroeid. Papabeer is een muis vergeleken met sommige dingen die daar rondzweven. Hephaistos en Sisyphus hebben een doorsnede van tien kilometer. Ze zouden honderd miljoen megaton opleveren. Maar het gaat niet alleen om de inslag.'
Judy lag nu een heel eind voor. De mannen hijgden. 'Berenspoor!' riep ze over haar schouder en de mannen volgden haar toen ze de weg verliet en een smal pad tussen de bomen op ging.
'Niet alleen om de inslag, Ollie. Wat bedoel je daarmee?' De grond onder de sneeuw was een zacht tapijt van dennennaalden. Ze hadden nu een soepel tempo gevonden en daalden in een pittig tempo de berg af, maar Webb vroeg zich wel af hoe de terugweg zou zijn.
'De kans is dat de grote aardscheerders deel zullen uitmaken van een zwerm.' Webb zigzagde tussen de lage, met sneeuw bedekte takken door. 'Het wordt meer een bombardement, waarbij superkometen tot stof uiteenvallen en duizenden jaren lang het zonlicht tegenhouden. We denken dat het planetenstelsel wordt omringd door een enorme wolk kometen, die bijna tot aan de sterren reikt. Het hele zonnestelsel, inclusief kometenwolk, maakt in tweehonderd miljoen jaar een baan door de Melkweg. Maar in die tijd gaat het ook op en neer, net als de paarden in een draaimolen. Dus gaan we op en neer door de Melkweg. Elke zevenentwintig miljoen jaar raken we de galactische schijf.'
'En die schijf zien wij als de Melkweg,' zei Judy, die amper buiten adem was.
'Ik heb hem gisteravond gezien. Vanaf hier is hij fantastisch. Hoe dan ook, omdat die schijf bestaat uit een concentratie van sterren en enorme nevels, komen we elke zevenentwintig miljoen jaar, als we erdoorheen gaan, onder de invloed van de zwaartekracht van de Melkweg, waardoor de kometenwolk wordt verstoord. De kometen raken uit hun oude baan, komen en masse het planetenstelsel binnen,

de aarde wordt gebombardeerd en dat leidt tot een massale vernietiging. Daarom gaat het leven in cyclussen van zevenentwintig miljoen jaar. Het oude leven wordt weggevaagd om plaats te maken voor het nieuwe.'

'Niet zo snel!' riep Leclerc. Ze bleven staan. Leclerc stond met zijn handen op zijn knieën te hijgen. Webb keek op. Het observatorium was niet meer te zien. Hun stemmen klonken gedempt in het besneeuwde bos.

'*Alors*. Je hebt jarenlang de draak gestoken met astrologen en nu vertel je ons dat ons lot in de sterren ligt. Waar zitten we nu in die grote cyclus van jou, Oliver?'

'We zitten midden in de schijf en de volgende massale vernietiging is aanstaande.'

'Die galactische schijf,' peinsde Judy. 'Staat die nog in verband met Nemesis?'

'Zou kunnen. Sommige aardscheerders zijn niet meer dan afgedwaalde onderdelen van de asteroïdenzwerm. Herb zal je vertellen dat ze dat allemaal zijn, maar er zijn ook serieuze mensen die dat denken. Maar omdat we ons op het hoogtepunt van de vernietigingscyclus bevinden, denk ik dat misschien de helft ervan ontgaste kometen zijn. Als een komeet in de buurt van de zon komt, krijgt hij een mooie staart, zodat je hem van honderd miljoen kilometer afstand kunt zien. Maar na een tijdje is zo veel van de staart teruggevallen op de kern dat die wordt verstikt. De komeet wordt zwarter dan roet en bijna onzichtbaar. Het wordt een asteroïde met een zachte kern.'

'Ik zie waar je naartoe wilt,' zei Judy licht hijgend. 'Als het een verdwaalde komeet is van de grote zwerm, is het een kanonskogel. Als het een ontgaste komeet is, is het een sneeuwbal die eruitziet als een kanonskogel. Als je hem uit zijn baan wilt brengen en je beoordeelt hem verkeerd, dan veroorzaken we zelf een massale uitroeiing van het leven. Als we geen tijd hebben om gaten in Nemesis te boren, gaat dat risico deel uitmaken van de overweging wat we moeten doen. Naar boven of naar beneden?'

Leclerc wees naar beneden en ze gingen weer op weg, Judy nog steeds voorop. Na vijf minuten werd de sneeuw minder en maakten de pijnbomen plaats voor dwergeiken. Daartussendoor vingen ze glimpen op van de verre zonovergoten woestijn van Arizona.

'Oliver, hoe kunnen we de lijst van mogelijkheden voor Nemesis korter maken?' vroeg Leclerc.

'Welke asteroïde de Russen ook gebruikt hebben, hij moest bereikbaar voor ze zijn. Wat konden ze allemaal bereiken, André?'
'De Russen lanceren apparatuur voor *deep space* missies altijd vanaf een hoogte van tweehonderd kilometer van de aarde. Zelfs met Proton-boosters kunnen hun kosmonauten niet op een asteroïde landen die een interceptiesnelheid heeft van meer dan zes kilometer per seconde of daaromtrent. En ze moeten ook nog terug.' Judy sprong licht als een gazelle over een omgevallen boom, en de mannen volgden als een stel werkpaarden.
'Dat betekent dat we asteroïden zoeken in banen die op die van de aarde lijken, dus een lage excentriciteit, een lage inclinatie en een halve lange as van ongeveer de afstand van de aarde tot de zon. Er zijn minstens een stuk of zes asteroïden in de klasse van Nemesis die de baan van de aarde kruisen. Ze hebben een heleboel lanceringsmogelijkheden met δV ergens tussen vier tot zes kilometer per seconde en de retourvlucht zou drie maanden tot een paar jaar duren.'
'In termen van energie zijn ze in ieder geval gemakkelijker te bereiken dan de maan,' merkte Leclerc op.
'Veel gemakkelijker. De Japanners zijn al op Nereus geweest. Weet je, we zouden de banen van deze asteroïden heel snel kunnen controleren.'
'Misschien maakten de kosmonauten zich niet druk om de terugkeer,' riep Judy over haar schouder.
Dat was nog niet bij Webb opgekomen. 'Een zelfmoordmissie?'
'Waarom niet? Je bespaart op brandstof en kunt alles gebruiken om een verder gelegen asteroïde te bereiken. Zou jij je leven geven voor je land, Ollie?'
'Mijn liefde voor mijn vaderland is onsterfelijk. André, stel dat Judy gelijk heeft. Welke δV kun je me dan geven?'
Leclerc ademde uit. 'Voor een enkele reis? Dan moeten we de criteria bijstellen tot twaalf kilometer per seconde.'
'Dat betekent dat ze zo ongeveer alles binnen ons planetenstelsel hebben kunnen bereiken.'
'*Merde!*' Ze denderden naar beneden en bliezen dampende ademwolken uit.
'Er is nog een andere benadering,' zei Webb. 'Er zijn maar heel weinig asteroïden van een paar kilometer doorsnee die naar ons toe geleid kunnen worden. Het moet een aardscheerder zijn die heel dichtbij zou zijn gekomen, een potentieel gevaarlijke asteroïde die binnen misschien een honderdste AU van de aarde gepasseerd zou zijn.'

'Wat betekent dat voor je lijst?' vroeg Judy. Ze ging nu half hardlopend, half krabbelend de steile berg af; ze hadden stilzwijgend elke gedachte aan de terugweg laten varen.
'Dat hangt af van de kracht waarmee de Russen hem konden raken en hoe lang van tevoren ze dit hebben gepland. Als ze bijvoorbeeld vijf jaar geleden een bom van honderd megaton ter plekke konden krijgen, hadden ze aardig wat gevaarlijke objecten in de klasse van een kilometer tot hun beschikking. De minimale afstand waarop Midas de aarde kruist, is nul, die van Hermes drie duizendste AU als we hem ooit weer vinden en Asclepius vier duizendste AU, en zo kan ik nog wel even doorgaan. Ik zal het moeten nakijken, maar de meeste van die kluiten doen inmiddels niet meer mee. Hun baan kruist die van ons, maar als we eenmaal langs het kruispunt zijn, zijn we veilig.'
'Als twee treinen die rondjes rijden op elkaar kruisende sporen, Oliver,' merkte Leclerc puffend op. 'Je krijgt alleen een botsing als ze tegelijkertijd op het kruispunt zijn.'
Ze gingen langzamer lopen; Judy ging zitten en gleed op haar billen langs een puinhelling. Webb zei: 'Wat jij en ik moeten doen, André, is kijken langs welke asteroïden Russische interplanetaire sondes in het verleden zijn gekomen. Hoe langer geleden ze hem uit zijn baan hebben gebracht, hoe groter de afwijking is die ze inmiddels bereikt kunnen hebben.'
'Goed, Oliver. Jij maakt een lijst van aardscheerders en ik zal kijken of een van de Phobos- of Venera-sondes daar vlak langs kan zijn gekomen, misschien zelfs binnen het bereik van een secundaire sonde.'
Ze waren inmiddels onder aan de puinhelling en renden een licht beboste heuvel af. Leclerc zweette in zijn Eskimopak en zijn gezicht was rood.
'Het kan een vrij snel voorbij scherende asteroïde zijn geweest,' zei Judy. 'Onze kamikazeastronauten kunnen best...' Ze hief haar hand en bleef staan, zodat ze bijna tegen elkaar botsten. 'Hoorden jullie dat?'
Webb spitste zijn oren.
'Geweervuur,' zei Leclerc, en inderdaad klonk er meer naar beneden en rechts van hen geknetter van geweervuur. Het leek alsof er verscheidene wapens werden afgeschoten.
'Jagers?' vroeg Leclerc zich hijgend af.
'De survivalisten,' opperde Webb. 'Hoe ver zijn we afgedaald?'
'We zijn misschien wel een kilometer naar beneden gekomen.' Plotseling leek het kil in het bos, zelfs na al die inspanning.

'Misschien moeten we links afslaan en de weg zien te vinden,' stelde Judy voor.
'Laten we een minuut of vijf wachten,' zei Webb, die bezorgd naar het vuurrode gezicht van Leclerc keek. Ze gingen op het tapijt van dennennaalden zitten en Judy haalde tot ieders genoegen een grote reep chocola tevoorschijn. Het schieten was opgehouden. Ze bleven even zwijgend en slecht op hun gemak zitten eten. Leclerc stond op en wandelde in de richting van het geweervuur. Hij verdween in de schemering tussen de bomen.
Een paar minuten later zagen Whaler en Webb hem tot hun opluchting weer terugkomen.
'Iets gezien?' vroeg Webb.
Leclerc haalde zijn schouders op en liet zich weer vallen. 'Ik weet het niet zeker. Misschien een dier.'
'Laten we weggaan,' stelde Judy voor.
Ze stonden op. 'Hoe zit het met Midas?' vroeg Leclerc. Webb vermoedde dat hij gewoon het gesprek op gang wilde houden. De Fransman keek nerveus over zijn schouder.
'Ik betwijfel of die de uiteindelijke lijst haalt. Een soort superkomeet, die heel snel beweegt en dus onbereikbaar is. Niet te achterhalen door een ruimtesonde.'
'En Hermes?'
'Die is zoek, net als wij,' antwoordde Webb.
'Iemand weet waar we zijn,' zei Judy, die terugkeek langs de route waarlangs ze waren afgedaald. Uit de schaduw verscheen een man van een jaar of twintig in kaki en groene legerkleding en met een geweer met een lange loop en een telescoopvizier in zijn hand. Een plattelandsjongen met overgewicht, maar een abnormaal mager gezicht, dat met zwarte strepen was besmeurd. De donkere ogen in het gezicht stonden dicht bij elkaar. Webb herkende die ogen toen hij dichterbij kwam; het waren ogen vol onwetendheid en argwaan en het bijgeloof van eeuwen.
'Môgge. Zijn jullie van de regering?' Gesproken met strakke, afkeurende lippen.
'Nee, we zijn alleen op bezoek,' zei Webb, die zich een overdreven Oxford-accent aanmat. Leclerc zou goed laten blijken dat hij Frans was en Judy zou haar mond houden.
'Maar jullie komen van boven, toch?'
'Van het observatorium, ja.'

Daar dacht de man even over na. Zijn dicht bij elkaar staande ogen gingen van Webb naar Judy en van Judy naar Leclerc en toen weer terug naar Judy. Hij legde zijn geweer over zijn onderarm.
'Ik ken in ieder geval wel hor'n dat jullie allemoal uut het buut'nland kom'n.' Hij zweeg even en er was geen enkele uitdrukking van zijn gezicht af te lezen. 'Jelui zijn ons toch niet aan het bespioner'n, hè?'

De Barringerkrater, Noord-Arizona

De man stond in de schaduw op de vloer van een enorm bekken te rillen in de koude woestijnlucht. Honderdtachtig meter boven hem werd een smalle rand van de klip verlicht door de zon. Het licht kroop langs de rotshelling naar beneden. Hij wenste dat het sneller zou bewegen, maar de wetten van de hemelse mechanica lieten zich niet dwingen. Een groene salamander keek naar hem met één oog aan de zijkant van zijn kop en schoot toen weg over een verlaten balk, die lang geleden gestorven mannen eens hadden gebruikt om bij de nikkelijzeren meteoriet te komen die volgens hen ver onder de grond begraven lag.

De man wendde zich tot zijn metgezel. 'Zijn hier slangen, Willy? Ik haat slangen.'

'Welkom in de Barringerkrater, Jim,' zei Shafer. 'Ben je hier ooit eerder geweest?'

McNally bekeek het bekken waarin ze stonden. 'Ik heb er foto's van gezien. Zeg alsjeblieft dat hier geen slangen zijn.'

'Slangen zijn niet het punt, Jim. Niet zoals in New York, waar ze crack roken en wapens dragen.'

McNally keek opgelucht. 'Ik voel me opeens een stuk beter.'

'Maar de schorpioenen, dat is een andere zaak.'

'Zeer bedankt. Wat doen we hier, Willy?'

'Ik dacht dat een groot gat in de grond wat meer pit aan onze discussie zou geven. Hoe dan ook, genieën maken hun eigen regels. We vormen een kleine groep en de rest van de mensheid kan slechts verbaasd toekijken. Laten we eens rondwandelen.'

McNally draaide langzaam als een vuurtoren om zijn as en keek naar de ronde rotswand die aan alle kanten honderdtachtig meter boven hem uittorende. Toen liep hij achter de natuurkundige aan naar de wand, een paar honderd meter verderop.

'Een behoorlijke inslag,' zei McNally.

'Een rotje,' zei Shafer. 'Een paar megaton, veertigduizend jaar geleden. Misschien waren er wel mensen in de buurt.'
'Wat gaan we doen, Willy? Verpletteren we hem met waterstofbommen?' vroeg McNally.
'Waar haal je dat idee vandaan, Jim, uit je werkplaats in Los Alamos of uit een slechte film? Stel dat je dat probeerde en je hem in duizend fragmenten uiteen blies. Ze zouden stuk voor stuk een doorsnee hebben van misschien honderd meter en met een snelheid van wel honderd of honderddertig duizend kilometer per uur op ons af komen stormen. De fragmenten zouden langzaam van elkaar vandaan gaan, maar toch dicht bij de oude baan blijven. Tegen de tijd dat ze ons bereiken, vallen ze als hagel over het hele land verspreid neer. In plaats van een kogel krijg je hagel, die in een tijdsperiode van een paar uur inslaat. Dus je krijgt geen kogel van een miljoen megaton, maar duizend inslagen, elk met vijftigduizend keer de energie van de bom op Hiroshima. Niet goed.'
'Ik heb nog steeds moeite het te bevatten,' moest McNally toegeven.
'Stel je voor dat Amerika wordt aangevallen met kernbommen. En vermenigvuldig dat met vijftig.'
'Laten we dan een stap verder gaan en het ding letterlijk verpulveren. Kan dat?'
Shafer begon de steile binnenwand op te klauteren. 'Dat hangt ervan af naar wie je luistert,' riep hij naar beneden. 'Sommige mensen zeggen dat aardscheerders niet meer zijn dan opgedroogde kometen, misschien zelfs stofballen. In dat geval zou het misschien gaan. Dat is wat Webb denkt. Sacheverell denkt er anders over. Hij zegt dat ze afgedwaald zijn van de grote asteroïdengordel tussen Mars en Jupiter. In dat geval kunnen ze uit rots of ijzer bestaan en kunnen we er met geen mogelijkheid genoeg energie op uitoefenen om ze te verpulveren.'
'Wat denk jij?' vroeg McNally.
'Er was eens een kruisvaarder,' zei Shafer, terwijl hij ging zitten. 'Hij wilde een Saraceen laten zien hoe sterk hij was. Dus hij pakt een ijzeren staaf, geeft er een klap op met zijn enorme zwaard, en de ijzeren staaf breekt in tweeën. Doe me dat maar eens na, zegt hij. Dus pakt de Saraceen een zijden zakdoek en gooit hem in de lucht. Hij houdt het lemmet van zijn kromzwaard omhoog en als de zakdoek over het lemmet valt, wordt hij in tweeën gesneden.'
'Dat is allemaal heel poëtisch, Willy. Ik hou van poëtische dingen. Ik wist niet dat je behalve een genie ook een dichter was. Als ik een No-

belprijs had en een hoofd vol parabels zou ik misschien begrijpen wat je wilde zeggen, maar zie je, ik ben maar een doodgewone vent die uit alle macht probeert zijn land te redden, en de betekenis van dat poëtische verhaal ontgaat me.'

Shafer grinnikte en gooide speels een vuistgrote steen naar de man van de NASA. 'Dat krijg je nou als je een grote bureaucratische onderneming leidt. Ontspan je een beetje Jim, en probeer eens buiten de hokjes te denken. Als de asteroïde een rotsblok is, raakt hij ons als een enorm zwaard en zijn we er geweest. Als het een stofbal is en we hem met bommen tot poeder blazen, zweeft dat stof zachtjes naar beneden, net als de zakdoek van de Saraceen, en houdt het het zonlicht tegen. We zouden een paar miljard ton stof in de stratosfeer kunnen krijgen. Als het kleiner is dan een micron, als condensatie van verpulverde rots, blokkeert het het zonlicht en krijgen we een diepe schemering. Het duurt een jaar voor het stof is neergeslagen en intussen is onze commerciële landbouw geschiedenis. Dus begeeft onze voedselketen het. De ervaring leert ons dat mensen die geen voedsel krijgen, uiteindelijk doodgaan. Dat is de optie van de Saraceen, Jim.'

'Als ik de markt in bonen in blik kon veroveren... Denk ik zo genoeg buiten het hokje?'

Shafer klauterde naar beneden en de twee mannen begonnen langs de rotswand van de Barringerkrater te lopen. 'Vergeet het idee om Nemesis te verpulveren,' zei de natuurkundige. 'De enige manier om er iets tegen te doen, is hem uit zijn baan te brengen op dezelfde manier als waarop hij daarin is gekomen. We moeten een beheerste explosie hebben.'

'Je bedoelt dat we de uitwerking van de explosie gebruiken als raketbrandstof?'

'Precies.'

'Hoe zwaar moet die explosie dan zijn?'

Shafer keek op zijn horloge. 'Ik zal je wat berekeningen laten zien. Als we tien jaar de tijd zouden hebben, zouden we Nemesis maar een centimeter per seconde hoeven verschuiven, ongeveer de snelheid van een snelle slak. Op de lange termijn zou zijn baan dan voldoende veranderd zijn.'

'Een slakkengang,' herhaalde McNally. 'Ik hou van slakken, al vanaf mijn vroege jeugd. Ik voel me opeens een stuk beter. Zeg maar wat je nodig hebt van de NASA. Misschien kunnen we er een groot ruimteschip tegenaan laten botsen.'

'Dat hangt ervan af hoe groot Nemesis is. Ik denk dat we moeten uitgaan van een asteroïde van een kilometer, groot genoeg om de Verenigde Staten van de aardbodem te laten verdwijnen. In dat geval zou je het kunnen doen met een ruimteschip van driehonderd ton. Het zou een kamikazemissie worden en je zou het ding met twintig kilometer per seconde tegen de asteroïde moeten laten botsen.'
'Driehonderd ton!' riep McNally uit. 'De NASA heeft niet de beschikking over Starship *Enterprise*, Willy. En we hebben geen tien jaar, of wel soms? Stel dat we een paar maanden voor de inslag bij Nemesis zijn.'
'Dan zou je hem met een stevige wandelpas moeten laten opschuiven.'
'Wat is daarvoor nodig?' vroeg McNally.
'Vergeet de kamikazemissie. Je zou bij lange na niet genoeg hebben aan een botsing met Starship *Enterprise*. We zouden biljoenen tonnen asteroïde moeten wegblazen. Voor rots van gemiddelde sterkte of hard ijs zou je misschien tien miljoen ton explosieven nodig hebben.'
'Of het nucleaire equivalent daarvan. Er bestaan bommen van tien megaton. Dus we begraven er een op de best mogelijke diepte...'
'Daar ga je weer, Jim, je haalt je ideeën weer uit films. Vrachtwagens vol mijnbouwspullen, dieselmotoren die zuurstof nodig hebben, ingenieurs die zich vastklampen aan een tollende asteroïde. Nee, we hebben waarschijnlijk helemaal niet de tijd om iets te begraven. Judy zal ons moeten vertellen wat een explosie aan het oppervlak kan uitrichten. En we moeten nog steeds weten waar de asteroïde uit bestaat. Stel dat hij zo sterk is als sigarettenas? Dan zit je weer met de Saraceenoptie.'
'Dat moeten we dus al doende zien vast te stellen. We sturen er een laserstraal op af als we naderen en berekenen de samenstelling uit het spectrum van de damp, zoals de Russen hebben gedaan met de Marssatellieten. Dan moeten we een computer aan boord hebben die bij de nadering uitrekent waar de bom geplaatst moet worden.'
De natuurkundige schudde weifelend zijn hoofd. 'Zelfs met een laserstraal van een nanoseconde zou je geluk hebben als je op een afstand van meer dan honderd kilometer iets zou kunnen laten verdampen. Dat geeft je ruimteschip misschien drie seconden om het spectrum van de damp te analyseren, de omvang en samenstelling van de asteroïde te berekenen, uit te rekenen wat de optimale positie van de bom is en te zorgen dat ze in de juiste positie komt, die kilometers verderop zou kunnen liggen. Vergeet het maar. We moeten op het ding landen.'

Het zonlicht was nu halverwege de kraterwand en er kwam een lichte stoom vanaf, maar de vloer van het bekken bevond zich nog steeds in de schaduw en de woestijnlucht was ijskoud. McNally kreeg een bedrukt gevoel, alsof de wanden dichterbij kwamen.
'Hoe kan dat?' vroeg de directeur van de NASA. 'Jij zegt dat Nemesis nadert met een snelheid van misschien twintig kilometer per seconde. We hebben geen raketten die daar snel naartoe kunnen vliegen en dan kunnen vertragen tot die snelheid.'
'In dat geval is Amerika er geweest.'
'Verdomme Willy, ik heb zes kleinkinderen.'
'Ik ben net zo dol op mijn hond.'
Ze liepen zwijgend door. Na een paar minuten zei Shafer: 'Hoe zit het met jullie grote zwaargewicht, de Saturn Five? Als ik me goed herinner, heeft die ongeveer net zulke krachtige aanjaagraketten als de Russen. Ik weet dat het project in de ijskast is beland toen de Shuttle kwam, maar jullie moeten nog blauwdrukken hebben en een infrastructuur voor de lancering.'
McNally zette de kraag van zijn jasje op. 'Dat klopt. De blauwdrukken staan op microfilm in Marshall en de Federal Archives in East Point hebben 85 kubieke meter oude Saturndocumenten. En de oude lanceerinrichtingen zijn aangepast voor de Shuttle, maar we kunnen ze met een beetje hulp van Superman wel weer in de oude staat herstellen. Maar Willy, waar vinden we bedrijven die spullen uit de jaren zestig kunnen produceren? Het zou zoveel tijd kosten om de ontwerpen aan te passen aan de moderne hardware en een lanceerinrichting om te bouwen dat we net zo goed helemaal opnieuw kunnen beginnen. Je hebt het over jaren.'
Shafer schopte bedachtzaam tegen een steen. 'Tegen die tijd zijn we dood.'
'Willy, we kunnen dit op twee manieren benaderen. Met een onbemande of met een bemande module.' Shafer knikte aanmoedigend en het hoofd van de NASA vervolgde: 'We kunnen snel bouwen op basis van een ontwerp voor een bemande module of er zelfs een van Smithsonian Aerospace aanpassen en hem de lucht in sturen met een Saturn/Centaur-combinatie.'
'Hoe lang zou dat duren?'
McNally dacht na. 'De maanlandingen waren hierbij vergeleken kinderspel. De fase A-studie alleen zou in normale omstandigheden negen maanden in beslag nemen. Ik zou dat kunnen terugbrengen tot

drie of vier. Acquisitieplanning een maand, systeemengineering en testen nog eens een jaar. De voorzieningen voor de astronauten zijn altijd lastig. Het absolute minimum is een jaar voor we kunnen lanceren.'

'Tegen die tijd zijn we dood,' herhaalde Shafer. Ze liepen verder. De stilte in het grote bekken deed inmiddels aan die van het graf denken.

'Een shuttle vervoert mensen,' zei Shafer. 'Stop de laadruimte vol brandstof. Als de astronauten zich eenmaal in een lage baan om de aarde bevinden, kunnen ze zichzelf naar de interplanetaire ruimte schieten.'

McNally schudde zijn hoofd. 'De Mark Three kan tachtig ton lading in een lage baan brengen. Maar zelfs als dat helemaal uit brandstof zou bestaan, zou het niet genoeg zijn. Hoor eens, Willy, de ideeën voor het vergroten van het laadvermogen van de basisshuttle komen de NASA de oren uit. Vloeibare boosters, vrachteenheden onder de buitentank, vrachteenheden erboven, extra zij-eenheden, noem maar op. Ze vergen allemaal meer tijd dan we hebben.'

Shafer hield vol; er sloop een bezorgde klank in zijn stem. 'Een stuk of zes lanceringen, elke keer met een boostertank in het vrachtruim. Je zorgt ervoor dat de bemanning de boosters eruit kan halen en ze op een enkele shuttle kan zetten, net als Lego. Sla de testfase over' – de ogen van McNally werden groot van ongeloof – 'op die manier kun je overal kant-en-klare systemen voor gebruiken en heb je alleen een loodgieter nodig.'

Ze waren nu half rond het bekken gelopen. Er schoot nog een salamander weg, met driftig bewegende poten. McNally gooide er een steen achteraan en miste. 'Het spijt me, Willy, maar dit is pure fantasie.'

Het bekende mixergeluid begon tegen de kraterwanden te weerkaatsen toen de helikopter verscheen en naar hen afdaalde. McNally wuifde hem met een breed armgebaar weg en hij hing angstaanjagend scheef voordat hij uit het zicht verdween. Het zonlicht was bijna bij de vloer van de krater.

Plotseling verstijfde McNally. Hij hief zijn hand in een verzoek om stilte, een ongeformuleerde gedachte net buiten bereik. Toen knikte hij en zei: 'Ik heb een heel slecht idee.'

'Laat eens horen,' moedigde Shafer hem aan.

'De Europeanen hebben een landingsvoertuig. Hij heet de Vesta. Die zou de asteroïde kunnen bereiken.'

Shafer bleef staan. 'Is dat een slecht idee?'

'De ESA heeft het project stopgezet. Een aantal jaren geleden was het een Horizon 2000 Cornerstone, maar ze hebben het ding weer leven ingeblazen na het Rosetta-fiasco. Ze zijn er een heel eind mee en we hebben onze telemetriesystemen tot hun beschikking gesteld. Het probleem is dat hun Ariane Vijf niet krachtig genoeg is voor een zachte landing.'

'O, nee,' zei Shafer.

'O, ja. De ESA verscheept de Vesta naar Byurkan. De Russen zullen hem voor hen lanceren met een Proton-booster.' McNally kneep zijn ogen tot spleetjes. 'De Vesta wordt gebouwd bij Matra Espace in Toulouse. Als we er de hand op zouden kunnen leggen zonder argwaan te wekken, zouden we hem met een Saturn/Centaur-combinatie kunnen lanceren.'

'Ik ben het met je eens,' zei Shafer opgewonden. 'Het is een verschrikkelijk idee. Een nieuwe procedure voor de aanschaf van spullen door de NASA. Diefstal.'

'Het zou het einde van mijn carrière betekenen. Misschien moet ik wel zelfmoord plegen,' zei McNally opgewekt, met glanzende ogen.

Shafer bleef staan en liet McNally verder lopen. De directeur van de NASA ijsbeerde een paar minuten heen en weer, terwijl hij als een excentriekeling tegen zichzelf mompelde. Hij kwam terug met half samengeknepen ogen. 'Willy, we zouden een bom omhoog kunnen sturen met een Shuttle om wat van de lading van de Saturn over te nemen. De bemanning zou op een hoogte van driehonderd kilometer de Vesta kunnen onderscheppen en de bom kunnen overbrengen voordat het ruimteschip hyperbolisch gaat. Goddard en JPL kunnen het traject uitzetten als we Nemesis ooit vinden. Lawrence Livermore heeft ervaring met missiesensors en de bom. Ik zou het Naval Research Lab naar het algemene ontwerp kunnen laten kijken. We hebben ons Deep Space Network...'

'Dat kun je niet gebruiken,' zei Shafer scherp. 'De Russen zouden de *backscatter* in de ionosfeer opvangen. Als dit ding eenmaal is opgestegen, moet het zichzelf redden.'

'Waar is die helikoper?' McNally begon een soort oorlogsdans uit te voeren en met veel geroep naar de rand van de krater te staren. 'Als hij me naar Phoenix brengt, kan ik vanmiddag nog contact leggen met New York en dan de Concorde nemen naar Parijs...'

'Hé Jim, rustig aan. Zelfs als je Nemesis bereikt, zou je niet weten wat je ermee moest doen. En er is nog iets. Als je probeert de Vesta van de

Europeanen te krijgen, weten de Russen meteen dat we ze doorhebben. Als je binnen achthonderd kilometer van Toulouse wordt gezien, veroorzaak je een kernoorlog. Het spijt me, Jim, en het spijt me voor je kleinkinderen, maar dit loopt meteen al fout.'

Eagle Peak, dinsdag, namiddag

'Dus als ik het goed begrijp,' zei Noordhof, 'zijn de knapste koppen van het Westen er tot dusver niet in geslaagd een manier te bedenken om Nemesis binnen een redelijke tijd te vinden. En zelfs als jullie Nemesis vinden, moeten jullie nog een praktische methode bedenken om hem een tik te geven.'

'Wees redelijk Mark, we komen net binnen,' zei McNally. Er werd instemmend gemompeld rond de vergadertafel.

Noordhof zuchtte. 'Jullie hebben maar tot vrijdagavond. Waar zijn Kowalski en Leclerc?'

'Kenneth is naar bed,' zei Webb. 'Hij moet de hele nacht observeren.'

'André ging nog een eindje lopen,' zei Judy. 'Hij zei dat hij ging mediteren.'

'Naar bed, een eindje lopen, mediteren. Jezus christus, begrijpen jullie de ernst van de situatie wel?'

'Misschien moet je een of twee mensen neerschieten om de anderen aan te sporen,' stelde Shafer voor.

'Dat moet zeker een grapje voorstellen,' zei Noordhof grimmig.

'Ik zit hier,' zei Webb opgewekt. De jager uit *Deliverance*, die met het Fenimore Cooper-geweer en de intolerante, achterlijke blik vol middeleeuws bijgeloof, was een student filosofie van de Universiteit van Arizona in Tucson gebleken, die bijna zijn proefschrift af had en een thesis schreef over de invloed van de Platonische School op de Kosmologische Doctrine van Aristoteles, een feit dat Webb eraan herinnerd had dat je niet altijd op het uiterlijk moet afgaan. De astronoom had nog steeds pijn in zijn rug van de metalen vloer van de Dodge van de student, die geen vering leek te hebben.

Noordhof keek de astronoom boos aan. 'Dat was een ongelooflijke inbreuk op de veiligheidsmaatregelen. Welk recht hebben jullie om deze operatie in gevaar te brengen door over de berg te gaan dwalen?'

'Er komt hier niemand in de winter, Mark. Dat heb je zelf gezegd.'

'Is het niet bij jullie opgekomen dat de Russen misschien hun voelsprieten hebben uitgestoken? Dat een plek als deze in de gaten zou kunnen worden gehouden?'
'Het is heel normaal dat astronomen een bezoek brengen aan observatoria, Mark. De ene week is het misschien Hawaï, de volgende Tenerife en daarna Chili. Er is geen inbreuk gemaakt op de veiligheidsmaatregelen.'
'Dat zal ik wel beoordelen. Vanaf dit moment gaat niemand zonder mijn toestemming meer dan honderd meter van dit gebouw vandaan, behalve om naar de telescopen te gaan.' De soldaat wendde zich tot Shafer. 'Oké. Jullie weten niet waar hij is. Jullie weten niet hoe ver weg hij nog is. Jullie denken dat hij een doorsnede heeft van een kilometer en dichterbij komt met een snelheid van een kilometer of twintig per seconde. Maar nu komt de goede fee langs en ze zwaait met haar vervloekte toverstokje en jullie vinden Nemesis ergens in de komende paar dagen. Dan zwaait ze er nog eens mee en McNally regelt een raket en zorgt dat er een sonde op landt. Oké, Willy, nu komt het op jou neer. Jouw missie, als je die besluit te aanvaarden, wat je natuurlijk doet, is om een manier te vinden om dat verdomde ding tegen te houden.'
Shafer wreef over zijn stoppels. 'Stel dat hij een geocentrische baan volgt en recht op ons afkomt. Om de aarde te missen, moeten we hem minstens eenmaal de radius van de aarde uit die baan brengen voordat hij bij ons is. Zesduizend kilometer.' Hij liep naar het schoolbord en pakte een krijtje. Een schoolbord was de logische manier om iedereen zijn redenering te laten volgen, maar Webb vermoedde dat hij bovendien graag op zo'n ding werkte. 'Stel dat we hem een week voor de inslag onderscheppen.'
'Een week!' McNally hapte ongelovig naar adem.
'Als $R_\oplus$ de straal van de aarde is en t de tijd voor de afwering, moet je een snelheidstoename van $\delta V = R_\oplus/t$ hebben als je hem opzij wilt duwen. Een transversale beweging van bijvoorbeeld zevenduizend kilometer in zeven dagen komt neer op duizend kilometer per dag, of veertig kilometer per uur.'
'Maar Nemesis volgt geen rechte lijn. De zwaartekracht van de aarde zal hem in een bocht laten komen,' wierp Sacheverell tegen.
Webb ging bij Shafer voor het schoolbord staan en ze begonnen allebei te schrijven. Webb was er het eerste uit. 'Hé, Herb heeft eindelijk iets goed. Door de zwaartekracht wordt het doelgebied groter. Het

neemt toe met 1+ $(V_E/V)^2$, waarbij V_E de ontsnappingssnelheid van de aarde is en V de naderingssnelheid van Nemesis.'
'Maar we weten niet hoe groot V is,' klaagde McNally. 'We weten niet hoe snel Nemesis op ons afkomt.'
'Dan raden we. V_E is ongeveer elf kilometer per seconde en een normale aardscheerder kan ons raken met ongeveer tweemaal die snelheid. Dat voegt vijfentwintig procent toe aan Willy's schatting. Als je Nemesis een week voor de inslag onderschept, moet je hem laten afbuigen met een snelheid van meer dan vijftig kilometer per uur.'
'Oké,' zei Noordhof. 'En hoe zwaar is Nemesis?'
Webb en Shafer begonnen weer te schrijven en dit keer was Shafer de eerste. 'We nemen aan dat het een rotsige bol is met een doorsnede van een kilometer, zeg met een dichtheid van 2,4 gram per cc. Goed, dat betekent dat we het hebben over... ja, 10^{15} gram. Een miljard ton.'
'Die met vijftig kilometer per uur opzij moet worden geduwd,' zei Noordhof.
'Zonder hem in stukken te breken,' voegde Webb eraan toe. 'We kunnen de aarde niet met fragmenten bekogelen.'
Noordhof zei: 'We gooien er een kernbom op.'
McNally keek zorgelijk. 'Dat zei ik ook. Maar ik heb me intussen afgevraagd hoe dat juridisch zit. Als ik me goed herinner, verbiedt artikel vier van het Outer Space Treaty het plaatsen of het gebruik van kernwapens in de ruimte.'
'En hoe denk jij dat de Russen Nemesis uit zijn baan hebben gebracht? Met een katapult?'
'Maar het ABM-verdrag uit 1972...'
'Jim, moet je eens goed luisteren. Loop naar de hel met al die verdragen. En dan bedoel ik ook het Outer Space Treaty van 1967, het Nuclear Non-Proliferation Treaty van 1968, de Convention on Registration of Objects Launched into Outer Space van 1978 en alle andere protocollen en codicillen waar ik nog niet aan gedacht heb of die ik niet ken. We vinden Nemesis en gooien er een kernbom tegenaan.'
Judy Whaler zei: 'Dat is nou het soort praat waar ik op heb zitten wachten. We kunnen een groot gat in de zijkant blazen en de terugslag van het uitgeworpen puin gebruiken om hem uit zijn baan te krijgen. Het raketeffect.'
Noordhof zei: 'Zeg maar hoe groot het gat moet zijn.'
McNally zei: 'Als we maar een week de tijd hebben, boort niemand buiten een film met Bruce Willis er gaten in.'

Noordhof zei: 'In dat geval moet de explosie aan het oppervlak plaatsvinden. We hebben toch zeker wel empirische gegevens van de tests met waterstofbommen in Nevada?'
De directeur van de NASA vroeg: 'Welk gewicht moet ik lanceren voor een bom van één megaton?'
'Een ton,' antwoordde Judy meteen, en ze liep naar een computer. McNally knikte tevreden. Ze wachtten tot ze een website had opgezocht. 'Mijn homepage. Die staat vol mooie dingen.' Ze zette de cursor op een icoontje en klikte met de muis. Er verscheen een tabel.
'Daar hebben we ze. De tests in Nevada.'

Bom	kracht (kiloton)	diepte explosie (meter)	grootte krater (meter)	diepte krater (meter)
Jangle S	1,2	1,1	14	6,4
Jangle U	1,2	5,2	40	16
Schooner	35	108	130	63
Teapot	1,2	20	45	27
Danny Boy	0,4	34	33	19
Johnnie Boy	0,5	0,5	18	9
Sedan	100	194	184	98
Palanquin	4,3	85	36	24
Buggy	1,1	41	76	21
1004	125	180	200	100

'Maar dat zijn kleine explosies,' zei Leclerc, die over haar schouder meekeek.
Judy knikte. 'Schooner was vijfendertig kiloton, Sedan een tiende van een megaton. Maar ik ben het met je eens, de meeste waren maar een kiloton of twee, zoals Jangle en Teapot. Je wilt niet dat de buren gaan gillen als je A-bommen laat afgaan.'
'Kun je in ieder geval de kleinste-kwadratenmethode toepassen?'
'Dat is al gedaan.' Ze klikte nog eens en er verscheen een grafiek op het scherm. Shafer trok als eerste zijn conclusies. 'Nou, als we die grafiek moeten geloven, krijg je bij een oppervlaktebom van een megaton een

krater van zes- of zevenhonderd meter doorsnee. De krater zou net zo groot zijn als Nemesis. We zouden hem verbrijzelen.'
'Misschien, misschien niet,' zei Sacheverell.
'Laten we even bij die megaton blijven,' stelde Webb voor.
'Het is niet genoeg om de omvang van de krater te weten,' merkte Leclerc op. 'We moeten ook de diepte weten voor we het volume van het weggeblazen materiaal kunnen berekenen.'
Terug naar de tabel. Een rood gelakte vingernagel ging de rij langs. 'Jangle S was een oppervlaktebom. Hij had een diepte van ongeveer de helft van zijn diameter.'
Sacheverell zei: 'Deze bomkraters zijn gemaakt onder invloed van de zwaartekracht van de aarde. Hoe kunnen we de resultaten toepassen op Nemesis?'
Leclerc krabbelde iets op de achterkant van een envelop. 'Zullen we details als de zwaartekracht even buiten beschouwing laten? Als we Judy's getallen extrapoleren, merken we dat we misschien vijftig miljoen ton van Nemesis kunnen uitgraven met een bom van een megaton.'
'We kunnen er ook komen via de splijtsterkte van de rots,' zei Webb. 'Als we er tenminste van uitgaan dat Nemesis een rots is. Als er $5x10^8$ erg voor nodig is om een gram rots van gemiddelde sterkte te splijten en een megaton $4x10^{22}$ erg is, moet Willy's bom de energie hebben om tachtig miljoen ton uit te graven.'
Shafer fronste. 'Dan krijg je weer een gat zo groot als de asteroïde. En dat betekent dat we hem in duizenden fragmenten kunnen breken en Amerika kunnen bombarderen met super-Hiroshima's.'
'Wacht nou eens even,' zei Sacheverell. Hij ging naast Judy zitten en typte snel een commando in. Er verscheen een koolzwart, pokdalig oppervlak op het scherm. 'Ik zit in JPL en dit is Mathilde, een aardscheerder. Ze heeft een krater die praktisch net zo groot is als zij en is toch heel gebleven.'
'Oké, laten we voorlopig stellen dat we een gat in de zijkant blazen en dat Nemesis niet uit elkaar barst. Zou hij ons dan raken of missen?' wilde Noordhof weten.
'We moeten nog de snelheid van het weggeblazen puin weten,' zei McNally.
'Laten we dat dan uitrekenen. Hoe snel vinden jouw kernexplosies plaats, Judy?' vroeg Shafer.
'De energie komt vrij in ongeveer een honderdste van een micro-

seconde. Net een röntgenstraal. De opwarming van de grond neemt nog geen microseconde in beslag. Het probleem is dat de grond in die microseconde zo heet wordt dat ze het grootste deel van de energie gewoon terugstraalt. Maar vijf procent wordt gebruikt voor het maken van een krater.'

Shafer zei: 'We raken Nemesis met een bom van een megaton. Hij blijft intact. Een twintigste deel van de energie wordt kinetisch. Dus nemen we $\frac{1}{2}mv^2$ en gaan we uit van André's vijftig miljoen ton uitgeworpen materiaal om v te bepalen.' Hij begon snel te schrijven en Webb liet het aan hem over. De natuurkundige draaide zich weer om van het bord. 'Het puin schiet weg met honderd meter per seconde.'

'Alle kanten uit,' merkte Webb op.

Shafer knikte instemmend. 'De horizontale bewegingscomponenten kun je gewoon wegstrepen. De eigenlijke verandering van baan wordt gerealiseerd door de verticale snelheidscomponent, en dat zal dan vijftig meter per seconde zijn. Kun je het nog volgen, Jim?'

De directeur van de NASA zei: 'Je wilt zeggen dat ik met een bom van een megaton ongeveer vijf procent van de massa van de asteroïde met vijftig meter per seconde de ruimte in kan blazen. Maal zesendertighonderd, dan krijg ik honderdtachtig kilometer per uur. Hoe snel wijkt Nemesis dan af?'

Sacheverell zei: 'Dat doen ze op de middelbare school al. Vanaf het moment van richtingverandering buigt Nemesis zelf vijf procent van vijftig meter per seconde af. Twee meter per seconde.'

'Wacht eens even,' zei McNally. 'Je zei net dat we dertig meter per seconde nodig hebben.'

Noordhof zei: 'Als we Nemesis een week voor inslag raken, komen we dus een factor vijftien te kort om hem met een bom uit zijn baan te brengen. Het ziet ernaar uit dat we deze asteroïde minstens zes maanden of een heel jaar voor inslag te pakken moeten krijgen, Willy.'

Leclerc hief zijn handen. 'Maar voorzover wij weten is hij nog maar een paar weken ver weg, misschien zelfs een paar dagen.'

Sacheverell zei: 'De kolonel heeft gelijk. We moeten hem ver van tevoren in de gaten hebben.'

Shafer schudde ontkennend zijn hoofd. 'We zouden tien of twintig jaar nodig hebben om alle aardscheerders in kaart te brengen.'

Noordhof begon een beetje wanhopig te klinken. 'Luisteren jullie wel? Jullie moeten Nemesis een jaar van tevoren gevonden hebben. Dat zeggen jullie eigen cijfers.'

'Mark, hoe weten we dat hij niet volgende week of volgende maand inslaat?'
Noordhof ging met een hand over zijn gezicht. 'Dit is slecht nieuws.'
Webb veegde de vergelijkingen uit en schreef nog iets op het schoolbord. Hij liep terug, ging vermoeid aan de vergadertafel zitten en blies zijn wangen bol. 'Het wordt nog erger.'

Inquisitie: de getuigen

'Is alles naar wens, Fra Vincenzo?' vroeg de secretaris.
Vincenzo omvatte de kamer met een armzwaai. 'Ik heb buiten het paleis van Zijne Serenissimo zelden grotere luxe gezien.'
De secretaris glimlachte. 'Beter dan de cellen van het Sant'Angelo. Ik vermoed dat het eerbied is voor uw leeftijd.'
'Ik vermoed dat u er zelf iets mee te maken hebt, meneer. Ik heb niet alleen dit mooie appartement in het Heilige Officie zelf, ik heb ook toegang tot de prachtige bibliotheek beneden. Als ik wil, kan ik bij de voorbereiding van mijn *Apologia* een beroep doen op de wijsheid van Sint Thomas van Aquino, die van Scotus en andere grote wetenschappers.'
De secretaris maakte het zich gemakkelijk op een sofa. 'Zo. Ze hebben me verteld dat u een zware reis hebt gehad.'
'Ik heb koorts gekregen. We moesten drie weken in Orvieto blijven. Ze zeggen dat ik er bijna aan onderdoor ben gegaan, maar ik herinner me er niet veel van.'
'De Altezza is natuurlijk bezorgd om u. Hij wil ook graag voorkomen dat uw werk verloren gaat.'
De oude monnik barstte onverwachts in lachen uit. 'En als hij moet kiezen tussen mijn leven en mijn werk, wat zal het dan zijn? Nee, geef maar geen antwoord, zoon. Ferdinands liefde voor zijn bibliotheek is alom bekend. En hij heeft gelijk. Het menselijke leven is van korte duur, maar mijn werk... Het zal misschien niet veel te betekenen blijken te hebben, maar het zal deze botten zeker vele eeuwen overleven. Om te worden gelezen en bestudeerd door nog ongeboren mannen. Is er op deze aarde een betere benadering van onsterfelijkheid?'
'Ik ben bang dat ze op de Index terechtkomen.'
'Ik ben bang voor nog iets anders. Banger dan voor de dood.' Vincenzo schonk een glas rode wijn in voor zijn hooggeplaatste gast en ook een voor zichzelf. Zijn hand was onvast. 'En dat is marteling. Ik geloof niet dat ik bestand ben tegen de *strappado*.'

Er viel een korte stilte. De secretaris van De Medici nam een slokje wijn en begon over iets anders. 'Heel Florence praat over de komende rechtszaak. De studenten van Pisa hebben het rijtuig van de inquisiteur-generaal in brand gestoken met de inquisiteur er nog in. Op de Universiteit van Bologna is gevochten tussen de aanhangers en de tegenstanders van de nieuwe kosmologie. De autoriteiten hebben de huurlingen eropaf gestuurd.'
'Dat is slecht nieuws voor de vrijheid van denken.'
'En nog slechter nieuws voor jou, Vincenzo. De Kerk zal misschien vinden dat ze een voorbeeld moet stellen.'
'Is er geen plaats in Europa waar een denker veilig is? Ze zeggen dat Calvijn de wetten van Genève aan de kant heeft gezet om Servet levend te laten verbranden. Veertig jaar geleden heeft Bruno in deze stad hetzelfde lot ondergaan.'
'En u herhaalt niet alleen de ketterij van Copernicus, maar ook die van Bruno. Wat bent u toch een dwaze oude man, Vincenzo Vincenzi.' De secretaris stond op. 'Ik blijf nog een paar weken in de Villa Medici in de Pincio. Ik heb Zijne Heiligheid gevraagd u zo mogelijk binnen een paar dagen voor het gerecht te brengen. U hebt recht op een *advocatus*, die de hertog zal betalen. Ik heb inlichtingen ingewonnen. U wordt verdedigd door een man van goede familie. Hij is jong, maar de zakenwereld van Rome geeft hoog van hem op.' Bij de deur draaide hij zich nog even om. 'Als u bang bent voor marteling, Vincenzo, legt u dan uw lot in zijn handen.'

Op de tweede dag van zijn zogenaamde gevangenschap klopte er een ernstige jongeman met een rond gezicht en een stalen bril op zijn neus, waarvan de pootjes achter zijn oren krulden, op de deur van Vincenzo's appartement en kwam binnen met een hele stapel papier.
Marcello Rossi was zich scherp bewust van zijn groeiende reputatie en hij beschouwde de verdediging van Vincenzo tegelijkertijd als een eer en als een gevaar. De eer lag in het feit dat de grote familie De Medici hem had gekozen. Het gevaar lag in het feit dat een te energieke verdediging van een duidelijk schuldige ketter kon leiden tot zijn eigen arrestatie, op verdenking van het aanhangen van dezelfde verboden overtuigingen. Hij zou zeer voorzichtig moeten zijn, anders zou hij tussen De Medici en de paus worden verpletterd als een vlieg tussen twee tegen elkaar botsende rotsblokken.
Vincenzo's nieuwe advocaat bracht slecht nieuws mee: de grootinqui-

siteur voor de rechtszaak zou kardinaal Terremoto zijn. Hij was een massieve man met een zwaar gezicht, kleine, doordringende ogen en strakke, dunne lippen en hij keek altijd zo fel dat zijn uiterlijk een bezoekende Spaanse conquistador de stuipen op het lijf zou hebben gejaagd. Terremoto was aartsconservatief, een vooraanstaande jezuïtische theoloog die gestudeerd had in het Belgische Leuven om zich vertrouwd te maken met de ketterijen die in het Noorden werden verspreid. Hij was een man met een formidabel intellect en had zich zeer ijverig betoond als het erom ging de ketterijen te bestrijden die een steeds grotere dreiging vormden voor de Moederkerk.

De feiten, stelde Marcello Rossi snel vast, konden niet ontkend worden. Vincenzo had openlijk verklaard dat hij in het systeem van Copernicus geloofde, waarin de aarde om de zon draaide en niet het centrum was van het universum. De aanklacht tegen Vincenzo dat hij deze mening was toegedaan, was daarom niet meer dan een eenvoudige beschrijving van de waarheid. En omdat de Heilige Inquisitie een paar jaar eerder in het proces tegen Galileo had vastgesteld dat genoemde overtuiging ketterij was, zou het nutteloos zijn om de aanklacht te verwerpen. Vincenzo's enige hoop was om de ketterij af te zweren, alles te aanvaarden wat de Heilige Katholieke Kerk hem vertelde en zich over te leveren aan de genade van de inquisiteur. De jongeman adviseerde de oude ten sterkste dit ook te doen.

Er was geen speld tussen zijn redenering te krijgen, maar hij had buiten de koppigheid van zijn cliënt gerekend.

Marcello legde vervolgens kort de procedures van de inquisitie uit aan Vincenzo. Het proces zou in het geheim plaatsvinden. Er zouden bewijzen worden aangedragen door getuigen die de aanklager had opgeroepen. 'Het is u niet toegestaan deze getuigen te ondervragen. Vervolgens wordt u zelf ondervraagd. Als u tegen het eind van die ondervraging niet hebt bekend of hebt bewezen dat de aanklacht onterecht is, krijgt u tijd om uw verdediging voor te bereiden. In dat stadium kunt u getuigen oproepen. Maar als u dan nog steeds blijft ontkennen,' kreeg Vincenzo van de jonge advocaat te horen, 'zal niemand de rechtszaal durven binnenkomen om uw ketterij te verdedigen. De enige getuigen die misschien kunnen worden overgehaald te verschijnen, zullen mensen zijn die willen getuigen van uw goede karakter en uw vroomheid. Zijn er zulke mensen?' Vincenzo noemde de naam van Fracastoro van Pisa, een oude vriend die Foscarini van Calabrië, de aanhanger van Galileo, had gekend. De advocaat schreef

de naam op en zei dat hij die zou voorleggen aan de grootinquisiteur.
'In welke omstandigheden zou men zijn toevlucht nemen tot marteling?' vroeg Vincenzo met angst in zijn stem.
'U wordt gemarteld als de bewijzen aantonen dat u schuldig bent en u nog steeds blijft ontkennen, of als wordt gedacht dat uw bekentenis niet geheel oprecht is. Omdat uw schuld duidelijk is,' zei Marcello, 'staat u geen andere weg open dan uw ziel te zuiveren van valse doctrines en het ware geloof te omarmen zoals dat door de Vaderen is vastgesteld.'
'Maar ik geloof dat de aarde om de zon draait,' zei Vincenzo.
'Maar kunt u de marteling doorstaan? Duizenden heksen hebben onder marteling bekend dat ze betoveringen en vloeken hebben uitgesproken, dat ze 's nachts op bezemstelen vlogen, dat ze heksensabbats hebben bijgewoond en onder deze duizenden bekentenissen moeten er op zijn minst een paar zijn geweest die vals waren en die alleen gedaan werden om aan verder lijden te ontsnappen.'
Vincenzo zweeg en Marcello liet hem alleen met zijn gedachten.

Die avond kwam Marcello terug en hij bleef Vincenzo een uur lang smeken om zijn ketterij te bekennen en zich over te leveren aan de genade van de Heilige Congregatie. Vincenzo zei eenvoudig dat de aarde een van de planeten is en dat hij om de zon draait. Aan het eind van de dag, toen het donker werd in de kamer en de avondkilte door de ramen naar binnen kwam, vertrok de jongeman in wanhoop.

Een uur na zonsopgang werd hij opgehaald door de huurlingen van de paus, toen het in de stad al weergalmde van het geratel van karrenwielen op de kinderkopjes en de kreten van de bakkers die hun koopwaar aan de man wilden brengen. Ze leidden hem een brede marmeren trap af en een paar gangen door naar een kleine kapel, waar hij het sacrament ontving van een kardinaal die even later een van zijn rechters zou zijn.
Bij de eerste aanblik van de verzamelde kardinalen zonk Vincenzo de moed in de schoenen. Het waren er vijf, vijf kardinalen in rode gewaden, met gezichtsuitdrukkingen die varieerden van plechtig tot grimmig, gezeten aan een lange tafel van gewreven eikenhout.
Na het openingsgebed en ceremonies die geen enkele betekenis hadden voor Vincenzo, werd hem gezegd op een lage bank tegenover de tafel plaats te nemen. De monnik trilde van de zenuwen en had moei-

te zijn blik af te wenden van het gezicht van kardinaal Terremoto. Aan het eind van de tafel zat een klerk; alles zou worden opgeschreven, zelfs Vincenzo's kreten van pijn als het tot marteling zou komen. De rechtszaal zelf was een hoge, luchtige kamer met een versierd plafond dat werd ondersteund door pilaren. Aan de muur achter de klerk hing een levensgrote afbeelding van Christus aan het kruis, en daarnaast bevond zich een raam waardoor elke middag schuine zonnestralen de grote ruimte binnenvielen. Door het raam zag Vincenzo de beboste heuvel van Monte Mario, omlijst door een lichtblauwe hemel. Over de helling liepen hier en daar schapen en een paar herdersjongens speelden een spelletje. Het was een rustig beeld, ver verwijderd van de duistere botsing tussen denkbeelden die in zijn eigen kleine wereld plaatsvond.

De eerste getuige in het proces droeg de ronde hoed en de lange mantel van een professor. Hij had een keurige witte baard en gedroeg zich met gepast gezag. Hij verklaarde dat hij Andrea Paolicci was, professor natuurlijke filosofie en theologie aan de universiteit van Padua.

Terremoto begon met de ondervraging. De kardinaal had een diepe, weergalmende stem, die klonk alsof hij uit een diepe crypte kwam. Hij zat iets voorovergebogen terwijl hij sprak en zijn donkere oogjes glinsterden fel. 'Doctor, aanvaardt u dat het gebruik van het oog en de geest een legitieme manier is om de natuur te interpreteren?'

'We kunnen de Geest van God slechts benaderen in Zijn Werken. Dat wil zeggen, niet alleen in Zijn Heilige Boek, maar ook in Zijn Architectuur.'

'En dat er geen tegenstelling kan zijn tussen die twee, De Schrift en de Natuur?'

'Uiteraard niet.'

'U hebt de overtuigingen van Copernicus bestudeerd?' vroeg Terremoto.

'Inderdaad, zowel vanuit het perspectief van de natuurlijke filosofie als dat van het geloof.'

'We willen hier horen wat uw filosofische perspectief is, doctor. Vindt u het een houdbare stelling dat de aarde een draaiende bal is, een planeet als Jupiter en Saturnus, die om de zon heen draait, met de zon als centrum van het universum?'

De doctor glimlachte licht. 'Dat vind ik niet. Het systeem van Copernicus is onmogelijk. De wereld is vormgegeven zoals wordt beschreven in de Bijbel en zoals al voor de dagen van Onze Heer is vastgesteld

door mannen van de grootste wijsheid en verlichting. Ik heb het hier in het bijzonder over de leringen van Aristoteles.'
'Maar u bent tot deze overtuiging gekomen door het bewijs van de natuurlijke filosofie en niet alleen door het geloof of de opinie van wetenschappers uit de oudheid?'
De doctor boog bevestigend.
'Misschien kunnen we beginnen met de hypothese van een draaiende aarde,' zei Terremoto. 'Wat is uw bezwaar hiertegen?'
De doctor legde het uit en keek daarbij van tijd tot tijd naar Vincenzo, alsof hij zijn standpunt tegenover de oude monnik wilde rechtvaardigen. 'Als de aarde echt zou draaien, wat zou er dan met de lucht gebeuren? Er zou een krachtige, niet aflatende wind staan. Alle lichamen die niet in contact staan met de grond zouden één kant uit bewegen. Een vallende steen zou opzij schieten nadat hij werd losgelaten. En toch valt een steen tot de grootst waarneembare precisie en van de hoogste torens die we hebben recht naar beneden. Er is geen waarneembare afwijking van de verticale lijn. Daarom moet de aarde stilstaan, wat bevestigd wordt door onze eigen zintuigen.'
'En de zon als middelpunt van alle dingen? Waar de aarde omheen draait?'
'Als de aarde werkelijk om de zon heen zou draaien, zoals Copernicus beweert, zouden de sterren deze beweging volgen. Gedurende het jaar zou elk daarvan een pad langs de hemel lijken te volgen. Een ster die in een rechte hoek met de zodiak staat, zou een cirkel beschrijven. Een die in hetzelfde vlak als de zodiak staat, zou in een rechte lijn naar voren en naar achteren bewegen. En daartussen zou de ster in een ellips gaan. Dergelijke bewegingen zijn niet waargenomen. Daarom kan de aarde met geen mogelijkheid om de zon heen draaien.'
'En de hypothese dat de sterren net als de zon zijn? Dat ze niet beperkt zijn tot een bepaalde sfeer, maar dat ze verspreid staan in de oneindige ruimte?'
'Als dat zo was, zouden de sterren op verschillende afstanden van ons staan. In dat geval zou het parallaxeffect dat ik heb beschreven ertoe leiden dat de sterrenbeelden in de loop van het jaar van vorm veranderen. Dat is duidelijk niet zo. De Grote Beer, Cassiopeia en Orion staan altijd op dezelfde plaats aan de hemel. Het oog en de geest zijn dus in overeenstemming met de heilige leringen. De buitengrenzen van de wereld worden gevormd door de kristallijnen bol waarin de sterren zich bevinden.'

‘Wat is dan uw mening over de structuur van de wereld?’
‘De structuur van het universum wordt het best beschreven in de *Summa Theologica* van Thomas van Aquino. De grootste onvolmaaktheid bestaat hier op de aarde. Maar als wij sterven, trekken de zielen van de gezegenden door de hemelse sferen naar boven, waarbij elke sfeer volmaakter is dan de voorgaande. De hemel, en God, met Christus aan Zijn rechterhand, bevinden zich boven de sfeer van vaste sterren, zoals beschreven door Aristoteles. Er bestaan hier op aarde drie ordes van engelen, drie in de tussenruimte en drie in de buitenste hemel.’
Een andere kardinaal, Mattucci, vroeg: ‘Maar worden de ingewikkelde dwaaltochten van de planeten door de hemel niet het best verklaard door de heliocentrische doctrine? Verklaart dat niet de achterwaartse beweging van Mars als een optische illusie, veroorzaakt door een inhalende aarde? En is het systeem van Ptolemaeus in dat opzicht niet inferieur?’
De professor zei: ‘Ik kan niet ontkennen dat het systeem van Ptolemaeus bij het berekenen van de posities van de planeten ingewikkeld is. Maar zelfs als wiskundige truc werkt het systeem van Copernicus slecht. Copernicus heeft het opgesteld op basis van slechts een handvol observaties. Bovendien toont mijn onderzoek aan dat die observaties niet betrouwbaar zijn. Veel ervan zijn onjuist door het veelvuldige kopiëren van Ptolemaeus. De verslagen van de laatste zijn een machtige rivier en die van Copernicus in vergelijking daarmee een sijpelend stroompje. Het ergste aspect van de hypothese van Copernicus is de introductie van een bewegend centrum van de baan van de aarde, een volslagen arbitraire aanname met als enige doel het staven van de hypothese.’
Mattucci drong aan: ‘Maar het systeem is verbeterd, nietwaar, door het idee van Johannes Kepler dat de planeten ovalen beschrijven?’
‘Heb ik een vriend in dit hof?’ fluisterde Vincenzo.
Marcello trok sceptisch zijn neus op.
De professor zei: ‘Die stelling zou enig bestaansrecht hebben, maar alleen als rekenmiddel, niet als een beschrijving van de realiteit. De ellips mist de aantrekkingskracht van de symmetrische cirkel. Ze doet afbreuk aan de harmonie van de hemelsferen. En teneinde de planeten een dergelijke baan te laten volgen, gaat Kepler uit van het bestaan van geheimzinnige krachten vanuit de zon, terwijl de sterren en planeten uiteraard bewogen worden door engelen.’

Kardinaal Mattucci leunde achterover om te laten zien dat hij klaar was met zijn vragen. Terremoto nam het weer van hem over. 'Doctor Paolicci, hebben uw ogen en uw verstand u behalve de gebreken van de heliocentrische doctrine, die u zo duidelijk hebt beschreven, ook positieve redenen gegeven om vast te houden aan het systeem van Ptolemaeus?'
Paolicci stond zichzelf een korte, sluwe blik op Vincenzo toe. 'Dat volgt logisch uit de rationele aard van de Schepper. Het kan niet ontkend worden dat een rationele, almachtige Schepper een volmaakt universum zal creëren. De Prins der Duisternis heeft uiteraard vervolgens de zondeval veroorzaakt, die op zichzelf een onvolmaaktheid is, maar dat is te wijten aan de zwakte van de mens en heeft geen weerslag op de structuur van het universum. Slechts één object bezit een volmaakte symmetrie in de drie dimensies van lengte, breedte en hoogte die wij bewonen. Dat is een bol. Een volmaakt universum, gemaakt door een rationele Schepper, moet daarom bolvormig zijn. En in een bolvormig universum bestaat er slechts één natuurlijke beweging, en dat is de cirkelbeweging. Anders zou de symmetrie verbroken worden. Daarom moet de beweging van de planeten logischerwijs uit cirkels en cirkels op cirkels bestaan.'
'U aanvaardt dus niet de hypothese van Bruno dat het universum oneindig is?'
'Een oneindig universum is ondenkbaar.'
'En de pluraliteit van werelden? Mensen op Bruno's planeten?'
'Dergelijke mensen zouden niet van Adam kunnen afstammen en zouden ook niet door Christus verlost kunnen worden.'
Nu nam kardinaal Borghese het verhoor over. Hij keek met openlijke vijandigheid naar de gevangene en zijn advocaat voordat hij zich tot de professor wendde. 'Doctor. U hebt ons verteld dat er geen tegenstrijdigheid mogelijk is tussen de wetenschap en het geloof.'
'Geen enkele christen kan iets anders geloven.'
'En als er toch een tegenstrijdigheid aan het licht zou komen?'
'Eminentie, met alle respect, omdat een dergelijke tegenstrijdigheid niet mogelijk is, heeft uw vraag geen betekenis.'
'Een schijnbare tegenstrijdigheid, dan?'
'Omdat een echte tegenstrijdigheid niet mogelijk is, kan de schijn daarvan alleen opkomen in het hoofd van een Turk, een jood of een ketter.'
Borghese wendde zich tot de klerk. 'Legt u vast dat Vincenzo geen Turk is en ook geen jood.'

Vervolgens werd er een opeenvolging van getuigen van de universiteiten in Bologna, Pisa, Napels en Venetië opgeroepen, die allemaal ongeveer hetzelfde zeiden. Tegen de middag werd het warm en benauwd in de zaal en werd de zitting voor vier uur geschorst.
In het appartement liet de jonge advocaat zich op dezelfde sofa vallen waarop de secretaris van de groothertog de week daarvoor had gezeten. 'U hebt een indrukwekkende lijst vijanden,' zei hij.
Vincenzo maakte een gebaar met open handen. 'Wetenschappers zijn vatbaar voor jaloezie. En er staat veel op het spel. Maar ik heb ook veel aanhangers.'
'Helaas, vader, durven uw aanhangers u hier voor het hof niet te steunen, terwijl uw vijanden een welwillend oor schijnen te hebben gevonden bij Bonifatius. Waarom zou u anders terechtstaan?' Marcello pakte een appel uit een schaal en begon hem speels omhoog te gooien. 'Uw oude vriend Fracastoro, de kennis van Foscarini?'
'Ja?'
'Hij weigert voor u te getuigen, zelfs inzake uw vroomheid en karakter. Mijn koerier zegt dat de man doodsbang is.'
'Heb ik dan helemaal geen vrienden?' vroeg Vincenzo wanhopig.
'Misschien één. Kardinaal Terremoto is op de hoogte gesteld van uw problemen met getuigen. Hij heeft meteen een zoektocht ingesteld en heeft eindelijk iemand gevonden die wil getuigen voor uw karakter. Ik heb de naam van uw vriend niet gehoord.'
'Godzijdank, al is het niet veel. Maar het schijnt dat ik het wetenschappelijke bewijs zelf zal moeten aandragen.'
De advocaat nam een hap van de appel. 'Bewijs dat al door deze Congregatie is verworpen toen Galileo er een paar jaar geleden mee kwam. Beken uw fout, Vincenzo. Het alternatief is te afschuwelijk om zelfs maar over na te denken.'
'Kan ik de waarheid ontkennen, zoon?' Vincenzo ging naar een kleine naastgelegen slaapkamer. De advocaat legde het klokhuis in de fruitschaal, maakte de riem om zijn buik los en strekte zich uit op de sofa.
Het hof kwam in de late middag weer bij elkaar. Ze werden wakker gemaakt door een klerk, die de oude astronoom en zijn advocaat de trap af en de gangen door geleidde.
Er was maar één getuige. Een kleine, gebogen man in een priesterhabijt, met een haakneus en een donkere, vlekkerige huid haastte zich de zaal in. Vincenzo keek geschrokken naar Marcello Rossi. 'Grandami!' fluisterde hij. 'Wat doet die man hier?'

'Hij is uw karaktergetuige.'
'Wat? Maar die man is mijn gezworen vijand. Hij haat me. Wie heeft me dit aangedaan?'
'Terremoto.'
Op dat moment wist Vincenzo dat hij ten dode was opgeschreven.

De Marsmannetjes

Toen had de golf hen bereikt.
De twee generaals en de burger keken vanuit hun gemakkelijke bruinleren leunstoelen toe terwijl de gevechtseenheid in paniek de systemen controleerde; de magnetische banden tolden rond en er kwam een stroom aan berichten binnen. De knipperende rode lampjes waren van de kaart verdwenen. De lijsten met brandstofpunten en vliegtuigen in de lucht verschenen weer. De Blackjacks waren bijna thuis. De MiG's bevonden zich ver boven de Japanse Zee. Het schiereiland Kola lag er verlaten bij. Winton had het hoofd koel gehouden, maar Pino zag grauw en zweette. Hooper, de voorzitter van de gezamenlijke chefsstaf, merkte afkeurend dat er iemand hyperventileerde.
Er ging een telefoon, de roze. Wallis zag zijn eigen hand trillen toen hij opnam.
Generaal Cannon keek naar beneden, met de telefoon aan zijn oor. 'Zet me op de luidspreker.' Wallis drukte op een knop en de stem van de generaal schalde door de ruimte. '1 april,' zei hij.
'Meneer?' zei Wallis, die opkeek naar zijn meerdere. Hij merkte tot zijn ergernis dat zijn stem net zo trilde als zijn hand.
'Iemand heeft net op de berg gestampt. Het dak ging eraf en is boven op jullie gevallen. Jullie zijn dood, jongens.'
'Generaal Cannon, wat was dat?'
'Marsmannetjes,' dreunde de stem.
'Marsmannetjes?' Ongelovig. De gevechtseenheid staarde als één man naar de generaal.
'Precies.'
'Meneer, marsmannetjes zijn niet toegestaan. Ze staan niet in de operationele plannen voor het gebruik van kernwapens.'
'Jongen, hoe weet jij dat er geen groene mannetjes bestaan? Wij wilden kijken hoe het systeem zou reageren op iets idioots en de enige manier was om jullie ermee te overvallen. Operatie Marsman. Jullie

hebben het er prima afgebracht. We hebben jullie op de film en daar zullen we boven een heleboel aan hebben. Jij en je mannen krijgen een volledige debriefing aan het eind van de dienst. Daarna willen jullie je misschien bezatten.'

Wallis was zich ervan bewust dat zijn hele bemanning hem aankeek. In het stalen kantoor waren de woede, de angst en de verbijstering tastbaar. Hij haalde diep adem en waagde het erop. 'Generaal Cannon, meneer, met alle respect, loop naar de hel.'

Er viel een gespannen stilte. Daarna schalde er een diepe, onaardse lach door het kantoor. 'Jongen, daar ben ik al.'

'Doctor Sacheverell, wat denkt u ervan?' vroeg Cannon.

'Ik zal een paar Monte Carlo-simulaties moeten doen. Maar op het eerste oog zou ik zeggen dat er meteen tweehonderd miljoen slachtoffers zijn. Doden, bedoel ik,' zei de burger. 'Twee klontjes suiker, alstublieft.'

'Fijn,' zei Cannon, terwijl hij koffie inschonk. 'U hebt het probleem van de overbevolking opgelost.'

'Er zouden misschien een paar overlevenden zijn op vreemde plekken,' ging Sacheverell verder. 'Mensen die zich in mijnen bevonden, dat soort dingen. Maar de materiële verwoesting is met dit scenario heel ernstig. Steden die geheel tot stof en puin zijn vergaan over vijftig procent van het vasteland van Amerika.'

Hooper en Sacheverell konden wel van verschillende planeten komen. Terwijl Sacheverell mager was en kromliep, was Hooper, de voorzitter van de gezamenlijke chefs-staf, bijna net zo breed als hij lang was. Sacheverell had een vettige huid, terwijl Hooper een zwaar gerimpeld, gebruind gezicht had. De astronoom had een bos rechtopstaand rood haar en een hoofdband om, en het haar van de soldaat was kort, wit en dun. Sacheverell zag eruit als een echte sloddervos in zijn slordige grijze pak en schreeuwerige rode das op een turkooizen shirt, terwijl de soldaat er onberispelijk uitzag. En terwijl Sacheverell in zijn koffie roerde, sloeg Hooper boos met een vuist op tafel. Er kwam koffie op de schoteltjes terecht. 'God allemachtig, moet ik dat geloven? Puin? Stof?'

'En er is geen sprake van dat er enige industriële of politieke infrastructuur overblijft,' voegde Sacheverell eraan toe, terwijl hij haastig zijn kop en schotel oppakte.

'Rustig aan, Sam. Doctor, vertel eens over de *C-cubed* systemen,' zei Cannon.

'In dit bijzondere scenario blijven die niet overeind. Maar het is een beetje overdreven en ik kan er niet echt zeker van zijn. Ik zou een grondige analyse moeten doen van plasma's in de ionosfeer en daar heb ik geen tijd voor.' En ook niet de kennis, voegde Sacheverell er in zichzelf aan toe. 'Ik denk dat u rekening moet houden met een enorme elektromagnetische impuls over het grootste deel van het land.'
'Dit slaat helemaal nergens op,' zei Hoover, die het haastig in elkaar gezette scenario van Sacheverell doorbladerde. 'Onze commandosystemen zijn bestand tegen kernexplosies.' Judy Whaler had het rapport in een flits van inspiratie in de vorm van een filmscript gegoten, waarin fictieve beschrijvingen van inslagen van vuurballen aan elkaar waren geschreven met zinnen van het type 'intussen in San Diego'. Bij het filmscenario was een aanhangsel gevoegd dat er net zoveel gelijkenis mee vertoonde als dokter Jekyll met meneer Hyde, een sober appendix in de afgemeten taal van de wetenschap, met gulle hand voorzien van vergelijkingen, tabellen, mitsen en maren. Sacheverell zag dat de voorzitter van de gezamenlijke chefs-staf zich beperkte tot het filmscript.
'Niet bestand genoeg,' zei Sacheverell. 'Een succesvolle eerste aanval van de Russen levert maar vijfduizend megaton op, voornamelijk vlak bij de grond. Voor zover we weten is er een miljoen megaton onderweg. Zelfs bij één procent efficiëntie is dat alsof er een miljoen ampère onder een potentieel van een miljoen volt tien seconden lang over ons heen slaat.'
Cannon roerde bedachtzaam in zijn koffie. 'Je vullingen zouden ervan smelten, Sam.'
Hooper schudde boos zijn hoofd, alsof hij het hele idee wilde verwerpen. 'PARCS en PAVE PAWS zouden die asteroïde allang hebben opgepikt.'
Sacheverell schudde ook zijn hoofd. 'Jullie radarsoftware gooit signalen met een lange vertraging eruit, dus jullie pikken alleen dingen op die zich heel dicht bij de aarde bevinden. Hij zou pas op het laatste moment op de radar zichtbaar zijn.'
'En wat dan nog? Dan herprogrammeren we het systeem.'
'Dat zou kunnen, met het risico dat de computers overstelpt worden met allerlei rommel in de ruimte. Zelfs dan hebben militaire radars maar een beperkt bereik. Tegen de tijd dat die de asteroïde ontdekken, zouden we nog maar een paar uur hebben voor de inslag, veel te laat om hem tegen te houden. En jullie hebben bijna geen dekking aan de zuidelijke hemel.'

Cannon zei: 'Hoor eens, Sam, alles wat we de lucht in zouden kunnen krijgen, zou geen vleugels meer overhebben, ook al werkte het hele C-cubed systeem perfect. Dat geldt net zo goed voor TACAMO als voor Bomber Command. Ik kan niet eens garanderen dat ze op tijd contact zouden kunnen opnemen met Mitchells Tridentvloot.'
'Dus als ik het goed begrijp,' zei Hooper verbijsterd, 'willen jullie in alle ernst zeggen dat het met ons gedaan is als dat ding inslaat en dat we niet kunnen terugslaan.'
'Mitchells vloot zou het waarschijnlijk wel overleven,' zei Cannon. 'Maar wat dan nog? Het punt is dat dit gewoon een enorme natuurramp zou zijn. Je hebt Wallis gehoord op het zogenaamde NORAD-circuit; er was geen aanval, geen vijand, niemand om naar terug te slaan.'
De voorzitter van de gezamenlijke chefs-staf stond op. Hij liep naar het raam en keek tussen de lamellen door naar buiten. Het geratel van een Prowler drong door de driedubbele beglazing en de kamer trilde licht. Hij draaide zich weer om, zodat hij met zijn rug naar het raam stond.
'Hoeveel tijd krijgen we?'
Sacheverell zette zijn koffie neer. 'Als hij 's nachts nadert, zou u hem een uur voor de inslag door een verrekijker kunnen zien. Aangenomen dat u precies wist waar u moest kijken. Hij zou misschien een kwartier voor de inslag met het blote oog waarneembaar zijn.'
'Wat ik wil weten, is wanneer de telefoons beginnen te rinkelen.'
'Als u hem ziet als een heldere, bewegende ster. Zeg twintig seconden voor de inslag.'
Hooper ging weer zitten en bleef even voor zich uit zitten staren. 'Nou, Star Wars is er in ieder geval niets bij,' zei hij eindelijk.
'Sam, het is prachtig,' zei Cannon. 'Het ding is niet op te sporen en bevindt zich praktisch in ons luchtruim voordat we weten wat eraan komt. En als het inslaat, zijn we er geweest. Ook al zouden we het kunnen, het heeft geen zin om terug te slaan, want zoals je al zegt is het gewoon een natuurramp. Sam, je weet dat ik over een paar uur een afspraak heb met een paar senators van de commissie voor de overheidsuitgaven. Ik probeer definitieve toestemming te krijgen voor Batstrike.'
'Onder het mom van problemen in het Midden-Oosten.'
'Vijftig miljard dollar naar de maan, samen met de nieuwe Grand Forks, onze marine, de SAC, het 'brilliant pebbles'-project, C-cubed, al onze bewakingssystemen, de hele BMDO. Alles wat we hebben staat

machteloos tegenover dit ding. En ze hoeven zich niet eens zorgen te maken om een tegenaanval.'
'Dit is niet te geloven,' herhaalde Hooper met een grauw gezicht. 'Dit is pure fantasie.'
'En we denken dat ze de hele zaak hebben opgezet voor het defensiebudget van een dag.'
'Wat is het tijdsbestek hiervoor?' vroeg Hooper scherp.
'Heilbron denkt dat de Russen het al gedaan hebben,' zei Cannon. 'Het ding vliegt daar ergens, recht op ons af.'

Beneden zat de dienst er bijna op. De normaal zo uitbundige Pino was ongewoon stil geweest en worstelde blijkbaar met een innerlijk probleem. Eindelijk zei hij: 'Kolonel, weet u iets over astronomie?'
'Niet veel, Pino. Wat wil je weten?'
'Nou, weten we zeker dat er geen marsmannetjes bestaan?'
'Rustig aan maar, Pino. Er zijn geen marsmannetjes. Dat heeft Vince Spearman gezegd op de tv.'
Pino leek de esoterische namen op het scherm voor hem te bestuderen. Toen zei hij: 'Die Spearman, is dat een goede vent?'
'Nou en of. Prima kerel volgens alle berichten.'
De sergeant ontspande zich.

Eagle Peak, dinsdagavond

Webb zei: 'Als Nemesis minder sterk is dan een rots...'
Sacheverell kreunde. 'Je zit toch niet nog steeds over die kometen te denken? Ooit gehoord van de asteroïdengordel?'
'Die geeft ons niet de periodiciteit in de gegevens over massale vernietiging en kraters.'
'Welke periodiciteit?' spotte Sacheverell. 'Die is er helemaal niet. En hoe komt het dan dat Toutatis, Mathilde, Eros en Gaspra allemaal rotsen zijn?'
'Mathilde heeft de dichtheid van water. Het is een rulle spons.' Webb wendde zich tot Noordhof. 'Kolonel, Herb zal zeggen dat je je moet voorbereiden op het stoppen van een solide rots. Maar als het een ontgaste komeet is en McNally er een waterstofbom op afvuurt, komt er een stofwolk onze kant uit. En als die neerdaalt, zal hij de bovenste lagen van de atmosfeer in brand zetten terwijl hij van kosmische snelheid vertraagt tot nul. Alle ozon zal weg zijn. En daarna duurt het een jaar voordat het stof door de stratosfeer zinkt en in dat jaar zal de aarde gehuld zijn in een zeer reflectieve stofdeken. Hier beneden zitten we in de schemering. Alle klimaatsystemen zullen volledig ontregeld raken. Er zullen ijskoude winden waaien. De continenten zullen eruitzien als Siberië. We zouden de thermohaliene circulatie in de Atlantische Oceaan kunnen afbreken en de warme Golfstroom kunnen afzetten. Als we dat doen, gaat het onophoudelijk sneeuwen in Eurazië. Daardoor zal de moesson worden uitgeschakeld. In Azië zal een jaar lang niemand te eten hebben. Er zullen massa's water in de vorm van ijs naar de polen verschuiven, waardoor de draaisnelheid van de aarde zal veranderen. Misschien raakt het geomagnetische dipoolveld wel verstoord, waardoor over de hele wereld seismische breuken en vulkanen gaan opspelen. En als het stof gaat liggen, worden we blootgesteld aan de volle, onafgeschermde UV-straling van de zon, en dan hebben we een wereldramp boven

op een wereldramp. Herbs zekerheden kunnen ons de kop kosten.'
'Misschien moeten we eerst zekerheid hebben voordat we er een bom op afschieten,' stelde Shafer voor.
Leclerc keek verbaasd. 'Ik heb altijd gedacht dat kometen een staart hadden.'
'Niet als ze ontgast zijn, André. Ze kunnen tot stof vergaan, maar er zijn een heleboel goed gedocumenteerde gevallen waarin ze asteroïden zijn geworden.'
Leclerc zei: 'Als we Nemesis vinden, kunnen we zijn interne samenstelling dan bepalen door ernaar te kijken? Met Kenneths monstertelescoop? Wat weten we eigenlijk over de reflectiviteit van aardscheerders?'
Sacheverell zei: 'Dat gaat niet. Maar de musea liggen vol meteorieten. Het zijn fragmenten van asteroïden en het zijn stukken rots.' Hij wierp Webb een giftige blik toe.
Webb zei: 'We hebben geen afval van kometen in de musea omdat ze in de atmosfeer uit elkaar vallen. Nemesis zou net als Halley kunnen zijn, met een korst aan de buitenkant en een donzig zachte binnenkant.'
'Donzige sneeuwballen, hè?' zei Shafer, die zijn ogen half dichtkneep. 'Gelijke delen stof en ijs?'
Webb knikte. 'Min of meer. Als je er een kernbom op afstuurt, kom je met een miljard ton stof te zitten. Luister nou eens, als we dit verkeerd doen, kunnen we de mensheid reduceren tot groepen jagers-verzamelaars.'
McNally's gezicht was een karikatuur van ontzetting. Hij zei: 'Ik houd me vast aan de theorie van Sacheverell.'
Noordhof zei op bedachtzame toon: 'Ollie. Besef je wat je net hebt gezegd? Je zegt dat het belang van de wereld als geheel het best gediend is als we Nemesis op de VS laten neerstorten als het ding een komeet is. Wil je zeggen dat je niet aan onze kant staat, Ollie?' vroeg Noordhof, spelend met de zoveelste sigaar. Plotseling hing er een elektrische spanning in de lucht. Judy, die voor de computer zat, hield op met typen en draaide haar stoel naar hen om.
McNally verbrak de verbijsterde stilte. Hij slikte en zei: 'Hé, als de Russen zijn baan hebben kunnen veranderen zonder hem tot stof uiteen te laten vallen, kunnen wij dat ook.'
Webb schudde strak zijn hoofd, met zijn blik recht op Noordhof gericht. 'Ze hebben waarschijnlijk jaren voorsprong op ons en hebben

hem een paar centimeter per seconde opzij kunnen schuiven zonder grote interne spanningen te veroorzaken.'
Judy Whaler draaide zich weer om naar haar computer. 'Een explosie op afstand! Met neutronenbommen!' riep ze over haar schouder terwijl ze verder typte.
Webb blies opgelucht zijn wangen bol. 'Dank je, Judy. Kolonel, we moeten Nemesis gewoon met de grootste voorzichtigheid behandelen. We doen een explosie op afstand. We slijten zijn huid af met neutronen.'
De opluchting was tastbaar. Shafer zat te schrijven. 'Misschien, misschien niet. Zelfs een neutronenbom zendt röntgenstralen uit en die raken de asteroïde het eerst. Als ze een vel van plasma vormen, komen de neutronen er misschien niet doorheen. Ik weet niet of een neutronenbom wel zou helpen.'
Ze draaide haar stoel weer om. 'We zijn bij Sandia voortdurend bezig met bommen, Willy. Wij kunnen het computerwerk wel doen. Neutronenbommen zijn het ultieme wapen van de kapitalist, weet je nog? Ze zijn ontworpen om mensen te bestralen, niet om gebouwen te vernietigen. Stel dat je de bom niet op het oppervlak van Nemesis deponeert, maar hem laat ontploffen terwijl hij langs vliegt, van een paar honderd meter hoogte, bijvoorbeeld. In plaats van een krater te vormen, vaporiseren de bovenste paar centimeter en wordt dat materiaal weggeblazen. De spanningen worden verspreid over een hemisfeer in plaats van zich te concentreren rond een krater.'
Shafer zei: 'Dus we besprenkelen de asteroïde met neutronen en röntgenstralen. En als het een komeet blijkt, doen we dat misschien voorzichtig genoeg om hem intact te laten.'
Noordhof vroeg: 'Gaat dat lukken? Kan dat?'
Webb zei: 'Probeer eens een explosie van een megaton op vijfhonderd meter hoogte en neem aan dat de energie van de bom helemaal in de neutronen gaat zitten.'
Judy wierp onbewust haar blonde haar over haar schouder en zei enthousiast: 'Neutronen worden binnen twintig centimeter geabsorbeerd. Als ze er gewoon doorheen gingen, zouden ze geen schade aanrichten. Maar omdat ze door het lichaam geabsorbeerd worden, vormen ze zo'n briljant wapen. De energie komt terecht in de bovenlaag van Nemesis, tot ongeveer de dikte van een menselijk lichaam.' Ze draaide zich weer om naar de computer.
Het is maar waar je lol in hebt, meid, dacht Webb onwillekeurig.

Shafer tekende een cirkel en iets daarvandaan een punt, en lijnen die onder een hoek van de punt naar de cirkel liepen. Webb zag wat er ging komen en probeerde bij te blijven op een vel papier. Shafer zei: 'Geef Nemesis een radius R en laat de bom een afstand *d* van het centrum ontploffen. We moeten weten hoeveel energie van de bom door Nemesis wordt opgevangen.' Hij krabbelde snel en zei: 'Gezien vanuit de bom neemt Nemesis een gedeelte van de hemel in beslag van $\pi R^2/4\pi d^2$ of $\frac{1}{4}(R/d)^2$.'
McNally zei: 'Als we de bom op een hoogte van vijfhonderd meter laten exploderen, zoals Ollie voorstelt...'
Shafer ging verder: 'Dan hebben we d=R en komt een kwart van de energie van de bom terecht op de voorliggende helft van Nemesis. Dat is goed. Laten we de gedetailleerde trigonometrie even vergeten en ervan uitgaan dat de straling gemiddeld een diepte van vijf centimeter bereikt.'
Webb nam het verhaal over. 'Dus we stellen ons voor dat op de hemisfeer aan de kant van de bom een oppervlak van misschien vijf centimeter dik vijfentwintig procent van de klap opneemt. Dat wordt een enorme concentratie van energie.'
Shafer verving snel symbolen door getallen in een formule. 'Goed, dus een half miljoen ton regoliet aan het oppervlak van Nemesis wordt blootgesteld aan een kwart megaton neutronenenergie, die het raakt met een derde van de snelheid van het licht.'
Sacheverell vroeg: 'Kunnen we dat in een snelheid veranderen?'
'Gemakkelijk. Elke blootgestelde gram krijgt een paar maal 10^{10} erg, ongeveer dezelfde energie als dynamiet. Dus het oppervlak ontploft als dynamiet. Het verandert in een damp die met vijf kilometer per seconde uitzet.'
'Zo mag ik het horen,' zei Noordhof. Hij zat voorovergebogen en probeerde de snelle uitwisseling tussen de wetenschappers te volgen.
'Het is alsof je een acht centimeter dikke sandwich dynamiet over een halve bol smeert,' herhaalde McNally met glanzende ogen. 'Een dampwolk die aan één kant van Nemesis uitzet met een snelheid van vijf kilometer per seconde. Het is toch nog Kerstmis.'
Webb zei: 'Hé, stel je voor dat je als dynamiet ontploft als een van Judy's bommen afgaat.' Noordhof wierp hem een kille blik toe.
McNally keerde terug naar een eerdere formule. 'Als we ervan uitgaan dat we Nemesis een week voor de inslag raken, zou hij met twee meter per seconde opschuiven. Dat is nog lang niet genoeg.'

'Maar het is tien keer beter dan wat we eerst hadden,' zei Shafer. 'Misschien kunnen we zelfs een grotere bom gebruiken.'
'Nee,' zei Webb. 'Dan valt hij uit elkaar.'
'Ik ben het met Ollie eens,' zei Judy, die zich weer omdraaide van haar computer. 'Als je de asteroïde raakt, galmt hij als een klok. Als je hem zo hard raakt dat de verandering van snelheid groter is dan de ontsnappingssnelheid, breekt hij in stukken.'
'Dat kan ik niet volgen,' zei Noordhof.
'Stel je de asteroïde voor als een broze bel, van glas of zoiets. De Russen hebben hem jaren geleden een tikje met een potlood gegeven en hij galmde. Maar nu komt hij op ons afgestormd en moeten we hem met een hamer raken.'
Shafer zei: 'Je vergeet dat hij interne kracht kan hebben. Jim, als je honderd dagen voor de inslag bij Nemesis kunt zijn, kunnen we hem in principe af laten buigen, misschien zelfs als het een van Ollies ontgaste kometen is. Met vijftig dagen misschien ook. Tien dagen of minder en we zitten in de problemen, wat zijn samenstelling ook is.'
McNally klonk alsof hij pijn had. 'Honderd dagen? Willy, kunnen we weer even met beide benen op de grond gaan staan?'
Sacheverell zei: 'Barsten en spleten in de rots kunnen het hele verhaal anders maken.'
Judy draaide zich weer naar hen om met een tevreden glimlach op haar gezicht. 'We zitten erin.'
'Waarin?' vroeg Webb verbaasd.
'Welkom in de wondere wereld van de teraflops, Ollie. Terwijl jullie om de hete brij heen draaien, heb ik ingelogd bij God. Ik maak een simulatie-algoritme met gebruik van Sandia's eigen hydrocode voor het bestuderen van de gevolgen van een explosie of een inslag, en dan rekent de computer alles voor me uit.' McNally trok de gordijnen half dicht om het donkerder te maken en ze verzamelden zich om haar beeldscherm. Ze logde in via een serie gateways, elk met een ander wachtwoord. 'Ik gebruik vijftig miljoen eindige elementen en alle negenduizend processors. Geef me de interne samenstelling van jullie komeet of asteroïde, compleet met spleten, barsten en wratten, en ik vertel jullie precies wat er gebeurt als je er neutronen op afvuurt. Ziet naar mijn werken, gij Machtigen, en laat de hoop varen!'
'Hé, lees jij Shelley?' vroeg McNally.
Judy sloeg haar ogen op naar het plafond en drukte toen met een zwie-

rig gebaar op de entertoets. 'Zelfs de Teraflop doet er een paar minuten over.'
Noordhof keek naar het zwarte scherm en zei: 'Het lijkt mij dat de interne constitutie van deze asteroïde de kritische factor is, mensen. Bestaat hij uit rots, ijzer, ijs of nog iets anders?'
'Daar komt het op neer,' beaamde Webb.
Noordhof zei: 'Ik krijg de indruk dat jullie helemaal niet zoveel weten van wat er in de ruimte rondvliegt.'
Daar was Webb het mee eens. 'Terra incognita. Maar het is van essentieel belang.'
Het scherm kwam weer tot leven. Judy zei: 'Ik wil jullie drie simulaties laten zien. Hier is nummer een. Een explosie van een megaton, vierhonderd meter boven een rotsblok van een kilometer doorsnee met een breukvastheid van koolstofchondriet.' Op het schermpje verscheen een zwarte klont met de vorm van een aardappel. Hij roteerde een paar seconden langzaam, alsof hij vanuit een ruimteschip werd bekeken, en bleef toen stilstaan. Er ging een korte flits over het scherm. Het rotsblok trilde. Zwarte vingers vormden een kegel. Toen het stof van het scherm verdwenen was, zat er een aanzienlijk gat in de zijkant van de rots, die langzaam naar links zweefde. 'Dit is heel bevredigend. De kernexplosie heeft hem doen afbuigen.'
Er verscheen een tweede aardappel op het scherm, identiek aan de eerste. 'Oké, deze is stenig, siliciumdioxide. Ik heb er een fragment van een grote asteroïde van gemaakt, die het in geologisch tijdsbestek zwaar te verduren heeft gehad; hij is verzwakt. Hij heeft interne breuken. Eigenlijk is het niet meer dan een hoop puin.' Dit keer bleek de rots in stukken uiteen te zijn gevallen toen het stof was opgetrokken. Een stuk of zes grote fragmenten en tientallen kleinere dreven langzaam uit elkaar.
Noordhof zei: 'Dat ziet er niet goed uit.'
Judy knikte. 'Helemaal niet goed. Het hangt ervan af hoe vroeg we Nemesis uit zijn baan kunnen brengen.'
'Als we hem ooit vinden,' zei Leclerc.
Er verscheen een derde aardappel. 'Deze laatste is een komeet met de breukvastheid van een Kreutz-komeet. Eens zien wat er gebeurt.' De bom flitste kort. Meteen viel de aardappel uit elkaar. Maar er waren geen fragmenten die uit elkaar zweefden. In plaats daarvan verscheen er een witte, amorfe massa die geleidelijk het scherm vulde en schijnbaar witte haartjes kreeg toen hij naderde. 'We hebben een stofbal ge-

creëerd.' De simulatie liep af. McNally deed de gordijnen open en het heldere daglicht stroomde de kamer binnen.
Shafer liep naar het raam en keek naar buiten. 'Ik meen me te herinneren dat ze bij Sandia een paar jaar geleden simulaties hebben gedaan van de vuurbal van Toengoeska,' zei hij over zijn schouder. 'En de data uit 1908 pasten het best bij een rotsige asteroïde.'
'Maar er waren tegenargumenten,' merkte Webb op. 'Het gebrek aan rotsblokken die langs het traject wegvielen bijvoorbeeld, en het samenvallen met de Beta Taurid-kometenzwerm. En met een kleine verandering in het aangenomen traject kon daar best een komeet tussen zitten.'
Shafer vroeg: 'Wat zeggen de spectra over de aardscheerders?'
'Er zijn er bijna geen beschikbaar. Ze zijn te lichtzwak.'
'Oké,' zei Noordhof, die zijn plaats aan het hoofd van de vergadertafel weer innam. 'Uit wat jullie allemaal zeggen kan ik volgens mij meteen een conclusie trekken. Er staat hier te veel op het spel om risico's te nemen. We moeten iets vinden waarbij het niet uitmaakt waar Nemesis uit bestaat.'
'We kunnen met allerlei afbuigingsscenario's spelen,' zei Judy. 'Zonnezeilen, laservoortstuwing, kinetische energie, en zo kan ik nog wel even doorgaan. Het duurt te lang om ze te ontwikkelen of ze kunnen het ding niet in de beschikbare tijd uit zijn baan brengen. Alleen kernwapens bieden een kans, maar zoals jullie hebben gezien, geven ze ons een lading puin of misschien zelfs een stofdeken en een kosmische winter als Nemesis een oude komeet blijkt te zijn.'
'Verdomme,' zei Sacheverell, 'die zouden we zelfs bij een asteroïde van pure rots krijgen nadat hij ons had weggevaagd.'
Noordhof legde zijn handen op zijn hoofd. 'Ik geloof dat ik gek word. Jullie vertellen me het volgende. Ten eerste moeten jullie Nemesis met minder dan een meter per seconde laten afbuigen, anders breekt hij in stukken en worden we gebombardeerd met fragmenten. Ten tweede moeten jullie hem met meer dan tien meter per seconde laten afbuigen, anders raakt hij ons.'
'Dat hangt ervan af hoe ver weg hij nog is,' zei Shafer.
'En daar kunnen jullie niet eens een slag naar slaan?' vroeg de kolonel.
'Hoe zouden we dat kunnen?' Judy stak haar handen op. 'We moeten dat ding zien te vinden.'
'En dat brengt me op het derde punt. Jullie hebben geen enkele kans om hem te vinden in een tijdsbestek waar we ook maar iets aan zouden kunnen hebben.'

'Terwijl we wachten tot we hem gevonden hebben, zouden we kunnen uitgaan van honderd dagen voor de onderschepping,' stelde Judy voor.
McNally voelde de pijn alweer. 'Die honderd dagen waar jullie het steeds over hebben...'
Noordhof merkte op: 'Het gaat niet om die honderd dagen. Het Witte Huis heeft ons in zijn oneindige wijsheid tot vrijdagnacht de tijd gegeven. Het is nu dinsdagavond en tot dusver hebben jullie nog niets bereikt.'

Wisconsin Avenue, dinsdag, 20.00 uur Eastern Standard Time

De Salem Witch krijste toen ze over de landingsbaan stormde. Haar koplampen beschenen slechts de sneeuw die vanuit een punt in het donker kwam aanschieten en haar wielen wierpen bogen gesmolten sneeuw en modder hoog in de lucht. Het gekrijs werd minder toen de kleine jet afremde. De piloot taxiede hotsend en stotend naar een zijbaan, draaide en reed de Gulfstream tussen de geparkeerde Jumbo's en 707's, een onopvallende dwerg tussen de enorme toestellen uit alle landen van de wereld.

Ze bevonden zich op een donkere hoek van Dulles International Airport.

Achter nog meer verblindende koplampen doken menselijke silhouetten op. Drie mannen stapten uit het vliegtuig. Twee van hen waren in uniform. De derde man, een burger, hield een glanzende nieuwe attachékoffer tegen zijn borst gedrukt. Een plotselinge windvlaag greep de pet van de voorste officier en hij vloekte kort toen hij hem weer weggriste van de bittere wind.

Er was niet veel verkeer, en de zwarte Lincoln Continental bracht hen vlot naar de stad. De chauffeur droeg het uniform van de marine. Er werd niet gesproken. Op Wisconsin Avenue minderde de wagen vaart, draaide en kwam tot stilstand. De koplampen verlichtten een dubbel smeedijzeren hek met een metalen spin van tweeënhalve meter erop. De poten van de spin waren wit van de sneeuw. Een tweede auto, die hen discreet vanaf het vliegveld was gevolgd, reed door. Ze wachtten tot een camera boven op een van de pilaren van het hek hen had opgenomen. Toen klonk er een metalen klik, waarna de spin stil in twee helften werd gesplitst en de auto over de oprit daarachter zoefde. Ze reden door een bosje met witte sneeuw beladen bomen, verlicht door rode, witte en blauwe schijnwerpers, dat het huis van de directeur van de CIA doeltreffend beschermde tegen nieuwsgierige ogen en lasermicrofoons.

De laan liep om een groot, donker huis heen en hield op bij de deur van een serre, die vanbinnen werd verlicht en een oranje gloed in het omringende bos wierp. De drie mannen stapten vermoeid uit de auto, die met krakende wielen over de sneeuw wegreed. De officier die de leiding had, deed een glazen deur open en ze werden overvallen door een golf warme, bedompte lucht. Ze liepen achter elkaar aan over een smal, verhard pad door dichte begroeiing, langs een tinkelende fontein en over een bruggetje. In de vijver daaronder zwommen kleurrijke vissen met lange, doorzichtige vinnen. Er hing een sterke geur van narcissen. Een stukje Guatemala in de winter van Washington.
In het oerwoud bevond zich een zanderige open plek vol cactussen, waar een oudere man in een wijde grijze trui aan een ronde tafel een pijp zat te roken. Hij wenkte hen naar de witte tuinstoelen rond de tafel. Een mot wierp een enorme, paniekerige schaduw op de tafel toen hij rond de lamp daarboven zijn noodlot tegemoet fladderde.
De vrouw van de directeur kwam een blad ijsthee en biscuitjes brengen. Ze had lang, blond haar en het tengere, elegante figuur dat verplicht was voor een gastvrouw in Washington. De burger, Sacheverell, schatte haar ongeveer vijftien jaar jonger dan haar man. Ze had twintig jaar geleden op de omslag van de *Vogue* kunnen staan, dacht hij. Een borst raakte licht zijn schouder toen ze zich met het blad over hem heen boog; het lichte lichamelijke contact prikkelde zijn zenuwen. Ze zei: 'Vergeet je tabletten niet, schat.' De directeur gromde en Sacheverell keek haar tengere gestalte na toen ze door de openslaande deuren verdween. De mot boven hen siste even.
Sacheverell nam het gezelschap van die avond op. Het bestond onder anderen uit de schat, alias Richard Heilbron, de directeur van de CIA, die zijn pijp uitklopte op een asbak en eruitzag als een professor van een provinciale universiteit. De tweede was Samuel B. Hooper, de voorzitter van de gezamenlijke chefs-staf, een kleine, forse, witharige man die eruitzag alsof hij bij zijn geboorte al gezag had uitgestraald. En dan had je nog zijn metgezel, de magere, onopvallende kolonel Wallis, die een paar uur eerder met zijn gevechtseenheid in het vuur was gegooid en net als de mot was geroosterd.
'Heren, welkom,' zei Heilbron. 'Hoe ging het met Operatie Marsman, Sam?'
'Het was een ramp. Foggy hier slaagt erin een conferentie te beleggen met NMCC en Offutt om het gevaar te beoordelen, ze deduceren dat zich een explosie heeft voorgedaan in Mexico en dat de schokgolven

en het vuur hun kant uit komen en dan zijn ze dood. Er was geen tegenaanval, niets.'
'Jullie hebben niets weg kunnen krijgen? Zelfs geen Trident?'
'Nog geen roeiboot. Als de Russen ons dit werkelijk geflikt hebben...'
'Zoals je weet, moeten we om negen uur de president op de hoogte brengen. Ik heb begrepen dat we bijeen zullen komen in de bioscoopzaal in de oostvleugel en ik heb alles daar gereed laten maken voor uw film, doctor Sacheverell. Wat ik wil, is van te voren met jullie het bewijs van de CIA doornemen.'
'Rich,' zei Hooper, 'ik vind het nog steeds het idiootste verhaal dat ik ooit heb gehoord. Ik hoop verdomme maar dat ik nu wat harde bewijzen te zien krijg.'
'Wat je gaat horen, Sam, is giswerk. Sla de mappen voor u open, heren. Kijk naar de eerste twee pagina's. Dit is een vertaling van een gesprek in het Russisch, dat een paar weken geleden is onderschept door Menwith Hill. Het is een uitwisseling tussen de kosmonauten aan boord van Phobos Five en de vluchtleiding in Tyuratam.'
'Phobos Five?'
'Een ruimtesonde die de Russische Republiek zes maanden geleden heeft gelanceerd, met drie man aan boord. Ze zouden naar Mars gaan, daar in een lage baan omheen cirkelen, een paar sondes lanceren en heelhuids terugkomen. Al met al een reis van twee jaar. Sinds de dagen van de Sovjet-Unie hebben we geweten dat ze vroeg in het millennium zouden proberen een man op Mars te laten landen, en dit lijkt hier een voorloper van. Het past allemaal precies.'
In de uitspraak dat het precies paste lag iets van levensmoe scepticisme, vond Sacheverell.
Heilbron knikte naar een kleine cassetterecorder op tafel. 'Op deze band zijn de kosmonauten een week op weg. 3,3 miljoen kilometer van ons vandaan. De snelheid van het licht is 300.000 kilometer per seconde. Luister en probeer de vertaling te volgen.'
Er klonk een hoop geruis. Om de paar seconden sneed er een metalige piep door het geluid. Toen een stem, sprekend in het Russisch. Sacheverell en de officieren zetten hun vermoeidheid van zich af en lazen intussen de tekst.

00.17.27 VLUCHTLEIDING Phobos, dit is de vluchtleiding om 173 uur verstreken vluchttijd. We krijgen het signaal dat de lading in cel zeven fluctueert. Wil je dat alsjeblieft controleren? (Lange stilte.)

00.18.01 KOSMONAUT Phobos. We slapen hier allemaal. (Achtergrondgeluid.) Vluchtleiding, dit is Stepanov. Ik kan melden dat cel zeven volgens ons geen gebreken vertoont. Al onze metingen zijn eh, normaal.
00.18.22 VLUCHTLEIDING Misschien functioneert de telemetrie niet goed. Wil je uit voorzorg de controle op pagina 71 van het handboek doorlopen? (Lange stilte.)
00.18.48 KOSMONAUT (Krachtterm.) Als jullie erop staan. Eh... momentje (flarden van een gesprek.) Vyssorsky zegt dat hij de brandstofcellen vanmorgen nog gecontroleerd heeft, toen ik sliep. Hij zegt dat er geen problemen waren.
00.19.00 VLUCHTLEIDING Dank je, Toivo Stepanov. Ik heb nu (onverstaanbaar) display. Die zegt dat we hier op de grond een klein probleempje hebben in de telemetrie. Jullie kunnen weer gaan slapen. Wat is dat verschrikkelijke lawaai? (Lange stilte.)
00.19.30 KOSMONAUT Vyssorsky is aan het zingen.
0019.36 VLUCHTLEIDING Fijn te horen dat jullie blij zijn. We wachten op jullie systeemrapport om 175 uur verstreken vluchttijd. Vluchtleiding uit.

Heilbron spoelde het bandje terug. Hooper plukte een gevleugeld insect uit zijn thee en gooide het in de schaduw. Hij zei: 'Het is een beetje laat voor een quiz, Rich.'
Wallis zei: 'Die vent aan boord antwoordde wel heel snel.'
Sacheverell, die dat feit ook had opgemerkt, keek de kolonel met respect aan. Hij zei: 'De afstand is 3,3 miljoen kilometer. Met de snelheid van het licht op 300.00 kilometer per seconde geeft dat een tijdsduur van de vraag die gesteld werd in Tyuratam tot het antwoord dat is opgevangen in Menwith Hill van 22 seconden. Dat klopt met alle stiltes, behalve de laatste.'
'Ik merk dat we vanavond in slim gezelschap verkeren,' zei Heilbron. 'Uitstekend. We kunnen hierbij alle hersenen gebruiken die we kunnen krijgen. Ja, Sacheverell, alle stiltes behalve de laatste. Wat is dat verschrikkelijke lawaai? Dan duurt het maar negentien seconden voor het antwoord komt: "Vyssorsky is aan het zingen."'
'En dat betekent?' vroeg Wallis.
'Wacht nou eens even, Heilbron,' viel generaal Hooper hen in de rede. 'Wil je me vertellen dat die kosmonaut de vraag heeft beantwoord voordat hij hem had gekregen?'
'Precies.'

'Jezus, Sam, misschien hebben ze in Menwith gewoon een fout gemaakt met hun opnamen.'
'Nee. We hebben de technische kant gecontroleerd.'
'Wat is uw conclusie, meneer Heilbron?'
'Geduld, kolonel Wallis, er is nog meer, veel meer. We hadden tot op dat moment niet veel aandacht besteed aan de lancering van Phobos, begrijp je. Er stond een heleboel op de band en zo, maar de verwerking ervan had geen hoge prioriteit. Deze abnormaliteit in de timing was opgemerkt door een van mijn slimme jonge genieën, een vent die Pal heet. Dus gaf ik hem de leiding over een klein team, een soort Operatie Phobos. En toen hebben ze dit gevonden. Luister. Dit is uit een gesprek van drie dagen later. Ik heb niet de moeite gedaan het te laten uitschrijven. Luister naar het verstrijken van de tijd.' Ze luisterden naar het hoge, bange geratel en de diepe Slavische klanken van de man in het ruimteschip. Heilbron speelde het bandje verscheidene keren af. De militairen schudden het hoofd. Sacheverell fronste.
'Er is mee geknoeid,' zei hij. 'Gestructureerd.' Hij begon zich licht in het hoofd te voelen, maar hij wist niet of het van vermoeidheid kwam of van het bedwelmende effect van de geurende narcissen.
Heilbron knikte bemoedigend. 'Weer een punt voor onze jonge vriend. Hier is hetzelfde bandje, maar nu 10.000 keer langzamer.' Hij spoelde het bandje door, miste het begin, spoelde het weer terug en liet het afspelen. Sacheverell voelde de haartjes in zijn nek overeind komen toen de geheime boodschap overkwam, een helder, morseachtig, intelligent signaal dat zich vanuit de lichtkring verbreidde door de jungle, over het grote grasveld en naar de donkere bossen daarachter. Heilbron liet het bandje een minuut lopen en zette het toen stil. Hij zei: 'Ze hebben er een *burst transmission* tussen gestopt. Het gaat uren zo door. Mijn beste mensen hebben er een week aan gewerkt en hebben geprobeerd apparatuur van de vijfde generatie ermee te laten praten. Zelfs de Cray T3D van de NSA in Fort Meade kon er niet tegenop.' Sacheverell dacht eraan dat er op het hoofdkwartier van de National Security Association in Maryland meer wiskundigen werkten dan waar ook ter wereld. Heilbron vervolgde: 'Ze zijn het er over eens dat het een soort coderingssysteem is dat maar in één richting werkt en dat niet te breken is als je de sleutel niet hebt. En het gesprek is nep; de mensen van het geluid zeggen dat de akoestiek niet helemaal klopt of zo. Ze hebben daar in Phobos Five een bandrecorder staan. Ze spelen een soort toneelstukje waarbij de vluchtleiding vragen stelt die passen bij de ant-

woorden op het bandje. Maar de man op de grond heeft zich één keer vergist in de timing.'
'Wat wil je nou eigenlijk zeggen? Dat de Sojoez niet bemand is?' vroeg Hooper.
'Er zijn drie kosmonauten aan boord gegaan. We hebben foto's genomen.'
'Jezus, Rich,' zei de voorzitter van de gezamenlijke chefs-staf geërgerd. 'Eerst zeg je dat een of ander apparaat in het ruimteschip van tevoren bedachte vragen beantwoordt, en nu zeg je dat er mensen aan boord zijn. Waarom voeren ze hun gesprekken niet zelf in plaats van een antwoordapparaat aan te zetten?'
'Omdat ze er niet meer zijn.'
Hooper wierp de directeur van de CIA een sceptische blik toe. 'Zijn ze eruit gesprongen?'
Heilbron zei: 'Kijk eens naar bewijsstuk B.' Er klonk geritsel toen er enveloppen van ongeveer dertig bij dertig centimeter werden geopend. De verbijsterde Sacheverell schonk zich nog wat ijsthee in. De CIA-directeur haalde een rood pilletje uit een pakje en nam het met een slok thee in.
'Zoals ik al zei,' ging Heilbron verder, 'werd er op dat moment eigenlijk niet zo op de Phobos gelet en de foto's die jullie gaan zien, werden aanvankelijk gewoon in een dossier gestopt. Kijk naar de eerste. Die komt van de Fransen. Het is een voor iedereen toegankelijke foto. Je ziet de lanceerbasis in Maikonur. De schaal is ongeveer honderdzestig kilometer. Aan de linkerkant van de foto zie je het Aralmeer. De rivier' – er liep een dunne blauwe lijn van links naar rechts over de foto, die door een stad ging – 'is de Sar-Daya.'
'Welke stad is dat?' vroeg Wallis.
'Het voormalige Leninsk. Dat ligt honderdzestig kilometer ten oosten van het Aralmeer. Na de machtsovername van het Rode Leger is het hele gebied weer afgesloten voor westerlingen. Leninsk is een van de nieuwe wetenschapssteden; bioscopen, cultuurpaleizen, sportstadions enzovoorts. Ze hebben alles volgebouwd tot aan de oude stad van Tyuratam. Dat is de donkerder kleur aan de linkerkant.'
'Wat zijn die pijlen?' Wallis weer.
'Die in het midden is het kosmonautenhotel. We hebben daar een eersteklas bron, een mevrouw die al sinds jaar en dag voor ons werkt.' Heilbrons pijp gorgelde en hij prikte erin. 'Kijk nu eens naar de volgende paar foto's, Sam. Niet schrikken.'

Er klonk geritsel en Sacheverell keek naar een grote zwart-witfoto met het stempel 'vertrouwelijk' in de marge. Heilbron vervolgde: 'Onderaan kun je nog net de spoorweg zien en de snelweg daarnaast. Het is een drukke spoorlijn, helemaal vanuit Leninsk. Die grote grijze vierkanten in het midden zijn de assemblagegebouwen voor de Sojoez. Wij denken dat die aan de linkerkant voor het type G en de Energia zijn, de enorme boosters. Het spoor gaat verder naar het noorden. De volgende foto' – nog meer geritsel – 'laat de lanceerinrichting zien. Die pijltjes wijzen op wat vóór Salt 2 de ICBM-silo's waren. Voornamelijk de oude SS-X series. Die kun je vergeten. Het is die Energia-fabriek waar ik van over mijn nek ging. Je ziet hem op de volgende foto. We hebben routinematig van grote hoogte verkenningsfoto's van de lancering genomen via een spionagesatelliet. Dat omcirkelde ding' – er was iets als een punt met een witte cirkel eromheen – 'is een militair transport. Je ziet het lanceervoertuig aan de rechterkant. Op de volgende foto zie je dat ze overal netten om leggen. Ze hebben iets te verbergen.'
Een groep kleine stipjes, die elk een man voorstelden, had zich tussen de voertuigen verspreid. Ze leken iets over de grond te trekken. 'Op de volgende foto liggen de netten erop. Het perspectief is iets veranderd; deze komt van een andere satelliet.' Op de foto stonden dezelfde gebouwen, maar nu met lange avondschaduwen. Er was bewolking op komen zetten en een deel van de grond ging daarachter schuil. Een enkele stip wierp een lange schaduw over de grond, waar duidelijk armen en benen in te herkennen waren. Sacheverell dacht dat hij een snor zag.
'Ze hebben een fout gemaakt. Moet je de volgende foto zien.' Daarop lagen de netten op hun plek, zodat de vrachtwagen, de raket en de lanceerinrichting verborgen waren voor spiedende satellietogen. De zon was bijna onder.
'Wat moet ik hier zien?' vroeg Hooper.
'Kijk naar de schaduwen,' zei Heilbron. 'De zon scheen onder de netten door. Mijn genieën hebben de contouren van de schaduwen en de hoek van de zon gebruikt om het volgende beeld samen te stellen.' Ze staarden niet-begrijpend naar een grote inktvlek; Sacheverell zag er een inktvis in met een grote ganzenveer.
'Nou, voor mij ziet dit eruit als een inktvlek,' zei Heilbron tot zichtbare opluchting van Hooper. 'Maar mijn genieën zeggen dat dit de schaduwen zijn van vier mannen, de raket, de lanceerstellage en een

kraan. Ze hebben met de computer alles eruit gehaald, behalve wat ze daar optillen en *voila*!'
'Een wortel!' riep Hooper, die verbaasd naar de laatste, onduidelijke computerfoto keek.
'Dat klopt, Sam, een wortel,' zei Heilbron triomfantelijk. 'Hij is twee meter lang, ze laden hem onder de netten in en ze nemen hem mee naar Mars.'
Wallis zei: 'Ik snap het al.' Hij duwde zijn stoel achteruit, stond op, en liep met zijn blik op oneindig heen en weer. Toen kwam hij terug, keek Heilbron strak aan en knikte instemmend.
'Nou?' snauwde Hooper.
'Een heel bijzondere wortel, meneer,' zei Wallis.
Heilbron glimlachte half. 'Je hebt het meteen gezien. Ik zal je vertellen over die wortel, Sam. Kijk naar de laatste foto. Dat is een cadeautje van onze vriendin in het kosmonautenhotel.'
Het was een zwart-witfoto. Hij was genomen door de kier van een deur en de camera was ongeveer een halve meter van de kier gehouden. Drie mannen, gekleed op een Russische winter met bontmutsen en jassen vol sneeuw, stonden bij de receptie.
'Dat kleine kereltje met die bril is een plaatselijke agent, die de andere twee heeft ontvangen. Die met de bontmuts hebben we nog niet geidentificeerd. Maar die andere vent herkennen we wel. Hij heet Boris Voroshilov, voormalig docent natuurkunde in Tbilisi, tegenwoordig werkzaam bij Chelyabins-7. Hij ontwerpt kernbommen.'
'Richard...'
Heilbron stak een hand op en ging verder. 'Phobos Five is een dekmantel. Ergens daarboven hebben de kosmonauten een automatische sonde met een taperecorder naar Mars gestuurd en in zijn baan gebracht. Intussen zijn onze helden ervandoor gegaan en hebben een nieuwe koers gevolgd, compleet met wortel. Alleen is het geen wortel, Sam, het is een waterstofbom van tien megaton.'
Sacheverell zei: 'Ik kan maar één doel bedenken voor een waterstofbom in de ruimte. Om een asteroïde uit zijn baan te brengen.'
Heilbron wees met de steel van zijn pijp naar de voorzitter van de gezamenlijke chefs-staf. 'Zeg eens. Waarom zou Zhirinovsky zoiets willen doen?'
Hooper keek zo somber als de beul.
De CIA-directeur zei keihard waar het op stond: 'Sam, we krijgen hem recht voor onze raap.'

Inquisitie: het verhoor

De priester ging in het getuigenbankje zitten. De klerk zei: 'Maak uw identiteit bekend voor deze Congregatie.'
'Ik ben Jacques Grandami van de orde der Jezuïeten. Ik ben leraar theologie en natuurlijke filosofie op een aantal universiteiten in Frankrijk.'
Terremoto begon met het verhoor: 'U bent een kennis van Vincenzo Vincenzi?'
De reptielenogen gingen even de kant van Vincenzo uit. 'Ik ken hem van de school voor theologie in Parijs, en later van Bologna.'
'Wat is uw mening over deze man?'
'Hij beweert vroom te zijn.'
'Beweert?'
'Ik kan niet zeggen dat hij het niet is. Hij heeft de uiterlijke tekenen van vroomheid. In Bologna nam hij deel aan de koorrecitatie van de getijden en aan de dagelijkse voorlezing van fouten.'
'Waarom twijfelt u dan aan zijn vroomheid?'
'Hij is buitengewoon twistziek en mist elke nederigheid. Hij minacht beredeneerde argumenten die tegen zijn mening in gaan. Zo vertoont hij een uitgesproken minachting voor de argumenten van Scheiner, Ciermans, Malapert en andere jezuïeten tegen het systeem van Copernicus, dat hij aanhangt ondanks het feit dat het, zoals deze Congregatie weet, als verkeerd is aangemerkt. Komensky van Praag heeft in zijn *Refutatio Astronomiae Copernicanae* op briljante wijze uitgelegd waarom de heliocentrische doctrine niet kan kloppen. Maar Vincenzo weigert zijn intellectuele kracht te erkennen. In plaats daarvan heeft hij me verteld dat hij het eens is met de ketterij van Bruno dat het universum oneindig is en dat de sterren zonnen zijn, met planeten eromheen en levende wezens erop. En het spijt me te moeten zeggen dat hij naast zijn verkeerde meningen niet trouw is aan zijn orde. Hij behoort tot de orde van dominicanen, maar hij predikt niet. Hij heeft een ge-

lofte van armoede afgelegd en toch woont hij in een villa van de hertog van Toscane. Hij heeft de eed van het celibaat afgelegd, maar deelt het bed met een vrouw.'
Terremoto leek Grandami te willen wegsturen, maar een van de kardinalen, een man met lichte sproeten en een accent dat duidelijk maakte dat hij uit het verre noorden van het land kwam, hield hem tegen. 'Eén moment! U hebt gezegd dat u theoloog bent.'
'Inderdaad, uwe eminentie.'
'Dan kunt u misschien deze vraag beantwoorden. Wat is de basis in de Heilige Schrift voor het geloof in een stilstaande aarde?'
Grandami glimlachte onaangenaam. 'Hoe had Joshua de zon kunnen bevelen stil te staan als hij helemaal niet bewoog? En beschrijft de psalmist niet hoe de zon een pad beloopt van het ene einde van de hemel tot het andere einde? Schrijft Job niet over het trillen van de pilaren van de aarde?'
De kardinaal boog. 'Dank u, Jacques Grandami. De vrede van Onze Heer is met u.'

Het verhoor begon op de tweede dag, zonder verdere inleiding. Toen Vincenzo naar zijn bank werd geleid, zag hij een rij grimmige gezichten tegenover zich. Kardinaal Terremoto opende de zitting. Zijn doordringende ogen waren op Vincenzo gericht en zijn mondhoeken wezen naar beneden in een onverhuld boze trek. Vincenzo voelde zijn benen trillen en hij had een knoop in zijn maag.
Terremoto keek naar rechts en naar links. 'Deze Heilige Congregatie is nu klaar om de gevangene te verhoren. Heeft de advocaat nog iets ten behoeve van de gevangene te zeggen voordat we verdergaan?'
Marcello fluisterde tegen zijn cliënt: 'Nu moet je herroepen, Vincenzo.'
De monnik schudde zijn hoofd.
'Herroep je woorden en geef je over aan de genade van het hof. Alles wat deze mensen willen, is een openbare herroeping.'
Vincenzo liet zijn hoofd hangen. Hij schudde het bijna onmerkbaar.
Marcello stond op. Terremoto's oogjes keken boos in die van hem; de vijandigheid was onverhuld en trof de jongeman als een natuurkracht. De advocaat, die de angst aan zijn hart voelde knagen, nam meteen een besluit waarvan hij wist dat het invloed zou hebben op zijn toekomstige carrière en het leven van zijn cliënt voorgoed zou veranderen.
'Uwe eminenties, ik beschouw de schuld van mijn cliënt als voldoende aangetoond in deze rechtszaak. Daar hij volhardt in het ontkennen

van die schuld en geen teken van berouw toont voor zijn dwalingen, moet ik u vragen om te worden ontheven van mijn plicht om hem te verdedigen.'

De kardinalen mompelden onderling. Er werd geknikt. Toen zei Terremoto: 'U bent ontheven van uw plicht ten opzichte van de gevangene. Verlaat ons met een rein geweten.'

'Marcello!' riep Vincenzo geschokt uit. Maar de advocaat meed de blik van de astronoom en Vincenzo kon slechts toekijken terwijl zijn voormalige advocaat een pak papier oppakte en zich met neergeslagen ogen en bijna dubbel gebogen de rechtszaal uit haastte. Hij sloeg even zijn handen voor zijn gezicht.

De advocaat was amper de kamer uit toen Terremoto met de ondervraging begon. 'Op wiens gezag beweert u dat de aarde draait?'

'Mijn advocaat heeft zijn ziel verkocht.'

'Beantwoord de vraag.'

'Gezag? Dat van mijn ogen en mijn hersenen, eminentie.' Vincenzo's stem trilde.

'Ik vraag naar schriftelijk gezag.'

'Uwe eminentie, de Engelse monnik Bede verklaarde duizend jaar geleden al dat de aarde een bal is die door de ruimte zweeft. Nicolas Oresme zei meer dan driehonderd jaar geleden dat de aarde rond is en om een as draait. En hetzelfde is twee eeuwen geleden gezegd door kardinaal Nicholas Cusanus. Ze zeggen zelfs dat Aristarchus en Eratosthenes...'

'Leest u Grieks?'

'Nee, eminentie.'

'U vertrouwt dus op horen zeggen, nietwaar?'

'Ik vertrouw op generaties geleerden die voortkomen uit de Moederkerk, van Reginbald van Keulen tot de jezuïtische schrijvers van deze tijd en zelfs mensen als Fra Paolo Foscarini van de karmelieten.'

'Maar steekt Aristoteles niet met kop en schouders boven alle andere heidense wetenschappers uit de oudheid uit?'

'Eminentie, u weet dat dat waar is.'

'En hebt u zijn *Fysica* en *Metafysica* gelezen?'

'Inderdaad, in vertaling, en daarin hangt hij de overtuiging aan dat het universum rond de aarde draait. Maar ik geloof dat hij het mis had.'

'Maar heeft Thomas van Aquino vier eeuwen geleden niet aangetoond dat het systeem van Aristoteles in overeenstemming is met de christelijke doctrine? En is Aristoteles niet de grondlegger van de natuurlijke

wetenschap in het hele christelijke domein? Is het dus niet mogelijk dat de fout aan uw kant ligt?'
'Aristoteles beschikte niet over de telescoop. En ook niet over de gegevens van de bewegingen van de planeten gedurende eeuwen, die wij wel hebben.'
De inquisiteur keek naar een paar aantekeningen. Het was stil in de kamer. Vanuit de tuin kwam het geluid van een krekel. En toen liet Terremoto de val dichtslaan: 'Ontkent u dat de Bijbel de hoogste autoriteit is op het gebied van de filosofie?'
'Ik geloof dat de Bijbel bedoeld is om de mensen te leren hoe ze in de hemel moeten komen, niet hoe de hemel zich beweegt.'
'*Ebbene*! Welk een arrogantie ligt er in die keurige zin. Bent u ook een gekwalificeerd theoloog?'
'Dat heb ik niet gezegd, eminentie.'
'Maar u hebt net wel een theologische uitspraak durven doen. Het Concilie van Trent heeft in zijn vierde sessie heel duidelijk verklaard waar de autoriteit ligt: het Woord van God moet strikt volgens de unanieme richtlijnen van de Vaderen worden geïnterpreteerd. Ik herhaal mijn vraag.' Terremoto keek naar de klerk, die met hoge stem voorlas: 'Ontkent u dat de Bijbel de hoogste autoriteit is op het gebied van de filosofie?'
Vincenzo verbleekte en zei: 'Inderdaad, eminentie.'
Een van de jongere kardinaals hapte hoorbaar naar adem. Terremoto vervolgde: 'Bent u dan van mening dat de Heilige Geest de Heilige Moederkerk in de negentienhonderd jaar sinds Aristoteles heeft laten misleiden?'
Nog een val, dit keer met stalen tanden.
Als Vincenzo bevestigend antwoordde en zei dat de Kerk geen leiding van boven had ontvangen, stond dat gelijk aan het ontkennen van de onbevlekte ontvangenis of zelfs het bestaan van God. Als hij ontkennend antwoordde en zei dat de Heilige Geest zo'n fout nooit had kunnen toestaan, gaf hij toe dat hij de leringen van de Kerk willens en wetens negeerde. Beide antwoorden zouden ongetwijfeld tot hetzelfde, vlammende eind leiden. De klerk boog zich naar voren en zijn gezicht trok samen in afwachting van het op te schrijven antwoord. De kardinaals wachtten. De krekel voor het raam tsjirpte door.
Vincenzo's stem was niet meer dan een gefluister: 'Uwe edele, dat is een theologische vraag. Die kan ik niet beantwoorden.'

Terremoto was genadeloos. 'En toch beweert u een vroom katholiek te zijn. Vond u het niet uw vrome plicht om een dergelijke vraag te stellen voordat u zich ging bezighouden met hypothesen die de ontvangen wijsheid van de Kerk trachten te herzien?'
'Ik ben met doctor Paolicci van Padua van mening dat de geest van de Schepper kan worden afgelezen aan Zijn Schepping.'
'Gelooft u dat de mens is geschapen naar Gods gelijkenis?'
Er viel een verwachtingsvolle stilte. Na de ketterijen die ze hadden gehoord wisten de kardinalen niet wat ze konden verwachten van de ellendige oude man die tegenover hen zat. Maar Vincenzo zei zachtjes: 'Natuurlijk, uwe eminentie.'
'Hoe kan hij dan niet het centrum van het universum vormen?'
Vincenzo mompelde iets en wrong zijn handen. De klerk vroeg hem harder te spreken, maar de monnik zweeg.
'Het alternatief doet nogal afbreuk aan de mensheid, nietwaar? En het zet de deur open voor ondenkbare ketterijen.'
'God heeft twee boeken, dat van de natuur en dat van de Schrift. Die kunnen elkaar niet tegenspreken. Ik heb het boek van de natuur gelezen. Er staat wat er staat.'
De rest van de ochtend werd in beslag genomen door een indringende ondervraging over technische zaken, zoals de nauwkeurigheid van de Alfonsinische Tafels, de precessie van de nachteveningspunten, de beweging van de achtste sfeer, de omvang van de vaste sterren, hun gebrek aan parallax, en de ongelooflijke afstanden tussen de sterren die werden geïmpliceerd door het systeem van Copernicus, en de betekenis van het offer van Christus voor wezens op de verondersteld andere werelden van Giordano Bruno. Terremoto speelde voortdurend een leidende rol en zijn diepe stem dreunde door de rechtszaal. Hij bleek een opmerkelijk goed begrip te hebben van wetenschappelijke zaken. Alleen de krekel voor het raam leek er niet van onder de indruk: hij trok zich niets aan van de krachtige stem van de kardinaal en tsjilpte onophoudelijk. Toen het hof in reces ging, was het vroeg in de middag en baadde Vincenzo in het zweet.
Die avond werd Vincenzo de kans geboden om te bekennen en zijn woorden te herroepen of vijf dagen te nemen om zijn verdediging voor te bereiden. Tot de verbazing van de grootinquisiteur weigerde Vincenzo beide opties. In plaats daarvan legde hij een eenvoudige verklaring af. Die was kort en bondig. Hij aarzelde even, omdat hij het gewicht van de vijandigheid van de inquisitie over zich voelde vallen

als een instortend huis, maar toen hij begon te spreken, was zijn stem onvast, maar vastberaden.
'Ik wijs de *simplicitas* van het universum van Aristoteles af, waarin de zon, de maan en de planeten in epicyclus na epicyclus om de aarde draaien. We zien door de kijkbuis van Galileo dat de maan niet volmaakt glad is. Hij zit vol met kraters. We zien met onze eigen ogen bergen en dalen als op de aarde. Als de maan op de aarde lijkt, lijkt de aarde op de maan. Daarom is hij gewoon een van de hemellichamen. De vier Medici-planeten, die om Jupiter heen draaien, zijn het duidelijkste bewijs dat niet alles om de aarde draait. We zien door de kijkbuis ook dat Venus alle fasen van de maan doorloopt, waarbij de verlichte schijf altijd naar de zon is gekeerd en dus duidelijk om de zon draait en niet om de aarde. Als de aarde een hemellichaam is als de maan en ook een planeet zoals Venus, moeten ook wij om de zon draaien.
Deze Heilige Congregatie heeft verwezen naar Aristoteles, Ptolemaeus en de Heilige Schrift als getuigen voor de centrale positie van de aarde. Aristoteles heeft ook verklaard dat de hemelen onveranderlijk zijn. Maar hebben we in 1572 geen nieuwe ster waargenomen, een ster die werd geboren, helderder werd en ten slotte stierf? Als hij het in één astronomische kwestie mis had, waarom kan hij het in andere opzichten dan ook niet mis hebben gehad? Wat Ptolemaeus betreft, hebben de nieuwe ontdekkingen van de grote zeevaarders zijn geografie niet achterhaald? Waarom zou dat dan niet eveneens gelden voor zijn kaart van de hemelen? In onze geschiedenis waren veel wijze filosofen van mening dat de aarde beweegt en de zon stilstaat.
En ten aanzien van de Schrift zouden we de waarschuwing van Sint Augustinus ter harte moeten nemen, die ons vertelt dat we ons geen zorgen hoeven maken als de astronomen de Schrift lijken te weerspreken. Het betekent alleen dat er een andere interpretatie moet worden gevonden voor de Heilige Schrift. Pererius van het Collegio Romano vertelt ons dat *non potest Sacrarum Literarum veris rationibus et experimentis humanarum doctrinarum esse contraria*. En wat moeten we denken van de woorden van Job: "Hij doet de aarde van haar plaats wankelen"? Uwe eminenties zijn niet opgeleid in de natuurlijke filosofie en kunnen op dat gebied geen oordeel vellen. Bij de interpretatie van de wereld moet het boek van de natuur gelezen worden, niet de Heilige Schrift.'
Er ging een tastbare siddering door de kardinalen heen. Nu de teerling

geworpen was, ging Vincenzo door. 'Ik geloof dat de sterren bestaan uit vuur. Er bestaan veel meer sterren dan wij kunnen zien. De kijkbuis van Galileo ontleedt het licht van de Melkweg tot ontelbare sterren. Er moeten zonnen zijn zoals die van ons, op immense afstanden. Daarom veranderen de sterrenbeelden niet en volgen de sterren geen ellipsen aan de hemel terwijl de seizoenen voorbijgaan: de sterren staan op zulke enorme afstanden dat de parallax te klein is om gezien te worden. U zegt dat het een kwestie van geloof is dat de aarde stilstaat, en dat ik een ketter ben omdat ik er anders over denk. Maar stel dat de astronomen in de komende jaren of eeuwen onweerlegbaar bewijzen dat de zon stilstaat en dat de aarde om haar heen draait? Dan zult u die mij berecht, de kardinalen van deze congregatie, worden gezien als de ketters. De Moederkerk zal een schandaal te verduren krijgen en worden gedwongen Haar doctrines te wijzigen, en Haar vijanden zullen Haar met veel plezier bespotten. Eminenties, u begaat een ernstige fout als u van astronomische zaken een geloofskwestie maakt.'
De oude man liet zich uitgeput op zijn bank vallen. De kardinalen, die in wezen waren beschuldigd van ketterij, zaten er versuft bij. Terremoto's gezicht had alle stadia van verbazing, afschuw en uiteindelijk woede doorlopen terwijl Vincenzo aan zijn moedige verklaring bezig was. Hunne eminenties liepen zonder een woord de rechtszaal uit.
Die nacht sliep Vincenzo niet in het luxueuze appartement van een beambte van het Heilige Officie, maar in een vochtige cel in het Castel Sant'Angelo. En terwijl hij sliep, bespraken zijn rechters zijn zaak bij kaarslicht en besloten ze de volgende stap te zetten: de *territio realis*.

Het Witte Huis, de bioscoopzaal in de oostvleugel, 21.00 uur.

Sacheverell zat met opspelende maag op de voorste rij in de kleine bioscoopzaal. De deur ging open en een lange, oudere man keek naar binnen. Zijn hemdsmouwen waren opgerold en hij droeg een extravagant veelkleurig vest.
'Koffie, jongen?' vroeg de oude man.
'Graag, meneer. Twee klontjes suiker.' De man schuifelde naar buiten. Er gingen een paar minuten voorbij en Sacheverell kreeg een droge mond. Toen werd de deur met een voet opengeduwd en kwam de man tevoorschijn met een kartonnen bekertje in elke hand. Hij ging naast Sacheverell zitten en gaf hem een van de bekers. De astronoom merkte op dat de oude man een zwarte en een blauwe sok aanhad.
'Twee klontjes suiker. Nou, voordat we beginnen. Wij zijn boeren, we zijn bankiers, we zijn advocaten. Ik ben zelf gewoon een plattelandsjongen uit Wyoming. Dus hou het simpel.'
'Doe ik, meneer de president.'
'Oké. Dit is voor de meeste mensen hier nieuw. Ik heb zelf een voorbereidende briefing gehad van de minister van Defensie en hij zegt dat die asteroïde ons zal verpletteren als hij inslaat. Maar wat weet hij ervan? Jij bent de expert, jongen, en van jou wil ik het horen.'
'Ik doe mijn best, meneer,' stootte Sacheverell uit.
De president grinnikte. 'Wat is een asteroïde eigenlijk?'
'Een asteroïde is een brok steen, meneer, dat om de zon draait, net als de planeten. Ze hebben een doorsnee van een paar kilometer en zijn zwarter dan roet, heel moeilijk te vinden. Er vliegen misschien tweeduizend grote in een baan tussen de planeten, maar er zijn er tot dusver maar driehonderd gevonden. Het kan wel honderdduizend jaar duren voordat een daarvan de aarde raakt, maar als dat gebeurt, krijg je een enorme explosie.'
'Hoe enorm?'
'Stel dat er een op Mexico-stad terechtkwam. De schokgolf zou ons

hier raken met zestienhonderd kilometer per uur. Bij een normale explosie, van een bom bijvoorbeeld, is de schokgolf niet meer dan een plotselinge wind, die in een fractie van een seconde weer weg is. Maar hierbij zou de wind uren door blijven waaien. De temperatuur van de lucht zou intussen vier- of vijfhonderd graden Celsius zijn, min of meer zo warm als in een pizzaoven.'
'Dat was een hele toespraak, jongen. Maar ik dacht dat je zei dat die dingen maar een doorsnee hebben van een paar kilometer.' De gemoedelijke grijns van de president was vervaagd terwijl Sacheverell had zitten praten.
'Het is de snelheid van die dingen, meneer. U moet het zien als een grote berg die elke seconde ruim dertig kilometer aflegt. Als hij de grond raakt, vaporiseert hij in ongeveer een tiende van een seconde. Dan krijg je gemakkelijk een half miljoen megaton. Ik heb een film gemaakt die u enig idee moet geven wat u kunt verwachten.'
De deur ging open en er kwamen een stuk of zes mannen binnen, die zich over het kleine bioscoopje verspreidden. Sacheverell had slechts een paar uur eerder met twee van hen gesproken; Heilbron en Hooper. Heilbron ving Sacheverells blik en knikte. De minister van Defensie kwam op hem af gewandeld en ging naast Sacheverell zitten. Hij was een jaar of vijftig. Nu hij niet voor de televisiecamera's stond, merkte Sacheverell op, had Bellarmine een enigszins geel gezicht en een wijkende haarlijn. 'Hallo!' zei hij. De president knikte vriendelijk. Sacheverell, tussen de president van de Verenigde Staten van Amerika en de minister van Defensie, voelde zijn huid prikken.
Heilbron liep naar hen toe. 'Meneer de president, ik heb een film.'
'Oké, laten we maar eens kijken,' zei president Grant. Hij dronk de koffie op, kneep het bekertje fijn en liet het op de grond vallen. 'Zo te zien krijgen we een matineevoorstelling.'
Heilbron liep naar het podium en pakte een korte aanwijsstok. De lichten gingen uit. Er verschenen achtereenvolgens kaarten en foto's op het scherm. Zware Slavische gezichten onder bontmutsen. Heilbron zwaaide zwierig met de aanwijsstok. Een onvaste amateurfilm liet een militaire vrachtwagen zien die een of ander kamp verliet dat werd omringd door een hoge prikkeldraadversperring. Op een andere film stonden treinwagons met zeildoek eroverheen die door een ijzig, kaal landschap werden gesleept. Toen verscheen de donkere, conische vorm van de waterstofbom en de president zei 'stop!', en het beeld stond stil, met de zwarte vorm in vage close-up op het scherm.

Grant stond op. Het beeld van de bom verlichtte zijn gezicht en zijn borst. 'Jezus, is dat hem?'
'Zo ongeveer, meneer de president. We hebben een gecodeerde boodschap van Phobos opgevangen, maar we hebben hem nog niet kunnen ontcijferen.'
'Rich, dit is allemaal wel heel magertjes.'
'Meneer, we hebben vaak op minder moeten handelen. Ik geloof dat de weegschaal van de waarschijnlijkheid sterk overhelt naar een vijandige daad tegen ons.'
'Van wie? Alleen de Russen? Kazachstan? De hele verdomde Federatie?'
Heilbron haalde zijn schouders op.
'Wat is hier precies de betekenis van?' vroeg de president met een grimmige blik op Sacheverell.
Sacheverell zette zijn beker neer en liep nerveus naar het podium. Heilbron ging vermoeid in Sacheverells stoel zitten en de president liet zich op de rand van het kleine podium zakken en sloeg zijn knieën over elkaar. In het halve donker stond de astronoom opeens tegenover mannen die hun vriendelijke televisiegezichten hadden afgelegd, mannen met berekenende ogen en ijs in hun aderen, die meer macht hadden dan de goden. Hij bedwong een aanval van paniek.
'Meneer, het is technisch mogelijk om een aardscheerder af te laten buigen en op een bepaald land te laten inslaan.' Sacheverell besefte ontzet dat zijn mond helemaal droog was en dat zijn stem het bijna begaf. 'Er zou zeer geavanceerde technologie voor nodig zijn en buitengewone precisie. Men zou het kunnen doen door op een nauwkeurig bepaalde plek en een even nauwkeurig bepaald moment wat materiaal van de asteroïde te blazen en hem zo uit zijn baan te brengen. Het probleem is het beperken van de schade, die zich tot naburige landen zou kunnen uitstrekken. Mijn film laat een reeks mogelijkheden zien. Film, alstublieft.'
De projector achter in de kamer zoemde rustig. Er verschenen geheimzinnige nummers en kruisen op het scherm. Toen een zwart met witte titel:

Inslag: 5 x 10^2 *Mt, verticale inval*
Asteroïde: nikkelijzer, trekkracht 400 MPa, H_2O*=0,14 maal massa*

De titel verdween en werd vervangen door een raster dat de onderste helft van het scherm bedekte. De enige beweging was het oplopen van

getallen in de rechter bovenhoek van het scherm, naast de aanduiding *verstreken tijd* =. Het publiek wachtte af.
Een groene stip kwam snel van boven. Hij raakte het raster. De lijnen vervormden en er ontstond een gat met een omhoog gedrukte rand. Groene vlekken schoten naar de rand van het scherm. Een eindje van het gat vibreerde het raster met hoge snelheid, als een heftig schuddende pudding. De lijnen verdwenen en er werden oude filmopnamen vertoond die waren gemaakt in het testgebied in Nevada. Er stond een houten huis. Aanvankelijk gebeurde er niets. Toen begon het schilderwerk te roken en vatten de gordijnen vlam. En opeens bestond het hele huis uit versplinterd hout en stroomde de rook naar de verte, en Sacheverell zei dat men dit op een afstand van tweeduizend kilometer van een explosie van een half miljoen megaton kon verwachten.
Nu verscheen er een gekleurde kaart van de VS, waarop de steden in grote letters waren aangegeven. Van een plek midden in Kansas waaierden cirkels uit als kringen op een vijver, alsof de kaart onder water lag. De getallen liepen nu in de minuten in plaats van in de seconden en Sacheverell zei dat je aan de Canadese grens en in Chicago Richter negen kon verwachten. De kaart verdween en er volgden nog meer oude filmbeelden; dit keer bestreek de camera een afschuwelijke puinvlakte. Een paar versufte personen in Arabische kledij staarden naar de camera. Anderen kropen over een berg puin als mieren over een mierenheuvel. Sacheverell zei dat we uiteraard met stenen huizen te maken hadden en dat we er niet zeker van konden zijn dat zoiets als dit ook zou gebeuren met New York of Chicago, maar dat de wolkenkrabbers zeker zouden instorten. Hij was zich ervan bewust dat hij begon te ratelen, maar kon het niet helpen. Zijn stem klonk nu echt schor.
En dan komt uiteraard het vuur, zei hij, en hij voelde de spanning bij zijn gehoor. In de zomer is ongeveer dertig procent van het grondgebied van de Verenigde Staten brandgevaarlijk en in de winter twintig procent. Je kunt duizenden brandhaarden verwachten over een gebied ter grootte van Frankrijk. Ze zouden samenkomen tot een enorme vuurzee, zodat het hele midden van Amerika zou bezwijken onder de vlammen door de opstijgende vuurbal en dit is Hamburg tijdens een vuurstorm, maar met withete as over het hele land zou het hele land vlam kunnen vatten en dan is er natuurlijk nog de biomassa, de biomassa, ja, vooral omdat vet smelt bij vijfenveertig graden, Celsius uiteraard, maar dat maakt niet uit, je verwacht dat mensen in heel Ame-

rika levend gebakken worden in hun eigen vet, er komen bubbels in je huid die in een paar seconden openbarsten en dan koken je bloed en het water en dan vat het vet vlam en verkool je terwijl de schokgolf je meeneemt met de snelheid van een straalvliegtuig.'
Het publiek zat aan zijn stoel genageld.
Nu was er iets te zien wat leek op een van de meer sensationele producten van een Hollywoodstudio. Een oceaan kookte. De kokende groene lijnen vormden intussen een patroon; ze kwamen omhoog tot een golf, een rollende, schuimende breker die over kleine wolkenkrabbertjes spoelde als een golf over een kiezelstrand en Sacheverell zei: 'We zijn niet zeker van de stabiliteit van zulke grote golven maar daar zijn we mee bezig, met de teraflop van Sandia maar een golf als deze aan de oostkust zou over de oostelijke staten spoelen maar de Appalachen zouden hem tegenhouden en in Bozeman in Montana zou je veilig zitten.' Toen volgden er nog meer flitsende symbolen, de projector hield op met snorren en de lichten gingen aan. Sacheverell slikte nerveus en knipperde met zijn ogen.
Zijn publiek bleef verstijfd zitten.
'Heb je schattingen voor het aantal slachtoffers, jongen?' vroeg de president eindelijk zachtjes.
'Moeilijk te beoordelen, meneer. Het grootste deel van de VS ligt nog geen tweeduizend kilometer van Kansas. Een inslag van een half miljoen megaton op Kansas zou volgens mij tweehonderd miljoen slachtoffers opleveren door de onmiddellijke gevolgen.'
'Je bedoelt gewonden?'
'Nee meneer, doden.'
'Hoe zit het met de overlevenden?' vroeg de president.
'Met dit scenario zou een tot tien procent van Noord-Amerika de eerste inslag overleven. Maar ze zouden grote problemen hebben. Voornamelijk gebrek aan voedsel, medische zorg en afvalverwerking. Ik denk dat de meesten zullen bezwijken aan honger, tyfus, cholera, de pest en meer van dat soort dingen.'
'Iemand commentaar?' vroeg de president, die zich omdraaide.
'Wat jij hier zegt,' zei de minister van Defensie met een strak gezicht, 'is dat de technologie bestaat om een wapen te maken dat een miljoen keer krachtiger is dan de waterstofbom?'
Sacheverell knikte.
'Je bent gek,' zei de minister van Defensie.
'Er is maar een klein duwtje voor nodig, meneer. Er zijn een heleboel

van deze asteroïden. De truc is om er een te vinden die dicht langs de aarde komt. Dan zet je er een kleine atoombom op. Als je de bom op de juiste plek en het juiste moment laat exploderen, duw je de asteroïde naar de aarde toe. Er is niet veel voor nodig. Met een correctie halverwege, een tweede explosie met een kleine atoombom of zelfs met conventionele explosieven, zou je de asteroïde binnen een gebied van tweehonderd kilometer kunnen laten neerkomen.'

Grant wendde zich tot Heilbron. 'Jij zegt dat ze het al gedaan hebben?'

'Ik ben van mening dat hij op dit moment op ons afkomt.'

Een slanke man van achter in de vijftig met een haakneus in een duur, donker driedelig pak, stond in de achterdeur van de bioscoop. Hij zei boos: 'In godsnaam, Rich, jij beweert dat we in staat van oorlog verkeren.'

Grant hief snel zijn hand. 'Niet hier, Billy.' Hij wendde zich weer tot het hoofd van de CIA. 'Hoeveel mensen weten hiervan?'

'Wij zevenen in deze zaal, twee leden van mijn staf en een van de assistenten van generaal Hooper. Aan de Europese kant een even groot aantal. In totaal zo'n twintig mensen. En een team van acht dat het ding probeert te vinden. Dat zit verstopt in een observatorium op een berg in Arizona.'

'Doctor Sacheverell, we weten waar we u kunnen bereiken?'

'Ja, meneer. Ik behoor bij het team in het Eagle Peak Observatory.'

'Praat er zelfs niet over met je hond. Heren, dat geldt voor ons allemaal. Ik wil geen uitspraken over een naderende apocalyps, geen bedekte toespelingen, geen ongewone bewegingen. Nathan, Sam, de Green Room om drie uur.'

'Met alle respect, meneer...'

'Nathan, ik moet gasten ontvangen. Zoals ik zei, geen onverwachte bewegingen. Wat wil je dat ik doe? Hem om een pizza sturen?'

Dag drie

De Green Room, woensdag, 03.00 uur

Grant en zijn vrouw begeleidden koning Charles, Camilla Parker-Bowles en de ambassadeur van Groot-Brittannië door de lange entreehal, terwijl de zes violisten die in de eetzaal nog steeds honderd gasten vermaakten de *Hongaarse rapsodieën* van Liszt ten gehore brachten. De president voelde zich wat wollig van de Chateau Latour en zijn wangen deden pijn van het urenlange gedwongen glimlachen. Volgens het protocol liep hij met hen mee naar de lift, die hen naar de residentie zou brengen voor een privé-gesprek.

Een uur later werden een uitgeput ogende Charles en Camilla door de geheime dienst geëscorteerd naar Blair House, tegenover nummer 1651. Grant wachtte nog een uur en liep toen de trap weer af naar de entreehal. Hij ging door de colonnade de Cross Hall in. Kroonluchters in de stijl van Adam en bronzen lampen wierpen een warme gloed op de marmeren muren. De beeltenissen van voormalige presidenten keken op hem neer. De violen zwegen inmiddels. Ergens sneden de drie slagen van een klok door de stilte.

Een deur stond op een kier en hij liep de Green Room in. In de open haard knetterden houtblokken en een vleugje houtrook riep onverwachts een verre herinnering op: een kampvuur, warme worstjes op een stok, rook die in zijn ogen prikte, lachende jonge mannen en vrouwen. Maar voordat hij het beeld kon plaatsen, was het voor altijd verdwenen.

De minister van Defensie, Nathan Bellarmine, lag languit in een leunstoel uit de federale periode met sitsen bekleding voor het vuur. Hij had glad, zwart haar, begon een beetje kaal te worden en droeg een donker, driedelig pak. Door het donkere vest en het met brylcreem ingesmeerde haar leek hij een beetje op een snookerspeler.

Aan de andere kant van de open haard zat een kleine man van middelbare leeftijd met een haviksneus, wit haar en ogen als donkere kiezels. Dat was Arnold Cresak, de adviseur van de president op het gebied van de nationale veiligheid en een oude vertrouweling.

De derde man in de kamer was Hooper, die rechtop op een harde stoel zat onder Durries nostalgische *Boerderij in de winter*. Er zaten donkere wallen onder de ogen van de soldaat. Grant wuifde dat ze moesten blijven zitten toen ze wilden opstaan, gooide zijn smokingjasje op de vloerbedekking en liet zich met een zucht in een diepe stoel zakken.
'Is de kamer schoon?'
Cresak knikte. 'Hij is gecontroleerd.'
De president maakte zijn zwarte strik los. 'Ik hou niet van dat gedoe midden in de nacht, maar wat doen we eraan? Wat gaan we doen?'
Bellarmine zei: 'Ik heb de Britse premier op de hoogte gesteld en de presidenten van Frankrijk en Duitsland, zoals u me had opgedragen. Ze sturen ons maandagmorgen een paar specialisten. Ik heb nu een team van zeven dat de asteroïde probeert op te sporen. Ze staan onder leiding van ene kolonel Noordhof, iemand van het USAF Space Command. Ik heb hem ingedeeld bij de 50 Wing, Falcon Colorado. Bijzondere Projecten, dat dekt een heleboel zonden.'
'Hoor eens, één woord en we zijn er geweest. Wie zijn die zeven samoerai?'
'We hebben McNally van de NASA en de rest zijn vooraanstaande wetenschappers, zoals Shafer, het genie van CalTech.'
'Shafer. Die hippie?'
Bellarmine zei: 'Hij heeft twee Nobelprijzen. Vorige maand stond hij nog op de omslag van de *Time*.'
'Ik vertrouw die knappe koppen niet; je weet nooit wat ze precies denken. En waarom moeten er Europeanen in het team? Dat lijken mij nogal ongeleide projectielen.'
'We willen de beste mensen, wie het ook zijn. Het gaat hier om leven en dood.'
'Weten ze over welk tijdsbestek we het hier hebben?'
Bellarmine knikte. 'De heersende opinie is dat de kans op succes heel klein is.'
De president hield zijn handpalmen naar het vuur. 'Sam, waar zullen de Russen ons volgens jou raken?'
'Kansas. Ten eerste hebben ze dan de grootste kans om het land te raken. Ten tweede treffen ze dan Omaha, Cheyenne Peak en de gemoderniseerde silo's. Als je die Sacheverell moet geloven, roosteren ze de hele VS binnen de tijd die het kost om een kip te braden.'
'Kansas is een redelijke gok,' zei Cresak. 'Maar dat is Californië ook. Misschien hebben ze het op onze economische basis voorzien. Het

kan ze helemaal niet schelen of ze missen, want de vloedgolven vanuit de Stille Oceaan zouden de hele Westkust onder water zetten.'
'En als hij in de Atlantische Oceaan terechtkwam, zouden we onthoofd worden,' zei Hooper. 'Maar wat maakt het uit? We zijn er geweest, waar hij ook neerkomt.'
'Goed.' Grant haalde diep adem en verstrakte zichtbaar. Hij zag eruit als een man die op het punt stond van een klip te springen. 'Stel dat we Nemesis niet op tijd vinden.'
Hooper zei: 'Meneer, in dat geval laten de parameters maar een heel smalle enveloppe open.'
'Sam, ik ben een vermoeide oude man. Als je bedoelt dat we dan niet veel mogelijkheden meer hebben, zeg dat dan.'
'We moeten van het ergste uitgaan.'
'En dat is?'
'Een inslag bij heldere hemel. De asteroïde treft ons bij daglicht. We merken er pas iets van als hij met honderdduizend kilometer per uur de bovenlaag van de atmosfeer raakt. Twee seconden later is het gebeurd.'
'Neem me niet kwalijk, maar zei je *twee seconden*?'
'Ja, meneer. Twee seconden.'
'Zoals Zijne Koninklijke Hoogheid tegen me zei, op zijn zeer Britse manier, zouden de ballen van een koperen aap eraf vriezen.' De president pookte in het vuur en gooide er een paar blokken op. 'Wil iemand warme chocolademelk?' Cresak boog zich naar een werktafel naast de open haard, haalde een telefoon uit een la en mompelde een bevel.
'In die twee seconden,' ging Hooper verder, 'terwijl hij onze zuurstof wegstoot, schijnt hij ook een enorme elektrische stroom boven ons te veroorzaken. Dat gooit onze C-cubed systemen overhoop.'
'Ik dacht dat we van hier tot Omaha optische vezelkabels hadden,' zei de president.
'Een paar, niet een compleet netwerk. Het probleem is bovendien dat optische verbindingen nog steeds een elektronisch relais nodig hebben om het signaal om de zoveel kilometer te versterken. Als de elektromagnetische ontlading die relais onklaar maakt, lopen de optische verbindingen ook dood. Onze satellietverbindingen begeven het uiteraard ook en dus raken we op het kritieke moment van alles en iedereen afgesneden.'
'Nou, dat is ook lekker. Een paar duizend ingenieurs besteden een enorme hoeveelheid belastinggeld om onze bevelstructuur overeind te

houden als er kernbommen vallen, en nu zeg jij dat we meer hebben aan rooksignalen als het erop aankomt.'

Hooper hapte niet. 'De verbindingen kunnen een kernoorlog overleven, baas, maar die asteroïde is iets heel anders.'

Bellarmine zei: 'Dus we verliezen het contact voor een tegenaanval op het moment dat het ding onze atmosfeer binnenkomt en twee seconden later krijgen we de inslag?' De voorzitter van de gezamenlijke chefs-staf knikte.

'Je techniek is fabuleus, Nathan,' zei Grant, die zijn handen weer ophield naar het opvlammende vuur. 'Heel knap, de nonchalante manier waarop je het woord *tegenaanval* laat glippen.'

Een oudere man in een donkerblauwe blazer met het zegel van de president op de borstzak kwam binnen, gevolgd door een jong dienstmeisje. Er werd een tafeltje neergezet met vier dampende mokken erop. Ze vertrokken zonder een woord.

Bellarmine keek naar Hooper. 'Is een tegenaanval mogelijk?'

'We hebben onze onderzeeboten nog,' zei Bellarmine.

'Maar hoe nemen we contact met ze op? VLF, blauwgroene lasers en ELF. Voor Very Low Frequency moet er een antenne van een kilometer achter een TACAMO-bommenwerper worden gehangen. Maar al onze commandoposten zouden de volle laag krijgen nog voordat we contact hebben gelegd met de bommenwerper. De blauwgroene lasers sturen hun stralen vanaf de ORICS-satellieten. Maar' – Hooper telde de punten af op zijn vingers – 'ten eerste moeten de onderzeeboten en de satellieten zich in de juiste positie bevinden. Ten tweede is Kansas de stratosfeer in geblazen, zodat er een paraplu van withete as boven Amerika hangt. Ten derde ligt de ionosfeer helemaal overhoop. Dus de signalen komen niet eens bij onze satellieten.'

'En ELF?'

'Daar gebruiken we een antenne van vijfenzestig kilometer voor die is begraven onder Wisconsin. De radiogolven laten de hele Laurentische plaat vibreren. Die trilling kan overal op aarde worden opgevangen.'

Grant gromde. 'Dus? Dat is bestand tegen Nemesis.'

'We moeten wel leven om berichten te kunnen versturen.'

Bellarmine zei: 'Niet noodzakelijk. Als we met de ELF code Rood blijven versturen en de andere communicatiesystemen niet meer werken, hebben de onderzeebootcommandanten vaste orders om hun kernwapens af te vuren.'

De soldaat kwam gespannen naar voren en zei: 'Daar is een probleem mee.'
'Vertel het slechte nieuws maar, Sam,' zei de president.
'Als we raketten afvuren, komen ze onderweg Kansas tegen en gaan ze in vlammen op. Het is net Brilliant Pebbles, maar dan omgekeerd. Het is een soort natuurlijke Star Wars die onze eigen tegenaanval tenietdoet. Bovendien is slechts een fractie van ons megatonnage aan boord van onze onderzeeboten. Al zouden we een paar Tridents kunnen afvuren, dan zouden de nieuwe ABM-systemen rond Moskou, Kiev, Leningrad enzovoorts daar korte metten mee maken. Meneer de president, het is heel eenvoudig. Als Nemesis inslaat voordat wij iets doen, kunnen we niet meer reageren. Rusland zal enkele aanvaardbare verliezen lijden, maar ons land is totaal verwoest.'
De president zuchtte. 'Goed, Nathan, kom er maar mee voor de dag. Wat zijn onze opties?'
'Het is geen prettig verhaal. We kunnen de vernietiging van Amerika accepteren zonder er iets aan te doen. We kunnen wachten op de inslag en dan proberen terug te slaan, hoewel onze offensieve vermogens dan teniet zijn gedaan. Of we kunnen ze voor zijn en nu meteen een kernaanval lanceren.'
'Tja.'
De president sloot zijn ogen. Hooper vroeg zich af welke gedachten er door het hoofd van de oude man gingen. De soldaat zei: 'Alleen de derde optie heeft enige militaire geloofwaardigheid.'
Plotseling ging er een golf van angst door Cresaks zenuwstelsel. Het was net alsof hij een elektrische schok kreeg. Dat kwam niet alleen door het feit dat het onvoorstelbare vooruitzicht van een kernoorlog in de discussie was geïntroduceerd; het was het feit dat ze er zo geniepig in gerold waren, bijna zonder er bewust over na te denken. 'Gelul,' zei hij met onvaste stem. 'De Russen zouden terugslaan. Daarna zou Nemesis erbij komen en de restanten opruimen.'
'Er is nog nooit een beter tijdstip geweest voor een dergelijke grote aanval,' zei Bellarmine. 'Ze verwachten het niet, hun politieke systeem is een chaos en we hebben wel tien Alpha-lasers om de aarde voor als de Russen toch nog een raket weten af te vuren.'
'Je bent gek,' zei Cresak. 'Heb je wel gedacht aan Carters PD-59? Ze kunnen een aanval lang genoeg overleven om ons te vernietigen.'
'Een kernoorlog kan gewonnen worden,' zei Hooper met grote nadruk. 'De situatie is veranderd sinds McNamara en Carter; we hebben

nu de Alpha Shields. De winnaar is degene die het eerst toeslaat. De computers van het centrale opperbevel tonen aan dat een eerste aanval doorslaggevend zal zijn en daarom zijn onze bevelstructuur en onze controlesystemen ingesteld op die eerste aanval. We hebben altijd geweten dat een tegenaanval, die moet worden uitgevoerd terwijl ze zelf worden aangevallen, een totale mislukking zou zijn. Meneer, zo'n kans krijgen we nooit meer.'

'Dit is krankzinnig,' zei de nationale veiligheidsadviseur. Zijn stem was onvast, maar vastbesloten. Hij telde de punten af op zijn vingers, een voor een. 'De Russen hebben hun C3-systeem intact gelaten, ondanks alle politieke beroering. Zelfs na SALT en START hebben ze nog steeds veertienhonderd ICMB's en duizend raketten in hun onderzeeboten. Ze hebben tweeduizend bomvrije bunkers om hun hoogste leiders te beschermen. Ook in Rusland is de situatie veranderd. Ze hebben nu een gestroomlijnde bevelstructuur, recht van de generale staf naar de raketeenheden. De nieuwe leiders hebben de oude beveiligingen opgeheven. Ze hebben de codes verkregen van de oude KGB. De politieke officieren zijn allang uit het systeem verdwenen. Ze hebben de elektromechanische vergrendeling van de deuren naar de bommen gehaald.'

'Kom ter zake, Arnold. Wat wil je nou zeggen?' vroeg de president.

'Meneer, ze kunnen binnen een paar seconden reageren. En zelfs als maar een handvol van hun Sawflies erdoorheen komt, is het afgelopen met Amerika.'

'Verdomme, Arnold, die onderscheppen we wel,' zei Hooper. 'De Alpha-lasers. En hun leiders zouden er geweest zijn voordat ze de bunkers konden bereiken.'

De president nam een slokje chocolademelk. Ze was te zoet. 'Wat is tegenwoordig onze kijk op een nucleaire winter?' vroeg hij.

Hooper haalde een dunne blauwe map uit een gehavend koffertje dat naast zijn stoel stond. 'Onze klimaatdeskundigen hebben gekeken naar allerlei scenario's met massale rookvorming. Het komt er over het algemeen op neer dat ze de zon drie maanden lang verduisteren en het hele groeiseizoen kunnen verpesten. Dat is nog een reden voor een vroege aanval, dan is de hemel tegen juli weer helder.'

Grant zei: 'Sam, laten we niet te hard van stapel lopen. Misschien is er helemaal geen asteroïde. We hebben niet meer dan een reeks indirecte bewijzen, waar Heilbron een patroon van gemaakt heeft. We kunnen de planeet niet platgooien omdat het hoofd van de CIA een te levendige fantasie heeft.'

'Met alle respect, meneer,' hield Bellarmine vol, 'als er wel een asteroïde is, is de kans groot dat we dat pas merken als hij inslaat, en dan is het te laat voor een doeltreffende tegenaanval. De enige realistische optie is nummer drie.'
'Ik geloof dat we hier te maken hebben met een soort collectieve krankzinnigheid,' zei Cresak, en er was angst te horen in zijn stem.
'Oké, laten we teruggaan naar waar het nu eigenlijk om gaat,' zei Grant. 'Wat is het strategische doel van jouw derde optie, Sam?'
Hooper had zijn beker chocolademelk neergezet. Er was oprechte verbazing te lezen op zijn gezicht. 'Ik geloof dat ik hier iets mis, meneer.'
'Wat is het doel van het vernietigen van Rusland?'
'Vergelding,' zei Hooper, wiens verbazing plaats maakte voor ongeloof.
Bellarmine voelde iets aankomen. Hij zei: 'Meneer de president, het is al sinds de Tweede Wereldoorlog het officiële beleid van elke regering dat een Russische aanval op het vasteland van Amerika zal worden beantwoord met een massale tegenaanval.'
'Officieel beleid, ja,' antwoordde Grant. 'En je weet verdomde goed dat het eigenlijke beleid is dat wij eerst toeslaan als het diplomatieke spelletje ooit fout loopt. Hooper heeft gelijk. Het is onze enige kans om een kernoorlog te winnen.'
'Nou dan!' Bellarmine hief met een Italiaans gebaar zijn handen. 'Vijftig jaar lang heeft de zekerheid van de wederzijdse vernietiging het Westen veilig gehouden. Wat is het verschil tussen die asteroïde en een grote raketaanval? De logica is identiek. We spelen het uit.'
'Waarom?'
Bellarmine zweeg. Zijn gezicht was een toonbeeld van onderdrukte verbijstering en woede.
Cresak maakte het punt duidelijk. 'Ik denk dat de baas misschien vindt dat het geen zin heeft. Twee grote woestenijen in plaats van een.'
Bellarmine zei: 'Arnold, de verbinding tussen je kaken en je mond is weggevallen. De verantwoordelijkheid voor het Russische volk ligt bij hun leiders, niet bij ons. Ons beleid is sinds de Tweede Wereldoorlog al zo klaar als een klontje. We dienen toekomstige generaties beter met doorzetten dan met terugdeinzen als het erop aankomt. Die les zal duizend jaar in ieders gedachten blijven.'
'De holbewoners van de komende duizend jaar zullen ongetwijfeld dankbaar zijn voor die les,' antwoordde Cresak sarcastisch. 'En de tweehonderd miljoen onschuldige mensen die je gaat verbranden, zul-

len het punt ook wel snappen. We zijn sinds de heksen van Salem nog niet veel verder gekomen.'
'Ja, hoor!' snauwde Bellarmine. 'Onze voorouders dachten dat ze het juiste deden en ze hadden het mis. En als wij ons nu laten afleiden door morele overwegingen, doen we het net zo verkeerd als zij. Dit is het Witte Huis, geen afdeling voor morele filosofie. Onze taak is om te reageren volgens het officieel vastgestelde beleid, op omstandigheden die ons door de Russen worden opgelegd.'
'Het wordt hier warm,' zei de president.
Hooper zei: 'Luister nou eens. We worden aangevallen, dus verdedigen we ons. Punt. Net als elk land, elke mens en elk wezen sinds het begin der tijden. Het enige wat we moeten vaststellen, zijn de doelwitten en de manier waarop we de strijd gaan voeren.'
'Welke doelwitten had je in gedachten, Sam?'
'Ik heb om twaalf uur een vergadering met JSTPS in Offutt. U hebt de mogelijkheden binnen achtenveertig uur op uw bureau liggen. De keuze van de doelwitten is afhankelijk van de vraag of we lanceren terwijl we onder vuur liggen of als eerste in actie komen. Meneer de president, ik ben ervoor om de eerste slag toe te brengen. We moeten voor eens en voor altijd een eind maken aan deze kwestie tussen Oost en West. Het voornaamste doelwit is Rusland, maar we kunnen ook Armenië, Wit-Rusland, Moldavië, Kazachstan, Georgië, Oezbekistan, Tadzjikistan en Estland uitschakelen. En als we toch bezig zijn, moeten we misschien nadenken over Cuba, Vietnam en China. Ik denk erover de oude SIOP-5D-lijst bij te werken.'
Grant keek Hooper recht aan. De soldaat staarde strak terug. 'Een hele waslijst,' zei de president. 'Wat bedoel je precies met uitschakelen?'
'Ik bedoel daarmee dat we alle nucleaire en conventionele militaire krachten, het militaire en het politieke leiderschap, de grote economische en industriële centra en alle steden met meer dan 25.000 inwoners vernietigen.'
'LeMay zou trots op je geweest zijn, Sam. Waarom China?'
'We zullen na Nemesis zo zwak zijn dat we het ons niet kunnen veroorloven om potentiële vijanden overeind te laten. Meneer de president, ik wil onvoorwaardelijk van u horen dat u bevel zult geven tot een vergeldingsaanval als zal blijken dat Amerika werkelijk het doelwit is van een aanslag met een asteroïde.'
Er viel een blok hout uiteen in het vuur, zodat er een regen van vonken opsteeg in de schoorsteen. Grant liet zijn hoofd zakken en streel-

de licht met zijn vingers over zijn knie. De anderen staarden hem aan, verstijfd als modellen uit een wassenbeeldenmuseum. Er gingen dertig seconden voorbij, die elk wel een eeuw leken te duren.
'Op dit moment kan ik dat niet zeggen.'
'Ik geloof mijn oren niet,' zei Bellarmine. Zijn toon was agressief. 'Een massale vergeldingsaanval is generaties lang de ruggengraat geweest van onze verdediging, wat door opvolgende regeringen is bevestigd. Dat kan niet zomaar door één individu opzij worden geschoven. Zelfs niet door een president. Uw eerste plicht is de verdediging van Amerika. Als u die niet op u neemt, faalt u in uw plicht als president van de Verenigde Staten.'
'Nou, dank je wel, Nathan, een preek over mijn plicht als president is precies wat ik op dit uur van de nacht nodig heb.' President Grant rekte zich uit en geeuwde. 'Nou, ik heb genoten van ons babbeltje bij het vuur. Kan dat ding vannacht nog inslaan?'
'Dat is niet erg waarschijnlijk. Maar zeker weten doen we het natuurlijk niet.' Bellarmine trilde van woede.
'Hoe lang van tevoren merken we dat er een inslag komt als dat 's nachts gebeurt?'
'We denken tien tot veertig minuten, meneer,' zei de voorzitter van de gezamenlijke chefs-staf.
'Beter dan twee seconden. Nathan, Arnold, ik wil dat jullie samen een memorandum schrijven over de beleidsopties die we hebben in het geval Nathans team Nemesis niet kan opsporen of geen manier kan bedenken om hem tegen te houden. Dat wil ik vóór de buitengewone NSC-vergadering van vrijdag middernacht hebben.'
De president staarde nog een paar tellen in het vuur. Toen leek hij tot een besluit te komen. 'We moeten onze opties openhouden. Ik ben bereid een eindje met je mee te gaan, Sam. Verhoog onze staat van paraatheid. We gaan naar oranje.'
Bellarmine knikte instemmend. 'Sam, verhoog naar Defcon 3, over de hele wereld.'
De buitenlucht was scherp en koud en er stond een schraal windje. De grond was wit; er was net dertig centimeter sneeuw gevallen. Op het grote grasveld stond een pijnboom met gekleurde lampjes, die wiegden in de wind. Hooper stond in een lange legerjas en met een witte sjaal om op de trap van de noordelijke portiek en sloeg met zijn armen om warm te blijven. Een paar mannen van de geheime dienst hielden zich op de achtergrond; ze zagen eruit alsof ze stijf bevroren waren.

'Heb ik het daarbinnen goed gehoord, minister?' vroeg Hooper, terwijl zijn adem een wolk vormde in de ijskoude lucht.
'Geef me een lift,' zei Bellarmine grimmig. 'We moeten praten.'
'Dat moeten we zeker. Waar ga je heen?'
'Virginia.'
'Virginia is groot. Defcon 3 kan wel even wachten.'

Hooper drukte op een knop en er gleed een glaswand omhoog die hen afzonderde van de legerchauffeur. De generaal stak een sigaartje op en de punt gloeide rood op in het donker.
'Moet je die walgelijke dingen roken?' vroeg Bellarmine.
'Het privilege van mijn rang,' antwoordde Hooper, die een dichte rookwolk uitblies. 'En deze walgelijke dingen zijn toevallig heel mooie havanna's. Heilbron laat ze door zijn veldmensen meenemen uit Cuba.'
Ze reden de Ellipse op. Een groep jonge mensen stond met sjaals om en wollen mutsen tot bijna over hun ogen te rillen. Bellarmine kon nog net de woorden ZEG NEE TEGEN MARTELING lezen op een bord toen de lichtstraal van de auto eroverheen ging.
'Een pacifist als president, en dat in een tijd als deze,' zei Hooper. De koplampen beschenen nu de brede Constitution Avenue.
'Wat had je dan gewild, Rambo?'
'Rambo kunnen we wel aan.' Hooper inhaleerde de sigarenrook. 'Nathan, dit kunnen we niet laten gebeuren.'
'Hoe bedoel je?'
'Je weet wat ik bedoel.'
De auto reed langs het gedenkteken voor de Vietnamoorlog. Daarachter was de rotonde bij het Lincoln Memorial verlicht met een spookachtige gloed. Bellarmine begon de omtrekken van zijn longen te voelen door de sigarenrook. 'Grants moeder was een quaker,' zei hij. 'Zou dat er iets mee te maken hebben?'
Hooper nam nog een grote trek. 'Geen enkele pacifist zou de post van president mogen bekleden.'
'Sam, dat soort praat is hoogst gevaarlijk.'
'Ja.'
De auto reed over de Woodrow Wilson Memorial Bridge; kleine ijsschotsjes op de Potomac leken oranje onder de straatverlichting. De Beltway was bedekt door sneeuw, platgereden door eerder verkeer. De chauffeur wisselde van baan om een vrachtwagen te passeren en er sloeg grit tegen de voorruit.

Na een minuut of twintig van verbijsterde stilte en een snel dichter wordende rook kwamen ze bij een bord waar Langley op stond en verliet de auto de hoofdweg. Ze reden door een tunnel van licht. Bij het hek van het hoofdkwartier van de CIA werden ze tegengehouden door soldaten en daarna reden ze langs het conferentiecentrum. De koplampen verlichtten de imposante hoofdingang van het grootste gebouw, maar Bellarmine tikte tegen de glazen ruit en wees de chauffeur naar de brede weg die de vijf gebouwen van het hoofdkwartier met elkaar verbond. De wagen kwam tot stilstand bij een achterdeur, verlicht door schijnwerpers die in de bosjes verborgen stonden. De auto achter hen stopte ook.
Hooper herhaalde grimmig: 'Geen enkele pacifist zou de post van president mogen bekleden.'
'Dat zei je al.' De chauffeur deed het portier open en Bellarmine stapte de ijskoude buitenlucht in. De nacht rook heerlijk na Hoopers auto vol rook. Terwijl de chauffeur het portier nog open hield, boog de minister van Defensie zich weer de auto in. 'De vraag is: *wat gaan we eraan doen?*'

Eagle Peak, woensdag

Webb doorzocht een kartonnen doos in de kast en vond een wollen muts die paste bij de veelkleurige trui. Hij zette de muts op en ging naar de keuken om een beker warme chocolademelk te maken voordat hij de kou buiten weer ging trotseren. Shafer kwam de keuken in gewankeld met een door sneeuw bedekt rotsblok ter grootte van een konijn. Noordhof deed het deurtje van de magnetron open en Shafer hees het rotsblok erin en zette de klok op vijf minuten.

Webb zette rammelend een steelpan op het fornuis en deed er melk in. 'Dat werkt nooit,' zei hij, zoekend naar een blikje cacao in een kastje vol overgebleven spullen van andere bezoekende observators.

'Een idee van Mark,' zei Shafer. 'Hij heeft me net een artikel van Broadbent laten zien in de *Newsweek* van een paar maanden geleden. Mark kan het zonder toestemming niet bevestigen, en het zou enige tijd kosten om die toestemming te krijgen, maar moet je luisteren naar wat die vent schrijft.' Hij pakte het opengeslagen tijdschrift van het aanrechtblad en las voor:

> 'In de euforie van de dooi na de eerste Koude Oorlog en met het verslappen van de veiligheidsmaatregelen in overheidslaboratoria rond de Verenigde Staten leken eerder zo gesloten bestuurders te bevestigen wat veel wetenschappers buiten het systeem allang beweerden: dat Star Wars een spectaculaire en hoogst kostbare mislukking was. Maar een jaar onderzoeksjournalistiek van ons team levert een heel ander verhaal op.'

'Blablabla. Die vent zegt verder dat er een element van desinformatie zat in al die verhalen over het mislukken van Star Wars. Hij zegt dat het leger niet ver van Albuquerque een heel arsenaal aan antennes heeft. Ze noemen het de Beta maser en je zou kunnen beweren dat die in strijd is met het ABM-verdrag. Je merkt zeker wel dat Mark me niet

tegenspreekt. Broadbent zegt zelfs dat de Beta maser bij een experiment een raket heeft vernietigd die ze vanaf de Stille Oceaan hadden afgeschoten, zodra hij aan de horizon verscheen. Dus als die Beta bestaat, kan hij misschien iets met de asteroïde doen, maar Mark heeft het recht te zwijgen, en zoals jullie zien maakt hij daar volop gebruik van.'
Noordhof zei niets, maar hij keek zeer vergenoegd.
'Dat is een indrukwekkende prestatie,' zei Kowalski, die opkeek van een pak papier. 'Aangenomen dat er iets van waarheid in het verhaal schuilt, zou dit het antwoord kunnen zijn op onze gebeden. Kolonel, u moet die geheimhouding opheffen. Zorg dat we met onmiddellijke ingang alle gegevens kunnen inzien.'
'Dat hoeft niet,' zei Shafer. 'We kunnen alles wat we nodig hebben wel uit het artikel halen. Als die lui echt op een afstand van achtduizend kilometer een raket kunnen laten verdampen, betekent dat dat ze het ablatieschild kunnen doorboren en de interne temperatuur van de raket binnen twee of drie seconden kunnen laten stijgen tot duizend graden. Laten we eens kijken hoe warm dit rotsblok in vijf minuten wordt met een nietige kilowatt, dan kunnen we dat gebruiken om de warmtegeleiding uit te rekenen.'
De melk begon te koken. Webb sloeg op de hard geworden cacaopoeder in het blikje. 'Het werkt nooit,' herhaalde hij terwijl hij de cacao door de melk roerde. Noordhof trok een lelijk gezicht.
Het belletje van de magnetron ging en Shafer legde zijn hand op het rotsblok. 'Het voelt warm aan. Het ging erin bij een temperatuur van 0 graden Celsius, dus is het in vijf minuten dertig graden opgewarmd, stel vijf of zes graden per minuut.'
Webb nam een slokje van de warme chocolademelk en zuchtte gelukkig. 'Ik denk dat je rotsblok vanbinnen nog koud is.'
Shafer knikte. 'Hetzelfde geldt voor Nemesis. Als dat een rots is, zal de hitte van de maser snel worden doorgegeven. Oké, stel dat een kilowatt ons een halve graad per seconde geeft voor deze kleine steen en dat de Beta maser het doelwit verhit met vijfhonderd graden per seconde.' De Nobelprijswinnaar telde het op zijn vingers af. 'Hé, die lui moeten een megawatt per vierkante meter over een afstand van achtduizend kilometer doorgeven, dat is toch niet te geloven?'
Noordhof stond te stralen. 'Daar is niets tegen bestand. En laserstralen verspreiden zich niet over grote afstanden. We blazen Nemesis gewoon het zonnestelsel uit door er stukken vanaf te schieten. Hé, wie heeft de knappe koppen nodig? Dit heb ik helemaal alleen bedacht.'

Shafer schudde triest zijn hoofd. 'Je hebt het mis, Mark. Laserstralen verspreiden zich wel. Stel je voor dat je twee spiegels hebt aan de uiteinden van een buis die het licht heen en weer kaatsen, en dat er in een van die spiegels een heel klein gaatje zit. Je genereert fluorescentie in de buis en het licht weerkaatst en wordt opgepept tot een enorme intensiteit. Het enige licht dat door het gaatje naar buiten komt, heeft de volle lengte van de straal afgelegd, maar toch verspreidt het zich met de golflengte van het licht gedeeld door de diameter van het wapen.'
'Misschien is het een heel groot wapen,' viel Noordhof hem in de rede. 'Met een heel kleine dispersie.'
'Je hebt de Alpha-lasers in de ruimte. Dat is waterstoffluoride met een straal van 2,7 micron. Ik denk dat de piekkracht tien of twintig megawatt is, maar de doorsnede kan niet meer dan een paar meter zijn.'
Noordhof wuifde met het tijdschrift naar Shafer. Zijn stem was een mengeling van triomf en wanhoop. 'Maar die vent hier heeft het over masers, niet over lasers. Op radiogolflengte is alles veel groter.'
Shafer schudde nogmaals zijn hoofd. 'Het bestaat niet dat jullie een reeks van meer dan tien kilometer doorsnee verstopt kunnen houden, zelfs niet in de woestijn van New Mexico. Dus als je golven van een centimeter uitstoot, is de spreiding minstens een op de miljoen.'
Noordhof spreidde zijn handen. 'En? Dat is niets!'
'Niets op achtduizend kilometer. Maar als je Nemesis op een miljoen kilometer afstand pakt, wordt die straal van een centimeter uitgespreid over een kilometer, de hele omvang van de asteroïde. Met een dergelijke verzwakking kun je nog geen ei koken. Onzekerheden over de warmtegeleiding of de interne temperatuur maken geen verschil. Het spijt me, Mark, maar je uiterst geheime, futuristische, enorm kostbare, ruimteveroverende, raketverdampende Star Wars supermaser is net zo bruikbaar als een katapult. We komen toch weer uit op kernbommen.'
Webb kon het niet laten. 'Ik zei toch dat het nooit zou werken.'
'Waar denk jij verdomme dat je heen gaat, Webb? Zoek je Nemesis soms in het bos?'
'Ik zoek inspiratie, kolonel. En te oordelen naar wat ik hier gezien heb, kan ik dat beter bij de eekhoorns gaan zoeken.'
Noordhof deed boos de magnetron open. 'Nou, neem dan in ieder geval dat stomme stuk rots mee naar buiten.'
Shafer lachte nog steeds toen Webb naar buiten liep.
Aan de andere kant van het parkeerterreintje was ruimte tussen de bomen, waar bij nader onderzoek een natuurpaadje bleek te beginnen.

Het was dicht bij een groepje vuilnisbakken en Webb vermoedde dat het een pad was dat door dieren was uitgesleten. Hij volgde het en merkte dat het pad om de voet van Eagle Peak liep en langzaam omhoogging. De klip bleef aan de linkerkant zichtbaar tussen de zware dennen door. Na een minuut of twintig, ver buiten Noordhofs limiet van honderd meter, sloeg hij af naar de basis van de klip, veegde de poederachtige sneeuw van een breed rotsblok en ging erop zitten. Ongeveer anderhalve kilometer terug zag hij vaag een stuk kabel boven de bomen, maar verder was er geen enkel menselijk bouwwerk te zien. Voor het eerst sinds hij was ontvoerd vanaf een andere besneeuwde berg, aan de andere kant van de wereld, had Webb tijd om eens goed na te denken.

Om een asteroïde op het laatste moment af te weren, was heftig ingrijpen nodig, een harde zet waarvan de uitkomst bijna niet beheersbaar was. Een stomp tegen de neus die Nemesis lang genoeg ophield om de aarde de kans te geven voorlangs te gaan, was veel doeltreffender dan een klap tegen de zijkant. Maar naarmate er minder tijd overbleef om te reageren, werd de stomp tegen de neus een steeds wanhopiger onderneming, zo erg zelfs dat je het risico nam de asteroïde op te breken in een dodelijke zwerm of niets meer kon doen om hem af te weren. Ze zouden pas weten aan welke kant van de drempel ze zich bevonden als ze Nemesis hadden gevonden.

Maar de Russen hadden een heel ander probleem gehad, dat van de precisie. Webb vermoedde dat ze een explosie op afstand van een paar megaton hadden gebruikt om een ruwe afwijking te krijgen van een meter per seconde of iets in die geest. Hoe groter de bom, hoe meer potentiële asteroïdewapens er beschikbaar waren, en de Russen hadden bommen van honderd megaton in hun arsenaal. Voor elke asteroïde die wellicht de aarde zou raken, zouden ze honderd of meer potentiële wapens hebben in de vorm van asteroïden die op korte afstand zouden passeren.

Maar daarna hadden ze het ding moeten bijsturen. Een inslag binnen een paar honderd kilometer – of zelfs duizend of tweeduizend kilometer – van Kansas zou genoeg zijn om de VS te vernietigen. Maar tweeduizend kilometer is *precisie*! Na de eerste grote explosie, die waarschijnlijk jaren geleden had plaatsgevonden, zouden ze een serie kleine explosies nodig hebben gehad, waarschijnlijk weinig meer dan die van Hiroshima, om de asteroïde precies op de juiste koers te krijgen.

En dat vergde allemaal een behoorlijke hoeveelheid clandestiene activiteit in de ruimte, misschien onder dekking van de Phobos- of de Venera-serie. Leclercs kennis van Russische ruimtereizen uit het verleden was van essentieel belang.

Er bewoog iets in het bos. Een paar kraaien lieten zich een meter of vijftig verderop voorzichtig van tak tot tak naar beneden vallen. En er schoot iets kleins weg tussen de bomen. Een witte vos stak zijn kop omhoog en keek nieuwsgierig naar Webb. Met een flits van inspiratie besefte Webb opeens dat er nog een manier was om achter de identiteit van de asteroïde te komen. Hij sprong op en de vos en de kraaien verdwenen.

Hij keek in het voorbijgaan even in de keuken en de zitkamer en klopte op Leclercs deur. De muts en de trui trok hij snel uit. Terug naar de vergaderzaal. 'Waar is André?' vroeg hij. Judy keek even op van haar computer en trok haar schouders op.

Webb pakte een stapel blanco vellen papier en ging naar de zitkamer. Daar was niemand. Het warme zonlicht stroomde door de grote ramen naar binnen. Een groene leren stoel zag er comfortabel versleten uit. Hij nestelde zich erin. De zon scheen warm op zijn bovenbenen en door het raam kwam een licht geurend briesje naar binnen.

In een onbekend melkwegstelsel, vlak bij de grenzen van ruimte en tijd, waren twee neutronensterren tegen elkaar gebotst. Met een botssnelheid die dicht bij de snelheid van het licht lag, hadden de sterren hun eigen materie vernietigd en omgezet in een korte stralingsflits van ongehoorde intensiteit. Nog voordat de zon en de aarde zich hadden gevormd, verspreidde die straling zich door het universum als een dunne, expanderende ellipsvormige schelp. Vervolgens kwamen de zon en de planeten en ontstond er leven in de oceanen, en daarna waren de reptielen aan land gekropen en hadden de grote archosaurussen de aarde bevolkt tot het zonnestelsel in een spiraalarm terecht was gekomen en ze waren omgekomen in een enorm bombardement van stof en inslagen. Deze gebeurtenis had het mogelijk gemaakt dat de zoogdieren en de insecten op hun beurt de aarde bevolkten. Tegen de tijd dat de eerste primaten waren opgedoken, drongen de gammastralen de Lokale Supercluster binnen, toen homo sapiens leerde tekeningen in rotsen te krassen ging de straling door het eigen sterrenstelsel van de holbewoner en op het moment dat de apen hadden geleerd kleine metalen machines rond de aarde te gooien, was de schelp op zijn eindeloze reis naar andere sterren en andere sterrenstelsels heel even door het zonnestelsel gestormd.

Maar toen de energieke fotonen langs raasden, was een kleine handvol ervan opgepikt door de satellieten die de apen net hadden ontwikkeld; een uitbarsting van gammastralen van een milliseconde werd trouw geregistreerd, theoretici speculeerden erop los, er werden artikelen geschreven en debatten gehouden en andere uitbarstingen van gammastralen, die voorkwamen na catastrofes die zich verspreid over de hele kosmische wildernis voordeden, werden opgepikt, geregistreerd, besproken en betwist en gecatalogiseerd.

En dat was Webbs probleem. Het universum kraakt en flitst in het hele elektromagnetische spectrum. Neutronensterren komen in botsing, bij massieve sterren raakt de thermonucleaire brandstof op, zodat ze in elkaar storten en zichzelf vernietigen met een enorme thermonucleaire explosie, rode dwergen dumpen hun massa op hun metgezel, de witte dwerg, relativistische stralen spuiten uit de kernen van sterrenstelsels en sterren. Ergens in deze overweldigende achtergrond vol geluiden had zich een lokale gebeurtenis voorgedaan. Een kleine hoeveelheid röntgenstralen, bijvoorbeeld, van een illegale kernexplosie, of een korte lichtflits aan de hemel. Een explosie op Nemesis zou honderdduizenden tonnen puin in de ruimte doen belanden. Misschien ijs, misschien rotsblokken, maar in ieder geval stof. Een kegel van stof die uitwaaiert in de ruimte en sprankelt in het zonlicht, een baken in de donkere interplanetaire leegte.

Tussen de duizenden röntgenflitsen die ROSAT had opgepikt zou een ander soort signatuur kunnen zitten. Of misschien had de breedbeeldcamera op IRAS wel een vervagende infrarode gloed opgevangen toen het puin uit de krater zich verspreidde in de zodiakale stofwolk. Of misschien had de Hubble iets opgepikt.

Het eerste wat hij moest doen, was de signaturen berekenen die het onderscheid aangaven tussen natuurlijke astrofysische processen en de gevolgen van een bom. Hij zou een breed spectrum aan natuurkundige processen moeten bekijken. Misschien leverde de zware slag van 14 MeV neutronen van de thermonucleaire vuurbal wel een karakteristieke signatuur op, of gaf het tijdsbestek voor de verspreiding van het stof wel een lichtcurve op die anders was dan bij de ondergang van een dubbelster. Webb zuchtte en trok een salontafeltje met een schaal Engelse drop en Jelly Babies bij. Het werd een lange zit.

De lunch ging onopgemerkt voorbij. Collega's kwamen en gingen in de zitkamer; Webb liet zich niet afleiden. Het peil van de snoepjes in het schaaltje naast Webb daalde langzaam. Rond een uur of zes in de avond ging Judy de keuken in en niet lang daarna dreef de geur van curry de zitkamer in. Even later verscheen Kowalski in zijn Eskimopak en toen kwamen Shafer en Noordhof de vergaderzaal uit, in een serieuze discussie verwikkeld. Ze dempten hun stemmen tot een zacht gemompel, maar Webb leek het niet te merken. Iemand gaf Webb een kop koffie en deed een lamp aan. De zon ging onder. Op de salontafel werden de stapels papieren vol formules steeds hoger. De snoepjes waren op.

Rond middernacht was Webb klaar met zijn berekeningen: hij had zijn elektromagnetische signaturen. De beste gok bleek de eenvoudigste; een onverwachte lichtflits, gezien in de telescoop van een amateurkometenjager ergens op de planeet. Die zou opgetekend kunnen zijn in de IAU Circulars, het elektronische register voor kortstondige en onverwachte astronomische verschijnselen.

Hij keek verbaasd op zijn horloge en besefte dat hij niet had gegeten. In de magnetron stond een bord met kipcurry, gekookte rijst en naan. Hij zette hem aan, kwam even in de verleiding om een blikje Red Stripe open te maken dat op de keukentafel stond maar besloot het niet te nemen. Hij werkte het eten naar binnen en liep toen rechtstreeks door de inmiddels donkere gang naar de vergaderzaal. Ook die ruimte was donker, op het licht van de computers na. Judy, Shafer en Sacheverell zaten achter de computers. Er dreven sterrenvelden voor hen langs.

'Hoe ging de briefing, Herb?' vroeg Webb.

'Prima,' zei Sacheverell zonder op te kijken.

'We filteren de lichamen uit de hoofdgordel er automatisch uit,' zei Shafer. 'Anders gaat het te langzaam.'

'We hebben samen met Spacewatch en Flagstaff al dertig aardscheerders gevonden,' zei Judy. 'Eenendertig,' voegde ze eraan toe toen de computer piepte.

'Kunnen jullie ze een beetje volgen?' vroeg Webb.

'Prima,' zei Sacheverell weer. 'De Teraflop kan alles aan wat we hem geven. Na een uur of twee bekijken we de nieuwe nog eens. Kijk maar.' Hij drukte op een toets en het enkele beeld werd vervangen door een twaalftal kleine vierkantjes, elk met een heldere vlek erin. De kleine beelden lieten duidelijk zien dat de vlekken bewogen tegen de achtergrond van sterren. 'Meestal zijn ze verscheidene pixels opgeschoven, soms zelfs tientallen. We krijgen er misschien geen baan uit, maar als hij een sterke divergerende hoek heeft, weten we dat hij geen direct risico vormt.'

'Waar zoeken jullie?' vroeg Webb aan Shafer.
'Waar je ze verwacht te vinden,' antwoordde Sacheverell in zijn plaats. 'In en rond het ecliptische vlak. Ik hoop dat je niet weer begint met die onzin over donkere Halleys met een hoge inclinatie.'
'Het zijn geen praktische wapens, Herb. En het maakt trouwens helemaal niet uit waar je zoekt, je hebt geen enkele hoop hem te vinden.'
Sacheverell keek op van het scherm. 'Hé, zijn we het toch nog ergens over eens.'
'Vertel de kolonel maar niet waar we het over eens zijn. Hij heeft al zo'n slechte dag.' Webb ging achter een vrije computer zitten en typte snel iets in. Toen hij eenmaal in de IAU Circulars zat, begon hij alle meldingen te lezen, beginnend bij de meest recente en zo terugwerkend in de tijd. Elke onverklaarbare lichtflits, elke uitbarsting van gammastralen, elke golf van röntgenstralen moest worden vergeleken met de theoretische verwachtingen die hij in zijn hoofd had. Het was een traag, nauwgezet en saai proces.

Rond drie uur verdween Judy en een halfuur later voelde Webb ook dat hij aan een rustpauze toe was. Hij liep door de donkere hal naar de zwak verlichte zitkamer en liet zich in een gemakkelijke stoel vallen. De drang om te slapen was bijna onweerstaanbaar. Hij rook parfum.
'Hé, man!' zei Judy zachtjes. 'Zelfs Superman zou dat niet volhouden.' Hij zag tot zijn verrassing dat Judy in de stoel tegenover hem zat. In het zwakke licht kon hij nog net zien dat ze een lange groene ochtendjas droeg. Haar haar zat in de war en haar blauwe ogen stonden vermoeid.
Zonder erbij na te denken, zei hij: 'Wat doet een aardige meid als jij met kernwapens? Je zou kinderen moeten krijgen.'
Ze wilde boos worden, maar barstte in lachen uit toen ze Webbs grijns ontdekte. 'Webb de seksist! Ja, hoor. Ik houd me bezig met kernwapens om dezelfde reden dat jij je bezighoudt met astrofysica, Oliver. Ik vind het een fascinerend iets.'
Hij kon niet meer nadenken. Toen hij wat zei, was zijn stem onduidelijk van uitputting. 'Dus de dame houdt van kernbommen. Ik snap nog steeds niet waarom.'
Ondanks haar vermoeidheid klonk er enthousiasme in haar stem. 'Denk aan een nucleaire vuurbal in de eerste microseconde van zijn formatie. De macht om een klein land te vernietigen met iets ter grootte van een strandbal. Een kernbom heeft een prachtige zuiverheid,

Ollie. Hij blaast alles weg; zelfs elementen ondergaan een verandering. Het is de dichtste benadering van de schepping op aarde.'
'Als ik jou zo hoor, is het bijna een religieuze ervaring om een kernbom op je kop te krijgen,' antwoordde Webb, die amper lette op wat hij zei. 'Maar jij wilt dingen vernietigen, en ik wil ze begrijpen. Ik geloof toevallig dat we voortkomen uit iets als jouw vuurbal.'
'De Big Bang?' vroeg ze.
Webb schudde zijn hoofd. 'De nucleus van het sterrenstelsel. Dat is iets wat niemand gelooft die bij zijn volle verstand is. Maar ik zeg nog steeds dat vrouwen er zijn om kinderen te krijgen. Ze moeten scheppen, niet vernietigen.'
'Alle vrouwelijke dieren verdedigen hun jongen. Als we eenmaal kinderen hebben, moeten we ze beschermen. Ik schep wel, Oliver, ik schep vrede. Is dat geen nobel streven in een barbaarse wereld? Het lef om hier te zitten genieten van de zuiverheid van je vak terwijl Nemesis onderweg is. Wij komen niet verder dan rotjes van een miezerige tien megaton, maar jij? Jij pakt het op kosmische schaal aan.'
'Ik hou ook van honden,' zei Webb.
'Ik heb liever katten. En auto's. Ik kan een Pontiac tot op het laatste boutje uit elkaar halen en hem in een dag weer in elkaar zetten.'
'Je mag mij tot op mijn laatste boutje uit elkaar halen wanneer je maar wilt. Ik ben een vrij goede kok en ik beklim bergen.' Hij dacht: dit gesprek wordt behoorlijk surrealistisch.
Ze schudde haar hoofd. 'Ik vlieg er liever overheen in mijn Piper. Maar misschien kun je een keer voor me koken.'
Webbs huid tintelde bij die uitnodiging en hij dacht: verdomme, ik leef nog. 'Dat brengt me op vriendjes. Heb je die?'
'Een heleboel, allemaal zuiver platonisch. Tot dusver vind ik kernbommen interessanter.'
'Zijn alle kernfysici zo mooi als jij?'
'Alleen de vrouwen.' Ze legde haar slanke benen op de salontafel tussen hen in en duwde met haar blote voeten papieren opzij. 'En jij?'
'De dames? Ik doe ze wel iets. Maar ik heb geen tijd gehad om het onderwerp verder uit te diepen. Ik zie dat je je teennagels lakt, mevrouw.'
'Ik hoop dat jij de jouwe ook lakt, Oliver. Anders hebben we helemaal niets gemeen.'
Noordhof kwam binnen lopen en deed een lamp aan. Hij wierp één

blik op de uitgeputte wetenschappers die knipperden tegen het licht, en zei: 'Jullie twee. Ga naar bed voor je instort, en dat is een bevel. In die toestand heb ik niks aan jullie.'
Judy wuifde en liep enigszins wankelend naar haar slaapkamer. Webb liep op de tast de pikdonkere gang door en stapte naar buiten. Het besneeuwde landschap gloeide zacht in het licht van de Melkweg en de sterren. Hij ademde de geurige lucht in en liet zijn ogen, die oververmoeid waren na uren naar een beeldscherm te hebben gekeken, zich aanpassen aan het donker.
De IAU Circulars hadden niets opgeleverd.
Mars stond hoog in het zuiden, een felrood, vast baken dat over een paar honderd jaar een groeiende menselijke bevolking zou hebben, een bevolking die verbaasd zou staan over de puinhoop die hun voorouders hadden gemaakt van de mooie blauwe planeet. In de woestijn ver onder hem zag hij een paar verspreide lichtjes.
Hij wandelde naar de weg die hij die morgen met Leclerc en Whaler af was gerend. Een dier gilde in de verte, een lange kreet die Webbs zenuwen lieten trillen.
De volgende stap was de IRAF-catalogus en misschien wat ultraviolet spul. Misschien moest hij zelfs zo ver teruggaan als de IUE, die in 1997 was gesloten. Maar hij wist dat het niets zou opleveren; dit was allemaal zo vergezocht dat het een laatste strohalm was.
Iets.
Iets; een nieuw idee dat uit zijn onderbewuste omhoog probeerde te komen. Maar wat?
Het dier gilde nog eens, nu dichterbij. Of was het een ander dier? En wat laat een dier 's nachts gillen?
Opeens voelde Webb zich koud en zenuwachtig en hij ging terug naar het observatorium. Hij sliep binnen twee minuten nadat hij zich op zijn bed had laten vallen.

Webb zat in een kloostergang, verstopt achter een palm in een pot. Op de met kinderkopjes geplaveide binnenhof waren monniken met kappen op een schavot aan het bouwen. De timmerman, een monnik met het gezicht van Noordhof, had een rij vijftien centimeter lange spijkers in zijn grijnzende mond. Ze timmerden het schavot met bovenmenselijke snelheid in elkaar, maar het bleek een groot houten kruis te worden en het gehamer was overweldigend en veranderde in een dringend kloppen op Webbs deur, dat hem uit zijn lugubere onderbewuste we-

reld naar de realiteit sleepte. De droom vervaagde en Webb dacht dat Judy misschien wat te veel chilipepertjes had gebruikt.
'Oliver!'
De versufte astronoom hees zich uit bed, trok een badjas aan en deed de deur open, knipperend tegen het zwakke licht in de gang. Judy; nog steeds in haar ochtendjas, nog steeds met verward blond haar en vermoeide, gespannen ogen. 'Kenneth belde. Ze denken dat ze iets gevonden hebben. Hij en Herb zijn met de kabelbaan naar boven gegaan.'
Webb volgde Judy naar de donkere vergaderzaal. Noordhof en Shafer stonden voor een beeldscherm waarvan het licht een blauwe tint aan hun gezichten gaf. Shafer had een boxershort en een hemd aan en zijn haar was met een elastiekje in een paardenstaart gebonden. Noordhof was volledig gekleed. De kolonel deed een stap opzij en Webb keek naar zo'n honderdduizend sterren. Over de onderkant van het scherm bewoog een nevelsliert, waarschijnlijk het restant van een voorbije catastrofe tussen de sterren.
'Zie je dat driehoekje sterren in het midden? De bovenste beweegt,' zei Judy.
'Wat is de hoeksnelheid?' vroeg Webb.
'Heel laag,' zei Shafer. 'Ongeveer een pixel per uur.'
'Dus hij beweegt van ons af of recht naar ons toe.'
'Hij komt op ons af,' zei Shafer. 'Hij wordt langzaam helderder.'
'Hebben jullie al iets van een baan?'
De natuurkundige wees naar de computer naast hen. Midden in het scherm stond een schijf ter grootte van een munt. Een reeks bijna parallelle lijnen doorkruiste het scherm, waarvan de langste van de ene rand naar de andere ging. Elke lijn ging door het midden van de schijf.
'Dit is een van Herbs programma's. We projecteren de afwijkingsellipsen van twee sigma op het doelvlak.'
'Alleen heb je geen informatie over de afstand, dus worden de ellipsen lijnen.'
'Dat is het probleem. Je ziet dat ze krimpen naarmate er meer data binnenkomen, maar ze gaan nog steeds door de aarde. Een botsing behoort beslist tot de mogelijkheden.'
'Dat ben ik met je eens, Willy, maar het kan net zo goed geen botsing worden. Het zijn nog steeds heel lange lijnen. We moeten een accurate baan hebben en die krijgen we niet op basis van een uur.'
'Je hebt het zelf gezegd, Ollie. De zwaartekracht van de aarde trekt de

dingen aan als ze dichtbij komen. In de laatste stadia zullen deze lijnen krimpen tot een punt.'
'Wat zijn de kansen, Ollie? Is dit Nemesis?' vroeg Noordhof gespannen.
'Hij komt in ieder geval heel dichtbij.'
'Wat betekent dat? Maak ik de president wakker of niet?'
Plotseling verscheen er nog een lange ellips op het scherm, korter dan zijn voorgangers. Het centrum ging nog steeds door de aarde.
'Dit is hem, nietwaar?'
Webb liet zijn hoofd zakken om na te denken. 'Mark, we kunnen je vraag niet beantwoorden met de gegevens die we nu hebben.'
'Maar we kunnen niet wachten. Niet als dit de grote is.'
Webb vroeg: 'Hebben we gegevens over de helderheid?'
Shafer knikte. 'Volgens Herb is de magnitude in het laatste uur van 21,5 naar 21,2 gegaan.'
'Ik dacht dat we niet zwakker keken dan zeventien?'
Shafer haalde zijn schouders op. 'Mark heeft het bevel gegeven. Hij is nog steeds in de ban van de Babyberen.'
Noordhof zei: 'Verdomme, Willy. Ik heb de juiste beslissing genomen en dit is het bewijs.'
'Kenneth en Herb proberen het spectrum te bepalen met de 239 centimeter,' kwam Judy.
Webb zei: 'Met een magnitude van 21? Een tien voor inzet. Hoor eens, het is afschuwelijk moeilijk om de baan juist in te schatten, maar we zouden het kunnen proberen met δm. Heeft iemand een rekenmachine?' Shafer duwde hem er een in handen. 'Een verandering van 0,3 magnitude komt ongeveer overeen met dertig procent grotere lichtsterkte in het laatste uur.'
'Misschien is het niet meer dan een draaiende baksteen,' opperde Shafer.
'Een te grote verandering van lichtsterkte in een te korte tijd. Waarschijnlijk is dat voornamelijk te wijten aan de nadering. Volgens het omgekeerde kwadraat is de afstand het laatste uur met vijftien procent afgenomen. Het heeft geen zin om het spectrum te bepalen. Hij is over zeven of acht uur bij ons.'
Shafer zei: 'Jezus.' Het klonk meer als een plotselinge bekering tot het christendom dan als een vloek.
Noordhof had een onaangestoken sigaar tussen zijn vingers. 'Als dit Nemesis is, zijn we dood. Is het Nemesis?'

'Willy heeft deels gelijk over de rotatie. We weten gewoon te weinig over de naderingssnelheid om er zeker van te zijn.'
'Fijn!' snauwde Noordhof. Hij drukte de sigaar fijn en gooide hem op de grond.
'Laten we er eens van uitgaan dat hij nadert met twintig kilometer per seconde. Dan is hij over zes uur... ' - Webb drukte op de knoppen van de rekenmachine – 'Jemig. Nog geen half miljoen kilometer van ons af. Hoe laat is het?'
Noordhof keek naar de grote stationsklok. 'Kwart over vier.'
'Als ik zie hoe jullie bezig zijn, veronderstel ik dat Kenneths supernovatelescoop dat ding vlak bij de meridiaan heeft opgepikt. We hebben waarschijnlijk te maken met een oppervlak dat voor tachtig procent door de zon wordt verlicht in plaats van een nachtelijk oppervlak.'
'Een beetje snel graag, Webb,' zei Noordhof. 'Het Witte Huis heeft elke seconde nodig die wij het kunnen geven.'
Webb liep naar het schoolbord en veegde met zijn mouw een stuk ervan schoon. Er was net genoeg licht om te schrijven. 'Een koolstofachtige asteroïde heeft op één AU een magnitude van achttien. Dit ding is 0,003 AU van ons vandaan en zou volgens het omgekeerde kwadraat een helderheid moeten hebben van honderdduizend maal meer dan dat als hij dezelfde grootte heeft. We gebruiken de magnitudeformule
$m_2 = m_1 + 2{,}5 \log (L_1/L_2)$

We stellen m_2 op 18 en L_1/L_2 op 100.000. Op die afstand heeft een asteroïde van een kilometer een magnitude van 5,5. Je zou hem met het blote oog kunnen zien.' Webb stak het krijtje in de lucht. 'Maar deze is 20,5, vijftien mag zwakker. Voor elke vijf magnitudes dat je naar beneden gaat, verlies je een factor honderd in helderheid. Tien mag naar beneden en dan heeft hij nog maar een tienduizendste van de intrinsieke helderheid van een asteroïde van een kilometer, en hetzelfde geldt voor het oppervlak. Dit ding heeft een diameter van nog geen honderdste kilometer. Hé, we kunnen ontspannen. Hij is maar tien meter groot.'
Shafer lachte. 'Een opgeblazen strandbal!'
'Weet je het zeker?' wilde Noordhof weten.
Webb knikte. 'Voor negenennegentig procent, zo'n beetje. Zelfs als hij ons raakt, is het niet meer dan een felle vuurbal in de hemel. Die krijgen we voortdurend. Kolonel, je bent een dwaas. Je hebt kostbare uren observeertijd verloren. Vergeet de Babyberen.'

Er ging een trek over Noordhofs gezicht die de ontzetting naderde. 'Ik had bijna de president wakker gemaakt.' Een collectieve lachbui verlichtte de spanning. Judy ging naar de keuken en begon het koffiezetapparaat te vullen.
'Waar is André eigenlijk?' vroeg Webb.
'Niet in zijn kamer,' riep Judy vanuit de keuken.
'En ook niet boven,' zei Noordhof.
Shafer sloeg zijn hand voor zijn mond. 'Ollie, ik heb Leclerc sinds de lunch niet meer gezien.'
Webb keek naar Noordhof. 'Mark, het is een zware dag geweest. Eerst een doodlopende weg met je laser. Toen een vals alarm met deze strandbal. En nu lijkt het erop dat een van je teamleden vermist wordt.'

De robot op Tenerife

Judy trok de kraag van haar ochtendjas dicht om haar hals en liep naar de slaapkamers. Webb, die op zijn benen stond te zwaaien van vermoeidheid, liep achter haar aan.
'Waar denk je dat je heen gaat, Webb?'
'Dat lijkt me wel duidelijk, baas.' Webb salueerde ironisch.
'Ik heb eens nagedacht over de automatische telescoop van die vriend van je. Dat ding op Tenerife. Jij zegt dat je die van hieruit kunt bedienen?'
'Inderdaad. De instructies gaan naar Scotts computer in Oxford en worden doorgestuurd. Iemand die de signalen op Tenerife in de gaten houdt, zou denken dat hij vanuit Oxford werd bediend.'
'Met een externe telefoonlijn? En een open modem?'
'Ja, voor directe toegang. Maar hij wordt beschermd door een wachtwoord en dat wachtwoord heb ik.'
'En je vriend?'
'Scott zit in Patras. Zijn vrouw is Grieks en ze zijn voor Kerstmis naar haar familie gegaan. Ik heb een staande uitnodiging om de robottelescoop te gebruiken tot hij helemaal is ingesteld.'
'Dus jij was van plan te gaan slapen terwijl er een half miljoen megaton op ons afkomt en er een telescoop niets staat te doen.'
'Ik zat te wachten op jouw toestemming, weet je nog? Wil je me vertellen dat je over je paranoia heen bent?'
'Ik moet de risico's afwegen. Ga er maar mee aan de gang.'
'De zon is inmiddels op in Tenerife, Mark, maar ik zal controleren of ik van hieruit toegang kan krijgen. Intussen moeten Herb en Kenneth onderhand bevriezen terwijl ze proberen het spectrum van je strandbal vast te stellen. Waarom haal je ze niet naar beneden?'
Webb zette zich vermoeid voor de computer neer die Judy had gebruikt. De stoel was nog warm. Er was nog een kleine ellips op het scherm verschenen, en de schijf die de aarde voorstelde bevond zich er

nog middenin. Tegen de tijd dat de meteoorsteen arriveerde, zou het donker zijn boven de Stille Oceaan en zou een felle vallende ster de nachtelijke hemel verlichten, alleen gezien door de niet-begrijpende ogen van een paar vliegende vissen. Hij stuurde het beeld door naar een ongebruikt beeldscherm en typte een file transfer protocol in om een document doorgestuurd te krijgen. De computer vroeg onmiddellijk om zijn gebruikersnaam en het wachtwoord. Hij gaf ze en er verscheen een nieuw beeld op zijn scherm; hij zat nu eigenlijk achter zijn eigen computer in het Wadham College. Hij vroeg om een tweede FTP om te worden verbonden met de robottelescoop. Hem werd om een pincode gevraagd. Die typte hij in en hij bevond zich binnen de kortste keren op Tenerife aan het bedieningspaneel van Scotts telescoop. De hele procedure had nog geen dertig seconden in beslag genomen. Webb kon nu met zijn muis de bewegingen van de telescoop regelen, terwijl kleine getallen in de rechter bovenhoek van zijn scherm de hemelcoördinaten in het centrum van het sterrenveld gaven. De luiken van de telescoopkoepel waren overdag gesloten, maar hij had vastgesteld dat hij van hieruit contact kon leggen met de telescoop.
Toen schakelde hij over naar de buitencamera, die ongeveer vijftig meter van het grote instrument op een pilaar was gemonteerd.
Het beeld kwam bijna meteen door. De camera was recht op de telescoop gericht, waarvan de zilveren koepel glansde in de ochtendzon. Hij liet de koepel draaien en zag hem meteen in beweging komen. Hij liet de camera langzaam draaien en kreeg een beeld van de rotsige voorgrond. Er kwam een groep telescopen in beeld, waartussen de enorme William Herschel opviel. Iemand liep buiten de grote koepel. Hij bleef draaien en de camera pikte de toppen op van de wolken die lager langs de berg hingen; ze bevonden zich boven de inversielaag en het was waarschijnlijk heel droog. Hij drukte op een andere knop en kreeg de temperatuur, de luchtdruk, de vochtigheid en de heersende wind ter plekke in zicht. Toen liet hij de camera langs de hemel boven Tenerife gaan; er was geen wolkje te zien. Alles werkte soepel. Vannacht zou hij de robot gebruiken om Atens te zoeken. Als het signaal op Eagle Peak arriveerde, zou het automatisch een paar honderd kilometer verderop in Albuquerque worden herhaald en de Teraflop zou elk element op het scherm bekijken en vergelijken met een gedigitaliseerde sterrenkaart en de coördinaten van bekende asteroïden. Elke ongerijmdheid zou als een knipperende punt op het beeldscherm verschijnen.

Nu was het zaak om zo dicht mogelijk bij de horizon te komen, dicht bij de zon, maar voor het licht van de dageraad de CCD's overspoelde. Als proef typte hij een hoogte en een azimut in. Weer reageerde de telescoop snel.
Opmerkelijk snel, zelfs; er was iets vreemds aan de hand.
Webb voelde zijn hoofdhuid prikken.
Zijn vermoeidheid was opeens verdwenen. Hij typte nog een hemelcoördinaat in. Hij probeerde een derde en een vierde, elke keer met dezelfde verbazend snelle reactie.
Hij keek steels om zich heen. Shafer zat achter een computer, maar hing achterover in zijn stoel, met zijn armen slap langs zijn lichaam. Met zijn ogen halfdicht, zijn mond halfopen, zijn stoppels en zijn paardenstaart leek hij eerder een sukkel in een gangsterfilm dan een van de slimste wetenschappers op de planeet. Noordhof zat aan de vergadertafel een rapport te lezen. Beide mannen leken het punt van uitputting allang voorbij. Webb ging stilletjes het internet op en navigeerde naar een infrarood satellietbeeld van Europa en Noord-Afrika. Het beeld was nog geen tien minuten oud. Tenerife en Las Palmas gingen schuil achter wolken. Er kwamen geen bergtoppen bovenuit. En toch liet de camera op Tenerife een heldere, zonnige hemel zien.
Langzaam drong een bijna onbegrijpelijk feit tot Webb door.
De observaties van de robottelescoop waren vals.

Het Pepsimeer

Wallis rolde een van de havanna's van de generaal van zijn ene mondhoek naar de andere, spuwde en trok aan de riemen. Er wervelden kleine draaikolkjes weg van de boot, die onvast naar voren bewoog. Wallis dacht dat hij net zo goed met een lijk had kunnen roeien. De voorzitter van de gezamenlijke chefs-staf lag roerloos achterover, met een hand in het water. Zijn kleine mond stond wijd open en tussen zijn hawaïhemd en de bovenkant van zijn broek was een reep harige buik te zien.

Het was een berekenend lijk. Van tijd tot tijd dacht Wallis dat de ogen van de dikke man hem even bestudeerden van achter de weerspiegelende zonnebril. Ze waren ongeveer achthonderd meter van de oever en de jeep van de generaal was een kleine, geelbruine vlek naast de pier. Het meer, dat in een ring van beboste heuvels lag, leek op de caldeira van een oude vulkaan. Een vlucht sneeuwganzen vloog snaterend in formatie hoog over hen heen; ze gaven de voorkeur aan de winter in Baja California boven die in Siberië en namen de vleugels.

Hij moet een zetje hebben, besloot Wallis. Hij zei: 'Mooi plekje hebt u hier, zoals ze in oude films zeggen.'

Het lijk verroerde zich. 'Van Margaret,' zei Hooper. Het commentaar was overbodig: zijn huwelijk met een telg van een van de rijkste families in Amerika met connecties in zowel de wereld van de showbizz als met dubieuze families in New York, was uitgebreid besproken in de roddelbladen. 'Dit stuk land is gekocht met een grote winst met Pepsifutures. Je roeit praktisch op het spul. Foggy, snijd de riemen, of wat die matrozen ook doen. We gaan een biertje drinken, een paar vissen vangen en een gesprekje tussen vrienden voeren.'

De voorzitter van de gezamenlijke chefs-staf ging rechtop zitten en klapte het deksel van de rieten picknickmand open. Hij zette een sixpack Red Stripe en het zwarte koffertje dat hij altijd bij zich had opzij. Daarna ging hij met een hengel zitten worstelen; de hengel zag er nieuw uit en de generaal wekte de indruk van een man die geen vlieg van een spinnaker kon onderscheiden. Een wit wormpje kronkelde in stille doodsnood toen er een angel door werd geduwd en daarna werd hij door de lucht het water in gegooid. De ganzen verdwenen achter Jacob's Mountain en het gesnater stierf weg.

'Margaret mag graag een barbecue organiseren, een goede kans om mensen te ontmoeten. Waarschijnlijk Teddy, de Clintons en een paar van haar vrienden uit de showbizz, misschien de Newmans. O, en een Mexicaanse band. Maar misschien wil je liever niet komen nadat je gehoord hebt wat ik te zeggen heb.'

'Generaal, ik ben er allang achter dat ik hier niet ben om te vissen.'

'Jongen, je zult er versteld van staan waarvoor je hier bent. Maar eerst wil ik je een paar vragen stellen. Allemaal heel hypothetisch, niets ervan berust op waarheid, als je begrijpt wat ik bedoel.'

'Ik begrijp wat u bedoelt.'

Hooper glimlachte kort. 'Natuurlijk begrijp je dat, je bent een slimme jongen. Waarom noemen ze je eigenlijk Foggy?'

'Dat stamt van Parrot Island, meneer. Ik denk dat ik nogal een wazig figuur ben.'

'Daarmee hou je mij niet voor de gek. Je bent slim genoeg om te weten dat ik zal ontkennen dat dit gesprek ooit heeft plaatsgevonden als jij er melding van maakt. Over jongens gesproken, hoe is het met die van jou? Hij is aan het kamperen in Allegheny, nietwaar?'

Wallis' hart sloeg over. Het was een duidelijke bonk in zijn borstkas. 'Ik wist niet dat u dat wist, meneer,' zei hij nonchalant. Zijn tienerzoon had het nog maar een week geleden geregeld met een vriend. Niemand buiten de familiekring wist ervan.

'Dat is nou eens terrein voor een echt natuurmens. Recht uit *Deliverance*. Jij hebt lef dat je je zoon daarheen laat gaan. Ach, ze zullen op een gegeven moment toch op eigen benen moeten leren staan.' Onder de zonnebril was Hoopers mond vertrokken tot een preutse glimlach en het ongelooflijke feit drong tot Wallis door dat zijn meerdere een bedreiging had geuit.

'Generaal, wat doen we hier?' Wallis gooide zijn half opgerookte sigaar met een nerveus gebaar in het water. De sfeer was plotseling gespannen.

'Nemesis.'

'Het marsmannetjesscenario.'

'Een handvol mensen in Amerika weet ervan. Jij bent daar een van.'

'Ongetwijfeld vanwege goede redenen, meneer.' Wallis wachtte af, terwijl er een onbepaald gevoel van angst over hem heen spoelde.
'Kolonel, in welke omstandigheden zou jij hoogverraad plegen?'
Wallis staarde hem ontzet aan, maar hij zag alleen zijn eigen verwrongen spiegelbeeld, bol in de vliegenogen van de zonnebril van zijn meerdere.
'Meneer, die vraag is een belediging. Ik wil dit gesprek niet voortzetten.'
'De eer van je land staat op het spel.'
'Als u het zo stelt.' Wallis kroop in zijn schulp en sloeg een formele, militaire toon aan. 'Zoals u heel goed weet, meneer, verplicht mijn eed van trouw me mijn land te dienen en de bevelen van mijn meerderen op te volgen tot aan de grens van mijn geweten. Als er iets in het boek staat over hoogverraad, heb ik dat denk ik gemist.'
Hoopers ogen stonden goedkeurend. 'De kracht van het leger, jongen. Zonder trouw en discipline en gehoorzaamheid, soms zelfs blinde gehoorzaamheid, heb je geen leger maar een plunderende horde. Het probleem is dat gehoorzaamheid in moreel opzicht een neutraal iets is; het dient allerlei meesters. Maar het leger van deze man is gebaseerd op normen en waarden. Jemig, waarom doet Margaret toch altijd sla op mijn broodjes? Oké, laten we rustig beginnen. Stel dat je meerdere onder enorme spanning stond, zo erg dat hij eronder begon te bezwijken en niet meer logisch kon denken. Als hij dan een raar bevel geeft, of nog erger, als hij niet in actie komt terwijl hij dat wel zou moeten doen, wat doe je daar dan aan?'
'Dat staat wel in het boek, meneer. Dan zoek ik het hogerop.'
'Aha. En als ik nou zeg dat die meerdere helemaal aan de top staat?'
Hooper maakte een blikje Red Stripe open en gooide het ringetje in het water, waar het even bleef glinsteren voordat het wegzonk in de vergetelheid. Hij stak Wallis een broodje toe, maar de kolonel schudde zijn hoofd.
'Neem me niet kwalijk, maar de allerhoogste man is de president.'
Hooper gaf geen antwoord. Hij zoog het schuim van het blikje. Wallis zei zachtjes: 'Ik wil u adviseren heel voorzichtig verder te gaan, generaal. U bevindt zich in een mijnenveld.'
'Wie niet, tegenwoordig? Ik herhaal mijn vraag.'
'Ik begrijp waar u naartoe wilt, generaal, maar wij leven in een democratie, niet in een bananenrepubliek. Als de man aan de top het verkeerd doet, gooit het volk hem eruit, niet het leger.'
'Natuurlijk.' De generaal wierp zijn lijn opnieuw uit. Hij schoot door

de lucht en er verschenen verse rimpels op het gladde oppervlak van het meer. 'Hypothetisch gesproken, zoals ik al zei. Stel dat Eagle One onder de druk bezweken is. Hij is een pacifist geworden, kan zijn plicht niet vervullen, hoe dan ook. Dus moet hij worden afgezet. Maar stel dat dat zal leiden tot een kernaanval op Amerika?'
'Hoe zou die situatie zich kunnen voordoen?'
'Eenvoudig. Waar beschuldig je de president van om hem te kunnen afzetten? Het feit dat hij weigert een tegenaanval in te zetten tegen de Russen? Maken we Nemesis publiek? En wat zouden onze vrienden in het Kremlin dan doen? Wachten tot wij ze uitschakelen? Nee, ze zouden...'
'Nou moet u even ophouden, meneer. Het enige wat u openbaar maakt, is dat de president ongeschikt is voor zijn ambt omdat hij ziek is.'
'Doe niet zo dom, Wallis, dat zijn intelligente mensen daar in het Kremlin. Ze zouden tussen de regels door lezen. Ze zouden ons voor moeten zijn. Wil jij het voortbestaan van Amerika op het spel zetten door te gokken dat de Russen dom zijn? Dat is wel een heel hoge inzet.'
'Feit blijft dat het opperbevel bij de president ligt, niet bij verraders.'
'Kolonel, je hebt een hoofd vol onzin. Heb jij op school geschiedenis gehad? Weet je nog dat de goeden uiteindelijk altijd wonnen? Hoe kan dat? Dat is niet het werk van God, het gebeurt per definitie. De winnaars geven vorm aan wat latere generaties goed vinden. Per definitie, de definitie van de terugblik, zijn de patriotten de mannen die winnen en de verraders de mannen die verliezen. Misschien is het goed dat Eagle One ons land laat aanvallen zonder er iets aan te doen. Misschien kan hij zijn ambtseed aan zijn laars lappen. Misschien zijn onze Peacemakers en onze B52's en onze hele verdediging nooit meer geweest dan bluf en waren we nooit van plan terug te slaan als de kernbommen op onze steden vallen, verdomme. Wil je dat soms zeggen, kolonel? Wie is de patriot, de man die zijn land steunt of de man die het naar de ondergang voert door zich aan foutieve constitutionele structuren te houden?'
'Generaal, ik zou graag teruggaan.'
'Ze gaan nog wel bijten, Foggy, geef ze de tijd. Houd je bij de feiten. Feit een: Nemesis komt eraan, we worden aangevallen. Feit twee: de baas is psychologisch verlamd, hij is niet in staat zijn plicht te doen en Amerika te verdedigen. Feit drie: een beroep op het volk door middel

van de senaat of het hooggerechtshof of een ander constitutioneel mechanisme alarmeert de Russen en stelt ons bloot aan vernietiging door kernwapens. Daarom ben je hier, dat is het probleem, en ik heb nog steeds jouw oplossing niet gehoord.'
'Vraagt u me mee te doen aan een samenzwering?'
Hooper zweeg even, maar toen grinnikte hij sluw en zei: 'Natuurlijk niet, Foggy, dit is een zuiver hypothetische discussie, weet je nog? Je wordt gevraagd na te denken. Voor het eerst in je leven, te oordelen naar wat je er tot dusver van terecht hebt gebracht.'
'Natuurlijk. Net zo hypothetisch als die marsmannetjes.'
Hooper drong meedogenloos aan. 'Wat we hier hebben, is een fout in de grondwet. Stel dat je hoofdcommandant zijn verantwoordelijkheden uit de weg gaat en zich niet aan zijn ambtseed houdt. En stel dat de openbare verdachtmaking van genoemde hoofdcommandant de vijand zou alarmeren, wat zou leiden tot de dag des oordeels. Wat ik van jou wil horen, is een antwoord: wat zou je eraan doen?'
'Het is niet mijn probleem.'
'Integendeel, Foggy, om redenen die vanavond duidelijk zullen worden, bekleed jij de sleutelpositie. Beantwoord mijn vraag.'
Wallis had het gevoel dat overal om hem heen deuren dichtsloegen. Hij zei: 'Ik lust nu wel een biertje.'
Hooper gooide het over een andere boeg. Hij zette de hengel vast tussen zijn knieën, pakte een blikje en gooide het naar de soldaat, zodat het water door de lichte beweging tegen de onderkant van de boot kabbelde. Hij maakte zijn koffertje open en haalde er een vel papier uit. 'Vanmorgen uitgetypt. Luister:

> Een strikte naleving van geschreven wetten is ongetwijfeld een van de hoogste plichten van een goede burger, maar niet de hoogste. De wetten van de noodzakelijkheid, van zelfbehoud en van het redden van ons land als het gevaar loopt, wegen zwaarder.

Ben je het er tot dusver mee eens? Moet je nu eens luisteren:

> Als we ons land zouden verliezen door een gewetensvol vasthouden aan de geschreven wet, zouden we samen met leven, vrijheid, eigendom en al degenen die daar met ons van genieten ook de wet zelf verliezen en zo op absurde wijze het doel opofferen aan de middelen.

Recht van de hoogste autoriteit zelf, jongen, van Thomas Jefferson. De man die die verdomde grondwet geschreven heeft. Weet je, als ik dit zo lees, heeft Jefferson Nemesis praktisch voorspeld.'
'Ik weet wat u van me vraagt. Ik heb tijd nodig.'
'Tijd, jochie, is iets wat we niet hebben. Hé!' De lijn kwam strak te staan. Hooper begon aan de hengel te trekken om hem in te halen. 'Verdomme, Foggy,' ging de voorzitter van de gezamenlijke chefs-staf op meer verzoenende toon verder. 'We zijn allemaal voorgeprogrammeerd met bepaalde normen en waarden en die voldoen bijna altijd, maar democratie is slechts een werktuig. Het heeft beperkingen, net als elk ander werktuig, en soms moet je dingen voor het publieke welzijn doen waarvoor het publiek je zou lynchen als... Verdomme, ik probeer met die vent te praten... Hoor eens, dit is een heel nieuw spel en je hebt nieuwe regels nodig... Hou op met dat gekronkel...' Hooper stond op en de boot schommelde gevaarlijk toen hij zijn hand uitstak naar de spartelende vis.
'Een regenboogforel, generaal. Een schoonheid.'
'De tijd raakt op, kolonel, en we moeten weten waar jij staat.'
'We?'
'Het feest begint om acht uur. We zoeken antwoorden.' Hooper trok een afschuwelijk gezicht toen hij de spartelende vis omhooghield. 'Wat moet ik hier in godsnaam mee?'

Het feest

(Fragment van een getuigenverklaring voor de subcommissie voor het defensiebudget van het Huis van Afgevaardigden met betrekking tot het budget van de USAF. Voorzitter John Chalfont, afgevaardigde uit Utah voor de Democratische Partij.)

Chalfont: Nou, wat ik eigenlijk vraag is, stel dat de president een hartaanval of zoiets krijgt en zijn gezag niet uit handen geeft, wie neemt dan de beslissing om tot lancering over te gaan als de situatie dat vereist?
Hooper: Meneer, dat is niet iets waar wij graag over praten.
Chalfont: Maar iemand moet het bevel geven, dat is wat ik wil zeggen. We kunnen niet als een kip zonder kop gaan rondrennen.
Hooper: Nee, meneer, het bevel moet komen van de vice-president. We zijn te allen tijde klaar om te reageren.
Chalfont: Nou, stel dat de minister van Defensie uw kantoor binnen loopt en u opdracht geeft de raketten te lanceren, u hebt geen codes of zoiets nodig en hij heeft het gezag omdat de president ziek is. Doet u het dan?
Hooper: Het beleid is dat de president die beslissing neemt.
Chalfont: Maar hij is ziek.
Hooper: Ik geloof niet dat ik daar antwoord op kan geven.
Hamilton: Wat mijn collega wil zeggen, is dat we ons met de nieuwe dreiging van de Russen geen fiasco zoals toen met Haig kunnen veroorloven. We moeten zorgen dat de juiste vinger op de knop ligt. Wie heeft het gezag om op de knop te drukken als de president het niet kan? Stel dat het in het nationale belang was om per direct te lanceren.
Hooper: Dat gezag ligt bij de vice-president.
Chalfont: Generaal, ik wil niet doen alsof ik het daar niet mee eens ben, maar is het niet zo dat de voorzitter van de gezamenlijke chefs-staf geconsulteerd moet worden?

Hooper: Hij is ondergeschikt, maar inderdaad, dat is al zo vanaf de dagen van de eerste Koude Oorlog.
Hamilton: Hij beschikt over de juiste codes?
Hooper: Er zijn veel mensen onder ons die de codes hebben.
Hamilton: Een hypothetische vraag, generaal. Stel dat de president en de vice-president omkomen bij een vliegtuigongeluk en Zhirinovsky zijn kans ziet...
Hooper: We zouden reageren.
Hamilton: Wilt u ons dan zeggen dat er behalve de burgerlijke autoriteit ook een militaire autoriteit bestaat voor het lanceren van kernbommen?
Hooper: Dat heb ik niet gezegd, meneer.
Hamilton: Wat betekent dat? Is dat een ontkenning?
Hooper: Nou, er is geen echte militaire autoriteit op zich, maar kijk, de Situation Room is kwetsbaar en Raven Rock is hard. Stel dat Washington wordt vernietigd en dat er kernbommen neerkomen op ons land. Wat verwacht u dat de militaire bevelhebbers in die situatie doen?
Hamilton: Dus het gezag om te lanceren gaat van de president naar de vice-president, die de voorzitter van de gezamenlijke chefs-staf moet consulteren. Maar wat wij willen weten is, wat zegt het handboek van de bevelstructuur als zij allebei zijn uitgeschakeld? Wie is dan het burgerlijke gezag?
Hooper: Dat moet de minister van Defensie zijn, in samenspraak met de gezamenlijke chefs-staf.
Chalfont: En als de minister van Defensie ook is omgekomen bij dat vliegtuigongeluk?
Hooper: Nou, dat is wel een heel hypothetisch scenario, als ik het zo mag zeggen, meneer.
Chalfont: Maar stel dat het gebeurt?
Hooper: U hebt het hier over een enorme onthoofding, maar er zijn nog steeds procedures. (Rest van het antwoord gewist.)

Er is een samenzwering om de president af te zetten, en misschien wel om hem te vermoorden. Ze willen dat ik meedoe, en ik denk erover.
De gorilla boog met open bek gevaarlijk ver naar achteren, krabde in zijn oksels en maakte wat hij gorilla-achtige geluiden vond. Een Franse hoer, met haar slanke benen om de nek van haar metgezel de uienverkoper, stak haar arm omhoog en probeerde met onvaste hand een

glas rode martini door de keel van de gorilla te gieten. De uienverkoper wankelde, de hoer gilde, de martini vloog door de lucht en een kleine menigte juichte toen het duo op het gras viel en de gorilla op en neer sprong en *Oo! Oo! Oo!* gilde.

God, ik haat die mensen.

Wallis had nog een probleem. Een zwoele, blonde, zuidelijke mannenverslindster, een en al pruillippen en ondeugendheid. Ze was gekleed in een rode jurk met crinoline en een angstaanjagend decolleté en ze was ook, ontdekte Wallis met groeiende wanhoop, zo vasthoudend dat het op stompzinnigheid ging lijken. Tien minuten korte snauwen in antwoord op haar subtiele wenken hadden haar nog niet van zijn zijde doen wijken.

'Wat doe je eigenlijk, schatje?' vroeg ze eindelijk rechtstreeks, met het lijzige accent van Alabama.

'Ik hou me bezig met mestverwerking,' zei hij met plotselinge inspiratie.

'Dus je zit niet bij de film?' vroeg ze teleurgesteld. De zedige pruillippen verdwenen en het accent was ineens overduidelijk uit de Bronx afkomstig.

'O nee, ik zit in de uitwerpselen, juffrouw. Wist u dat de Chinezen al duizenden jaren rioolwater over hun velden sproeien? Nou, ons groepje dacht: waarom kunnen we dat hier ook niet doen? Dus we hebben een fabriek opgezet waar we de smurrie in korrels proberen om te zetten, als kunstmest. Het werkt prima, alleen stinkt dat spul zo, maar daar zijn we mee bezig. Hé, die vent bij het baldakijn... O, nou gaat hij net naar binnen. Was dat niet Hal Brooker?'

'Hal Brooker, de filmproducent?' vroeg ze, terwijl ze zich omdraaide.

'Ja, ik geloof het wel. Ik heb gehoord dat hij mensen zoekt voor een kostuumfilm over de Burgeroorlog. Hoe dan ook, het mooie is dat we methaan uit die poep halen en dat gebruiken we als brandstof om het hele proces te kunnen uitvoeren. Dus de fabriek kost helemaal niets, is dat niet opwindend?'

'Heel opwindend,' zei ze. 'Hoor eens, ik vond het heel leuk om met je te praten.'

'Maar het wordt nog mooier. Methaan is een broeikasgas,' riep Wallis haar na. 'Door het te verbranden, helpen we het milieu.' Maar juffrouw Decolleté was verdwenen in de richting van het baldakijn.

God, ik haat die mensen, dacht Wallis weer. Met een glas in zijn hand slenterde hij nonchalant over het grasveld en keek naar de golfbewegingen van de mensenmassa. Langs het zwembad. Niemand aankijken.

Dure bruggen glinsterden hem tegemoet vanuit een gebruind gezicht; Wallis deed alsof hij het niet zag. Er dansten mensen. De band goot zachte, metalige melodieën uit over rijke en mooie mensen en over de Mexicaanse obers in korte rode jasjes en strakke zwarte broeken.
Als ik de samenzweerders aangeef, veroordeel ik mijn zoon ter dood. Een jongen van zestien, ergens in de Alleghenies.
De trap af naar de patio, waar een groot varken werd omwikkeld met bananenbladeren, zijn lichaamsholte werd gevuld en zijn spijsverteringskanaal werd vervangen door een lange metalen spies. Het varken roteerde ongelukkig om zijn horizontale as, terwijl de vlammen zijn vlees roosterden en zijn medezoogdieren aan hapjes knabbelden en tequila dronken uit met zout versierde glazen. De geur van brandend houtskool en vlees dreef over de feestgangers. Wallis liep door.
Aan wie kan ik ze aangeven? Hoe diep gaat het verraad?
Een meter of vijftig van het huis begon de menigte minder dicht te worden. Kleine groepjes mensen praatten en lachten onder de met schijnwerpers verlichte magnolia's en apenbomen. De bomen waren volgehangen met slingers en werden met elkaar verbonden door lange slierten veelkleurige lantaarns, maar de kerstverlichting was meer voor het effect dan om licht te verschaffen en de schaduwen waren hier donker. Een oververhitte kerstman met een rood gezicht was verwikkeld in een ernstige discussie met een Barbarijse piraat. Wallis knikte naar hen, maar liep onopgemerkt voorbij. Toen was hij aan de rand van het grasveld, die werd aangegeven door bougainville. Hij keek om en wandelde nonchalant tussen de struiken door en naar de schaduwen onder de sparren.
Hij liep gestaag door, en het tapijt van sparrennaalden knisperde onder zijn voeten. Na een meter of honderd bleef hij staan. Er drongen lichtstralen tussen de takken door, maar er waren geen menselijke silhouetten; hij was alleen. Het Latijns-Amerikaanse ritme vervulde nog steeds de lucht, maar moest het nu opnemen tegen de nachtelijke geluiden van het bos.
Maar stel dat de president de verrader is en de samenzweerders vaderlandslievende Amerikanen? Zijn de patriotten echt per definitie de mannen die winnen?
Hij kwam bij een pad, net zichtbaar in de duisternis. Hij kon niet zeggen of het gemaakt was door mensen of door grote dieren, maar hij volgde het. Het klom steil omhoog. Ongeveer achthonderd meter van het huis verliet hij het pad hijgend en liep op goed geluk verder om-

hoog. Hij kwam bij een open plek van een meter of twintig doorsnee en ging zitten. De grond was kurkdroog en begroeid met mos. Het rook er naar de sparren. Ver beneden hem klonk een uitbarsting van gelach en de gil van een vrouw. Iemand was in het zwembad gevallen of gesprongen.

Ik zou hier niet over moeten nadenken. De president is mijn bevelvoerend officier. Ik gehoorzaam zijn bevelen. Punt.

Rechts van hem was een halve maan boven de bergen opgekomen die zijn licht wierp over de besneeuwde toppen en de daken van de Mercedessen en Porsches die achter het huis geparkeerd stonden. De Stille Oceaan was een groot zwart gat aan de linkerkant.

De klassieke Neurenbergverdediging. Ik volgde slechts bevelen op.

Wallis voelde even een enorme aandrang om te maken dat hij wegkwam, de grote weg op te zoeken en te gaan liften. Maar niet 's nachts, in golvende Arabische kledij. Zelfs niet in Californië.

Ver naar achteren langs de toegangsweg naar het huis glinsterde iets metaligs. Wallis kon net een staande schaduw zien. Een man die misschien in een walkietalkie praatte.

Ik kan niet tegen dat verdomde gedoe met morele dilemma's.

De soldaat ging op zijn rug liggen. Zijn ogen hadden zich inmiddels aangepast aan het donker. De brede strook van de Melkweg hing verblindend en verbijsterend boven hem. Het glanzende lint werd doorsneden door een grote, zwarte scheur; het kronkelde door de lucht, een snelweg voor goden en geesten en wezens uit onze gedachten.

Had Jefferson gelijk? Ging het land voor gehoorzaamheid? Maar wie stelt de aanvaardbare grenzen van de gehoorzaamheid vast? De mannen die de bevelen geven?

Er verscheen iets in zijn gezichtsveld, iets wat naderde vanaf de Stille Oceaan. Het was een bewegende ster. Hij werd steeds feller en Wallis ging overeind zitten. *Stranger on the Shore* en de tsjilpende krekels werden verstoord door een zwak kloppend geluid. Een helikopter. Drie kilometer van het huis gingen de lichten uit. Hij was nog net zichtbaar in het maanlicht. Hij vloog laag over de bomen en daalde. De soldaat verloor hem achter een heuvel uit het oog, maar hij verscheen opnieuw en zonk in de richting van het huis. Hij landde ongeveer driehonderd meter van de parkeerplaats. Er stapte een eenzame gestalte uit, die gebukt, maar met ferme pas naar de achterkant van het huis liep. De helikopter raasde, steeg op, volgde de weg en verdween uit het zicht.

Wallis merkte vol verbazing dat hij opeens twijfelde aan de overtuigingen die hij lang had gekoesterd, en waar hij zich altijd door had laten leiden.
Misschien is alles waar ik ooit in geloofd heb wel onzin. Misschien zijn patriottisme, trouw en normen en waarden wel hersenimplantaten, dingen die op vijfjarige leeftijd in mijn hoofd zijn geplant om me onder controle te kunnen houden. Misschien is het allemaal maar een spel en is er geen goed en fout buiten mijn eigen gevoel van goed en fout. Moet ik dan mijn eigen geweten volgen en de regels de regels laten?
Hij stak een sigaartje uit Jamaica op en de lucifer wierp even een kring van licht om hem heen. Een sigaar later cirkelden zijn verwarde gedachten nog steeds rond in zijn hoofd toen de haartjes in zijn nek overeind gingen staan. Ergens achter hem klonk een heel zacht gekraak van brekende sparrennaalden. Hij stond op en draaide zich om. In de schaduw stond een jongeman. Twintig meter van hem af. Een keurig, donker pak, kortgeknipt haar. Roerloos als een standbeeld.
'Neem me niet kwalijk dat ik u laat schrikken, meneer. De complimenten van generaal Hooper. Hij verzoekt u zich weer bij de gasten te voegen.'
'Goedenavond, jongen. Hoe heb je me hierboven in godsnaam gevonden?' Met een knoop in zijn maag besefte Wallis dat hij in de gaten moest zijn gehouden vanaf het moment dat hij het feest had verlaten.
'Als u me naar beneden wilt volgen, meneer.'
Het feest was inmiddels drie drankjes luidruchtiger. De band speelde een heel snel nummer, maar een jong stel danste tot hun middel in het water op hun eigen muziek. Wallis volgde de jongeman over het grasveld, langs het zwembad en over de patio. De jongeman knikte ten afscheid en beende met niet erg feestelijke, militaire passen weg. Een dikke man met een donkere bril en een blauwe sombrero had een plak varkensvlees tussen twee dikke sneden brood in een hand en een grote sigaar in de andere. Hij zag Wallis en maakte zich los uit een groep. Er zaten zilveren lovertjes op de sombrero en over zijn zwarte pak, alsof hij was bestrooid met kleverige confetti. Wallis herkende hem het eerst aan de geur van de Macanudo-sigaar.
'Aha, daar ben je, Foggy. Fantastisch feest, hè? Ik zag je met dat meisje van Farmington. Je had moeten volhouden, jongen, die familie bezit half Texas.'
'Welke helft?'
'De helft die niet van Margaret is.'

'Ik ben een oude getrouwde man, meneer,' zei Wallis.
'Natuurlijk ben je dat, nou en of. Jongen, je kunt je niet steeds verstoppen, de wereld is te klein en wij zijn te slim. Je moet je onder de mensen begeven. We hebben bezoek. Kom mee.'
Hooper, die energiek met zijn dikke billen wiegde, danste de rumba langs het inmiddels half opgegeten varken. Hij schrokte het laatste stuk van zijn sandwich naar binnen en pakte twee rode martini's van een passerend zilveren blad, waarop hij de rokende sigaar liet liggen. Hij blies de ober een kushandje toe, maar de Azteekse trekken van de man bleven star. Toen liepen de soldaten door de openslaande deuren het huis in. In de kamer brandde een vuur van houtblokken, dat zijn flikkerende licht over een stuk of tien vrijende stelletjes wierp.
Wallis volgde zijn meerdere over de grenen trap en door een gang waarvan de vloer bedekt was met Chinees tapijt en waar in het zwakke licht muren te zien waren met schilderijen die waren ondertekend door De Heem, Marieschi en Laurencin. Ze kwamen langs Wallis' slaapkamer en gingen linksaf een kleine studeerkamer in, die helemaal in het rood en met namaak koloniaals meubilair was ingericht. De band was begonnen aan *Rudolf the Red-Nosed Reindeer* en de deur sloot het geluid met een pneumatische bons buiten.
Een weerwolf met een behaarde snuit in een donker driedelig pak zat op zijn gemak in een grijze draaistoel achter het bureau. Op het bureau bevonden zich alleen een lamp en een dun rood boekje. Een paar ogen bekeken Wallis van achter het masker. De weerwolf wees op de stoelen en de soldaten gingen zitten. Hooper zette zijn sombrero af en liet hem op de grond vallen en de goedgemutstheid verdween tegelijk met het hoofddeksel. De soldaten zetten hun drankjes op het bureau.
'Die Arabier, doet hij mee of niet?' vroeg de weerwolf.
'We hebben een definitief misschien,' antwoordde Hooper.
'Wat is het probleem?'
'Een hoop onzin over zijn eed van trouw.'
'Hoor eens,' zei Wallis, 'generaal Hooper houdt me voor dat ik twee plichten heb, een tegenover mijn president en een tegenover mijn land. Die twee zijn altijd samengevallen. Tot nu. Nu heb ik te maken met een president die niet in staat is in actie te komen omdat hij verlamd wordt door lafheid of pacifisme of wat dan ook, en ik moet mezelf afvragen wat er op de eerste plaats komt, de president of het land?'
De weerwolf knikte aanmoedigend, maar zijn ogen stonden behoedzaam.

'Ik heb een eed van trouw afgelegd aan de grondwet, niet aan de president. Maar we hebben procedures. Zet hem langs de constitutionele weg af, heb ik tegen de generaal hier gezegd. Maar hij zegt dat het te gevaarlijk is om het op die manier te doen. De Russen zullen ons doorhebben en proberen ons met kernbommen te bestoken, uit angst voor zichzelf. Het verhaal dat hij me wil verkopen, is dat de prijs van een constitutionele actie de vernietiging van Amerika is. En dan zou de grondwet een beetje zinloos worden.'
'Hij heeft het begrepen. Ik zei toch dat het een slimme jongen is,' zei Hooper.
'Maar wat de generaal vergat te zeggen,' ging Wallis door, 'is dat de president op het laatste moment toch in actie zou kunnen komen. Misschien bidt hij om een wonder. Als de Almachtige daar niet op reageert, zou de president nog steeds het bevel kunnen geven om tot actie over te gaan. We weten het pas als Nemesis praktisch in ons luchtruim is verschenen. Het is pure muiterij als de president voor die laatste seconden wordt afgezet.'
Hooper maakte een geluid alsof er stoom ontsnapte en sloeg het tweede van zijn drankjes achterover. Bellarmine zette het masker af en zei: 'Kolonel, we zouden het op geen andere manier willen doen.'
'Ik weet niet waarom ik hiernaar luister. Het gaat hier om hoogverraad. De beslissing voor een kernaanval is aan de president van de Verenigde Staten en aan hem alleen.'
'Dat vind ik niet,' antwoordde de minister van Defensie rustig. Hij sloeg het boek voor hem open. 'Volgens NSC-memorandum dertig van de Truman-documenten ligt de beslissing om kernraketten af te vuren bij de president. Goed. Maar er is een antwoord op,' ging hij verder. 'Luister hier maar eens naar. Dit is sectie vier van het vijfentwintigste amendement op de grondwet:

Wanneer de vice-president en een meerderheid van de voornaamste leden van de uitvoerende macht of enig ander lichaam dat door het congres volgens de wet benoemd is, aan de president *pro tempore* van de Senaat en de voorzitter van het Huis van Afgevaardigden een geschreven verklaring afgeven dat de president niet in staat is de macht en plichten van zijn ambt uit te voeren, zal de vice-president onmiddellijk de macht en de plichten van het ambt aanvaarden als waarnemend president...'

'Wacht nou eens even, meneer,' zei Wallis. 'Wie vormt de uitvoerende macht? In ieder geval het kabinet, toch? En hoe zit het met de naaste medewerkers van de president?'
'Waarom betrek je er het hele ambtenarenapparaat niet bij?' viel Hooper hem in de rede. 'We wachten tot de kernraketten als een oprijzende Venus uit Chesapeake Bay komen en dan halen we de voorzitter uit zijn bed, roepen het congres bij elkaar voor een gezellig debat en zorgen dat de typistes klaarstaan voor de geschreven verklaring. De raketten zijn er sneller dan je die kunt lezen, laat staan typen, maar wat maakt het uit, ik ben maar een soldaat. Ik stel voor dat we het hooggerechtshof erbij halen op het moment dat de bommen vallen.'
'Rustig aan, Sam. Je loopt een beetje te hard van stapel,' zei de minister van Defensie. 'Wallis, ik respecteer je behoefte aan een wettelijke basis, maar die bestaat. Het gezag om nucleaire wapens in te zetten gaat van de president naar de vice-president en mijzelf als minister van Defensie. De procedurele vereiste is dat de beslissing tot lancering wordt genomen in samenspraak met Hooper hier als voorzitter van de gezamenlijke chefs-staf.'
'Dus is het twee tegen twee,' zei Wallis, 'waarbij de president het uiteindelijke gezag heeft.'
'Er is een uitweg,' zei Bellarmine. 'In de context van de Situation Room, als er een kernaanval dreigt en elke seconde van het allergrootste belang is, zijn Hooper en ik de voornaamste leden van de uitvoerende macht. Hooper en ik beslissen over het vermogen van de president om zijn macht en plichten uit te oefenen. We hoeven niet te overleggen met het kabinet en ons ook niet bezig te houden met geschreven verklaringen. De mannen die dit geschreven hebben, hadden gewoon niet te maken met een situatie als deze.'
'Volgens mij zitten jullie volgens het 25e amendement alsnog met de vice-president als jullie Grant afzetten,' zei Wallis. 'Wat vindt McCulloch ervan?'
Bellarmine zei: 'Hij is niet op de hoogte. Hij weet niets over Nemesis.'
'Kom op, jongen, McCulloch is een chimpansee,' viel Hooper hem in de rede. 'Een dikke alcoholistische winkelier met een IQ van zestig of zo. Hij zou niet eens begrijpen waar het om gaat. Iedereen weet dat Grant hem alleen heeft gekozen om de kiezers uit het zuiden voor zich te winnen. Wil je dat een chimpansee moet besluiten over een kernaanval? Is dat wat je wilt, Wallis? Dat de beslissing wordt overgelaten aan een chimpansee?'

'Jawel meneer, als hij de volgende is in de hiërarchie.'
Bellarmine tikte met zijn vingers op tafel. 'McCulloch zal niet geconsulteerd kunnen worden.'
'Wat betekent dat in gewoon Engels, meneer?'
Hooper zei: 'Foggy, je zou je kunnen afvragen of dat een gepaste toon is tegenover de minister van Defensie. Meer dan wat je net verteld is hoef je niet te weten. McCulloch zal niet geconsulteerd kunnen worden.'
'Maar volgens het 25e amendement hebt u de vice-president nodig om de president af te zetten.'
'Hij zal niet geconsulteerd kunnen worden,' herhaalde Hooper op een toon die een eind aan de zaak maakte.
Bellarmine ging verder. 'Ons probleem is het volgende, kolonel Wallis. Stel dat we Grant afzetten op de manier die in het 25e amendement beschreven staat. Zou het communicatiepersoneel dan mijn gezag als president *pro tempore* aanvaarden? De grote vijand is de klok. De hele overdracht van het gezag moet in een paar seconden voltooid zijn. Er is geen tijd voor uitgebreide uitleg, zelfs niet voor een korte.'
'De snelste opstand in de geschiedenis,' zei Hooper. 'Het moet voorbij zijn en de nieuwe bevelstructuur moet tot stand zijn gekomen in de paar seconden tussen het moment waarop de asteroïde ons luchtruim binnenkomt en het moment dat de klap onze silo's bereikt.'
'En daar begint jouw rol, Wallis, jij en je achtergrond in communicatie,' ging Bellarmine verder. 'Binnen een dag of twee zul je worden overgeplaatst. Je zult het bevel krijgen over de communicatiekamer. Er worden briefings voor je geregeld. Jij zult op het cruciale moment de leiding hebben over het personeel. De beslissing dat Communicaties mijn gezag accepteert, zal bij jou liggen. Dan kunnen we verder met onze tegenaanval.'
'Jullie proberen me om de tuin te leiden,' hield Wallis vol. 'Als de president wordt afgezet, hebben jullie nog steeds te maken met de vicepresident.'
Hooper sloeg met zijn vuist op tafel. 'Dit moet toch de grootste stijfkop in mijn leger zijn.' Bellarmine hief zijn hand om de voorzitter van de gezamenlijke chefs-staf tot zwijgen te brengen.
Wallis boog even het hoofd. Toen zei hij, denkend terwijl hij sprak: 'Als de vice-president niet geconsulteerd kan worden en de president op legitieme wijze is afgezet volgens het 25e amendement, en de minister van Defensie de enige relevante voornaamste man in die om-

standigheden is, dan veronderstel ik... Ja.' Hij leek tot een besluit te komen. 'Dan denk ik dat de minister van Defensie inderdaad waarnemend president wordt. Heren, ik kan niet meedoen aan het verwijderen van de vice-president uit het besluitvormingsproces. Maar als hij om wat voor reden ook op het cruciale moment afwezig is, kan ik met een rein geweten uw bevelen opvolgen.'

In een moment van paniek besefte Wallis dat hij met deze woorden had ingestemd met een complot om de president van de Verenigde Staten af te zetten en een kernaanval te lanceren waarbij honderden miljoenen doden zouden vallen. 'O, jezus christus,' voegde hij eraan toe. Hij voelde zich opeens onpasselijk.

Bellarmine trok een halve glimlach.

'Margaret zal inmiddels wel klaar zijn voor het vuurwerk,' zei Hooper, en hij pakte zijn sombrero op.

'Ik wil een paar van mijn eigen mensen meenemen, mensen die me kennen,' zei Wallis, wie het koude zweet op het voorhoofd stond.

Hooper stond op. 'Natuurlijk. Geef me de namen maar. We mogen het vuurwerk niet missen.'

Bellarmine veranderde weer in een weerwolf.

De menigte riep 'ooo' en 'aaa' toen de pijlen de nachtelijke hemel in schoten en met een knal explodeerden tot veelkleurige sterren, terwijl het uiteinde van het grasveld werd overgoten door een dure verblindende waterval van zilveren vlammen. Wallis dacht aan de donkere gestalte die hij op de weg had gezien en aan de beleefde jongeman die precies had geweten waar hij hem moest zoeken in het donkere bos.

Als ik naar de hoofdweg was gelopen, was ik nu waarschijnlijk met een paar kettingen om mijn lichaam op weg naar de bodem van het Pepsimeer; een daad van patriottisme, uit liefde voor het vaderland.

Er drukte zacht vlees tegen zijn arm. Nog een aankomend sterretje, overspoeld door hormonen, met grote donkere ogen die in de zijne keken. 'Is dit niet spannend,' zei ze, en hij sloeg een arm om haar middel en zei: 'Ja, zus, cool. Wat ben ik blij dat ik vannacht ben ontsnapt uit het aidshospice.'

Deel twee

ITALIAANSE MASKERADE

Maskerade (de);-s of –n) 1 optocht of feest van gemaskerden 2 (in 't bijz.) gekostumeerde optocht van studenten bij een lustrumfeest 3 (fig.) het zich anders voordoen dan men in werkelijkheid is (1600)<Fr. *Mascarade* of <Sp. *Mascarada*

Dag vier

Eagle Peak, donderdagmorgen

Webb werd om zeven uur met een schok wakker en had in de laatste vierentwintig uur maar twee uur geslapen. De herinnering aan de verontrustende ontdekking kwam weer bij hem op, maar iets anders, een inspiratie, sprak hem toe als een stem in zijn hoofd. De kwestie Tenerife kon wachten.

Omdat hij bang was dat de gedachte zou vervagen naarmate hij wakkerder werd, concentreerde hij zich alleen daarop en visualiseerde hij hem in een assortiment bizarre contexten. Hij sleepte zich naar de badkamer en schoor onder de douche en met zijn ogen dicht de stoppels van twee dagen weg. Toen kleedde hij zich snel aan, inmiddels helemaal wakker en gemakkelijk in staat het fatale stemmetje in zijn binnenste te weerstaan dat zei dat hij nog best een paar minuten kon gaan liggen.

Hij klopte op Noordhofs deur, nummer vier met uitzicht op de woestijn, en klopte nog eens. Noordhof verscheen in zijn onderbroek, duf van slaperigheid. Webb zag dat de soldaat een buikje begon te krijgen.

'Kolonel, ik moet naar Europa bellen.'

Noordhof krabde in zijn oksel. 'Een telefoon is de dood, Oliver.'

'Ik heb een idee. Het is vergezocht en leidt waarschijnlijk nergens toe. Maar als het klopt, leidt het ons recht naar Nemesis.'

Noordhof was meteen wakker. 'Oké, we gebruiken de beveiligde kabelverbinding naar Albuquerque. Ik zal onze slimmeriken bij Communicatie vragen je telefoontje via een onschuldig adres door te sturen. Wie ga je bellen?'

'Een oude vriendin. Ze heeft niets te maken met asteroïden en zelfs niet met wetenschap. Niemand zou een aanleiding vinden haar in verband te brengen met Nemesis.'

'Geef me tien minuten en kom dan naar de zitkamer.'

Webb trok een dikke trui aan en ging naar buiten, waar hij uit pure frustratie om het gebouw heen rende. Judy's Firebird was helemaal be-

vroren en de sporen van de kleine dieren die kriskras over de sneeuw van het parkeerterrein liepen, kwamen samen rond de afvalbakken.
'Doe je mee, Oliver?' vroeg Judy, die in haar grijze joggingpak door de voordeur naar buiten kwam. 'Tien minuten aerobics.'
'Dank je Judy, maar vanmorgen niet. Je blijft natuurlijk wel binnen de cirkel van honderd meter die Noordhof heeft verordonneerd.'
Ze glimlachte raadselachtig. Webb keek haar slanke, strakke lichaam na toen ze met een behoorlijke snelheid en op en neer wapperende haren tussen de bomen verdween. Ondanks hun vreemd intieme gesprek van slechts een paar uur geleden was ze hem nog steeds een raadsel. Ze had blijkbaar niet helemaal door hoeveel verantwoordelijkheid ze droeg, of anders bevonden zich achter dat springerige uiterlijk stalen zenuwen.
Noordhof, inmiddels gekleed in dure vrijetijdskleding, zat Webb bij de telefoon op te wachten. Shafer zat in een leunstoel een vel papier vol te schrijven met vergelijkingen; hij wuifde even naar Webb, maar zonder op te kijken.
'Oké. Dit telefoontje kan aan de Amerikaanse kant niet worden afgeluisterd, maar we kunnen niets zeggen over Europa. We hebben je een plaatselijk adres moeten geven vanwege de trans-Atlantische vertraging. Als je vriendin ernaar vraagt, bel je vanuit de Ramada Inn in Tucson. We hebben daar voor de zekerheid een kamer geboekt onder jouw naam. Je doet de Grand Canyon, de Painted Desert, wat dan ook. Je kunt gewoon het nummer intoetsen. Maar wees heel voorzichtig met wat je zegt. Ik luister via het toestel in de keuken mee.'
Webb toetste het nummer in en een paar seconden later zei een mannenstem 'Western Manuscripts', zo duidelijk alsof hij een meter verderop zat.
'Virginia Melbourne, alstublieft.'
'Die is vandaag thuis.'
'Dank u.' Webb belde haar huistelefoon in Bicester. Hij ging bijna een minuut over en toen zei een ietwat hese altstem: 'Virginia Melbourne.'
'Hoi, Virginia.'
Een trans-Atlantische pauze, en toen: 'Ollie! Hoe is het met je? Bel je uit Oxford?'
'Eigenlijk zit ik in Amerika. En wat ben jij voor ondeugends aan het doen, Virginia?'
'Om te beginnen sta ik hier helemaal in mijn blootje te druipen.'
'Ik zal proberen daar niet aan te denken.'

'Ik heb liever dat je dat wel doet, schat. Waar in Amerika zit je?'
Noordhof keek zichtbaar gespannen door de open deur van de keuken.
'Arizona, ik doe een rondreis. Ik vond dat ik mezelf voor de verandering wel eens kon trakteren op een warme Kerstmis, maar het begint nu al te kriebelen. Weet je nog dat ik een manuscript aan het vertalen was? Deel drie van *Phaenomenis Novae*, van pater Vincenzo?'
'Of ik dat nog weet, schat? We hebben de hele Bodleian overhoop gehaald om het te zoeken. Is die fotokopie die je kwijt was ooit nog boven water gekomen?'
'Nee. En jouw origineel?'
'Nee. Dat is ook nog steeds zoek. En je kunt niet zomaar een manuscript stelen bij Western Manuscripts; onze archieven zijn honderd procent veilig. Het is heel vreemd.'
'Virginia, je moet iets voor me doen.' Webb negeerde het valse gegrinnik in zijn oor. 'Jij zei toch dat er een origineel bestond?'
'Hét origineel. Het exemplaar in de Bodleian was een transcriptie uit de late renaissance, gemaakt in Amsterdam. Als ik mezelf zo in de spiegel zie, zou ik zeggen dat ik best een goed figuur heb.'
'Waar kan ik dat te pakken krijgen?'
'Dat manuscript, bedoel je? Dat bevindt zich ergens in Italië. Ik weet het niet zeker. Vincenzo is niet een van de grote namen, zoals Galileo, Ollie.'
'Alsjeblieft, Virginia!'
'Nou, misschien kan ik je een contactpersoon bezorgen. Ik denk dat een van de jezuïetenpriesters in Castelgandolfo je wel op het juiste spoor kan zetten. Zal ik er eens naar kijken?'
'Alsjeblieft. En stuur me zo veel mogelijk informatie over de historische achtergrond van *Phaenomenis*. Ik ben bezig met een monografie over kometen en ik ben van plan iets te zeggen over de theorieën uit de renaissance. Misschien kan ik in de Grand Canyon een ruwe schets voor een hoofdstuk schrijven.'
Virginia's alt droop van de onverholen jaloezie. 'Sommige mensen hebben ook altijd geluk. Kun je bij een computer komen?'
Noordhof verstrakte weer.
'Ja, ik zou een collega opzoeken bij de Universiteit van Arizona.'
'In dat geval kan ik wat dingen scannen en typen en alles op een anonieme FTP zetten. Dan kun je er binnen een paar uur via mijn homepage bij komen. Maar dan ben je me wel iets schuldig.'
'Noem je prijs.'

'Een weekend in Parijs?'
'Prima.'
'Een ondeugend weekend?'
Noordhof rolde met zijn ogen.
'Virginia, ik ben je eeuwig dankbaar. Daaag.'
De astronoom keek opgetogen naar Noordhof. 'Mark, ik moet meteen naar Rome. Ik wil de hand leggen op een vierhonderd jaar oud manuscript.'
Noordhof wilde net antwoorden toen de glazen deur met een klap opengìng en er rennende voetstappen klonken in de gang. Judy kwam hijgend, trillend en met een rood gezicht de kamer binnen. 'Kom snel.'
De mannen lieten Kowalski en Sacheverell slapen en volgden haar in een snelle draf naar de hut van de kabelbaan. Ze wees omhoog. Er hing een wolkensliert rond Eagle Peak, maar toen die wegtrok, konden ze nog net een man onderscheiden die met gestrekte armen en bungelende benen aan de cabine hing.
Webb rende weer naar het observatorium en kwam terug met een kustwachttelescoop en een driepoot. Ze zetten hem snel op. Via het oculair keek Webb langs de kabel naar de top. Het bovenste platform vulde bijna zijn hele beeld. De cabine was ongeveer zes meter daaronder tot stilstand gekomen. Er bevond zich ruim negenhonderd meter lucht tussen de man en de grond onder hem. 'Het is André. De deur staat open en hij hangt aan het randje. Aan de toppen van zijn vingers, volgens mij.'
'Hoe kan dat in godsnaam gebeurd zijn?' vroeg Shafer.
Judy hield haar vuisten angstig tegen haar mond. 'Hoe lang hangt hij daar al?'
Noordhof rende naar de hut van de kabelbaan. Judy en Shafer gingen achter hem aan en keken omhoog door het grote raam. Webb bleef bij de telescoop. Noordhof liep naar het bedieningspaneel. Dat bevond zich op een metaalgrijs bureau en had een grote aan-uitschakelaar en een hendel waar omhoog en omlaag op stond.
'Wat doe je, Mark?' riep Webb.
'Ik laat de cabine omhooggaan. Hij kan niet langer dan een paar minuten zo blijven hangen.'
'Je duwt hem eraf. Hij zal het betonnen platform raken.'
'Het is omhoog of omlaag. En hij houdt het nooit lang genoeg vol om naar beneden te komen.'

Shafer hield zijn handen aan zijn hoofd en keek omhoog. 'Hoe lang hangt hij daar al?'
'Doe het langzaam,' riep Webb van buiten.
Noordhof zette de grote schakelaar op aan. De motor jankte en de raderen klikten. Hij draaide de hendel langzaam van neutraal naar omhoog. In de telescoop zag Webb de cabine schrikbarend schokken en Leclercs voeten door de ruimte zwaaien. De cabine ging langzaam omhoog naar het platform. Het lichaam van de Fransman slingerde langs een betonnen muur; zijn rug leek ertegenaan te schuren.
'Langzaam!' riep Webb naar binnen. En toen: 'Stop! Hij redt het niet. Het komt door dat Eskimopak. Er is niet genoeg ruimte. Als we hem erdoorheen proberen te slepen, verliest hij zijn greep.'
Noordhof rende naar buiten en bracht zijn oog bij de telescoop. Leclercs hoofd leek bijna vast te zitten in de ruimte tussen het platform en de cabine. Zijn armen waren helemaal boven hem uitgestrekt, alsof hij iets wilde grijpen wat net buiten zijn bereik was. Hij bevond zich een meter van de onbereikbare veiligheid.
De soldaat rende het gebouwtje weer in en duwde de hendel de andere kant op. Webb zag de Fransman vrijkomen uit de smalle spleet en toen hing hij in de open ruimte. 'Hij is vrij!' Noordhof zette de hendel op de maximale snelheid. Het gejank van de motor werd hoger en de stalen kabel vibreerde strak en wond zich snel om de grote trommel. Ze renden naar buiten en keken hoe de cabine naar hen toe kwam.
Leclerc hing er roerloos bij en zwaaide niet meer met zijn benen. Hij was nu een heel eind van de klip. Webb dacht dat hij naar beneden keek. De eerste tientallen meters leek de afdaling van de cabine martelend langzaam te verlopen, maar toen hij bijna halverwege was, leek hij iets sneller af te dalen, hoewel Webb wist dat dat maar zo leek door het perspectief. Hij begon te denken dat Leclerc het zou redden. Maar op twee derde van de afdaling, op ongeveer driehonderd meter boven de grond, verloor de Fransman zijn grip.
Judy gilde. Webb riep: 'Nee!' Leclerc schoot met een angstaanjagende versnelling naar beneden. Zijn armen en benen zwaaiden hulpeloos door de lucht. Op een hoogte van zo'n honderd meter en net zo ver van de ontzette groep raakte hij een uitsteeksel van de klip. De gedempte klap was hoorbaar boven het gejank van de motor uit en het lichaam werd gevolgd door een lawine van steentjes en aarde toen het hoog opsprong voordat het tussen de boomtoppen verdween.
Judy rende zonder iets te zeggen terug naar het hoofdgebouw. Noord-

hof, Shafer en Webb holden tussen de bomen door. Ze vonden Leclerc meteen door het pad van gebroken takken dat zijn val markeerde. Noordhof en Shafer verbleekten en Webb wendde zich af. Hij zocht een rustig hoekje op en kokhalsde, maar zijn maag was leeg.
Noordhof trok zijn blauwe parka uit en legde hem over het hoofd van de Fransman, waarbij hij de donkerrode sneeuw rond het lijk probeerde te vermijden. Ze zochten een paar zware stenen om de parka op zijn plek te houden.
Judy had koffie op staan toen ze terugkwamen. Haar ogen waren rood. Noordhof verdween en kwam terug met een halve fles cognac, die hij leeggoot in de koffiekan voordat Judy inschonk. Webb liep naar de gootsteen, gooide ijskoud water over zijn gezicht en droogde zich af met een theedoek. Hij voelde zich vanbinnen redelijk kalm en was verbaasd toen hij zijn beker niet bleek te kunnen optillen zonder koffie te morsen. Na de derde poging liet hij hem op tafel staan.
Shafer dronk de helft van zijn koffie in één teug op. 'Oké Mark, vertel het eens. Hoe kan dat in godsnaam gebeurd zijn? En wat deed hij eigenlijk daarboven? Hij is geen observator.'
Noordhof zei: 'Ik zie het zo. Hij gaat om een of andere reden naar boven, misschien alleen voor het uitzicht. Hij haalt de hendel over, maar struikelt als hij bij de cabine komt. Einde van onze raketman.'
'Een ongeluk, dus?' vroeg Judy met onvaste stem.
Noordhof haalde zijn schouders op. 'Wat anders?'
Moord, dacht Webb bij zichzelf.
Judy's handen trilden en er stonden tranen in haar ogen. Maar misschien was ze een goede actrice. Hij wierp een blik op Noordhof. Als hij toneelspeelde, overdreef hij niet bepaald; de soldaat leek koelbloedig en beheerst. Webb zag tot zijn verrassing dat Willy Shafer scherp naar hem keek, alsof de Nobelprijswinnaar zijn gedachten las. *Of misschien twijfelt hij aan mij*, bedacht Webb.
Shafer zei: 'Dit is een zaak van de politie.'
'Ja.' Er viel een lange stilte.
Judy liep bij het fornuis weg en kwam aan de tafel staan. Haar stem klonk onvast, maar zelfverzekerd. 'Je hoeft het niet te zeggen, kolonel. We weten allemaal dat we de politie er niet bij kunnen roepen. Er staat te veel op het spel om mensen vragen te laten stellen. Maar als we dit niet melden, doen we de wet misschien geweld aan. En hoe meer we proberen dit ongeluk in de doofpot te stoppen, hoe dieper we in de problemen komen. We moeten het lichaam wegwerken. Hoe doen we dat?'

Noordhof zei: 'We moeten wel onze prioriteiten in het oog houden. Dit zou inderdaad een zaak voor de militaire politie kunnen zijn, maar Judy, ik ben blij dat je het zo ziet. Eerlijk gezegd hoeven we ons niets aan te trekken van de juridische verwikkelingen. Wij moeten Nemesis vinden in de drie dagen die ons nog resten, en dan reken ik vandaag erbij. Dat is het belangrijke doel en niets, zelfs niet een dode in het team, kan ons daarvan afbrengen.'
Shafer zei tegen Noordhof: 'Maar we zitten hier wel met een lijk, Mark. En Leclerc zal toch wel familieleden hebben, misschien zelfs een gezin.'
'Leclerc was een weduwnaar zonder kinderen. Zijn secretaresse verkeert in de veronderstelling dat hij op vakantie is. Niemand in Frankrijk weet waar hij zich bevindt.'
Shafer keek alsof hij de gedachten van de soldaat probeerde te lezen. 'Je hebt mensen tot je beschikking die weten wat ze in een dergelijke situatie moeten doen, nietwaar?'
Noordhof nam bedachtzaam een slokje van zijn *caffè corretto*. 'Ik sta verbaasd over je scherpzinnigheid, Willy, maar dat zou eigenlijk niet moeten, want je zit in dit team vanwege je hersenen. Ja, ik heb begrepen dat er mannen op de loonlijst staan die dit soort dingen kunnen regelen, van de plek van overlijden tot het rapport van de lijkschouwer. Ik zal bellen.' Hij speelde met een lepel. 'Ik zal Kenneth en Herb laten slapen en ze op de hoogte stellen als ze wakker zijn. McNally komt later vandaag terug uit Toulouse. Hoor eens, we kunnen ons hier niet door laten verlammen. In de loop van een uur of twee uur zullen er wat mensen arriveren, maar ze komen niet binnen en jullie hebben geen contact met hen. Als ze eenmaal weg zijn, is Leclerc ook verdwenen en is dit alles nooit gebeurd.'
Noordhof veranderde abrupt van onderwerp. 'Oliver, wat voerden Leclerc en jij in jullie schild?'
Webb vroeg zich even af hoeveel hij moest vertellen. 'Ik wilde gebruikmaken van André's enorme kennis van de Russische ruimtevaart. Vooral over hun lanceerinrichtingen, hoe ver ze in elektronisch opzicht waren en de details over hun ruimtemissies uit het verleden. We wilden samen zien uit te vinden welke asteroïde ze met enige mogelijkheid bereikt konden hebben en uit zijn baan konden hebben gebracht.'
Shafer zei: 'De NASA en het Space Command moeten vol zitten met mensen die dat soort dingen weten.'

'De minister van Defensie heeft om politieke redenen aangedrongen op Europese betrokkenheid. Daar is hij heel duidelijk over geweest. Het kost ons een dag of twee om een geschikt iemand te vinden, die op de hoogte te stellen en hierheen te transporteren.'
'Dat is te laat,' zei Webb. Hij zat te trillen. 'Ik had Leclerc vandaag nodig. Vanmorgen.'
'Gaan we instorten?' vroeg Shafer.
'Oliver,' zei Noordhof met een geagiteerde blik. 'Bedenk iets. Je moet een plan B hebben.'
'André was plan B. Plan A was zoeken naar iets ongewoons aan de hemel, een signatuur van de Russische explosie op Nemesis. Om drie uur vanmorgen had dat nog niets opgeleverd.'
'Kun je daar niet mee verdergaan?'
Webb aarzelde. 'Dat kan, maar dan wordt het wel een vergezocht iets. Dat telefoontje van daarnet.'
Noordhof zei: 'We hebben niet anders dan vergezochte mogelijkheden. Ja, wat was er met dat manuscript?'
Sacheverell kwam met slaperige ogen en op blote voeten in een witte badjas binnen lopen. Hij schonk koffie voor zichzelf in, trok een stoel achteruit en ging aan tafel zitten. Hij nam een slokje koffie en trok een verbaasd gezicht. Hij keek met knipperende ogen om zich heen. Hij leek de spanning te voelen, maar zei niets.
Webb merkte dat hij zijn koffie inmiddels kon optillen zonder ermee te morsen. Hij goot de warme vloeistof naar binnen.
Shafer zei: 'Voor de dag ermee, man.'
'Het heeft niet veel te betekenen. Een paar maanden geleden raakte er een manuscript zoek. Een aantekenboek van Vincenzo.'
'Dé Vincenzo?' vroeg Sacheverell slaperig.
'Ja. Ik wilde de achttiende-eeuwse transcriptie van het Bodleian vertalen. Ik had een fotokopie laten maken, maar die verdween uit mijn appartement voor ik de kans had er goed naar te kijken. Er was verder niets weg. Ik had een Chubb-slot en goed beveiligde ramen en er was geen teken van braak. Degene die het heeft meegenomen wist ten eerste precies wat hij wilde hebben en was ten tweede een zeer bekwame dief. Maar nu wordt het echt vreemd. Ik ging terug naar de bibliotheek om nog een fotokopie te laten maken, en kreeg te horen dat hun exemplaar in de tussentijd ook zoek was geraakt. Nou, dat kan gewoon niet. Je moet goed begrijpen, Herb, dat we het over een beveiliging hebben als die van de kroonjuwelen.'

Sacheverell keek verbaasd. 'Ik denk dat ik nog slaap. Dit is een rare droom. Ollie zit nog steeds helemaal vast in de oude geschiedenis, alleen nu heeft hij er een soort intellectueel spelletje van gemaakt voor zijn persoonlijke vermaak.'
'Drink je koffie nou maar op, Herb.'
'Hij is doodsbang voor de verantwoordelijkheid die we hier dragen.'
Noordhof tikte op de keukentafel. 'Hé, jullie twee. Begin nou niet weer.'
Webb zei: 'Ik heb zitten denken over de precisie waarmee Nemesis geleid moet worden. Je moet niet alleen een precieze afbuiging hebben, maar je moet ook tot op de zesde of zevende decimaal weten waarvandaan je hem laat afbuigen. Er zijn maar heel weinig aardscheerders die zo'n vaste baan volgen. Ze kunnen er geen radiobakens op plaatsen die iedereen kan ontdekken, en waarschijnlijk zou het ding buiten bereik van hun radar zijn, zelfs als de Russen een goede diepe ruimteradar hadden. Volgens mij hebben ze de baan moeten vaststellen met optische gegevens, net als wij. Oké, het kan zijn dat er een jaar kosmonauten op Nemesis hebben zitten navigeren en rekenen tot ze het helemaal uitgewerkt hadden. Maar er is misschien een veel gemakkelijker manier.'
Noordhof schonk Webbs beker nog eens vol koffie. De astronoom dronk hem leeg en Noordhof schonk nog eens bij. 'De meeste asteroïden volgen een heel onregelmatige baan, en dat betekent dat kleine onzekerheden van maar een paar kilometer zich zo opstapelen dat hij na drie- of vierhonderd jaar zo'n beetje overal kan zijn. Maar het omgekeerde is ook waar.' Webb hief een vinger. 'Stel dat je precies wist waar hij vierhonderd jaar geleden was. Dat zou je een tijdsbestek geven dat misschien vijftig keer langer is dan wat je met moderne observaties kunt bereiken. Als je zo'n observatie had, ook al was die niet heel nauwkeurig, zou je het hedendaagse gedrag van de asteroïde met enorme precisie kunnen vaststellen. Het zou precies zijn wat je nodig had om de asteroïde goed te richten.'
Sacheverell sprak tegen de suikerpot die op tafel stond. 'Hier moet een verklaring voor zijn, en de enige die ik kan bedenken is dat ik nog droom. Voor het geval niemand het gemerkt heeft, we kunnen die dingen amper vinden met onze Schmidts en CCD's, laat staan met de armzalige speeltjes die ze vierhonderd jaar geleden hadden.'
'Ik ben niet in de stemming om ruzie te maken, Herb, maar het is niet de eerste keer dat het gebeurt. Uranus is twintig keer gemeld voordat

hij in 1781 eindelijk werd herkend als een planeet. Ik heb in oude sterrenkaarten en manuscripten zitten zoeken naar observaties van de komeet van Encke voordat hij officieel werd ontdekt. Tegenwoordig heb je een sterke telescoop nodig om hem te vinden, maar in de negentiende eeuw is hij ruim tien keer met het blote oog gezien. Alles wat vlak langs de aarde komt, kan worden opgepikt met een refractor van vijf centimeter of zelfs het blote oog.'

Sacheverell nam nog een slokje. 'Ik had het kunnen weten. Je bent een volgeling van Clube en Napier. Ben ik hiervoor mijn bed uit gekomen?'

'Hoe zit het nou met dat manuscript, Ollie?' vroeg Shafer. 'Als het weg is, wat kun je daar dan nog mee?'

'Mijn contactpersoon bij de Bodleian zegt dat er nog een exemplaar is. Het is het origineel en dat is in handen van iemand die ergens in centraal Italië woont. Ik wil dat manuscript vinden en kijken wat erin staat.'

Noordhofs stem was een en al ongeloof. 'Begrijp ik dit goed? Jij denkt dat in dit oude manuscript essentiële informatie staat voor het voortbestaan van de Verenigde Staten?'

'Alle exemplaren zijn stilletjes en systematisch verwijderd. Daar moet een reden voor zijn.'

'Ollie...' Noordhof begon met een sigaar te spelen. 'Ik moet het hierin met Herb eens zijn. De tijd raakt op. We kunnen ons de luxe van excentrieke zijwegen niet veroorloven.'

'Wacht nou eens even, kolonel,' zei Shafer vastberaden. 'We moeten dit door Ollie laten uitzoeken. Goed, het klinkt krankzinnig. Maar hij zit in dit team omdat hij weet waar hij het over heeft en soms zijn krankzinnige ideeën de beste.'

'Heeft iemand een lucifer? Ik buig voor je wijsheid, waar je niet voor niets Nobelprijzen mee hebt verdiend, Willy. Maar ik vind nog steeds dat Ollie zijn tijd beter kan besteden door ons een lijst van bekende aardscheerders te geven die wij kunnen controleren. En stel dat we tijdens Webbs afwezigheid een verdachte asteroïde oppikken? We hebben hem hier nodig. Hij kan niet zomaar in Europa gaan rondwandelen, op zoek naar een vermist manuscript.'

Webb nam dit op als een bedekte erkenning dat Sacheverell niet tegen de taak was opgewassen. Hij zei: 'Ik zal het team vanmorgen nog een lijst met aardscheerders geven. Het is nog donker op Maui en sommige zijn daar misschien nu meteen te zien. De andere kunnen vanavond worden bekeken met de telescoop van Kenneth. Als alles goed gaat, ben ik voor de deadline terug en voor die tijd worden er toch geen onomkeerbare beslissingen genomen. En ik voorspel dat jullie Nemesis ook niet gevonden zullen hebben.'

Judy had een doosje lucifers in een keukenla gevonden. Noordhof stak zijn sigaar op. Hij keek Webb strak in de ogen en sloeg een grimmige toon aan. 'Ollie, ik herhaal wat mij toegestaan is jullie mee te delen. Als we Nemesis op de vastgestelde deadline niet gevonden hebben, gaat de regering ervan uit dat hij voor de inslag ook niet gevonden zal worden en zal ze gepaste maatregelen nemen.'

Webb zei: 'Ik begrijp wat dat betekent, kolonel. Maar ik wéét gewoon dat ik dit moet uitzoeken.'

De soldaat zuchtte. 'We zitten in de kerstperiode, Oliver. Alle trans-Atlantische vluchten zitten volgeboekt.'

'Ik koop iemands plaats als ik moet.'

'Het staat me niet aan. We moeten strenge veiligheidsmaatregelen handhaven voor deze operatie, en dat gaat niet als allerlei mensen door Europa gaan zwerven.'

'Het is mijn laatste mogelijkheid. Iets anders heb ik niet.'

'Jezus.' Noordhof blies peinzend een rookring. 'Goed dan. We zullen risico's moeten nemen. Ga via de snelst mogelijke weg de Atlantische Oceaan over. Willy, neem Judy's auto en geef Webb een lift naar Tucson. Judy is niet in staat te rijden.'

'Maar ik ga wel mee,' zei ze. 'Ik ben bijna klaar met de bomsimulaties.'

Webb vroeg: 'Welke dag is het vandaag?'

Noordhof kreunde. 'Ollie, het is nu donderdagmorgen, tien uur Mountain Time. Onze deadline is in Eastern Standard Time, de tijd op de klokken in Washington, dus. We moeten Nemesis morgen om middernacht Eastern Standard Time te pakken hebben. Dat wil zeggen dat je een dag en twaalf uur de tijd hebt. Als je niet op tijd terug kunt zijn, laat je die koninklijke astronoom van jullie je identificatie bevestigen. Ik wil je niet beledigen, maar bij zoiets moet ik zeker zijn van mijn zaak.'

Ze stonden op. Sacheverell slofte naar de koelkast. Hij zei over zijn schouder: 'Dit is een grap. Wat mij betreft, doet Webb niet meer mee.'

'Nog een laatste opmerking, Ollie. De minister van Defensie wil morgenavond persoonlijk door het team op de hoogte worden gesteld op een veilige locatie. Dan moeten we weten wat jouw vorderingen zijn. Jij zit dan in Italië, maar neem contact met ons op in Willy's strandhuis in Solana Beach, Californië. Net als eerder zal de lijn aan de Amerikaanse kant beveiligd zijn, maar denk eraan dat telefoons de dood kunnen betekenen. Het is een kwestie van het afwegen van risico's. Gebruik een openbare telefoon en als je ook maar even twijfelt, bel je niet.'

'Ik geef je in de auto mijn nummer wel, dan kun je het uit je hoofd leren,' zei Shafer.

'Herb,' zei Noordhof, 'ik heb slecht nieuws.'

Eenmaal in zijn kamer deed Webb zijn laptop in de tas en duwde hij kleren en papieren in de ruimte die overbleef. Hij ging zijn kamer uit en de trap af, de gang door en de voordeur uit.

Naar de hut van de kabelbaan. De cabine hing op zijn plek, met de deur halfopen. Webb keek er niet eens naar en liep meteen naar het bedieningspaneel. Een verticaal metalen paneel onder de bediening werd op zijn plek gehouden door vier eenvoudige schroeven. Hij haalde een pen voor de dag en boog de clip om om hem als schroevendraaier te gebruiken, terwijl hij een nerveuze blik op het hoofdgebouw wierp. Het paneel kwam gemakkelijk los.

Webb stak zijn hoofd naar binnen, maar zorgde dat hij de dikke kabel die onder het beton vandaan kwam en naar de aan-uitschakelaar liep niet aanraakte. Een licht knetteren in zijn haar zei hem dat hij zich gevaarlijk dicht bij een spanningsbron bevond. De schakelaar zat eenvoudig in elkaar. Als hij op 'aan' werd gezet, maakten twee metalen strips contact met twee metalen contactpunten en sloten zo het circuit. Maar achter aan de knoppen zaten twee sterke elektromagneten, op zo'n manier bevestigd dat de knoppen werden teruggetrokken als er stroom door een tweede kabel ging, zodat er geen contact werd gemaakt, waar de schakelaar ook op stond. Die andere kabel, nam Webb aan, ging helemaal naar het bovenste platform. Hij moest ervoor zorgen dat de cabine alleen kon worden bediend vanaf het platform waar hij zich bevond.

Maar iemand had deze tweede kabel geaard; er was een glanzende nieuwe draad omheen gewikkeld en vastgemaakt aan een metalen staaf die in het beton was gedreven. En dat betekende dat de cabine nu vanaf de grond werd bediend. En dat betekende weer dat een vijandig gezinde persoon op de grond kon wachten tot Leclerc half uit de cabine was gestapt en hem dan plotseling kon laten zakken, zodat Leclerc zijn evenwicht verloor en in de spleet tussen de cabine en het platform viel. Webbs hoofdhuid begon te tintelen en hij had niet kunnen zeggen of het door de ontdekking kwam of door de elektriciteit.

Op het moment dat Webb zijn hoofd uit het luik trok hoorde hij nog net de deur van het observatorium dichtgaan. Hij zat vol in het zicht, maar was hij gezien? Hij schroefde haastig het paneel weer op zijn plek. Daarna liep hij met ferme pas terug naar het observatorium. In de gang stond Kowalski met een verbijsterde blik op zijn gezicht. Hij schudde zonder iets te zeggen zijn hoofd. Uit de zitkamer kwam de stem van Sacheverell, hard en boos. Webb liep naar de vergaderzaal, riep Virginia's homepage op en logde in. En terwijl hij haar documenten over Vincenzo overbracht naar zijn laptop, dacht hij na. Er was veel om over na te denken.

1. Valse signalen van een telescoop.
2. Een vermoorde collega.
3. Leclercs verdwijning voor de moord.
4. Een vermist, vierhonderd jaar oud manuscript.
5. Een asteroïde van een miljard ton ergens in de ruimte, die met twintig of dertig kilometer per seconde op hen afkwam.
6. En nu iemand die er zeker van wilde zijn dat ze hem niet vonden.

Tucson, donderdagmiddag

Shafer ging achter het stuur zitten en Webb liet zich in de passagiersstoel vallen, opeens overmand door het gebrek aan slaap. Even later verscheen Judy. Webb bekeek de contouren van haar joggingpak toen ze aan kwam lopen. Ze ving zijn blik en glimlachte somber toen ze op de achterbank ging zitten. De contouren, besloot Webb, lieten niet eens ruimte voor een potlood, laat staan een wapen. Hij begon zich af te vragen of de uitputting een sluimerend paranoïde trekje in hem losmaakte.

Ze reden soepel weg en Shafer stuurde de auto gemakkelijk rond de haarspeldbochten. Webb merkte dat hij ongerust tussen de bomen door zat te turen. Toen ze onder de sneeuwlijn kwamen, ging de temperatuur iets omhoog en tegen de tijd dat de Pontiac voor het hek stond dat de survivalisten afscheidde van Piñon Mesa, was het gewoon mild buiten. Webb ving de geur van houtrook op toen hij het hek opentrok.

Ze reden door de nederzetting, langs een stel smerige rode Dodge pick-ups. Een oudere man zat met een pijp en een groot blik met een of ander bruin sap aan zijn voeten op een veranda. Hij hief vriendelijk zijn hand toen ze passeerden. Shafer zei dat de survivalisten met het oog op Nemesis misschien toch niet zo gek bezig waren, en Judy zei dat dat niet grappig was.

Het laatste stuk heuvel af, linksaf en toen het gas erop op de verharde weg. Webb begon te trillen; hij wist niet waarom, maar dacht dat het waarschijnlijk opluchting was. Shafer zette de radio aan en ze luisterden even naar een fel tekeergaande evangelist voordat ze hem vervingen door muziek zoals je in de wachtkamer van de tandarts hoort: Country and Western, gemakkelijk in het gehoor, u gebracht door Jim Feller en zijn Fellers.

Een helikopter vloog hoog in de tegengestelde richting en de twee rotors glinsterden in het zonlicht. Webb vroeg zich af of dat de lijkkoets van Leclerc was met zijn specialistische begrafenisondernemers, maar hield de gedachte voor zich. Judy's parfum begon zich weer op te dringen.

Een kilometer of dertig ten zuiden van Eagle Peak stopten ze bij wat winkels en een café. Shafer kocht koffie in een kartonnen beker voor Judy terwijl Webb in een kampeerwinkel verdween. Hij kwam een paar minuten later weer tevoorschijn in een hawaïhemd en een bermuda en met een paarse zonnebril op. Hij had een grote bruine papieren zak in zijn hand.

Ze staarden hem verbaasd aan. Judy probeerde niet te giechelen. 'Meet je je een andere persoonlijkheid aan, Ollie?' vroeg Shafer.

'Je zou het ondergoed eens moeten zien,' antwoordde de astronoom terwijl hij in de Firebird stapte. 'Nee, ik probeer alleen de vijand in verwarring te brengen. Wie zou Mister Showbizz in verband brengen met de rustige wetenschapper die drie dagen geleden op Tucson Airport is aangekomen? Jij bent de man die het standaardmodel heeft afgeschaft. Een goed idee.'

'Hé, een theorie vol uitzonderingen en achttien vrije parameters? Er zou een betere manier moeten zijn.' Shafer reed brullend langs een hele rij motorfietsen.

'Maar een elektron als möbiusband? En dat nieuwe idee van je, een denk/vacuüm-interface? Dat is gék.'

'Het zal een generatie duren voordat het algemeen gebruikt wordt. Luister naar de wijze woorden van je oom Willy. Tegenwoordig zou Einstein nog geen baan krijgen als laborant.'

'Je bedoelt?'

'Je hebt twee mogelijke manieren om carrière te maken, Oliver. De gemakkelijkste manier is deze. Steek je nek niet uit, blijf op de gebaande paden en zorg dat je in zo veel mogelijk commissies komt. Kortom, zorg dat je eruitziet en je gedraagt als de personificatie van de gevestigde orde. En stap nooit uit de heersende stroming, wat je ook doet, daar moet ik de nadruk op leggen. Krijg geen nieuwe ideeën.'

'En de moeilijke weg?"

'Krijg een nieuw idee. Maar één ding is het allerbelangrijkste.'

'Mijn adem stokt, oom Willy. Nog meer wijsheid, snel.'

'Vind Nemesis. Anders is jouw generatie er geweest.'

Judy boog naar voren en vroeg beide mannen: 'Wat zijn onze kansen?'

Webb zei: 'Ik ben te bang om daarover na te denken.'

'Je hebt nog geen twee dagen om te kijken of je ingeving iets oplevert,

Ollie, en een groot deel daarvan zul je in het vliegtuig zitten,' merkte ze op.
'Er is iets wat me dwarszit,' zei Shafer. 'En dat is Zhirinovsky. Die vent is nu toch een jaar of twee aan de macht? Stel je in zijn positie voor. Hoe lang zou het duren om iets als Nemesis op poten te zetten?'
'Veel langer dan twee jaar,' zei Webb bedachtzaam. 'Het zou minstens zo lang duren om een aardscheerder met voldoende precisie te volgen.'
'En je zou moeten weten waar je tegen wilt gaan duwen,' voegde Judy eraan toe. 'Kijk maar eens hoe verschillend de reacties zijn in de simulaties. Er zou een heleboel spectroscopie voor nodig zijn en misschien zelfs een zachte landing. Alleen dan zou je de asteroïde naar de aarde kunnen drijven.'
'Ik denk dat er tien jaar en een heleboel clandestiene activiteit in de ruimte voor nodig zijn,' opperde Shafer. 'En dan moet het begonnen zijn in de tijd van Jeltsin. Lang voor Zhirinovsky.'
'Dus?'
'Nou, voor de voedselrellen was vrede om hun kapitalistische experiment te ontwikkelen alles wat de Russen wilden.'
'Wat wil je nou eigenlijk zeggen, Willy?' vroeg Webb.
'Er zit me iets dwars, dat wil ik zeggen.'
Judy zei: 'Er is altijd een onderstroom van onvrede geweest in het Rode Leger. Misschien is een kleine groep hier al jaren mee bezig, buiten medeweten van verschillende Russische presidenten.'
'Is dat mogelijk?' vroeg Webb.
'Ongetwijfeld,' antwoordde ze. 'Grote landen hebben mechanismen om geheimen te bewaren, Ollie. Een groep samenzweerders op belangrijke posities kan aan de juiste touwtjes trekken om het Nemesisproject geheim te houden voor hun eigen leiders.'
'Tien jaar lang?'
'Het zit me dwars.'
Het duurde niet lang voor ze over de brede straten en door de welvarende buitenwijken van Tucson reden. Shafer volgde de borden naar het vliegveld. Ze stopten even bij een vuilnisbak, waar Webb de bruine zak met het pak dat hij van de RAF had gekregen en de trui van Glen Etive weggooide. Bij de ingang van de terminal schudden Shafer en Webb elkaar de hand. Whaler wuifde vanaf de achterbank en toen reden ze brullend weer weg.
In de terminal en de krioelende menigte voelde Webb zich veiliger. Hij kocht een psychedelische roze rugzak die opriep de walvis te redden

en een paar toiletspullen. De American Express-kaart leek een onuitputtelijke geldbron en hij speelde even met het idee om een enkeltje naar Rio de Janeiro te kopen. In plaats daarvan nam hij een grote hoeveelheid contant geld met de kaart op.
Hij ging in een lange rij voor de reserveringsbalie van TWA staan. Na een kwartier van groeiende frustratie werd duidelijk dat er geen beweging in zat. Hij gaf het op en liep de hal door naar een groepje telefoons. Een met pakjes beladen vrouw met haar mond vol sleutels was hem net voor. Ze begon naar munten te zoeken en Webb duwde haar opzij. Een passerende man stortte een stroom van boze scheldwoorden over hem uit. Webb gromde letterlijk en de man ging er haastig vandoor. Hij belde de TWA-balie. Een mechanische stem zei 'hangt u alstublieft niet op, u staat in de wacht' en hij werd een, twee, drie minuten lang vergast op Mantovani's *Music of the Mountains*. Toen nam een van de meisjes de telefoon op en hij keek naar haar terwijl ze dingen intypte op de computer en zei: 'Nee meneer de Concorde zit helemaal vol net als al onze vluchten naar Rome omdat het Kerstmis is maar als meneer echt zo wanhopig is is er over een uur en veertig minuten een vlucht naar Parijs en daar zou u kunnen overstappen behalve dat in Europa alles ook propvol zit en Air France staakt o hij vertrekt niet van hier, zei ik dat niet, maar van Phoenix. Een goede dag, meneer.'
Webb rende hijgend naar de taxistandplaats. Een dikke taxichauffeur zat een krant te lezen. Webb zei: 'Ik geef je honderd dollar voor elke minuut onder de honderd om me naar het vliegveld van Phoenix te krijgen. Plus het normale tarief. De tijd gaat nu in.'
Er gleed een heel scala aan menselijke emoties over het gezicht van de taxichauffeur, die culmineerde in een verrukte grijns. Webb sprong in de wagen. De chauffeur redde het in vijfennegentig minuten, waarin de koude woestijnwind door een open raam om Webbs gezicht had geblazen en er heavy metal uit de luidsprekers achterin schalde. In Phoenix overhandigde Webb de grijnzende chauffeur een dikke rol bankbiljetten. Ze waren al aan het instappen en hij redde het met nog twee minuten over.
De eerste klasse van de BA-vlucht naar Parijs via Londen was vreemd genoeg half leeg. Een vrouw die op Sophia Loren leek bood aan een deken over hem heen te leggen, maar Webb, die duizelig was van uitputting, weerstond de verleiding.

Hallo Ollie!!

Eindelijk bel je me eens! En nog wel uit zonnig Arizona! Terwijl ik naakt ben! Ik heb altijd geweten dat je verborgen talenten bezat, Ollie, maar wauw, wat een timing!! En dan die zware ademhaling. Nou, leer je me iets nieuws als je terug bent? Ik ben nog steeds niet verder dan bondage en leren ondergoed. Hoe dan ook, hier is de historische achtergrond van *Phaenomenis* en ik hoop dat je brandt in de hel, koude ongevoelige ellendige robotvis op een snijblad.
Ik bewaar mezelf voor jou alleen (maar niet veel langer),

Virginia (nog steeds)

PS. Die cowgirls met die grote borsten. Die gaan hangen na hun veertigste.
PPS. Ze hebben allemaal aids.

Ze vindt me leuk, zei Webb in zichzelf. Hij keek neer op een besneeuwde bergketen, goudglanzend in de zon, vroeg zich even af waar Nemesis zou inslaan en begon toen aan het verhaal van Vincenzo.

De laatste dag

Geavanceerde concepten

'We hebben bijna vijftienduizend kernbommen. Daarvan zijn er negenduizend actief en er staan er nog eens zesduizend op de reservelijst.' Judy droeg grote zigeuneroorringen, een wit T-shirt, een klassieke Levi 501 en Nike sportschoenen. Een donkere zonnebril beschermde haar ogen tegen het sterke zonlicht dat door het raam van de cockpit stroomde. Vreemd genoeg droeg ze er een parelketting bij.

Aan McNally's stem was te horen hoe verbaasd hij was. 'Heeft de VS nog steeds vijftienduizend bommen?'

'Maar het grootste deel behoort tot de W-serie en is maar een fractie van een megaton. Prima om steden plat te gooien en zo, maar ze hebben lang niet genoeg kracht om een kleine asteroïde uit zijn baan te brengen. Niet met die richtlijn van honderd dagen. Nee Jim, als we echt actie willen, moet je gaan voor die oude B-53's. En daar hebben we er maar vijftig van.'

'Een is genoeg,' verklaarde McNally.

'Dat denk ik niet. Het zijn geen neutronenbommen.'

'Laten we toch even verdergaan met jouw B-53's.' De directeur van de NASA keek naar het kompas en stelde de knuppel iets bij. De woestijn bewoog onder hen langs. Hij was van Toulouse rechtstreeks naar Tucson gevlogen, waar Judy en de jet hadden staan wachten. Nu was hij onderweg naar het Johnson Space Center in Houston, maar hij moest eerst Judy afzetten bij de Sandia National Laboratories, ruim drieduizend hectare kernwetenschap, veilig opgeborgen binnen de Kirtland Air Force Base bij Albuquerque. Judy praatte hem onder het vliegen bij.

Ze haalde een reep pure chocola tevoorschijn, brak er een paar blokjes af en hield ze het hoofd van de NASA voor, die ze gretig aanpakte.

'Oké,' zei ze, 'het zijn de oudste kernbommen die we nog paraat hebben. Ze zijn al sinds 1962 operationeel. Maar ze zijn ook de grootste en voor hun kracht wegen ze niet veel. Dat is een van de mooie din-

gen van kernwapens: de verhouding tussen kracht en gewicht loopt sterk omhoog. Hoe groter de bom, hoe meer kracht per kilo.'
'Die B-53's, over hoeveel kracht hebben we het dan eigenlijk, Judy?'
'Negen megaton. Dat is genoeg voor elk denkbaar militair doelwit, maar de bom zelf weegt maar vier ton. Het is een driefasenbom. Dat is trouwens geheime informatie, maar gezien de omstandigheden...'
'Hebben jullie niets groters? Ik schijn me te herinneren dat de Russen een keer een bom van vijftig megaton hebben laten ontploffen.'
'De Tsar Bomba. Prachtig ding.' Judy glimlachte. 'Het was eigenlijk een honderd megatonner, maar ze hebben hem afgezwakt naar vijftig toen ze hem in Nova Zembla tot ontploffing hebben gebracht. Zelfs toen kon je de drukgolf overal in Europa op gewone huis-tuin-en-keukenbarometers oppikken. We denken dat hij dertig ton woog.'
'En wat hebben wij in die categorie?'
'Helemaal niets. Het leger heeft in de jaren vijftig al toestemming gevraagd om zestig megatonners te ontwikkelen, maar die hebben ze niet gekregen. We zijn altijd meer voor precisiebombardementen gegaan dan voor enorme knallen.'
McNally liet zijn zonnebril over zijn neus naar beneden glijden en keek Judy over de rand heen aan. 'Dus we hebben niet genoeg nucleair vermogen om Nemesis te doen afbuigen? Meen je dat echt?'
'Als er meer voor nodig is dan negen megaton.'
McNally nam een paar seconden de tijd om die verrassende nieuwe informatie tot zich te laten doordringen. 'Vertel me over je neutronenbommen.' Zo'n zesduizend meter onder hen gleed een stadje voorbij. Smalle witte wegen waaierden ervan uit door de woestijn. Een rookpluim steeg op van een boerderij, een aantal kilometers links van hen.
'Jim, dat zijn gewoon tactische anti-tankbommen. Artilleriegranaten met niet meer energie dan een Hiroshima. Het is moeilijk om gepantserde mensen te doden, maar de neutronen gaan door de pantsering heen. Sommige tanks, zoals onze M-1, zijn versterkt met verarmd uranium, wat heel dicht is en moeilijk te doorboren met explosieven. Maar moet je horen, dit is echt slim. Als je een neutronenbom laat afgaan, activeer je het verarmde uranium, zodat de soldaten vastzitten in een radioactieve tank terwijl de neutronen van de bom daardoorheen dringen. Op een paar kilometer afstand loopt hun bloed binnen een paar minuten uit elke lichaamsopening. Dichterbij en ze lossen gewoon op tot een hete brij. Nog dichterbij en ze exploderen. Nog wat chocola?'

McNally bedankte. Hij trok zijn stropdas wat losser.
'Maar ze zijn veel te zwak om Nemesis een kopje kleiner te maken. Ze zijn zo gemaakt omdat militaire bevelhebbers dan niet te veel steden tegelijk vernietigen als ze de Russische tankbrigades in Europa onder vuur nemen. Ik geloof niet dat we neutronenbommen van meerdere megatonnen op voorraad hebben.'
De directeur van de NASA reageerde even op wat gebabbel over de radio. 'We zijn nu trouwens in New Mexico. Wat is een driefasenbom, Judy?'
Ze aarzelde. 'Ik denk dat ik dat wel kan zeggen. Het begint eenvoudig, met een wapen dat twee subkritische massa's uranium tegen elkaar schiet. Dat is splitsing voor jou, een éénfase atoombom. Het probleem is dat die maar beperkte kracht heeft. De splijting ontwikkelt zich langzaam en de bom blaast zichzelf op voordat al het materiaal is opgebruikt. De bom op Hiroshima had bijvoorbeeld maar een efficiëntie van 1,4 procent. Je kunt niet veel meer dan een kritieke massa laten ontploffen. Maar splijtingsbommen geven je wel een plasma van een meter of iets minder doorsnee met een temperatuur van ongeveer vijftig miljoen graden, en dat is heet genoeg om de fusie in te zetten en vier waterstofatomen te veranderen in één heliumatoom, waarbij het massatekort eruit komt als energie via $E=mc^2$.'
'Ik heb nooit goed geweten wat voor waterstof jullie gebruiken,' zei McNally.
'Dat is ook geheim, maar wat maakt het uit. Dat verschilt. Vloeibare waterstof is het beste, maar je kunt ook gas onder druk gebruiken en we hebben zelfs wel eens een met waterstof geïmpregneerde vaste stof genomen. In ieder geval, meer dan tachtig procent van de energie van een eenvoudige splijtingsbom komt eruit in de vorm van röntgenstralen. Teller en Ulam kregen toen een slim idee; omdat röntgenstralen bewegen met de snelheid van het licht – ze zíjn licht – zou je ze kunnen gebruiken om een grote capsule waterstof met heel hoge snelheid onder druk te zetten, voordat de bom uit elkaar spat. De snelste reactie bij splijtingstemperaturen is die van de zware waterstofisotopen, deuterium en tritium. Dus doe je die isotopen in het mengsel, steekt de lont aan en gaat een heel eind achteruit. Vier waterstofatomen splijten om één heliumatoom te maken, zoals elke scholier je kan vertellen, maar er blijft massa achter in de vorm van een 14 MeV neutron en een 18 MeV foton, die een indrukwekkende hoeveelheid energie vertegenwoordigen.'

'Dat is een tweefasenwapen, als de lont een A-bom is.'
Judy at met een tevreden glimlach het laatste stuk chocola op. 'Precies. Niet alleen Teller en Ulam, maar ook Sacharov in Rusland kreeg het idee van de stralingsimplosie. Dus laten we deze heren danken voor de waterstofbom. Maar waarom zou je stoppen bij twee fasen? Als je een grotere bom wilt, gebruik je de splijtingsexplosie om een derde stadium te bereiken, dat van de fusie. Het wordt een heel smerige bom, maar wel een krachtige, en er komen geen nieuwe wetenschappelijke principes aan te pas. Elk stadium kan tien of honderd keer krachtiger zijn dan het voorgaande. De Tsar Bomba of Koning der Bommen moet beslist een driefasenbom zijn geweest. Op een gegeven moment bestond er zelfs een Russisch ontwerp voor een laagjestaart.'
'Ongelooflijk,' zei McNally verbijsterd.
Nog meer gepraat over de radio. McNally legde uit: 'We komen nu in een stuk verboden luchtruim. Laten we hopen dat Noordhof het heeft geregeld, zoals hij beloofd heeft.' Hij sprak in zijn microfoon en trimde het toestel. Ver boven hen vlogen twee Tomcats snel voorlangs, van rechts naar links. Een derde gevechtsvliegtuig verscheen uit het niets en begon hen nieuwsgierig van alle kanten te bekijken, terwijl hij op een veilige twintig meter afstand bleef. Zo vlogen ze een paar minuten door. Toen wuifde de piloot en de jet schommelde even en verdween toen in de hemel boven hen.
'Judy, het lijkt mij dat je een B-53 moet opwaarderen tot neutronenbom.'
Ze veegde kleine stukjes chocola van haar witte T-shirt. 'Maar Jim, bij een neutronenbom laat je de neutronen ontsnappen tijdens de splijting in plaats van ze te absorberen om meer energie te krijgen. Dat betekent dat een neutronenbom altijd weinig energie zal leveren. Als we gaan voor een afbuiging op het laatste moment en dus energie in de orde van grootte van megatonnen moeten hebben, bestaan de neutronenbommen die wij nodig hebben niet.'
'Maak er een, heel snel.'
Ze schudde nadrukkelijk haar hoofd, zodat haar oorringen heen en weer zwaaiden. 'Jim, waar is je gevoel voor realiteit? Ik weet niet eens of het in principe zou kunnen. Maar het kan zeker niet in de beschikbare tijd.'
'Hé, dat is *mijn* tekst,' klaagde McNally. Hij duwde de knuppel iets naar voren en de naald van de hoogtemeter begon langzaam te dalen.
'Jim. Hoeveel gewicht kun jij in de interplanetaire ruimte brengen?'

'Dat hangt ervan af waar je heen gaat en hoe snel je er moet zijn. De oude Galileo-sonde woog ongeveer driehonderdveertig kilo en had een ruimteschip van ruim elfhonderd kilo om hem te manoeuvreren. Maar we hebben verschillende zwaartekrachtversnellingen moeten gebruiken om hem bij Jupiter te krijgen.'
'Geef eens een getal.'
'Op zijn hoogst? Dan moet je denken aan vierduizend pond.'
'Zes B-61's, elk driehonderdtwintig kilo, drie meter lang en dertig centimeter breed. Een derde van een megaton per stuk als we Model Zeven gebruiken. Kun je die lanceren?'
'Misschien, maar het is niet genoeg.'
Judy voelde bedachtzaam aan haar ketting. Opeens leek ze met haar gedachten ergens anders.

Het nieuwste gebouw van de Sandia Corporation, nummer 810, nam zo'n 8.000 vierkante meter van het centrum van Technical Area One in beslag, diep binnen Kirtland AFB. Met de voorkeur voor afkortingen die grote corporaties over de hele wereld kenmerkt, stond er CNSAC op: het Center for National Security and Arms Control. De veiligheid begon met het ontwerp van het gebouw, dat veilige communicatie garandeerde binnen en tussen de vier afdelingen: Systeemanalyse, Geavanceerde Concepten, Systeembewaking en Veiligheid/Verificatie.
Judy hield van Geavanceerde Concepten. De taak van de afdeling was om nieuwe technologieën te verzinnen die de verdediging van de VS zouden kunnen bedreigen, en om tegenmaatregelen voor te stellen voor het geval dergelijke technieken door derden werden ontwikkeld. Ze hield van de creativiteit, de fantastische en gekke ideeën waarmee gespeeld werd, de pure lol ervan, zoals het concept van de vacuümbom, waar ze voor de asteroïde mee bezig waren geweest. Ze waren hier niet dom.
Zelfs Geavanceerde Concepten kon iets wat niet te stoppen was niet tegenhouden. Maar afhankelijk van de antwoorden die ze hier kreeg, dacht Judy dat er misschien toch een manier bestond. Het was heel vergezocht, nog erger dan Ollies krankzinnige verhaal over een manuscript. Ze liep het gebouw in. Haar vingers beroerden nog steeds haar parelketting.

Vincenzo's manuscript

Ondergetekenden, bij de gratie Gods kardinalen van het Heilige Romeinse Rijk, Generaal Inquisiteurs in de hele Christelijke Republiek, Bijzondere Afgevaardigden van de Heilige Apostolische Stoel tegen ketterse verdorvenheid.
Daar deze Heilige Congregatie heeft geconcludeerd dat u, Vincenzo Vincenzi, zoon van wijlen Andrea Vincenzi van Florence, oud zeventig jaar, de stelling aanhangt dat de zon zich in het centrum van het universum bevindt en onbeweeglijk is, en dat de aarde beweegt en zich niet in het centrum van het universum bevindt, welke stellingen, die zijn toe te schrijven aan Copernicus en Galilei, in tegenspraak zijn met het gezag van de Heilige en Goddelijke Geschriften, en uw geloof absurd en verkeerd is, en ook is geconcludeerd dat u de overtuiging steunt van Giordano Bruno dat de sterren en de zonnen verspreid zijn in een oneindige ruimte, en dat er levende wezens op de planeten die om deze sterren draaien zouden kunnen wonen, welke mening eveneens absurd en verkeerd is, en dat u leerlingen dezelfde overtuigingen bijbrengt in tegenspraak met de Heilige Schrift, vinden, verklaren, oordelen en verkondigen wij in de naam van Christus en Zijn Illustere Moeder, de Maagd Maria, dat u zich schuldig hebt gemaakt aan ketterij.
Zo oordelen de ondergetekende kardinalen.
kardinaal F. van Cremona
kardinaal F. Mattucci
kardinaal M. Azzolino
kardinaal Borghese
kardinaal Fr. D. Terremoto

Plus ça change, dacht Webb. Ik zie die kardinaaltjes bij elke conferentie. Hij keek uit het raampje. De 747 was inmiddels in de donkere hemisfeer van de aarde beland, ergens boven de Atlantische Oceaan.

Ollie, schat. Goed, dus de Heilige Romeinse Inquisitie heeft een slechte reputatie, maar Vincenzo mag eigenlijk niet klagen. Als hij in Duitsland of in de Alpen was berecht, was hij zonder meer gemarteld en terechtgesteld. De goede doctor Karpzov van Leipzig, een tijdgenoot van Vincenzo, kreeg het in de loop van zijn heilige leven voor elkaar om twintigduizend heksen ter dood te laten brengen. Zijn deugd was zo groot dat hij tussen het verkolen van oude vrouwtjes door ook nog drieënvijftig keer de Bijbel wist te lezen.
Liep het Heilige Officie voorop in deze gekte? Nee. Integendeel, het werd er vaak van beschuldigd dat het de heksen niet hard genoeg aanpakte. Iemand die was beschuldigd van hekserij genoot enige bescherming als ze zich in handen van het Heilige Officie bevond, in de vorm van de *Instructio pro formandis processibus in causis strigum, sortelegiorium, et malificiorum.* Dat documentje zet vrouwen op hun plek: *genus est maxime superstitiosum.* De dwaze wezens zijn gauw geneigd tot levendige fantasieën, valse bekentenissen en dat soort dingen (mijn levendige fantasieën zouden jouw kilt in brand laten vliegen). De *Instructio* staat er daarom op voorzichtig te zijn met arrestaties en het aanvaarden van getuigen en zo. Er werd alleen gemarteld nadat de verdachte de kans had gehad zich te verdedigen. Zelfs als *malificio* werd vastgesteld, werden mensen die nooit eerder de fout in waren gegaan en die spijt betuigden slechts verbannen, gedwongen hun woorden en daden op de trap van de kathedraal te herroepen, onder huisarrest gesteld of iets dergelijks.
Er waren echter drie soorten misdadigers die het risico liepen op de barbecue terecht te komen: recidivisten (als je twee keer gepakt wordt, ben je uit), glasharde ketters (bijvoorbeeld mensen die de onbevlekte ontvangenis ontkenden) en koppige volhouders, zoals Vincenzo. Het beleid was om de eerste groep te verbranden en de andere twee zich op het laatste moment te laten bekeren.
En wat zijn een paar uren of dagen pijn in vergelijking met de eeuwigdurende kwelling van de hel? Als die paar uren of dagen een ketter kunnen overtuigen zijn woorden te herroepen, zodat hij in de hemel kan komen, dan is het toch wreder om hem de diensten van de beul te onthouden? Wie terugdeinst voor een beetje onaangename pressie verzaakt zijn plicht tegenover de Gezegende Maagd, tegenover de Kerk en tegenover de ketter zelf. Dat staat allemaal uitgebreid beschreven in Masini's *Sacro Arsenale*, 2de ed., Genua 1625.

Er is geen liefde zonder wreedheid, zoals Miss Whiplash tegen de bisschop zei.

Wat gebeurde er dus met onze Vincenzo? Lees verder.

Vreemd genoeg verschaften de kardinalen Vincenzo ondanks zijn felle aanval toch een ontsnappingsmogelijkheid. Misschien had de groothertog zijn invloed laten gelden en was er geknikt door Zijne Heiligheid, wie zou het zeggen? In ieder geval hadden de inquisiteurs verklaard dat hij slechts een levenslange gevangenisstraf zou krijgen als hij zijn uitgesproken overtuigingen herriep, vervloekte en beschimpte.
Vincenzo had nu de keuze. Hij kon sterven voor zijn overtuigingen, zoals Giordano Bruno had gedaan, die naar de brandstapel was gegaan in de volle overtuiging dat er meerdere werelden bestonden. Langs die route lagen de pijnbank en de *strappado* en daarna de brandstapel. Of hij kon het voorbeeld van Galilei volgen en zijn woorden op zijn knieën herroepen, met zijn hand op een bijbel die werd vastgehouden door de inquisiteur.
Vincenzo gaf zijn dwaling toe. De *territio realis* had hem de afgrijselijke martelwerktuigen laten zien voordat hij ze werkelijk ging gebruiken en dat had de doorslag gegeven. Hij werd veroordeeld tot *carcere perpetuo*. Het bleef onduidelijk of de gezant van de groothertog ermee te maken had, maar de straf werd omgezet in levenslang huisarrest op de landgoederen van de hertog van Toscane. Omdat de hertog een groot deel van Noord-Italië bezat, was het eigenlijk een nominale straf. Vincenzo en zijn minnares hebben de rest van hun dagen in de anonimiteit gesleten, onder de bescherming van de hertog.

De grootinquisiteur had een belofte van armoede afgelegd. Maar zelfs de kleine lettertjes, al waren die er geweest, verboden hem niet een rijke broer te hebben. En zoals zoveel rijke Romeinen vanaf de tijd van keizer Hadrianus had de broer van de inquisiteur een villa in de heuvels bij Tivoli. Het was een plek om tijdens de zomermaanden te kunnen ontsnappen aan het warme, stinkende, door malaria geteisterde Rome. Kort na het proces werden Vincenzo's boeken en instrumenten afgeleverd bij de inquisiteur, die op dat moment in de villa van zijn broer bij Tivoli verbleef.
De kardinaal herinnerde zich dat Copernicus' *De Revolutionibus Orbium Coelestium* in 1616 op de *Index Librorum Prohibitorum* was gezet, waarop de Hollandse ketters het jaar daarop in Amsterdam een

editie hadden gepubliceerd. En Elzevier uit Leiden had binnen de kortste keren de werken van Galileo uitgegeven. Hij zou niet toestaan dat de Kerk nog eens zo voor schut werd gezet. Op het voorblad van elk van Vincenzo's tien boekdelen schreef hij *cremandum fore*; ze zouden in de vlammen worden geworpen.

Wat er vervolgens gebeurde is onduidelijk, schreef Virginia. Misschien had de secretaris van de groothertog wat druk uitgeoefend. Hoe dan ook, Terremoto streepte het *cremandum fore* door en verving de woorden met *prohibendum fore*; de boeken zouden niet verbrand worden, maar mochten niet gelezen worden. Er werden een paar kopieën gemaakt, maar die gingen verloren, behalve het exemplaar dat in de Bodleian terecht was gekomen. Virginia had een brief uit die periode bijgevoegd.

> Eerwaarde vader. Zijne Heiligheid heeft een boek in octavoformaat verboden met de titel *Phaenomenis Novae*, in delen, door Vincenzo Vincenzi, zoon van Andrea Vincenzi van Florence. Het boek bevat vele fouten, ketterijen en schadelijke en tot verdeeldheid oproepende ideeën. Ik stel uwe eerwaarde ervan op de hoogte dat u een edict kunt afkondigen om het boek te verbieden en boekverkopers en privé-personen kunt bevelen elk exemplaar in hun bezit af te geven of anders een vastgestelde straf te ondergaan. Ik merk op dat uwe eerwaarde kopieën van de *Republique* en van *Demonomania* van Jean Bodin heeft ontdekt in een boekwinkel in uw stad. Deze zijn op bevel van Gregorius XIV, zaliger nagedachtenis, verboden. Alle kopieën van het voornoemde boek moeten na inbeslagname worden verbrand. Uw ijver in deze zaken is Zijne Heiligheid en de Congregatie welbekend en we twijfelen er niet aan dat u deze ook op deze zaak zult toepassen in dienst van de Heer God. Moge Hij u bewaren in Zijn heilige genade. Ik beveel me aan in uw gebeden.
>
> Rome, 30 augustus 1643
>
> Van uwe broederlijke eerwaarde,
> Kardinaal Terremoto

De groothertog wist Vincenzo's werk nooit aan zijn grote bibliotheek toe te voegen. De kardinaal legde ze in een donkere kelder in het huis van zijn broer, verborgen tussen de afdankertjes van een groot familiehuis, en daar bleven ze meer dan honderd jaar liggen.

In 1740 liep een bibliothecaris uit Florence, doctor Tomasso Bresciani genaamd, over een marktplein in Rome. Hij kocht een worst bij een kraampje, die in een stuk oud papier werd verpakt. Toen hij de worst uitpakte in het Triano-park, dat uitzicht bood op het Colosseum, zag hij dat de verpakking een brief was van de inmiddels lang geleden overleden Vincenzo. Webb stelde zich voor hoe de beste bibliothecaris zich in zijn worst had verslikt. Het vel papier bleek afkomstig van een afvalverzamelaar en van daar leidde het spoor naar het huis van de kleinzoons van een neef van een van de grootinquisiteurs, die oud papier uit de kelder verkochten. Bresciani ontdekte de aantekenboeken, die terechtkwamen in de beroemde Riccardi-bibliotheek in Florence, waar ze geïndexeerd, gerestaureerd, ingebonden, opgeborgen en nogmaals vergeten werden.

Tweehonderd jaar later, in 1924, doken ze weer op op de zolder van een boerderij in de Provence. Nog een voetnoot: 'Bijna zeker via de troepen van Napoleon. Die waren voortdurend musea en bibliotheken in Italië aan het plunderen en spullen over de Alpen aan het vervoeren. En ook vrouwen, vermoed ik. Ollie, wanneer kom je terug?'
Drieduizend kratten gingen naar het noorden, waarvan er een aantal in de woeste stromen van de Alpen vielen. Veel van de overblijvende manuscripten, die een onschatbare waarde vertegenwoordigden, werden in Parijs gebruikt als inpakpapier. De meeste werden verknipt en als knipsels verkocht, een ongekende daad van vandalisme door inhalige Parijse zakenlieden. *Phaenomenis* overleefde het gelukkig.
Het werk werd vervolgens voor een paar centen gekocht van de boer, door de beroemde monnik Helinandus ('kopie van het reçu ingescand voor het geval je belangstelling hebt') en zo kwamen ze weer terug, helemaal naar Rocca Priora ten zuiden van Rome, waar ze deel gingen uitmaken van de beroemde collectie astronomische manuscripten van de cisterciënzer monnik.
Een feit dat Webb rechtop deed zitten.

Helaas, ging het relaas van Virginia verder, kwam toen de Tweede Wereldoorlog. Terwijl de geallieerden vanuit Anzio oprukten naar het binnenland, werden treinladingen vol met kostbaarheden door de terugtrekkende Duitsers meegenomen naar het noorden. Een van die treinen kwam vast te zitten in een tunnel tussen Frascati en Rome en de buit werd in een bloedig gevecht door de partizanen in beslag ge-

nomen, inclusief uiteraard een verzameling manuscripten die haastig door een Duitse officier waren weggehaald uit een klooster. Helaas verdwenen sommige van de heilige relieken, kunstschatten en zeldzame manuscripten in de verwarring van de strijd. Vincenzo's manuscript is nooit meer gezien.
Er is natuurlijk de transcriptie van het origineel van de hand van een anonieme Hollander, bezit van de Bodleian. Of die was er, schat. Maar daar die nu ook zoek is, evenals jouw fotokopie ervan, lijkt het erop dat de werken van Vincenzo van de aardbodem verdwenen zijn.
Op dat punt was Virginia gestopt. Ze had haar nogal bombastische handtekening ingescand, die bijna het hele scherm van zijn laptop besloeg.
Webb staarde de donkere nacht in. Voor het eerst sinds Glen Etive was hij er echt van overtuigd dat zijn taak hopeloos was. Een manuscript vinden dat zoek was geraakt bij een vergeten schermutseling, bijna een heel leven geleden? Binnen vierentwintig uur?
Hij besloot dat hij Virginia, de bibliothecaris met de op hol geslagen hormonen, een bos bloemen zou sturen. Hij keek op zijn horloge. Hij zou snel moeten zijn; binnenkort zouden er geen bloemen meer zijn op deze planeet.
Hij had bijna de laatste pagina over het hoofd gezien, ervan uitgaand dat er niets op stond. Maar nu klikte hij op de returntoets op zijn laptop en zag hij dat Virginia aan het eind van haar document een naschrift had toegevoegd:
'Ollie, schat, je zou contact kunnen opnemen met dat Rocca Priora-klooster. Er gaan geruchten.'

Monte Porzio

De korte Atlantische nacht naderde haar einde en een bleek zonnetje begon het onafzienbare wolkenveld waarachter de oceaan verscholen bleef te verlichten.

Webb legde zijn laptop weg en rekte zich uit. Hij probeerde de dingen op een rijtje te zetten.

Misschien, peinsde hij, ben ik wel paranoïde. Misschien heb ik in mijn opwinding het circuit van de kabelbaan verkeerd geïnterpreteerd. Zo ja, is de dood van Leclerc dan toch een ongeluk, hoe vreemd ook?

En wat moest hij denken van de snelle reacties van de robottelescoop? Misschien was het niet meer dan dat; een snelle reactie, mogelijk gemaakt door de rust op de elektronische snelweg over de Atlantische Oceaan op dat uur van de nacht.

Maar stel dat Leclerc wel vermoord was en de observaties op Tenerife vals, bedacht Webb. Dat zou betekenen dat Leclerc dicht bij Nemesis was gekomen en dat iemand in het team niet wilde dat de asteroïde geïdentificeerd werd. Dat wilde zeggen, dat iemand in het team wilde dat een asteroïde zijn land vernietigde. Familie, vrienden, het huis, de gemeenschap, zelfs de hond als hij die had; iemand wilde dat dat allemaal verdween.

Webb was zich er vaag van bewust dat hij minder wereldwijs was dan de gemiddelde straathandelaar, maar zelfs met zijn beperkte inzicht in zijn medemens kon hij niet geloven dat een dwaas zo diep zou zinken. Het sloeg nergens op.

Webb dacht aan zijn collega's in het team. Zes Amerikanen: Mark Noordhof, Judy Whaler, Jim McNally, Willy Shafer, Herb Sacheverell en Kenneth Kowalski.

Noordhof was door de minister van Defensie of de president gekozen vanwege zijn kennis van de raketafweertechnologie. Judy werkte bij een bedrijf dat het middelpunt vormde van de verdediging van het land. Beiden moesten uiterst betrouwbaar zijn en moesten op ver-

schillende momenten in hun carrière uitgebreid onder de loep zijn genomen.
McNally was niemand minder dan het hoofd van de NASA.
Dan bleven Shafer, Sacheverell en Kowalski over. Maar die waren allemaal min of meer bij toeval gekozen. Willy Shafer was erbij geroepen omdat hij een uitnemend natuurkundige was. Sacheverell omdat hij een vooraanstaand man was in de asteroïdenwereld (oké, hij was een incompetente schreeuwer, maar dat deed niets af aan het feit). Kowalski was toevallig de directeur van een afgelegen observatorium met de benodigde faciliteiten. Geen van deze mensen kon iets hebben geweten van Nemesis, laat staan dat ze zich in het team gemanipuleerd konden hebben.
Goed, dacht Webb, iedereen is brandschoon.
Dus ben ik door uitputting paranoïde geworden. Leclercs dood moet een ongeluk zijn geweest en de robottelescoop was gewoon opmerkelijk snel.
Maar het was wel vreemd dat de Spot-satelliet had laten zien dat het eiland dik onder de bewolking lag op het moment dat hij de robotcamera over een zonnig Tenerife had laten rondkijken.

De vlucht van twaalf uur betekende samen met het verlies van nog eens acht uur vanwege het feit dat het vliegtuig tegen de baan van de zon in over de Atlantische Oceaan was gevlogen dat de Jumbo om negen uur plaatselijke tijd op een grijze, stormachtige vrijdagmorgen op de Gaulle landde. Webb zette zijn horloge gelijk. In Washington was het nu drie uur in de ochtend. Hij schatte dat hij de laatste drie dagen zo'n drie uur slaap had gehad.
'Nee monsieur, de vluchten naar Rome zijn helemaal volgeboekt. Maar er is wel een vlucht naar Nice, van een klein bedrijf dat zijn voordeel doet met de staking bij Air France. Er is nog één plaats over, maar die is standby en het is aan monsieur om er te zijn voordat iemand anders hem inneemt. O, zei ik dat niet? Niet van hier, van Orly. Graag gedaan, monsieur.' Monsieur nam een taxi waarvan de chauffeur even ontvankelijk was voor een grote fooi als zijn neef in Tucson.
De plaats was al vergeven.
'Ja, monsieur, Quai d'Orsay Aviation heeft een luchttaxi voor zakenlieden, maar monsieur zal begrijpen dat we hem zonder het noodzakelijke papierwerk niet naar Italië kunnen laten vliegen en in deze tijd van het jaar leggen de Italianen een vluchtplan gewoon een paar dagen

op de stapel. De snelste manier is om naar Chamonix te vliegen, aan de Franse kant van de Mont Blanc-tunnel, en vandaar verder te gaan, monsieur.'
Hij gebruikte de twintig minuten die ze nodig hadden voor de voorbereiding van de vlucht om Eagle Peak te bellen, waar het een uur of een in de ochtend zou zijn. Noordhof kwam bijna meteen aan de lijn. Het was een kort gesprek.
'Ik ben in Parijs en sta op het punt naar Chamonix te vertrekken. Over drie of vier uur arriveer ik op L'Aérodrome Sallanches. Kan iemand me daar afhalen?'
'Ik zal het regelen.'
Het kantoor van Quai d'Orsay Aviation was ongeveer zo groot als een bezemkast, vuil en leeg. Webb stond er een minuut of vijf ongeduldig te wachten tot er een kleine man met een enorme snor binnenkwam met een gereedschapskist en een plastic brooddoos. De klusjesman nam Webb mee naar de ingang van een hangar. Webb viel bijna flauw toen hij de kleine tweezits Piper Tomahawk zag. Hij verstijfde bij de open deur van het speeltje, maar iemand gaf hem een zetje en hij zat erin. De klusjesman bleek de piloot te zijn en Webb dacht: ach, wat kan het mij schelen, ik ben gestorven terwijl ik mijn uiterste best deed. Ze stonden een vol halfuur op de startbaan te wachten tot ze mochten vertrekken en in die tijd bleef de piloot naar de lage wolken kijken en steeds weifelender geluiden maken over de weersomstandigheden, terwijl het toestelletje heen en weer werd geschud door windvlagen. Tegen de tijd dat de Tomahawk met een als een razende draaiende propeller de donkere wolken in hotste, had Webb volgens hem een nieuw angstniveau ontdekt.
Ze hotsten en botsten over Frankrijk, eerst over een patchworkdeken van velden en toen over het witte Massif Central, dat ze af en toe zagen door cumuluswolken vol sneeuw. Webb sloeg het aanbod van een sandwich af, hoewel monsieur de varkenshersenen heerlijk zou vinden. Lage witte wolken bleken de Alpen te zijn, die hun gezichtsveld steeds verder in beslag namen naarmate ze naderden. De piloot trok de knuppel naar achteren om hoogte te winnen. Niet lang daarna vlogen ze schokkend over het massief van de Mont Blanc. Tussen de wolken door vingen ze glimpen op van naaldscherpe pieken, ijzige blauwe meren en geïsoleerde dorpen in de sneeuw. De piloot vloog om L'Aiguille du Midi heen en liet het vliegtuig schuin hangen, zodat Webb recht in de kloven kon kijken en naar de gletsjers die van de

grote berg afdaalden. Toen kwam de Tomahawk weer recht en werd hij door de piloot onvast door de zware sneeuw naar beneden gestuurd. Webb ving een glimp op van boomtoppen net onder hun wielen, maar zag toen open terrein en een oranje windsok, en de piloot stootte een kort '*Zut*!' uit toen ze net op het moment van de landing een vlaag wind onder de vleugels kregen.

Toen hij eenmaal levend en wel op de grond stond, zwoer Webb inwendig dat hij voortaan altijd vaste grond onder de voeten zou houden. Hij weerstond de aandrang om de sneeuw te kussen en rekende in plaats daarvan af met de piloot, wiens ogen oplichtten van pure vreugde bij het zien van zoveel contant geld. De piloot verdween in een houten hut aan het eind van de landingsbaan en werd tien minuten later door een taxi opgehaald.

Webb stond in zijn hawaïhemd en zijn bermuda te rillen terwijl de sneeuw om hem heen joeg. Af en toe verscheen er een stukje blauwe hemel en kon hij iets zien van de ontzagwekkende, scherpe bergpieken overal om hem heen. Hij keek op zijn horloge. Hij trok de geamuseerde aandacht van een mollig meisje in de hut. Hij wilde net op weg gaan naar Chamonix toen er een felrode sportwagen de weg naar het vliegveld op kwam. Er kwam een man uit met een groen Tiroler hoedje op, compleet met veer, en een lange groene trenchcoat aan.

Webb stapte in. 'Ik heb nogal haast.'

'Dat weet ik,' antwoordde Walkinshaw. 'Daarom heb ik deze Spyder gehuurd.' Er brulden stieren en Webb werd met kracht in zijn rug geduwd. Een paar seconden later bevonden ze zich op de hoofdweg en gingen ervandoor met een snelheid die hij associeerde met een racebaan. Ze schoten langs een groepje chalets en hoge hotels aan de linkerkant. Aan de rechterkant lagen nog meer chalets aan de voet van een ijzige citadel met wolken rond de piek. Toen ze over een brug kwamen, ving Webb een glimp op van turkooizen, snelstromend smeltwater. Overlevingstijd twee minuten, dacht hij zonder reden.

'Die chalets, staan die niet in een lawinegebied?'

De overheidsdienaar haalde zijn schouders op. 'Wat weten rijke buitenlanders daar nou van?' Hij draaide een steile bergweg op, die tegen de berg op naar de Mont Blanc-tunnel liep en werd gemarkeerd door voortkruipende vrachtwagens. Een bord adviseerde sneeuwkettingen en buitengewone voorzichtigheid. Het stond er in verschillende talen op, maar te oordelen naar zijn rijgedrag beheerste Walkinshaw daar geen een van.

Regen.
Regen die hard tegen een raam sloeg.
Zwiep-zwiep.
Het ritmische zwiepen van ruitenwissers en het gesis van banden op een natte weg.
Het gezoem van een motor.
Zware, felle regen. Krachtige motor.
Webb viel weer in slaap.
De auto ging langzamer rijden en draaide. Buiten flikkerden koplampen. De wagen kwam tot stilstand, Walkinshaw stapte uit en het portier ging met een bevredigende bons dicht. Webb luisterde naar de verdwijnende voetstappen, het gestage trommelen van de regen op het dak en het tikken van de afkoelende motor. Er klonken stemmen buiten.
Webb worstelde zich omhoog tot hij zat. Zijn armen en benen waren van lood. Op een verlicht bord stond *Pavesi* en daarboven zag hij een foto van een gezette, glimlachende kok met een gebraden kalkoen op een blad. De klok in het dashboard stond op iets na drieën en het was druk in het wegrestaurant. De stemmen kwamen van een groep vrachtwagenchauffeurs bij de ingang van het restaurant, waarvan er een naar zijn wagen rende met een krant boven zijn hoofd.
Walkinshaw kwam weer voor de dag en rende naar de auto met een stel kartonnen bekers. Het water stroomde over zijn ronde schedel. Webb had niet de energie om zijn portier open te doen. Walkinshaw gaf voorzichtig een beker warme chocolademelk aan Webb voordat hij instapte.
Walkinshaw nam een slokje uit zijn beker. 'Ik heb nog nooit iemand gezien die zo moe was.'
'Ik maak me meer zorgen om jou, meneer Walkinshaw. Ik kan niet geloven dat jij een overheidsdienaar bent.'
'Eigenlijk ben ik pianist in een bordeel,' zei Walkinshaw. Webb nam aan dat het een grapje was.
'En er werkt geen Walkinshaw bij het ministerie voor Informatie Research. Ik heb het gecontroleerd.'
Walkinshaws gezicht was een toonbeeld van gekwetste onschuld. 'En wat dan nog? Het had gekund. Sir Bertrand is teleurgesteld in jou, Webb. Hij denkt dat je een excentriek waandenkbeeld naloopt.'
'Dat is waarschijnlijk ook zo. Ik geloof ook dat iemand in het team ons de pas af probeert te snijden.'
'Doe niet zo belachelijk. Drink je chocolademelk op.'

Webb had het amper gedaan voordat hij weer in slaap viel.
In de late middag werd hij weer wakker en rekte zich uit op het zachte leer. De ochtendregen was verdwenen en de hemel was blauw. Webb ging overeind zitten. De verschrikkelijke uitputting was verdwenen, maar hij had het gevoel dat zijn bloed was afgetapt en was vervangen door water.
Ze reden snel over een weg met keitjes, met de zuil van Trajanus aan de linkerkant, het Forum Romanum aan de rechterkant en het Colosseum recht voor hen uit. Rond het Colosseum was een gemechaniseerde strijdwagenrace aan de gang, maar Walkinshaw liet zich er niet door intimideren. Ze stopten bij een verkeerslicht, het licht sprong op groen en het verkeer spoot ervandoor alsof het zich op een racecircuit bevond. Walkinshaw zigzagde snel naar de voorste plek in de colonne. De Via Appia Antica lag voor hen, maar ze schoten opeens met gillende banden de hoek om.
Na een paar minuten hadden ze de buitenwijken van Rome achter zich gelaten en raasden ze op een stad op een heuvel af, op slechts een paar kilometer afstand. 'Frascati,' zei Walkinshaw. 'We mogen daar een huis van de ambassade gebruiken.'
Ze manoeuvreerden door het stadje en begonnen toen via een bochtige weg te klimmen. Borden wezen de weg naar Tuscolo en Monte Porzio. Voor zich ving Webb glimpen op van een kathedraalkoepel die een paar kilometer voor hen uit boven op een heuvel stond, met oude huizen eromheen als zwanenjongen rond een zwaan. De Spyder stormde over de smalle weg en Webbs knokkels waren wit tegen het dashboard. Zijn scrotum dacht dat het werd fijngeknepen door een gorilla. Eindelijk gromde de auto en ging het tempo omlaag, en ze stopten voor de hoge metalen poort van een witte villa.
Walkinshaw zocht onder een paar stenen en haalde triomfantelijk een stel sleutels tevoorschijn. Toen reden ze over een korte, steile oprit. Er was een balkon dat groot genoeg was om een feest op te houden en dat uitkeek over een landschap dat waarschijnlijk in duizend jaar niet veranderd was.
'Dit behoort toe aan iemand van de ambassade. Het is waarschijnlijk een beveiligd huis en we hebben het trouwens maar een paar uur nodig. Maar jij bent nog steeds meneer Fish en je ziet er nog steeds uit als een lijk in een vriezer. Wil je even rusten?'
'Dat durf ik niet.'

Hij werd wakker van zonlicht op zijn ogen. Hij lag in een groot tweepersoonsbed. Boven hem hingen cherubijnen, en een heilige figuur met een baard in het rijk versierde plafond hield een glas wijn omhoog. Een kroonluchter van roze Venetiaans glas hing bijna recht boven hem. Twee draken bewaakten een kast van ruim drieënhalve meter lang onder een even grote spiegel. Hij nam snel een douche in een ouderwetse badkamer die even groot was als zijn flat in Oxford, en ging naar beneden, waar hij een zitkamer vond. Walkinshaw zat naar een choquerende foto van een vrouw in een tijdschrift te kijken. Hij stond op toen Webb eraan kwam.
'Aha, veel beter. Je ziet er niet langer uit als een opgewarmde dode.'
'Hoe laat is het?' vroeg Webb.
'Iets na vijven. Je bent een uur onder zeil geweest.'
'O, mijn God. Ik moet naar een klooster. Het is niet ver weg.'
'Ik ga met je mee.'
'Nee. Ik ben een eenzame geleerde die onderzoek doet naar een manuscript. En jij ziet eruit alsof je van MI5 bent.'
'Ik zal je in ieder geval een lift geven, gezien de tijd.'
Webb deed het autoraampje open en keek op zijn horloge. Aan zijn linkerkant lag de vlakte van Rome, en de prachtige stad glinsterde in de lichte nevel. Daarachter strekte de lange heuvelkam van de Abruzzen zich uit naar het zuiden. De lucht die door het raampje kwam was warm en geurig, en de hemel was blauw.
En hij had nog vijftien uur.

De bijenstal

Het was een kwartier rijden over een steile, smalle, met bomen omzoomde weg. Het klooster stond binnen een muur van vier, vijf meter hoog, en de gevel van een kerk maakte er deel van uit. Een witmarmeren heilige met een bliksemafleider over zijn rug stond op het steile dak. Achter de muur werd de hemel gedomineerd door een hoge klokkentoren.

Het was druk op het parkeerterrein. Walkinshaw zette zijn stoel achteruit en zijn belachelijke Tiroler hoedje over zijn ogen. Webb volgde een gezin naar een gebouwtje dat op een portiershuisje leek en liep erdoorheen naar een winkel, waar hij werd verwelkomd door de geur van duizenden bloemen. Er werd druk gehandeld in honing, koninginnegelei en een doorzichtige groene likeur, terwijl de Maagd Maria, vereeuwigd op canvas, met haar ogen opgeslagen naar de hemel en gekruiste armen, aan de muur achter de toonbank hing. Webb zei in zijn beste Italiaans: 'Ik zou de abt graag willen spreken.'

De in een wit gewaad geklede monnik achter de toonbank trok verbaasd zijn borstelige wenkbrauwen op. 'Hebt u een afspraak?'

'Ja,' loog Webb. 'maar ik ben maar voor een paar uur in Italië.'

'*Un attimo.*'

Een paar minuten later kwam de monnik weer voor de dag. Hij had een oudere, bijna kale man bij zich met een rood gezicht en een glimlach die volgens Webb niet echt toeschietelijk was. 'Ik ben pater O'Doyle,' zei hij in Amerikaans-Engels met een sterk Iers accent. 'De abt is in de kapel, maar ik ben verantwoordelijk voor bezoekers. Er staan voor vandaag geen bezoekers in mijn agenda. Wanneer hebt u geschreven?'

'Een week of zes geleden,' loog Webb weer. 'Mijn naam is Fish. Ik kom uit Cambridge en ik probeer een boek op te sporen.'

'Ah, dat verklaart alles. U moet de pater bibliothecaris hebben. Kom maar mee.'

Webb liep achter de Amerikaanse monnik aan naar het parkeerterrein en door de kerk weer naar binnen. Ongeveer halverwege ging hij Webb voor naar een dwarsbeuk, haalde een grote sleutel tevoorschijn en maakte een deur open. Daarachter lag een korte gang. Webb zag een deur met een alarm en lampen erboven, afgesloten met drie sloten. De monnik ving Webbs nieuwsgierige blik op. 'Onze sacristie,' zei hij. Door een andere afgesloten deur kwamen ze weer buiten, op een grote, vierkante binnenplaats. Pater O'Doyle ging hem voor door de overdekte kloostergang. Webb zag tot zijn verrassing dat er kerstlichtjes en versieringen tussen de zuilen van de gang hingen. Door de getraliede ramen keken gezichten op hen neer. 'Oblaten,' zei de monnik, die even naar boven zwaaide.
Ze sloegen af en gingen een trap op. Een handvol monniken in witte gewaden en met kappen over hun hoofd passeerde zwijgend. Een andere deur bleek naar een moderne bibliotheek te leiden. Rond een paar bureaus stond een aantal scholieren. 'Ik laat u achter in de bekwame handen van onze bibliothecaris.'
De bibliothecaris had de bouw van een rugbyspeler, maar de spieren waren vervangen door vet en zijn gezicht was bleek.
Webb probeerde zijn roestige Italiaans. 'Ik ben Larry Fish uit Cambridge in Engeland. Ik doe wat historisch onderzoek en ben naar uw bibliotheek verwezen. Ik heb een paar weken geleden geschreven.'
'Ik kan me uw brief niet herinneren. Hebt u geen antwoord gekregen?'
'Dat weet ik niet. Ik ben op reis geweest.'
De monnik boog. 'Wat zoekt u, mijn zoon?'
'Mijn informant was er niet helemaal zeker van, maar ze dacht dat u misschien in het bezit was van de werken van Vincenzo Vincenzi.'
Een uitdrukking van verbazing tekende zich af op het gezicht van de bibliothecaris, maar die verdween al snel. 'Een moment.' Hij verdween even door een deur en kwam terug met een stel sleutels. 'Volg mij.'
Webb volgde de monnik van de met neonlampen verlichte bibliotheek vol computers de trap naar de binnenhof weer af en langs een refter met een lange, zware tafel en een kleine lezenaar. Aan het eind van de kloostergang was nog een trap en de monnik liep naar beneden en vervolgens door een koele, donkere stenen gang die uitkwam op een dikke houten deur. De monnik gebruikte twee sleutels. Hij moest er zo hard tegen duwen dat Webb vermoedde dat er een stalen plaat onder het houten fineer zat. De monnik toetste een nummer in op een

toetsenbord en sloot de deur achter hen. 'Om de vochtigheid en de temperatuur onder controle te houden,' zei hij. 'Ik moet bij u blijven, maar ik moet ook over een uur de completen bijwonen. En we vieren vanavond natuurlijk de geboorte van onze Verlosser.'
Webb nam even de tijd om rond te kijken terwijl de pater bibliothecaris bij de deur bleef staan. Sommige boeken waren nog van vóór Gutenberg; veel ervan hadden de waarde van een Rolls-Royce, een jacht of een huis. Hier was de handgeschreven *Optica* van Witelo en daarnaast Kepler 'supplement op Witelo', zijn *Dioptrice*, waarin hij eeuwen voor Daguerre het principe van de camera beschrijft. En daar stond tot zijn verbijstering de *Docta ignorantia* van Nicolas van Cusa uit 1440, waarin hij beweert dat het universum geen grenzen kent en dat elke beweging relatief is, en dat bijna vijfhonderd jaar voor Einstein en de moderne kosmologen. Er stond een groepje zeventiendeeeuwse boeken over kometen – Rockenbach, Lubienietski, Hevelius en anderen. En daar was *De revolutionibus orbium coelestium* van Copernicus – de editie uit Amsterdam van 1617 – de inleiding tot de pijnlijke geboorte van de wetenschappelijke revolutie. Het was een ware schatkamer, maar Webb had geen tijd om op zijn gemak rond te kijken. Hij draaide zich om naar de monnik, die eenvoudig zei: '*Opere de Vincenzo, qui*,' en Webb meenam naar een plank.
En daar stonden inderdaad de *Opere* van Vincenzo; allemaal behalve deel drie.
'Deel drie, pater?'
'We hebben hier vijftigduizend boeken, maar helaas niet datgene wat u zoekt. Het ontbreekt al zestig jaar aan onze collectie.'
De moed zonk Webb in de schoenen. 'Hoe bestaat het dat ik zo slecht begrepen ben. Deel drie was het deel dat ik zocht.'
'En u bent na zestig jaar de tweede in een week die ernaar vraagt.'
U meent het. 'Om eerlijk te zijn, pater, wil ik het wanhopig graag inzien. Ik zit midden in een geschil onder wetenschappers en alleen de werken van Vincenzo kunnen duidelijkheid verschaffen.'
De bibliothecaris liet zijn stem samenzweerderig dalen. 'Misschien moet u eens met onze abt spreken. Op dit uur van de dag, na de dienst in de kapel, is hij vaak in zijn studeerkamer. Komt u maar mee.'
De bibliothecaris liet Webb achter bij de abt, die aan een groot bureau zat. De astronoom vond de computer op het bureau op de een of andere manier vreemd. Niets voor monniken, zou Noordhof volgens hem zeggen. De man was van middelbare leeftijd en had een mager ge-

zicht en een klassieke Romeinse neus. Hij sprak met rustig gezag, in het Engels, en hij had heldere, wakkere ogen.
'Zo, meneer Fish, dus u komt uit Cambridge. Welk college?'
Webb verstarde. 'Churchill.'
'Op Madingley Road, als ik me goed herinner. Ik ben er al jaren niet geweest. Zeg eens, dat kleine cafeetje op Silver Street, hoe heet dat ook weer?'
'Er zijn er een paar,' zei Webb ontwijkend.
'Lyons? Is dat het?'
Webb besefte opeens dat hij getest werd. Hij vermeed de val. 'Het zegt mij niets, vrees ik.'
'Wat vreemd. In mijn tijd kende iedereen in Cambridge Lyons. Ik heb mijn jeugd daar verspild.' Webb hief op de Italiaanse manier zijn handen en de abt liet de zaak rusten. 'Het is al zo lang geleden. Misschien bestaat het niet meer. Maar goed, het maakt geen deel uit van onze regels om te roddelen. U zoekt de werken van Vincenzo, meneer Fish. U hebt gezien dat onze collectie niet compleet is. Bent u zich bewust van de geschiedenis ervan?'
'Ik heb begrepen dat de partizanen ze aan het eind van de laatste oorlog hebben ontfutseld aan de nazi's, samen met heilige voorwerpen en een heleboel kunst.'
De abt knikte. 'Over het algemeen geloven de mensen uit de omgeving dat al die dingen zijn teruggebracht naar ons klooster, waar ze waren weggehaald. Maar helaas, meneer Fish, is dat hardnekkige gerucht maar gedeeltelijk waar. Sommige schatten en sommige kunstwerken zijn niet teruggebracht. Het boek dat u zoekt is daar ook bij.'
Webb sloot in verslagenheid en wanhoop zijn ogen.
De abt ging verder: 'Vincenzo speelde slechts een kleine rol in het grote drama dat zo lang geleden heeft plaatsgevonden. Als het nu Galileo was geweest, zou er ongetwijfeld veel moeite zijn gedaan om zijn werk terug te krijgen. Maar Vincenzo? Er zijn weinig mensen die zelfs maar van hem gehoord hebben.' De abt keek Webb intens nieuwsgierig aan. 'Is het zo belangrijk, die twist onder geleerden?'
'U moest eens weten, vader abt.'
'U kunt me er niet meer over vertellen?'
Webb schudde zijn hoofd.
De abt leunde achterover en keek Webb bedachtzaam aan over zijn tegen elkaar geplaatste handen. 'Ik vraag me af welke twist onder ge-

leerden zoveel geheimhouding kan vergen en tot zoveel wanhoop in uw gezicht kan leiden.'
'Het staat me niet vrij daar iets over te zeggen. Ik kom niet uit Cambridge en ik heet ook geen Fish.'
De abt grinnikte. 'Dat dacht ik al. Maar we hebben allemaal zo onze geheimen. Ook ik kan niet over alles vrijuit spreken.'
Die vent weet iets, dacht Webb, *misschien uit de biechtstoel.* Hij speelde met het krankzinnige idee om het hele verhaal over Nemesis eruit te gooien, maar verwierp het meteen weer. Het zou worden beschouwd als het geraaskal van een gek. Hij vermoedde bovendien dat de abt zou zeggen dat de planeet naar de hel kon lopen als hij een keus moest maken tussen het schenden van zijn geheimhoudingsplicht en het voorkomen van een ramp.
'U vertrekt alweer snel uit Italië?' vroeg de abt.
'Ik moet weg. Ik ben alleen gekomen voor het manuscript.'
'Dat hele eind voor een vermist boekdeel! Kon ik maar helpen. Maar voordat u vertrekt wilt u misschien de gelegenheid te baat nemen om ons klooster te bekijken. We hebben een ongewone mengeling van bouwstijlen. U zult hebben gezien dat onze basiliek is gebouwd in de vorm van een Grieks kruis, dat vierkant is, in plaats van het middeleeuwse ontwerp met een lang schip, dat de vorm van het kruis van Christus vertegenwoordigt. De ambachtslieden die ons klooster hebben gebouwd, zijn beïnvloed door de Dorische stijl, die eenvoudig en sterk is in plaats van decoratief. En toch heeft de ingang van onze kapel een horizontaal entablement dat wordt ondersteund door zuilen, meer in de stijl van de decoratieve Corinthische orde.' De abt glimlachte. 'Maar ik ben het eens met uw gezichtsuitdrukking, meneer Fish. Als u daar de voorkeur aan geeft, kunnen we ook aan meer lichamelijke behoeften tegemoetkomen. We hebben hier heel veel producten. Ik kan u onze likeur aanbevelen, die wordt gemaakt van meer dan dertig aromatische kruiden, volgens een geheim recept dat zelfs ik niet ken.'
Webb stond op. 'Een andere keer.'
'En onze honing is beroemd. U móét gewoon onze bijenstal zien.'
'Dank u. Helaas moet ik weg.'
'Onze imker is pater Galeno. Hij is heel oud en soms niet helemaal meer bij de tijd, maar hij is een heel interessante man om mee te praten. Dat heb ik ook nog tegen uw collega gezegd.'
Mijn collega? Webb liep naar de deur. 'Dank u. Ik heb er helaas de tijd niet voor.'

De abt zei nogmaals: 'Onze bijenstal, meneer Fish. Pater Galeno is een heel interessante man.'
God, wat ben ik toch een stomkop, zei Webb in zichzelf. De abt sloeg een kruis en Webb zei: 'Dank u voor uw hulp.'
De bijenstal was een vierkant grasveld achter de klokkentoren. Langs de randen stonden een stuk of twaalf rechthoekige bijenkorven, geschilderd in heldere primaire kleuren. Een monnik met een plastic hoed op waaraan een beschermende sluier was bevestigd, stond over een korf gebogen met een metalen emmer en een lang, plat stuk metaal in zijn handen. Overal klonk gezoem toen Webb dichterbij kwam.
'Pater Galeno?'
De imker draaide zich om. Hij was een lange, magere man van halverwege de tachtig. Hij sprak Italiaans en Webb was dankbaar voor de zes maanden die hij een paar jaar eerder in Rome had doorgebracht. Over het witte gewaad van de monnik en zijn sluier kropen bijen. Zijn mouwen waren bij de polsen samengebonden met een touwtje. 'Wilt u soms honing kopen?'
'Vandaag niet.'
'Dan bent u gekomen om het wonderbaarlijke leven van de bij te bestuderen.'
'Helaas heb ik daar geen tijd voor,' zei Webb.
'Geen tijd. Dat is triest. We kunnen zoveel leren van de wereld der bijen.'
Achter de sluier zag Webb donkere ogen met een vreemde mengeling van leegte en scherpte. Hij voelde instinctief dat hier een voorzichtige benadering noodzakelijk was. 'Vertel eens, pater,' vroeg Webb. 'Is de bij zich volgens u bewust van zijn eigen bestaan?'
De ogen van de man lichtten op. 'Ongetwijfeld. Een bij kan zien en horen, maar zijn echte wereld is er een van chemie. Hij reageert op geur en aanraking. Daarom kan zijn denken door ons niet begrepen worden, omdat onze wereld helemaal bepaald wordt door zien en horen. Een bij wordt in zijn dagelijkse arbeid natuurlijk beheerst door instinct, maar inderdaad, natuurlijk heeft God hem in Zijn wijsheid het vermogen gegeven om het leven op zijn eigen manier te ervaren.'
'Maar hij kan niet redeneren. Daar heeft hij de hersenen niet voor.'
Er volgde een hoog gekakel. 'Verschilt hij in dat opzicht veel van het grootste deel van de mensheid? Het is onze menselijke arrogantie waardoor we niet eens een poging doen de wereld te begrijpen zoals die gezien wordt door de bij. De essentie van zijn bewustzijn zal voor

altijd een mysterie voor ons blijven, maar niet voor de bij en ook niet voor de Almachtige.'
Webb probeerde vroom te kijken. 'Pater, ik ben gekomen voor een boek.'
'De bij leert zijn dans niet. Die is hem gegeven door de Schepper. Zou een blinde evolutie een bij kunnen hebben leren dansen? Welke chemicaliën zouden moeten samenkomen om een klein insect een ingewikkelde code te laten dansen?'
'Een boek, pater.'
'Kan het blinde toeval ervoor zorgen dat de bloem en de bij van elkaar afhankelijk zijn om te kunnen overleven? Dat de functies van koningin, werkbij en dar elkaar zo volmaakt aanvullen?'
'Het is een heel oud boek.'
De stem kreeg iets uitdagends. 'Daar moet u onze bibliothecaris voor hebben.'
'Het is aan het einde van de Tweede Wereldoorlog door partizanen uit een trein gehaald,' zei Webb in het wilde weg. 'En u was een van die partizanen.'
De oude man keek Webb verbaasd aan. 'Dat is nou vreemd.'
Webb wachtte. De bijen kropen over zijn blote benen.
'Dat boek, is het een boekwerk van de ketter Vincenzo?'
Webb zei zachtjes: 'Vader imker, waar kan ik dat boek vinden?'
De luiken gingen dicht, zijn ogen werden uitdrukkingsloos. 'Dat kan ik niet zeggen.'
'Dat kunt u niet?'
'Dat wil ik niet. Dat heb ik ook tegen die andere man gezegd.'
Een honingbij kroop tegen Webbs bovenbeen op. Hij probeerde er niet op te letten. 'Waarom niet?'
'Het is onmogelijk over de zaak te praten.'
'Pater, ik wil het niet meenemen, ik wil er alleen een paar uur in lezen. Het is van het allergrootste belang.'
'Nee.'
'Ik moet het zien.'
Een bij was onder de sluier van de oude monnik terechtgekomen en kroop over zijn lippen. Zijn gezicht was dat van een koppig kind. 'In de heuvels blijven herinneringen lang hangen.'
'Herinneringen?' De bijen zaten dik op Webbs shirt.
'Het zijn die felle kleuren. Ze denken dat u een bloem bent. Sta stil, anders maakt u ze boos en prikken ze in uw ogen.'

Webb probeerde het nog eens, maar hij wist dat het hopeloos was. 'Pater, alstublieft. Ik vraag u alleen om het boek van Vincenzo te mogen zien.'
De imker schudde zijn hoofd en draaide zich om naar een bijenkorf. Hij trok er een raster uit dat droop van de honing. Opeens krioelde het overal van de boze bijen en Webb stapte haastig achteruit. 'Een jongeman die geen tijd heeft? Onzin, u hebt alle tijd van de wereld. Kom maar terug als u wat tijd voor de bijen overhebt. Ze kunnen ons zoveel leren.' Hij sloeg met de emmer tegen de bijenkorf en de lucht werd zwart van de insecten.
Gekke ouwe dwaas, dacht Webb, die rende voor zijn leven. Het hoge gekakel van de imker werd bijna overstemd door het woedende zoemen van de honingbijen om zijn hoofd.

Johnson Space Center

De taxi zette McNally af voor de hoofdpoort. Hij sprak even met de bewaker, die hem een bezoekersspeld gaf, en zo ging het hoofd van de NASA onaangekondigd het Johnson Space Center binnen.
Het Center was bijna verlaten; het was tenslotte de dag voor Kerstmis. Hij gokte erop dat een deel van het hogere personeel workaholic was, maar als het nodig was, riep hij ze gewoon weg bij hun gezin. Hij wandelde in zijn eentje door het raketpark, keek in het voorbijgaan even verlangend naar de Saturn V booster en liep verder door de Mall en langs de administratiegebouwen, de simulatie- en trainingsfaciliteiten en de laboratoria en pakhuizen waar hij het uiteindelijke gezag over had. Aan het eind van de Mall stond het Gilruth Center, een soort buurthuis en sportcentrum in één. Het was een hele wandeling. Hij liep naar binnen zonder herkend te zijn en haalde een blikje ijskoude cola uit een automaat. Toen beklom hij een paar trappen en keek met plezier naar twee teams vijftienjarige kinderen die basketbal speelden. Een team in rode shirts en een team in blauwe shirts. Een witharige grootmoeder in een blauw trainingspak rende tussen hen door met een fluitje in haar mond.
McNally werkte een paar interne telefoontjes af en ging toen weer naar het wedstrijdje kijken.
De hoofdingenieur, een stevige man met een baard, was in twee minuten en twintig seconden bij hem. Ze schudden elkaar de hand en hij ging naast de baas van de NASA zitten. 'Hou je van basketbal, Jim?'
'Ik haat alle sport. Nee, ik hou me bezig met beveiliging. We kunnen nog niet in onze kantoren praten.' De ingenieur trok een gezicht.
Twintig seconden later arriveerde het plaatsvervangend hoofd en hij ging met een verbaasd gezicht op de bank voor de twee anderen zitten. 'Mijn secretaresse zei dat je met vakantie was, Jim.'
Jim sloeg de sociale uitwisselingen over. 'Ik ben van plan Deep Space Four in de ijskast te zetten. Ik wil hem vervangen door de Europese

Vesta, die binnen een paar dagen per C-14 in White Sands zal arriveren. De mensen in Albuquerque zullen hem ombouwen om hem te kunnen lanceren met een Air Force IUS, waarschijnlijk met dezelfde booster die we bij de Galileo-sonde hebben gebruikt. Frontiersman zal hem tot op een hoogte van driehonderd kilometer brengen. Ik wil dat de astronauten van de Shuttle een nieuwe training krijgen. Er zullen minstens twee missiespecialisten aan boord zijn, een kernfysicus en een astronoom. Geen van hen zal enige ervaring in de ruimtevaart hebben. Het staat me nog niet vrij om jullie te vertellen waar het allemaal om gaat. Maar ik kan wel zeggen dat de Vesta zal worden beschouwd als een defensief wapen. Dit hele pakket moet over maximaal honderd dagen klaarstaan om te vertrekken.'
'Hoeveel dagen zei je?' vroeg de hoofdingenieur.
'Honderd. Maximaal.'
Kleingeestiger mannen zouden in boos gebrul zijn uitgebarsten en hebben geprotesteerd dat dat uiteraard onmogelijk was. Maar de opdracht was zo belachelijk en de autocratische beslissing zo in tegenspraak met de overlegcultuur binnen de hiërarchie bij NASA, dat de ervaren leidinggevende mannen meteen beseften dat het om een zeer ernstige situatie ging.
'De Russen zouden de Vesta lanceren. Wat zullen zij hiervan denken?' zei het waarnemend hoofd.
'Ze weten het nog niet.'
De hoofdingenieur streek bedachtzaam over zijn baard. Het was een gewoonte waar hij jaren geleden als grap mee was begonnen en die geleidelijk een tweede natuur was geworden. Hij telde de punten op zijn vingers af. 'Laten we hier eens naar kijken, baas. Stel dat we het probleem verdelen in één: het opleiden van de bemanning, twee: de planning van de missie en drie: het ontwikkelen van de hardware.'
McNally knikte.
'Neem punt één. Je weet hoe dat werkt. Het opleiden van de bemanning wordt zo nauwgezet aangepakt dat de astronauten bij wijze van spreken nog verteld wordt op welke tijd ze naar de plee kunnen gaan. Je weet heel goed dat zelfs een ervaren piloot niet in honderd dagen getraind kan worden en dat je geen stel onervaren nieuwelingen kunt loslaten op een ruimteschip.'
McNally boog instemmend zijn hoofd.
Er klonk een uitbarsting van schril geschreeuw van beneden, dat tegen de muren van de sportzaal weerkaatste en pijn deed aan hun oren. De

hoofdingenieur liet het wegsterven voordat hij doorging. 'Oké, nu kijken we naar de brede missieplanning, punt twee. Denk bijvoorbeeld alleen al aan de documentatie die we moeten maken voor de operationele ondersteuning. Transport- en vluchtregels, bevelstructuur, communicatie- en dataplannen, missiecontrole en volgnetwerk, systeemprocedures, operatie- en onderhoudsinstructies, vluchthandboeken, nieuwe bedieningshandboeken, softwaredocumentatie. Verdomme, ik kom vingers tekort en dat is alleen nog maar de documentatie.'

McNally boog opnieuw zijn hoofd.

Het waarnemend hoofd zei: 'Er komt veel werk te liggen bij de afdeling Vluchtontwerp en Dynamiek.'

McNally boog.

'Dus. Je verwacht dat ze binnen honderd dagen een vluchtanalyse doornemen die leidt tot de ontwikkeling van basisvluchtregels, de software voor de geleiding, navigatie en bediening ontwikkelen en bovendien alle nieuwe hardware ontwerpen en bouwen, de MCC en de SMS'en klaarmaken voor de vlucht in kwestie, een prestatieanalyse maken voor het opstijgen en het in zijn baan brengen van het toestel, het verdelen van de lading, de operaties op de plaats van bestemming – met onervaren specialisten – de afdaling en de landing plannen, nieuwe programma's maken voor de SPOC en geïntegreerde checklists opstellen voor dit alles. In honderd dagen.'

'Maximaal.'

De ingenieur krabde op zijn hoofd. 'Over wat voor lading hebben we het? Zwaar, standaard, licht?'

'We lanceren de Vesta plus IUS en nog vier of vijf ton extra.'

'Jezus. Een heel zware lading.'

Het waarnemend hoofd probeerde redelijk met hem te praten. 'Oké Jim, nu we ons toch in sprookjesland bevinden, kunnen we net zo goed even in het algemeen kijken naar Alex' punt drie, de hardware. Kijk naar de ijkpunten voor de vordering van Cassini, beginnend bij het moment dat de Huygens-sonde werd afgeleverd. Het kostte ons drie maanden om de sonde te testen en op het ruimteschip aan te sluiten, weet je nog? JPL had er nog eens vier nodig om alle instrumenten in te bouwen en te testen. De sonde heeft nog zeven maanden in onze ruimtesimulators gezeten. En toen hij op Kennedy was afgeleverd, duurde het nog zes maanden voor hij op de Titan/Centaur was gezet. Als ik goed heb geteld, zijn dat twintig maanden. En jij wilt hetzelfde in drie maanden doen. Laten we even realistisch blijven, Jim.'

McNally veegde de enorme problemen van tafel. 'Je moet kijken naar Clementine One. Drie maanden van concept naar systeemontwerp. De acquisitie overlapte daarmee. Het duurde inderdaad nog een jaar voor de systemen en de tests klaar waren, maar dat werk hebben de Europeanen voor het grootste deel al voor ons gedaan. We hadden het ruimtevaartuig binnen een paar maanden geïntegreerd met de grondsystemen. Hoor eens, het enige wat ertoe doet, is de integratie van Vesta met het lanceervoertuig, een standaard IUS van de luchtmacht die omhooggaat met de Shuttle. Alles wat nodig is, is een adapter voor het lanceervoertuig. Dat kunnen we in drie maanden voor elkaar hebben.'
De wedstrijd werd luidruchtig. McNally voegde eraan toe: 'Om veiligheidsredenen wil ik dit helemaal op Johnson en Canaveral doen.'
'Waar moet de Vesta heen?' wilde de hoofdingenieur weten.
'Dat weet ik niet.'
Het waarnemend hoofd lachte hardop. McNally had nu de grens overschreden van het belachelijke naar het krankzinnige. De hoofdingenieur probeerde zijn stem in bedwang te houden, maar er klonk toch een boze trilling doorheen. 'Jim, je moet me iets uitleggen. Hoe moeten we in godsnaam een missie plannen als we niet weten waar we heen gaan?'
McNally deed zijn mond open om antwoord te geven, maar het waarnemend hoofd was hem voor. Zijn ogen stonden ijskoud. 'Alex heeft gelijk. Wat moet ik mijn team vertellen? Wat moeten ze plannen als er geen bestemming is?'
'Ze maken plannen voor een snelle, zeer precieze nadering van een nog ongespecificeerd interplanetair doel met gebruik van de radars aan boord voor de laatste koerscorrecties.'
'Dat lukt je nooit, Jim,' zei de hoofdingenieur. 'Je krijgt van zijn levensdagen geen toestemming om te lanceren. Of iemand slaat alarm en dwingt een intern onderzoek af. En ze zouden nog gelijk hebben ook. Dit zou heel goed een tweede Atlantis-ramp kunnen worden.'
'De verantwoordelijkheid voor de techniek ligt bij jullie. Ik verwacht dat jullie en de veiligheidsmensen op tijd jullie werk hebben gedaan.'
'Jim, je vraagt me half getrainde astronauten weg te sturen in een raket die van touw en zegelwas aan elkaar hangt. Dat doe ik niet. Ik wil niet verantwoordelijk zijn voor de dood van vijf of zes mensen en het verlies van een Shuttle.' De hoofdingenieur stond op. 'Je dwingt me om ontslag te nemen.'
McNally keek de ingenieur recht in de ogen. 'Een paar mannen die

ogenschijnlijk van de telefoonmaatschappij zijn, zullen straks de telefoon in je kantoor maken. Dat is om te zorgen dat het telefoontje dat je van de president van de Verenigde Staten gaat krijgen, beveiligd is. Het telefoontje zal drie consequenties hebben. Ten eerste zul je erachter komen waar het hierbij om gaat. Ten tweede zul je wensen dat je dat niet wist. En ten derde zul je de deadline halen, ook al ga je eraan kapot, en dat meen ik letterlijk. Art en Jackie zullen vanmiddag ook zo'n telefoontje krijgen. Voor die tijd ben ik niet bevoegd om je te vertellen wat er allemaal speelt.'

Als McNally de ingenieur geslagen had was het effect niet verrassender geweest. De man staarde hem verbijsterd aan. Hij leek geen woord meer te kunnen uitbrengen.

Het waarnemend hoofd herstelde zich het eerst. 'Als er een grote ramp gebeurd is in Byurkan en Vesta vanwege de zwaartekrachtsfactoren snel moest worden gelanceerd, zou dat genoeg rechtvaardiging voor ons zijn om te helpen met een noodprogramma. Dat of een gelegenheidsdoelwit. Het zou dan wel om iets uitzonderlijks moeten gaan, een nieuwe komeet of zo. Dan zouden ze vast en zeker geen alarm slaan; ze overschrijden sowieso graag het budget. Wat is er aan de hand, Jim? Staat Byurkan een enorme ramp te wachten of moeten we op heel korte termijn een komeet onderscheppen?'

Dat is het probleem met die lui van Princeton. Ze zijn veel te slim. McNally probeerde een pokerface te trekken.

De ingenieur had zich voldoende hersteld om iets te kunnen zeggen. Hij ging weer zitten en keek zijn meerdere aan. 'Maar honderd dagen?'

McNally keek op zijn horloge. Acht uur. *Als Webb niet met resultaten komt...* Zijn mond vertrok onbewust van de spanning.

Er werd gefloten. De grootmoeder stond met een rood gezicht met haar armen te zwaaien. Het scherpe piepen van sportschoenen op hout hield op. Een uitbarsting van jeugdig gejuich werd gevolgd door een teamyell. Het blauwe team had gewonnen.

De ingenieur vroeg: 'Wat voor instrumenten zullen er aan boord zijn?'

McNally probeerde een glimlach te onderdrukken. Als je wist wat de instrumentatie was, had je een sterke aanwijzing voor de aard van de missie. Hij dronk zijn cola op. 'Een spectrometer voor analyse van het doelwit tijdens de vlucht. Een impulslaser voor afstandsbepaling: acht impulsen per seconde en hij weegt maar een kilo. Een camera met hoge resolutie en een lichte CCD, gekoppeld aan de laser. Die combinatie heeft een accuratesse van een meter en geloof me, die zullen we nodig hebben ook. Er zal ook een militair pakket worden meegenomen.'

'Je zei dat het om een flyby ging?'

'Een flyby. Er wordt niet vertraagd, er is geen zachte landing. Vesta zal zijn taak heel snel moeten uitvoeren. De afstandsmeting wordt gekoppeld aan megaslimme elektronica en de sonde zal in misschien een tiende van een seconde heel geavanceerde beslissingen moeten nemen.'

De ingenieur staarde naar het hoge houten plafond. Eindelijk zei hij: 'Ik zie overeenkomsten met het Galileo-project. JPL heeft het algemene project gedaan en Ames ging over de sonde. Waarom gebruiken we de ervaring niet die is verworven in Pasadena en Mountain View? Misschien kunnen we zelfs de vluchtplannen van de Galileo als voorbeeld gebruiken. Ik zal de sleutelfiguren van het vluchtontwerpteam van JPL hiernaartoe overbrengen, zodat ze met ons kunnen samenwerken. Zorg dat ik meteen je missiespecialisten hier krijg, dan gooi ik ze op hun eerste dag in de flotatietanks. Zodra je hun taken kunt specificeren, stel ik de missiesimulators samen. Als je toestemming kunt krijgen om een paar mensen van de Vesta over te laten komen... En een doelwit zou ook heel nuttig zijn, Jim, als je eraan toe bent om me dat te geven.'

Ingenieurs. Altijd klaar om hindernissen te vinden, tot ze een uitdaging zien. Ik sta niet voor niets boven die kerels. McNally grijnsde.

Het waarnemend hoofd kneep bedachtzaam zijn ogen halfdicht. 'Dat militaire pakket. Moeten we denken aan iets als een bom?'

Laat al die slimmeriken van Princeton naar de hel lopen.

Santa Maria della Vittoria

De telefoon ging toen Walkinshaw de deur opendeed. Webb had al opgenomen voor de ander hem kon tegenhouden
De stem aan de andere kant sprak Italiaans. Het duurde een seconde of twee voor Webb hem herkende.
'Meneer Fish?'
'Ja.'
'U hebt belangstelling voor een manuscript?'
'Ja.'
'Ik geloof dat ik u kan helpen.'
Webbs hart sloeg over. Hij probeerde instinctief niet al te enthousiast te klinken. 'Ik ben zeer geïnteresseerd. Waar bevindt het zich?'
'De zaak ligt niet zo gemakkelijk. Kent u het amfitheater in Tuscolo?'
Webb had een kort visioen. Een picknick. Een dagje Rome uit. Giovanni en een paar meisjes, wijn en zonneschijn. Italiaans brood en kaas. 'Ja, dat ken ik. Het is op de heuvel boven Monte Porzio.'
'We hebben niet veel tijd, meneer Fish. Zorg alstublieft dat u daar over twintig minuten bent.' De telefoon werd neergelegd.
Webb keek Walkinshaw vol verbazing aan. 'Ik heb een contact.'
Walkinshaw schudde zijn hoofd. 'Dat kan niet. Dit is een beveiligd huis. Niemand weet dat je hier bent.'
Webb liep weer naar de deur. 'We moeten opschieten. We kunnen er niet helemaal met de auto komen. De rest zullen we moeten klimmen.'
Walkinshaw hield zijn hand op. 'Niet zo snel, Webb. Luister je wel naar wat ik zeg? Niemand hoort te weten dat je hier bent.'
'Walkinshaw, ik moet dat manuscript absoluut hebben.'
Walkinshaw liep achter de astronoom aan naar de auto. 'Luister nou eens, Oliver.'
De sleutels zaten nog in het contact. Webb bleef bij het portier staan. 'Het kan me niet schelen. Hoor eens, we hebben het hier over de hele planeet. Wil jij opgeblazen worden? Met je hele familie? En je land?

Als die asteroïde Amerika raakt, wat denk je dan dat ze eraan gaan doen? Ik vermoed dat ze in de tegenaanval gaan, met kernbommen. De Russen zullen op hun beurt terugslaan en dan zitten we nog voor Nemesis hier is weer in de middeleeuwen. De wereld wordt geleid door gekken, Walkinshaw, niet door rationele mensen.'
'Webb, hou je nou eens rustig. Je bent uitgeput en je denkt niet helder na. Ik ben verantwoordelijk voor je. Ik kan je niet zomaar naar deze afspraak laten rennen. Ik moet weten wie weet dat je hier bent en waar je jezelf mee inlaat.'
'Voor dat soort dingen is geen tijd, idioot. Ik moet risico's nemen. Ik ga. Blijf hier als je wilt.'
De auto rook naar warm plastic en de hitte was moordend. Walkinshaw ging achter het stuur zitten en ze draaiden de raampjes naar beneden. 'Wie was het?'
'De bibliothecaris.'
'Heb je hem of iemand anders het telefoonnummer van de villa gegeven?'
'Natuurlijk niet. Ik weet niet eens wat dat nummer is.'
'Het adres dan?'
'Absoluut niet. Rechtsaf.'
'Oliver, hier is iets helemaal niet goed.'
'Dat heb je al gezegd. Hier links.'
De weg voerde hen langs villa's met grote, smeedijzeren hekken, zwembaden en ronddwalende dobermanns op het terrein, en toen kwamen ze in het bos. Er was een leeg parkeerterrein. De *guard'auto* was naar huis. De zon stond laag aan de hemel. De herinneringen kwamen terug. Franca, zo heette ze; en het vriendinnetje van Giovanni had Ambra geheten.
'Blijf hier, Walkinshaw. Ik ben een eenzame geleerde, weet je nog?'
Walkinshaw keek naar de omringende bomen. Zijn gezicht stond donker. 'Dit wordt met de minuut erger. Kijk om je heen. Waarom zou hij je op een plek als deze willen ontmoeten?'
'Hij wil niet dat we samen gezien worden, dat is alles.'
Walkinshaws stadse beleefdheid was verdwenen. 'Je bent gek. Je weet niet waar je aan begint.'
Er liep een pad door het gras naar het kleine Romeinse amfitheater, vierhonderd meter verderop. Een gezette gestalte in een wit gewaad stond roerloos op de stenen trappen. Toen Webb naderde, liep de man weg en verdween in het bos. Webb rende naar het amfitheater. Er

groeide dicht kreupelhout, maar het spoor van de monnik was duidelijk zichtbaar door de gebogen en gebroken twijgjes. Webb volgde het puffend en kwam terecht op een brede Romeinse weg, waarvan de grote flagstones na tweeduizend jaar nog steeds op hun plaats lagen. De bomen vormden een hoog baldakijn boven de weg, die steil de heuvel weer afliep. De monnik stond roerloos op ongeveer driehonderd meter afstand. Webb liep met stevige pas op hem toe.

Toen hij tot op honderd meter genaderd was, verdween de monnik tussen de bomen aan de rechterkant. Het werd donker en Webb rende naar voren, met het risico te vallen op de oude stenen. Hij sloeg af waar de bibliothecaris dat ook had gedaan en was weer terug op het parkeerterrein.

Walkinshaw stond bij de auto. Hij tuurde waakzaam naar de monnik, alsof hij voelde dat er iets mis was.

Er was ook iets mis. Van dichtbij had de man niet de goede bouw om de bibliothecaris te kunnen zijn. Hij was te mager en zijn haar was niet geknipt in de tonsuur van de monnik. Walkinshaw riep: 'Webb! Rennen!' Toen klonk er een scherpe knal en de ambtenaar viel met open mond van verbazing en pijn met zijn rug tegen de auto. Op zijn borst welde een rode vlek op.

Webb draaide zich geschrokken om om te vluchten, maar er was een bleek meisje met sproeten uit het bos tevoorschijn gekomen en ook zij had een pistool in haar hand. Ze naderde tot net buiten armbereik en richtte het pistool op Webbs borst.

Ze hebben Leclerc vermoord en nu ben ik aan de beurt.

Walkinshaw gleed langzaam opzij; zijn ogen tolden in zijn hoofd, hij gorgelde en er sijpelde helderrood, schuimend bloed uit zijn mondhoek. Het meisje wuifde Webb terug naar de auto. Hij negeerde haar en ging naar Walkinshaw. De monnik sloeg hem met de loop van het pistool in zijn gezicht. 'Jullie kunnen hem niet achterlaten!' riep Webb in het Engels. 'Hij heeft hulp nodig!' De monnik begreep het. Hij schoot Walkinshaw een stuk of zes keer in de borst; het lichaam van de ambtenaar schokte en de pistoolschoten scheurden door het donkere woud terwijl Webb vloekte en het meisje hem stevig bij zijn haar greep en haar pistool tegen zijn hoofd hield.

Daarna werd Webb achter in de auto geduwd en gooide de man zijn habijt af. Het bleek een ongeschoren jongeman te zijn met het uitdrukkingsloze gezicht van een psychopaat. Hij draaide de sleutel om en nam de weg naar Tuscolo. Hoewel hij volkomen in beslag werd genomen door gevoelens van angst en woede, dacht Webb nog dat het niet nodig was geweest om over Walkinshaws lichaam heen te rijden en dat de ambtenaar misschien nog wel in leven was toen de wielen over hem heen gingen.

In Rome racete de jongen door EUR over de Via del Mare, die overging in de Via Ostiense. Ze gingen door de Ostiensepoort, langs een witte piramide en daarna ratelden ze over de Viale Piramide. De vrouw hijgde. Haar pupillen waren vergroot en van tijd tot tijd giechelde ze zonder enige reden. Ze hield het pistool verborgen onder Webbs billen en de gedachte aan een onopzettelijke verandering van geslacht, die telkens terugkwam als de auto over kinderkopjes ging, was niet grappig. Hij begon onbeheerst te trillen, kreeg het afwisselend warm en koud en hij voelde een monsterlijke hoofdpijn opkomen. Tot zijn verbazing werden al die emoties langzaamaan verdrongen door woede. Hij was kwaad omdat hij gemanipuleerd was, omdat hij een klap in zijn gezicht had gekregen en om Walkinshaw en zijn familie, als hij die tenminste had. Het was een kokend gevoel van razernij, dat hij stevig onder controle hield.
Ze reden een tijdje langs de Tiber voordat ze ervan afweken en Webb zag dat ze om de Il Vittoriano heen reden en de Via Nazionale namen. De man draaide de Via Delle Quattro Fontane in en stopte.
Hij draaide zich om en klikte vlak voor Webbs gezicht met zijn vingers. '*La chiesa. Vai indietro. Subito!*'
Webb kon de aandrang om de jongen een klap in zijn gezicht te verkopen bijna niet weerstaan. Hij duwde het portier open, sloeg het hard achter zich dicht en stak de weg over naar een van de vier fonteinen. De claxon ging en de man gebaarde dreigend en wuifde hem naar de kerk. Webb stak zijn middelvinger op. Hij gooide koel water in zijn gezicht en waste toen zijn benen. Hij kon niets doen aan de donkere vlek in zijn korte broek. Hij gooide zijn roze gevlekte zakdoek op de weg en keek naar het onopvallende kerkje met de trap naar een dofgroene deur. Boven de deur stond in gouden letters SANTA MARIA DELLA VITTORIA.
Er was even ruimte tussen het verkeer en hij stak de straat over. Hij kon amper zijn ene been voor het andere krijgen. Op de trap keek hij achterom; de jonge moordenaars sloegen hem nauwlettend gade. Hij duwde de buitendeur open. Verschillende notities, een collectebus voor de armen, een binnendeur, bruin en oud. Hij ging naar binnen.

De deur ging met een plotseling pneumatisch gesis achter hem dicht en het Romeinse verkeer was niet meer te horen.
Er hing een muffe geur, als van een kelder of een winkel in tweedehands boeken.
Webb liet zijn ogen wennen aan het donker. Rijen banken strekten zich uit naar een altaar met een witte linnen doek erover. Cherubijnen aan het plafond, kruisen en beelden, brandende kaarsen. En één mens, een jonge vrouw die roerloos en met gebogen hoofd voorin zat. Ze sloeg een kruis en liep vastberaden weg, waarbij haar hoge hakken luid tikten in de beperkte ruimte. Hun blikken kruisten elkaar, maar ze gaf geen teken van herkenning.
Neem het zoals het komt.
Hij liep vermoeid het linker gangpad af. Zijn hart bonsde in zijn borstkas en hij moest steun zoeken bij de banken. In een kleine middenbeuk stond een witmarmeren beeld. Het zonlicht stroomde eroverheen door een hoog raam en het beeld leek te gloeien en te zweven. Een witmarmeren vrouw lag op haar rug en een halfnaakte jongeling stond over haar heen gebogen met een pijl in zijn hand, klaar om haar ermee te steken. De ogen van de vrouw waren halfdicht en haar lippen weken iets van elkaar. Boven dit stel leken zich een soort theaterloges te bevinden. Die werden bezet door verschillende heren die met zich verlustigende en voor eeuwig gestolde gezichten op haar neerkeken.
Het was bizar.
'De Extase van Teresa.'
Webb draaide zich om. Oudere man. Staalgrijs haar, grijzende sik, metalen bril. Wit linnen pak, donkere das, duur overhemd, zwarte ebbenhouten wandelstok. Dunne, glimlachende lippen. Als hij een bedreiging vormde, zag Webb niet meteen hoe.
'Ze is driehonderd jaar oud en zoals je ziet heel mooi. Velen beschouwen haar als Bernini's mooiste werk. En deze kerk, een van de beste voorbeelden van de late barok in Rome, is een waardige omgeving voor haar. Wat vindt u?'
Webb zei het om hem te kwetsen: 'Het is net een pornoshow in een Berlijnse nachtclub.'
Het gezicht van de man vertrok. 'Wat we hier zien, meneer Fish, is de climax van de mystieke vereniging van sint Teresa met Christus. Ik geloof dat Bernini ons hier iets vertelt over zo'n intense spirituele ervaring dat hij alleen aan de gewone mens kan worden beschreven, ook al is het maar bij benadering, door het te vergelijken met seks.'

Webb zei: 'Je kunt erin zien wat je wilt.'
De man zuchtte. 'Zo gaat het met zulke grootse kunst. Maar u stelt me teleur, meneer. Ik zie dat u een oppervlakkig man bent, een kind van uw tijd, niet meer dan een massaproduct van het technologische Reich.'
Webb deed zijn uiterste best om zijn woede te bedwingen. 'Ben ik daarvoor hierheen gehaald?'
De glimlach van de man werd breder. 'Zo mag ik het horen! Eigenlijk bent u hier omdat ik opdracht heb u te vermoorden.'

Ze liepen het zonlicht in, arm in arm over een drukke, lawaaiige straat. Webb was ondanks alles toch blij met de steun. De jonge moordenaars waren verdwenen. Op een klein piazza stond een verkeersagent in het wit op een kleine verhoging, waar de auto's als lava omheen stroomden. Een vrachtwagen met aanhanger had moeite de hoek te nemen en de politieman zwaaide er woedend naar.
'Deze kant uit, *cavaliere*,' zei de oudere man, wijzend met zijn ebbenhouten stok. 'We drinken een biertje bij Doney.'
Ze liepen een brede, licht hellende promenade op, de Via Veneto. Het was er geruststellend druk. Webb liet zich naar een tafeltje onder een blauw met wit gestreept baldakijn leiden. Een donkere jongeman met lang, glanzend haar kwam naar hen toe. De oudere man legde zijn stok nonchalant op de tafel, met de metalen punt naar Webb toe, en bestelde een biertje. Webb vroeg om *un'aranciata*.
Onder aan de heuvel werd op een fluitje geblazen. De vrachtwagen kwam het Piazza Barberini niet om. Verder op de Veneto zag Webb een marinier met een automatisch wapen bij de hoofddeur van de Amerikaanse ambassade staan; hij leek in een slecht humeur.
De man nam een slokje bier. 'Ik had een Duitse lager moeten vragen. U bent zo gespannen als een kat die op het punt staat toe te slaan, meneer Fish. Probeer u toch te ontspannen. U moet weten dat u al dood zou zijn als ik dat had gewild.'
'Wie bent u?'
'Ik zie mezelf als een chirurg.'
'Dan hebt u zeker de operatie in het bos van Tuscolo georganiseerd,' zei Webb.
'Overijverige amateurs. Je moet roeien met de riemen die je hebt.'
Een meisje in een kort, felgroen rokje ging aan een naburig tafeltje zitten, met haar gezicht naar Webb toe. Ze had het ongeschoolde uiter-

lijk van een Siciliaanse boerenmeid. Ze bekeek het menu zonder ook maar één keer zijn kant uit te kijken.

Webb zei: 'De samenleving heeft zo zijn regels.'

Kleine, afkeurende rimpeltjes boven de lippen. 'Meneer Fish, u blijft me teleurstellen. De regels zijn er om de massa's onder de duim te houden! Je hoeft slechts ruggengraat te hebben om je eraan te kunnen houden. Een vrij mens maakt zijn eigen regels.' Van het piazza onder aan de heuvel klonk het geschal van claxons.

De ober liet een bonnetje achter. Webb wachtte tot hij weer weg was. 'Waarom leef ik nog?'

De man zuchtte. 'U blijft voorlopig leven omdat ik hebberig ben. Het schijnt dat sommige mensen u lastig vinden. U zoekt een manuscript. Ik ben erachter gekomen waar dat manuscript zich bevindt. Ik heb het zelfs in mijn handen gehouden. Mijn instructies zijn om u te liquideren voordat u het te pakken kunt krijgen. Een eenvoudige opdracht, waarvoor ik een som geld aangeboden heb gekregen. Ik kan bij het boek wanneer ik maar wil en hier bent u. Wat de som geld betreft, die was opvallend groot. Zo groot dat ik nieuwsgierig werd.'

Webb staarde de man met openlijke afkeer aan. 'Er is een man gestorven omdat u een extraatje wilt hebben? Het spijt me dat ik dezelfde lucht als u moet inademen.'

'Als dat een probleem voor u is, kan dat gemakkelijk worden opgelost.'

'Wat weet u van dat manuscript? Hoe wist u waar ik me bevond?'

Een nonchalant gebaar. 'De details weet ik niet meer zo goed.'

'Wat heeft de pater bibliothecaris ermee te maken?'

'Een naïeve dwaas aan wie een plausibel verhaal is opgehangen.'

'En die overijverige amateurs?'

'Die lieten zich ook gemakkelijk manipuleren, net als alle jonge idealisten. Hen is verteld dat ze het voor het volk deden en dat wilden ze maar al te graag geloven.'

Webb leunde achterover en keek de man aandachtig aan. 'Wat ben ik waard?'

De man betastte afwezig de ebbenhouten stok. 'Een miljoen Amerikaanse dollars. En nog in contanten ook, de enige betaalmogelijkheid die ik erken. Ik heb de helft al gekregen.'

Webb nam een slokje sinaasappelsap. Hij voelde zich een beetje misselijk en haalde een paar keer diep adem. 'Dat is een heleboel geld.'

'Inderdaad. En de vraag die ik moet stellen is: waar ligt die waarde in?

In uw dood, of in het boek? Als het om het boek gaat, heb ik nu misschien iets in mijn bezit waarvan de echte waarde wel tien miljoen dollar is, om maar eens een getal te noemen.'
'Ik begin het te begrijpen.'
'Bent u in een positie om me er tien miljoen dollar voor te betalen?'
'Nee,' loog Webb.
Er verscheen een afkeurende trek op het gezicht van de man. 'Dat is teleurstellend, meneer Fish.'
'En ik ben van plan het boek van u te stelen.'
De man lachte ongelovig. 'Ik bewonder u om uw eerlijkheid, maar uw gevoel voor zelfbehoud laat te wensen over. Hoe wilde u dat gaan doen?'
Webb dronk zijn glas leeg.
De man vervolgde: 'Ik heb dit boek gezien. Over het hoe en waarom hoeft u zich niet druk te maken. Ik heb alle bladzijden, elke regel, elke letter bestudeerd. Maar ik ben er niets wijzer van geworden. Ik zie nergens iets over een verborgen schat, een geheime diamantmijn, invasieplannen. Maar meneer Fish, u weet iets over dit manuscript. Iets wat u in staat zou kunnen stellen het geheim te ontcijferen. U kunt dus slagen waar ik heb gefaald.'
'Dat is mogelijk, gezien uw intelligentie.'
'Het is ook mogelijk dat u me een keer te veel beledigt.'
Webb zei: 'Dat denk ik niet. Want u laat me hier weglopen.'
De man knikte. 'Het is in mijn belang om dat te doen. Als de waarde in uw lijk ligt, zal ik u nooit meer zien. Maar als het om het boek gaat, zult u uw leven op het spel zetten en ervoor terugkomen. Ik vergok een half miljoen dollar door u weg te laten lopen, tegen tien miljoen als u ervoor terugkomt. Een redelijk risico, nietwaar?'
'Ik weet wat u wilt voorstellen. Ik ontcijfer het geheim van het boek. In ruil daarvoor belooft u me met rust te laten. Daarna wilt u uw opdrachtgevers mijn conclusies verkopen of ze ermee chanteren.'
'U bent buitengewoon intelligent, jongeman. Dat is gevaarlijk. Ik zal heel voorzichtig moeten zijn.'
'Nee, ik ben juist dom. Daarom bevind ik me in deze positie. Waarom gooit u me niet gewoon in een kelder en dwingt u me het geheim te ontcijferen?'
'Omdat u een verhaal zou verzinnen, zelfs als u niets vond. Alleen als u om het boek terugkomt, weet ik zeker dat het echt iets bevat wat nog waardevoller is dan uw leven.' De man dronk zijn bier op en depte

zijn mond met een zakdoek. 'Ik betwijfel of u zich aan uw deel van de afspraak zult houden. Als u terugkomt, zult u proberen het boek te stelen.'

'Ik betwijfel of u zich aan úw deel van de afspraak zult houden. Als ik u de informatie eenmaal heb verschaft, heb ik niets meer om mee te onderhandelen.'

'Het leven is één groot risico, vriend. Bedenk eens welk risico ik neem met mijn opdrachtgevers.'

'Ik hoop dat ze u op een donkere nacht tegenkomen.'

'Ik ga u verlaten. U blijft nog tien minuten zitten, en daarna kunt u doen wat u wilt. Als u probeert te vertrekken voordat de tien minuten voorbij zijn, verandert uw dag in een eeuwigdurende nacht.'

'En het manuscript?' vroeg Webb.

'Ik zal contact met u opnemen. Als u probeert ermee te ontsnappen, zult u meteen worden gedood en neem ik genoegen met het andere half miljoen dollar in ruil voor uw lijk. Maar genoeg gepraat over de dood, mijn onwereldse vriend. Vannacht is de *Natale*, de viering van de geboorte. Waarom gaat u niet naar het Piazza Navona, waar de menigten zich al verzamelen, vervuld van de vreugde van het kerstfeest? Zoek een plekje bij de Bar Colombo als u kunt en amuseer u. Zorg dat u alleen bent en draag geen elektronische apparatuur bij u.'

'Doe ook iets voor mij,' zei Webb. 'Dan is de afspraak compleet.'

De man trok zijn wenkbrauwen op.

'Dood de schoften die mijn vriend hebben vermoord.'

De man lachte, zodat er een rij gouden vullingen zichtbaar werd. 'Ziet u wel! Onder het laagje vernis zijn we niet zo verschillend! Ik raad u aan iets anders aan te trekken voordat de politie argwaan krijgt. Kom daarna binnen het uur naar de Colombo, jongeman, vind de verborgen boodschap voor me en leef om te genieten van uw kleinkinderen.'

De man pakte zijn wandelstok op en gaf de ober een biljet van tienduizend lire voordat hij de heuvel af wandelde. Bij de Barberini raakte Webb hem kwijt in de menigte.

Webb draaide zijn stoel iets bij om beter zicht te hebben op de tafeltjes. Een kleine drie meter van hem vandaan zat een man met zilverkleurig haar, misschien een bankier, *Il Giornale* te lezen. Een jongeman uit het noorden, in Levi's en een zwarte trui van Princeton University, keek openlijk naar het Siciliaanse meisje. Het meisje wierp af en toe een schuinse blik terug. Twee arbeiders met enorme buiken zaten grapjes te maken. Een non van middelbare leeftijd nam kleine

slokjes van een cappuccino. Hun blikken kruisten elkaar en ze glimlachte kil.
Het zou toch zeker niet de non zijn?
Nee, de jongeman.
Een oudere priester kwam het café uit en de jongeman stond op. Ze gingen er op Italiaanse wijze gearmd vandoor. Webb bleef nog tien minuten met de tandenstokers zitten spelen en toen stond hij op en ging trillend, misselijk en licht in zijn hoofd van opluchting de heuvel op. Op het piazza stond de vrachtwagen met aanhanger vast op de hoek; hij kon niet meer voor- of achteruit. De straat weergalmde van het getoeter en de verkeersagent was verdwenen.
Voordat hij de hoek om ging, keek Webb nog even langs de heuvel naar boven. De bankier vouwde zijn krant op.

Webb wist de weg in Rome. Hij had er twee jaar geleden – of was het twee miljoen jaar geleden? – zes productieve maanden doorgebracht met collega's van de universiteit. Zijn instinct vertelde hem naar Trastevere te gaan, het gebied van de *noialtri*, de onafhankelijke mensen die niet altijd op goede voet met de wet stonden. Hij ging rechtsaf de Viale del Tritone op en doorkruiste de stad te voet. Eenmaal over de Garibaldibrug belandde hij al snel in een doolhof van smalle straatjes, waar hij kinderen op steps en driewielige *motofurgoni* vol grote buikflessen wijn moest ontwijken.
Op een pleintje stalde een *frutteria*-dame haar waren voor die avond uit en hees ze een enorme doos tomaten op een tafeltje. Een witharige bloemenverkoopster, met een espresso naast haar voeten op de straatstenen, staarde gefascineerd naar Webbs strandkleding. Door een poort kwam hij op een druk pleintje vol tafels, waar mannen met gerimpelde gezichten wat zaten te knabbelen en te drinken en de wereld aan zich voorbij zagen trekken. Uit een *hosteria* dreven heerlijke geuren.
Een vrouw stond te vegen in de deuropening van een kledingwinkel. Ze zei '*buongiorno*' en volgde Webb naar binnen. Hij probeerde het woord voor ondergoed in drie talen en vormde uiteindelijk met een rood gezicht het middelpunt van een groepje vrouwen die probeerden te helpen. Een halfuur later kwam hij weer tevoorschijn in een net donker pak, in de stijl van een Italiaanse zakenman. Hij stak het pleintje over naar een piepkleine schoenmakerszaak. De man keek met beleefde geamuseerdheid naar Webbs goedkope sandalen. Webb wachtte een halfuur, terwijl de zon onderging, tot de schoenmaker de laatste rij

spijkertjes die hij in zijn mond hield, wegtikte. Toen de man eindelijk klaar was, had hij een paar zwartleren schoenen van prima kwaliteit voor een kwart van de prijs die Webb in Oxford betaald zou hebben. Hij dronk een kop koffie in een bar om het trillen in zijn lichaam te laten wegebben en keek naar twee jongens die een luidruchtig spelletje speelden op de flipperkast. Een kwartier later ruilde hij lires in voor een grote stapel *gettone*, die hij in de telefoon van het café gooide. Terwijl hij op verbinding wachtte, keek hij op zijn horloge. Walkinshaw was nog geen twee uur dood.
En Webb had nog maar tien uur over.

Casa Pacifica

De president keek Noordhof van achter het bureau in het Oval Office zonder met zijn ogen te knipperen aan. 'Vertel dat nog eens, kolonel,' zei hij over zijn tegen elkaar geplaatste handen heen.
'Meneer, het is mogelijk dat er een lek is.'
'Ik moet doof worden. Eén ongelooflijk moment dacht ik dat je zei dat er mogelijk een lek was.'
'Leclerc ligt op een marmeren tafel te wachten om weggewerkt te worden,' zei Noordhof met onvaste stem. 'Hij heeft een ongeluk gehad met een kabelbaan.'
De president trok ongelovig zijn wenkbrauwen op. 'Hij is jullie raketman?'
'Ja, meneer. Hij en Webb, de andere Europeaan, moesten Nemesis zien te vinden.'
'En wat heeft die Webb hierover te zeggen?'
'We kunnen hem niet vinden,' zei Noordhof.
De stem van de president was vlak. 'Mijn gehoor heeft het alweer begeven. Zou je langzaam en duidelijk willen herhalen wat je net hebt gezegd?'
'Hij wordt vermist. We zijn hem kwijt.'
Grant tuitte zijn lippen en keek de soldaat lang en recht aan. Eindelijk zei hij: 'Oké, kolonel. Vertel me nu dan eens hoe je zoiets verbazingwekkends voor elkaar hebt gekregen.'
'Meneer, dat weet ik niet. Hij is gewoon verdwenen.'
De president liet een volle minuut voorbijgaan, terwijl Noordhof bad dat hij zou worden opgeslokt door een enorme aardbeving.
'We zijn eens een strategische H-bom kwijtgeraakt in Alaska, een B-43, als ik me goed herinner,' vertelde Grant. 'En het was geen fout in de inventaris. Het bleek dat een paar lui van de Alaskan Command Air Defense dachten dat ze een manier hadden gevonden om de Permissive Action Links te omzeilen. Ze probeerden Amerika ermee te

chanteren. Niet dat de gewone man ooit iets heeft gehoord over die escapade.'
'Wat is er gebeurd, meneer?'
'We konden met zoiets natuurlijk niet naar de rechtbank. Er vond een afschuwelijk vliegtuigongeluk plaats. Maar jij, kolonel, pakt de dingen groter aan; je bent hard op weg de planeet kwijt te raken. We kunnen weggevaagd worden als we die verdomde asteroïde niet vinden en riskeren een nucleaire holocaust als iemand merkt dat we hem zoeken. En tot dusver ben je er in vier dagen in geslaagd een lek te creëren en de helft van je team kwijt te raken. Fantastisch.'
Er trok een rode blos over Noordhofs gezicht. De president keek naar de directeur van de CIA. 'Heb jij nog enig licht te werpen op deze schijnvertoning, Rich?'
De CIA-directeur deed tabak uit een oud, zwart etui op zijn schoot in zijn pijp. 'Geen enkel.'
'Maar iemand weet van jouw team af,' zei de president.
'Dat is onmogelijk. Het zijn gewoon ongelukken,' zei Heilbron niet erg overtuigend.
'Dat begint te klinken als het laatste bericht van de *Titanic*,' zei de president.
'U maakt mij niet bang, meneer de president. Ik ben te oud. We doen ons uiterste best.'
'Als dat je best is, zie ik jullie niet graag op een slechte dag.'

Ze reden Casa Pacifica uit in een klein Fiatje met getinte ramen en gingen Interstate vijf naar het zuiden op. Boven Pendleton Marine Corps Base aan de linkerkant wapperde de *Stars and Stripes*; aan de rechterkant lagen halfnaakte lichamen uitgestrekt op Red Beach of plonsden rond in de glinsterende oceaan daarachter. Het late middagverkeer stroomde San Diego uit. De man van de geheime dienst reed voorzichtig; hij hield eb en vloed van het verkeer om hem heen in de gaten en zocht met geoefende blik naar dingen die niet in het patroon pasten, een auto die te lang bleef hangen, iets vreemds in de proporties. Maar er was niets anders dan de Buick in de achteruitkijkspiegel, steeds veertig meter achter hen.
'Oké, kolonel, vertel het maar. Hoe is het met je team?' vroeg Bellarmine, die zijn donkere bril afzette.
'We hebben meer informatie over die toestand met Leclerc en Webb,' zei Noordhof. 'Ik heb Nicholson van onze ambassade in Rome een

beetje rond laten neuzen. Het is vreemd, meneer, maar het schijnt dat het verhaal begint in een klooster in een of ander berggebied ten zuiden van Rome. Het wordt geleid door monniken.'
'Een klooster dat geleid wordt door monniken?' vroeg Bellarmine sarcastisch.
'Ja, meneer. Ze schijnen een beroemde bibliotheek vol oude boeken te hebben, de Helinandus-verzameling of zoiets. Allemaal heel veilig met brandvrije stalen deuren, slimme elektronica enzovoorts. Plaatselijk gaat het gerucht dat ze daar dingen hebben die aan het eind van de oorlog buitgemaakt zijn op de Duitsers, waaronder een heleboel boeken. Een van die boeken zou een manuscript zijn van een Italiaan die Vincenzo heet. Maar dat is plaatselijke folklore.'
'Ken ik die Vincenzo?'
'Dat betwijfel ik, meneer. Hij is al driehonderdvijftig jaar dood.'
De minister van Defensie klonk verbijsterd. 'Waar heeft dit in godsnaam mee te maken?'
'Die Webb heeft het in zijn hoofd gehaald dat er iets in dat vermiste boekwerk staat wat hem in staat zal stellen Nemesis te identificeren. Uiteraard gaat iedereen ervan uit dat hij is doorgedraaid.'
De chauffeur keek naar iets in zijn achteruitkijkspiegel.
'Nou, is dat zo of niet?'
'Dat is het juist, meneer de minister. We vertellen de Britten wat er aan de hand is, zij sturen een van hun mensen om op Webb te passen en het laatste wat we horen is dat Webbs oppasser zeven kogels uit een Beretta 96 oploopt en daarna wordt overreden door zijn eigen huurauto. Als Webb achter een of ander waandenkbeeld aan loopt, waarom wordt zijn oppasser dan van kant gemaakt?'
'Tenzij hij het zelf heeft gedaan,' opperde Bellarmine. 'Wat is het laatste nieuws over hem?'
'Hij is gewoon verdwenen. Niemand weet waar hij is.'
'En wat zijn de gevolgen daarvan voor de grote asteroïdenjacht?' vroeg Bellarmine.
Er reed een aftandse witte auto vol studenten langszij. Een langharig meisje wierp hen een kushandje toe en toen was de auto voorbij. Bellarmines chauffeur blies van opluchting.
'Het is een chaos.'
De chauffeur remde af en nam de afslag bij een bord met de woorden SOLANA BEACH. De Buick volgde. Hij ging een paar keer de hoek om en reed over een straat met bordjes op het trottoir en in ramen waarop

stond BEZET, ECHT ENGELS BIER, DEBBIES DONUTS $ 1,50. Bellarmine staarde naar dit andere Amerika, naar de groepjes vakantievierders op de stoep die Debbies donuts aten en kerstmutsen droegen, vreemde mensen die er tevreden mee waren om doelloos rond te wandelen, zonder beschermers met scherpe blikken of elkaar verdringende verslaggevers. Toen schoot de chauffeur langs een oudere vrouw met dikke brillenglazen die probeerde een oranje Kever in zijn achteruit te krijgen en draaide hij een stille straat met vervallen strandhuizen in. Hij reed langzaam vijftig meter door en stopte bij een van de huizen. Het was heel stil op straat. Uit het huis kwam geen teken van leven. Zware kanten gordijnen onttrokken het interieur aan het zicht. Een van de luiken hing half los; de volgende storm zou het helemaal losrukken. De chauffeur fronste.
'Blijf zitten, meneer. Dat is een bevel.' In de achteruitkijkspiegel keek hij naar het gemanoeuvreer van de oranje Kever. Eindelijk verdween hij hortend en stotend om de hoek. 'Goed, meneer. Laat mij het huis controleren.'
'Clem, het is goed. Je bent zo gespannen als een vioolsnaar,' zei Bellarmine.
'Meneer, dit is een ongewone situatie. Ik zou me meer op mijn gemak voelen als een van ons even ging kijken.' Clem zag wachtende moordenaars voor zich, Bellarmine in een plas bloed op de stoep en angstaanjagende vragen in het congres.
'Vergeet het. Kom me over een paar uur maar ophalen. En kijk eens wat vrolijker, man. Als de golfbal belt, weet je waar ik ben.'
De auto's reden weg en Bellarmine wuifde Noordhof naar het huis. De minister van Defensie bleef alleen op de stoep staan. Hij voelde zich vreemd opgewekt. De op één na machtigste man ter wereld kreeg een overweldigende, maar niet uit te voeren aandrang om een eindje te gaan lopen.
Bellarmine liep het betonnen pad op en langs de zijkant van het huis. Er was een vuile witte zijdeur, die half openstond en uitkwam op een gangetje vol emmers, zakken hondenvoer, houtblokken en laarzen. In het huis klonk een diep geblaf. Een stem riep: 'Hierheen, meneer de minister.' Bellarmine, die alle honden haatte, stapte een slordig halletje in. Er ging een deur open en hij verstijfde van angst toen er een monsterlijke hond opgewonden blaffend op hem af kwam springen.
'Af, Lift-off! Welkom in mijn strandhuis, meneer. Ik maak koninklijke concubine voor ons.'

Solana Beach

Bellarmine volgde de wetenschapper met zijn paardenstaart door de gang en door een stel klapdeuren. De keuken was fel verlicht, chirurgisch schoon en chaotisch. Aan haken aan een van de muren hingen rijen glanzende, scherpe messen. Op een werkblad naast een groot fornuis stonden een halflege fles Jack Daniel's, een kip uit de supermarkt en een assortiment kruiden en ongeopende flessen wijn en likeur. Een kalend mannetje van een jaar of vijftig met een schort voor dat hem het uiterlijk gaf van een grote martinifles stond lente-uitjes te snijden. Zijn bewegingen waren langzaam en weloverwogen, alsof het proces hem niet vertrouwd was.

'Kennen jullie elkaar?' vroeg Shafer, die door een andere klapdeur verdween. De directeur van de NASA legde het groentemes neer, veegde zijn handen af aan de schort en schudde de minister van Defensie de hand. Bellarmine knikte; de NASA-directeur zei: 'Ik denk dat we hier voor ons avondeten moeten zingen' en Bellarmine zei dat hij een dansje zou maken als hij daardoor antwoorden zou krijgen. Toen riep een stem uit de naastgelegen kamer: 'Schenk jezelf iets te drinken in!' Bellarmine schonk twee glazen vol sherry, dronk er een leeg en vulde het weer.

Shafer kwam weer voor de dag met een stapel aan elkaar geniete papieren. Er werd op de deur geklopt en de Deense dog stootte een diep geblaf uit. Sacheverell liep de keuken in. 'Af, kwijlende idioot!' schreeuwde Shafer.

'Lieve hond, Shafer,' zei Sacheverell, terwijl het dier hem grommend vanonder de klapdeuren in de gaten hield.

'Ja,' zei Bellarmine. 'Zorgt voor een mooi veilig huis. Maar goed, de media denken dat ik op vakantie ben in het oude huis van Nixon. Goed. Ik ben hier om bijgepraat te worden. Begin maar.'

Shafer zei: 'Jim, laat dat voorlopig maar even zitten. We gaan naar hiernaast.'

Hiernaast was een grote woonkamer. Een wand werd helemaal in be-

slag genomen door een lang schoolbord vol vergelijkingen. Aan de andere kant van de kamer bood een erker uitzicht over de zee. De rieten stoelen, televisie, computer, bank en vloer waren bezaaid met boeken en papieren.
Bellarmine zocht zich een weg tussen de troep door naar het grote erkerraam. De vloer kraakte en de minister voelde dat hij een beetje meegaf. Op het strand voor het huis zaten een paar topless meisjes wijn te drinken en te kletsen. Honderd meter op zee balanceerden wat jongens vaardig op surfboards terwijl de grote oceaangolven onder hen door rolden en sissend over het strand liepen of met een klap en een explosie van opstuivend water een rotspunt aan de rechterkant raakten. Shafer kwam de klapdeur door met een fles Jack Daniel's.
'Meneer, niet zo dicht bij het raam staan. We hebben een aardverschuiving gehad en de erker hangt boven de klip. We hebben de boel gesteund met balken, maar ik weet niet hoe lang mijn strandhuis nog heeft voordat het in zee glijdt.'
Bellarmine keerde zich af van het raam en ging naast een stapel tijdschriften en boeken op de bank zitten. De anderen namen een gemakkelijke stoel, behalve McNally, die een kussen voor het houtvuur deelde met de Deense dog.
De minister van Defensie sprak langzaam en duidelijk, alsof hij er zeker van wilde zijn dat zijn woorden goed tot hen doordrongen. 'Over amper tien uur moet ik rapport uitbrengen aan een buitengewone vergadering van de Nationale Veiligheidsraad. De president, de chefs-staf, ikzelf en anderen gaan wellicht bepaalde beslissingen nemen op basis van de informatie die ik hier krijg. Ik heb drie dingen van jullie nodig. Ten eerste: zijn jullie het eens met de geraamde schade van Sacheverell? Sommigen van ons hadden moeite dat allemaal te aanvaarden. Ten tweede: hebben jullie een manier gevonden om deze dreiging af te wenden? Ten derde: hebben jullie die asteroïde gevonden? Nou, kolonel, wat heeft uw team nu eigenlijk gepresteerd? Hoe zit het met de simulaties die Sacheverell ons heeft laten zien? Meent hij dat echt?'
Shafer, die bij de klapdeur stond, schonk een whisky voor zichzelf in. 'Ze hebben me je filmpje toegestuurd, Herb, en ik heb zelf ook een paar simulaties gedaan. We weten natuurlijk niet wat ze op ons af hebben gestuurd, maar ik ben ervan uitgegaan dat we ergens rond de honderdduizend megaton zitten. Ik ben het over het algemeen eens met jouw berekeningen. Als en wanneer Nemesis inslaat, is Amerika verkoold.'

Bellarmine keek de Nobelprijswinnaar met lege ogen aan.
'Je hebt een paar details gemist,' ging Shafer verder. 'De kernreactors die over het hele land verspreid staan, petrochemische smog van de brandende olie, kolenlagen die voor een paar eeuwen in brand worden gezet, dat soort dingen. En je zat niet helemaal goed met die vuurbal. Het is voornamelijk de deken van vuur die zich over de atmosfeer zal verspreiden die ons hier beneden in brand zal zetten. Dat zag Ernst Öpik al in de jaren vijftig. En je hebt ook de tegenstroom over het hoofd gezien, Herb. De lucht die het vacuüm komt opvullen dat is ontstaan door de opstijgende vuurbal. Maar omdat we dan toch allemaal al dood zijn, geloof ik niet dat het veel uitmaakt.'
Bellarmine wees dof naar de Jack Daniel's. Shafer liep de kamer door en vulde zijn glas, terwijl hij doorging met zijn commentaar. 'En ik geloof dat je een vrij grof raster hebt genomen voor je oceaansimulaties, Herb. Het is niet alleen de tsunami waar je je zorgen om moet maken, maar ook de waterpluim die zestig kilometer de lucht in wordt geschoten en de superhete stoom die overal rondspuit. De zeebedding zou openbarsten en er zou twee- tot drieduizend kilometer in het rond een regen van gesmolten rots vallen. God mag weten wat er met de kustgebieden zou gebeuren. In jouw San Diego-scenario zouden de mensen gekookt worden voordat ze verdronken. En als je een oceaanbreed raster had gebruikt, had je gezien dat de kustgebieden niet een enkele golf te verduren krijgen. Ze zouden een hele reeks te verwerken krijgen, met intervallen van ongeveer vijftig minuten. De kuststeden zouden veranderen in moddervlakten.'
'Oké,' zei Bellarmine. 'Ik geloof je. Als het ding inslaat, zijn we er geweest. Maar nu de vraag van één miljoen, en ik wil een goed antwoord. Kolonel, hebben jullie Nemesis gevonden?'
Noordhof zei: 'Nee, meneer.'
Er viel een zware stilte.
Noordhof verbrak hem. 'Meneer de minister, de wetenschappers hier hebben me verteld dat het tien of twintig jaar zou kunnen kosten om Nemesis via een telescopische zoektocht te vinden. U hebt ons vijf dagen gegeven. Dat is onredelijk. En we hebben bijna geen kans om hem via de telescoop te ontdekken tot de inslag aanstaande is.'
'Waarom houden jullie die rotsblokken niet gewoon standaard in de gaten?' vroeg Bellarmine boos. 'Als jullie al zo lang weten dat die dingen daar rondzweven, lijkt me dat niet meer dan jullie plicht.'
Shafer sloeg terug: 'Geen geld. Sommigen van ons hebben geprobeerd

jullie te waarschuwen tot we blauw zagen, maar jullie wilden er niets van weten.'
Bellarmine ging verder alsof Shafer niets had gezegd. 'En door die plichtsverzaking bevinden we ons nu in de situatie dat er een asteroïde onze kant op komt en we niets anders kunnen doen dan wachten tot hij ons raakt.'
'Al onze hoop is gevestigd op Webb,' zei Noordhof.
'Hem kun je wel vergeten,' zei Sacheverell nors.
Shafer zei: 'Hoor eens, we zijn niet eens zeker van het soort gevaar dat we lopen. We weten gewoon niet wat daar allemaal rondzweeft. De Britten denken dat regens van vuurballen, donkere Halleys of enorme kometen nog gevaarlijker zijn dan asteroïden van het type Nemesis.'
'Geklets,' verklaarde Sacheverell.
'En wat nu?' vroeg Bellarmine.
De Nobelprijswinnaar legde een paar boeken weg en ging op een rieten stoel zitten. 'Nog een borrel, denk ik.'
Er werd geklopt en toen klonken er voetstappen. Shafer schreeuwde tegen de Deense dog en verdween door de klapdeur. Iemand zei: 'O Jeruzalem! Stad van vreugde! Ik heb het gevonden!' Judy Whaler liep de kamer binnen.
'Je bent vijf minuten te laat, Judy. Meneer de minister, mag ik u onze kernwapenexpert voorstellen?' Bellarmine knikte.
'Problemen met de carburator,' legde Whaler uit terwijl ze zich in een rieten stoel liet zakken. 'Kenneth past op de winkel, maar ik heb slecht nieuws. Er wordt voor vannacht dikker wordende cirrus boven het zuiden van Arizona voorspeld.'
Bellarmines stem was grimmig. 'Begrijp ik dit goed? Wil je zeggen dat de zoektocht naar Nemesis voorbij is?'
'De telescopische zoektocht, ja. We halen onze deadline niet, meneer de minister.'
Er viel een stilte terwijl ze Judy's woorden op zich lieten inwerken.
'Heb je gehoord van die toestand in Rome?' vroeg Noordhof terwijl hij haar een groot glas Jack Daniel's gaf.
Ze knikte en nam een grote slok. 'Kenneth heeft het me verteld. Eerst André en nu Ollie.'
Noordhof zei: 'We weten niet wat daar allemaal gebeurt.'
'Wat heeft dat oude manuscript van Webb ermee te maken?' wilde Bellarmine weten.
De kolonel gaf antwoord. 'Het wordt vermist en dat trok Ollies aan-

dacht. Zijn idee was dat je met een observatie van honderden jaren geleden een lange tijdsbasis en een heel accurate baan zou hebben, en dat is precies wat de Russen nodig hadden om de asteroïde te kunnen richten. Als er echt een bewegende ster in dat boek staat opgetekend, zouden we die aantekeningen kunnen gebruiken om uit te vissen om welke asteroïde het gaat en Nemesis kunnen identificeren.'

Sacheverell zei: 'Meneer de minister, het is een verzinsel. We kunnen het vergeten. Webb had nooit in het team mogen zitten.'

Shafer schudde zijn hoofd. 'Daar ben ik het niet mee eens. De problemen in Italië wijzen erop dat Ollie op het juiste spoor zit.'

De kolonel vroeg: 'We hebben nog maar tien uur de tijd om Nemesis te vinden en Arizona komt onder de wolken te liggen, dus we kunnen verder niet veel doen. Kunt u ons niet wat meer tijd geven?'

'Nee. Elke dag lopen we het risico dat Nemesis inslaat voordat we de tijd hebben gehad om gepaste actie te ondernemen. Hoe langer we dat uitstellen, hoe groter het risico dat Zhirinovsky erachter komt dat we van Nemesis weten en besluit een eventuele tegenaanval die wij zouden kunnen inzetten voor te zijn. En hoeveel tijd jullie ook krijgen, jullie zullen altijd meer willen. De NSC wil vannacht om middernacht antwoorden hebben. Het feit dat jullie die niet kunnen geven, levert niet meer tijd op.'

Shafer schonk Bellarmine zijn vierde borrel in. 'En hoe zit het met het opheffen van de bedreiging? Stel dat jullie als door een wonder in de komende paar uur de asteroïde vinden? En er een bom op afschieten?'

'Daar hebben we er zat van,' zei Noordhof.

'Als ik iets geleerd heb van mijn werk als minister van Defensie, is het wel dit: er is geen probleem dat niet opgelost kan worden met genoeg explosieven.'

Noordhof zei: 'Meneer, we moeten weten waar we op schieten. We hebben niets aan een bom als we een regen van fragmenten creëren of er een grote stofwolk op ons afkomt.'

'Ik denk dat we daar de oplossing voor gevonden hebben,' zei Judy met enige tevredenheid in haar stem. Ze zette haar glas neer en liep naar het schoolbord. Daar tekende ze een rij stippen die met elkaar werden verbonden door een rechte lijn. Ernaast tekende ze een onregelmatige vorm met een pijl naar de lijn. 'We maken een ketting van kleine atoombommen, misschien neutronenbommen. We vuren de sonde zo goed mogelijk op de voorkant van Nemesis af. Terwijl de sonde nadert, vuurt die weer kleine neutronenbommen af, zodanig dat

ze in een lijn komen te liggen. Die lijn ligt vóór Nemesis langs, zo dus, en dan laten we de bommen om de beurt afgaan op het moment dat ze vlak bij de asteroïde zijn, een kilometer of twee van het oppervlak, bijvoorbeeld.'
'Nemesis moet dus door een mijnenveld,' zei Shafer.
'Precies. Het is maar speelgoed, elk niet meer dan een stuk of tien Hiroshima's, zodat ze Nemesis allemaal een zacht duwtje geven, niet genoeg om hem in stukken te laten breken, al was hij van sneeuw. Maar het cumulatieve effect is een stevige duw, hetzelfde als wanneer we de asteroïde één grote klap hadden gegeven. We laten de bommen recht voor Nemesis ontploffen om de voorwaartse beweging af te remmen, zodat de aarde voor de asteroïde langs kan voordat die onze baan bereikt. Dat is efficiënter dan hem opzij te duwen.'
McNally zei: 'Vanuit het oogpunt van Nemesis volgt hij vredig zijn baan en duiken er opeens bommen op die in zijn gezicht ontploffen. Heel eenvoudig.'
'Alle echt briljante ideeën zijn eenvoudig,' stelde Shafer vast. 'En we kunnen de neutronenbommen duizenden kilometers uit elkaar plaatsen, zodat ze geen uitwerking op elkaar hebben.'
'Het principe is eenvoudig, maar het is buitengewoon moeilijk in praktijk te brengen,' zei ze. 'Bij Sandia wordt gewerkt aan een gedetailleerde ontwerpstudie. Op de een of andere manier zullen we binnen de richtlijn van honderd dagen met een werkbaar plan moeten komen.'
Bellarmine klapte tevreden in zijn handen. 'Goed gedaan, doctor Whaler. McNally, wat jij moet doen, is de atoomketting op zijn plek krijgen. Wat heb je daarover te zeggen?'
Nu was het McNally's beurt om gebruik te maken van het schoolbord. 'Willy en ik hebben een manier bedacht. Het is buitengewoon moeilijk.' Hij schreef op het bord met geel krijt. 'De Russen zouden een komeetsonde lanceren die is gebouwd door de Fransen. Hij heet de Vesta. Wij dachten zo, als wij dat ding te pakken kunnen krijgen zonder argwaan te wekken...'
'McNally, die rooien hebben al hun antennes uitstaan. Wat denk jij dat ze ervan zullen vinden als wij die sonde voor hun neus wegkapen?'
'Meneer de minister, wij geloven dat we een manier hebben gevonden. De Fransen hebben een duplicaat gebouwd voor het testen van de elektronica en zo. Dat doen wij ook vaak. Dat ding is niet zo goed als de echte, maar voor onze doeleinden is het voldoende. Als we de hand kunnen leggen op deze duplicaatsonde en op de gedetailleerde plan-

nen, zouden we een manier kunnen vinden om Judy's ketting op zijn plaats te brengen. We zouden onder strikte geheimhouding Franse ingenieurs hierheen moeten halen.'
'Maar alleen de Russische booster kan de Vesta omhoog krijgen,' weerstreefde Sacheverell.
'Dat was voor een lange interplanetaire tocht met onderweg een zachte landing op verschillende kometen. Het grootste deel van dat gewicht zit in de brandstoftanks en de metalen pijlen om oppervlakken te doorboren. Wij halen dat er allemaal uit, samen met de wetenschappelijke instrumenten. We gebruiken twee keer twee Shuttles, twee om Judy's atoomketting te dragen en twee met duplicaten van de Vesta, de Franse en een die we zelf zullen bouwen aan de hand van hun plannen. We kunnen ook vier keer dezelfde Shuttle gebruiken. We zetten specialisten aan boord om contact te leggen tussen de Vestakloon en de ketting. Dan lanceren we vanaf een hoogte van driehonderd kilometer, met een Inertial Upper Stage of IUS-booster, net zoals bij Galileo. Het is net mogelijk om op die manier een stuk of twaalf van Judy's bommen naar boven te krijgen. Maar dan hebben we het over een geavanceerde systeemontwikkeling en navigatie-uitrusting en zo. We gebruiken alle bestaande onderdelen waar we iets aan hebben om een nieuw systeem te creëren. Daar heb ik nu mensen aan werken. We zouden – ik zeg zouden – het binnen de magische honderd dagen voor elkaar kunnen krijgen.'
'Ik zal de directeur van de CIA vragen een dekmantel te verzinnen voor de lanceringen,' beloofde Bellarmine.
'Iets in de richting van de Venus-sondes,' opperde Shafer.
De minister van Defensie zette zijn glas op de vloer en liep tussen de boeken door weer naar het erkerraam. Van beneden klonk een lachuitbarsting van een stel jongeren. Iemand stemde een gitaar en er werd een vuurtje aangelegd, waarop stukken wrakhout werden gegooid. De gezichten werden beschenen door rood flakkerende vlammen. Iemand had een sigaret opgestoken, die na elk trekje werd doorgegeven. Die jeugd van tegenwoordig, dacht Bellarmine.
Shafer zei: 'Ik hoop dat u niet al te veel honger hebt, meneer de minister. Het kost een uur om koninklijke concubine te maken.'
Bellarmine liep terug, liet zich op de bank vallen en leunde voorover met zijn kin op zijn handen. Hij zei: 'Het probleem is dat we Nemesis nog niet gevonden hebben.'
De telefoon ging. Shafer nam op en zei: 'Ollie!' Het effect was het-

zelfde als wanneer iemand de pin uit een granaat trekt. Iedereen stond op. De Deense dog voelde de spanning en sprong overeind.
Het gesprek was eenzijdig en duurde een paar minuten. Shafer gooide er af en toe een grom doorheen. Eindelijk zei hij: 'Blijf even hangen, Ollie.'
'Wat is er aan de hand, Willy?' vroeg Noordhof.
Shafer sprak snel, met zijn hand over het mondstuk. 'Webb belt vanuit een telefooncel in een of andere achterbuurt. Een vent heeft geld gekregen om hem te vermoorden. Die moordenaar heeft het manuscript. Hij kwam op het idee dat er iets waardevols in moet staan, maar ziet niet wat. Dus sluit hij een overeenkomst met Ollie. Hij laat Ollie gaan om te kijken of hij terugkomt voor het boek. Als Ollie dat doet en zijn leven op het spel zet, is dat het bewijs voor de moordenaar dat het manuscript meer waard is dan de contractsom op Webb. De afspraak is dat Ollie het manuscript ontcijfert en dat de moordenaar hem dan laat gaan. Die vent denkt dat hij het manuscript vervolgens kan verkopen aan zijn opdrachtgevers of hen met de geheime boodschap kan chanteren.'
Bellarmine was ontzet. 'Dit is een hoogst gevaarlijke situatie.'
McNally zei: 'Ollie heeft geen enkele kans.'
Shafers hand lag nog steeds over het mondstuk. 'Hij kan Webb vermoorden als hij de informatie uit hem gekregen heeft, zijn bloedgeld innen en dan verdergaan met de chantage. Dat weet Ollie, maar hij moet toch het manuscript in handen zien te krijgen en hopen dat hij ermee weg kan komen.'
Judy keek ongerust. 'Het wordt zijn dood. Zeg dat hij daar weg moet wezen.'
Noordhof nam de telefoon van Shafer over. 'Webb. Je moet contact maken met de moordenaar... Handel op eigen initiatief... Natuurlijk verwacht hij dat je probeert... Hoor eens, er is geen andere manier... Je moet één ding goed begrijpen: je hebt geen keus.'
Bellarmine deed ook een duit in het zakje. 'Webb, dit is de minister van Defensie. Ik zal je precies zeggen waar het op staat. Het Witte Huis wil dat Nemesis binnen tien uur geïdentificeerd is, anders gaat het ervan uit dat Nemesis voor de inslag niet gevonden zal worden.'
Bellarmine luisterde nog even. Zijn mond viel open van verbazing en hij draaide zich ontzet om. 'Hij denkt erover om het op te geven.'
'Geef mij die smerige lafaard maar eens even,' zei Noordhof boos, maar Shafer greep de soldaat ruw bij de arm en trok hem achteruit.

De natuurkundige nam de hoorn weer over. 'Hi, Ollie. Ja, we snappen hoe de zaken ervoor staan... Dat was een briljant idee... Ik heb je gewaarschuwd: wat heeft oom Willy gezegd over nieuwe ideeën?... Luister eens, we hebben hier een probleem in de vorm van hoge cirrusbewolking. Die begint over het zuiden van Arizona te kruipen... Twee magnitudes, vijf, wie weet?... Het levert ons een enorme vertraging op... Ja, daar ben ik het mee eens... Het komt op jou aan, Ollie, je moet verder met je idee... Ja, hij meent het... Dat wil hij niet zeggen... Volgens mij heb je tien uur en dan voelen zij zich vrij om Rusland met kernbommen te bestoken... Ik weet het niet, tweehonderd miljoen of zoiets... Dat weten jij en ik, Ollie, maar wat kun je van politici verwachten? ... Ze zouden het concept niet begrijpen... Ze houden van zekerheden... Natuurlijk, daar heeft niemand van ons om gevraagd...' Er begonnen zich zweetdruppels te vormen op Shafers voorhoofd. Judy schonk hem een half glas whisky in. Er werd nog meer gepraat en toen zei hij: 'Ollie zegt dat hij als Brits staatsburger zijn instructies direct van de Britse overheid moet krijgen.'
Noordhof knikte fel. 'Ja! Zeg dat ik dat wel regel. En zeg dat ik zal zien wat voor hulp we hem daar in Europa kunnen geven.'
Bellarmine zei: 'Nee, nee, nee. Het moet duidelijk zijn dat Webb alleen handelt.'
Shafer sprak nog even zachtjes in de telefoon en hing toen op. Hij keek de groep rond. Zijn ogen gingen halfdicht van opluchting en hij ademde uit. 'Hij gaat ermee door. Judy, ik weet wat jij ervan vindt, maar hou voor ogen wat er op het spel staat.'
'Hij moet hulp hebben,' hield Judy vol.
Shafer keek met opgetrokken wenkbrauwen naar de minister van Defensie. Bellarmine keek grimmig. Hij zei: 'Als een geheime Amerikaanse actie wordt opgemerkt door de Russen...'
'Maar als het Oliver niet lukt...'
McNally voelde zich opeens dichterlijk. 'We zitten klem tussen de wal en het schip.'
'Het wordt bewolkt,' merkte Judy op. 'En aan Hawaï hebben we nu niets. Ollie is onze enige hoop en hij heeft in zijn eentje geen enkele kans.'
'Hij ontmoet de moordenaar over een paar uur,' zei Shafer.
'O god. Weten we waar?' vroeg Noordhof. Shafer schudde zijn hoofd. De soldaat hief hulpeloos zijn handen. 'Wat kunnen wij dan in godsnaam nog doen?'

De Abruzzen

Webb liet zich met de menigte meedrijven en voelde zich net een slappe pop.
Het was inmiddels donker. Hij stak de brug over en liep in de richting van het Piazza Navona. Hij besloot welbewust zich te ontspannen en te genieten van zijn laatste uur en het lukte hem bijna. Het was aangenaam warm; uit de café's en *trattorie* dreven heerlijke geuren en in zijn ogen bezaten alle dames een exotische schoonheid.
Hij liep op goed geluk door een zijstraat met kinderkopjes en ging vervolgens een kerkje in. Er was een kerststal met kleine, met de hand geschilderde ezeltjes en poppetjes. Het stro in de stal was echt, zodat de stengels ten opzichte van de poppetjes wel tien meter hoog waren. Het was een eenvoudig geheel, een kinderlijk iets in een complexe wereld. Iemand had er een heleboel liefde in gestoken. Het bracht hem bijna tot tranen en hij wist niet waarom. Webb de scepticus, de rationele wetenschapper, zat een halfuur stilletjes in een bank, maar toen hij vertrok, voelde hij zich vreemd genoeg beter.
Hij liep langs het Piazza Navona naar de Spaanse Trappen. De menigte was bijna ondoordringbaar. De lucht was vervuld van Italiaans gekwetter. Op de trappen stonden herders met kilts aan, die een soort dunne doedelzakken bespeelden.
Tijd om te gaan. Webb begon zich een weg door de menigte te banen. Een tikje op zijn schouder. '*Taxi, signore.*' Een donkere man met een oorring.
Keurig gedaan, dacht Webb. Een voorzorgsmaatregel voor het geval hij versterking had op het Piazza Navona. Hij besefte dat hij gevolgd moest zijn vanaf het moment dat hij Doney's Bar had verlaten.
Webb volgde de taxichauffeur over de Via Condotti, weg van het plein. Op de straat lag een rode loper. Hier en daar stonden stelletjes, gezinnen met vermoeide kinderen en uitbundige groepjes jongelui. Aan het eind

van de straat stond een gele taxi te wachten en de chauffeur deed het achterportier voor hem open.
De taxi reed snel door de stad, in zuidelijke richting langs het met schijnwerpers verlichte Colosseum. Webb ging ervan uit dat ze naar een flat in een of andere buitenwijk gingen, maar de chauffeur reed de hoge flatgebouwen voorbij naar de ringweg. De astronoom deed geen poging een gesprek te beginnen; hij zou wel zien wat de nacht zou brengen.
De chauffeur draaide de ringweg op en een paar minuten later weer af. Hij ging langzamer rijden toen ze een *lampadari* naderden, een glazen gebouw van twee verdiepingen vol lichtarmaturen in elke denkbare stijl, die allemaal brandden en een oase van schitterend licht vormden in de duisternis. De chauffeur reed stapvoets naar de achterkant van het gebouw, hobbelend over de ruwe grond vol gaten. Er stond een donkere sedan te wachten, waar een gezet mannetje tegenaan leunde met een sigaret in zijn mond. Webb stapte uit en de man vertrapte de sigaret.
'*Piacere*,' zei het mannetje, terwijl hij Webb de hand drukte. Hij deed beleefd het achterportier van de auto voor hem open. De taxichauffeur reed achteruit weg in de richting waaruit hij was gekomen en de nieuwe chauffeur ging met Webb verder naar het zuiden. De weg was recht, maar het oppervlak was belabberd. Hier en daar brandden vuren met donkere figuren en geparkeerde auto's eromheen. Daarachter lagen de donkere akkers.
Ze stopten even bij een tolpoortje op de autoweg. Een politieman stond te praten met de tolbeambte. Webb had zijn pistool kunnen aanraken. De chauffeur pakte een kaartje aan en ze reden weer weg. Ze gingen onder een groot, verlicht bord door waarop NAPOLI 150 KM stond. De gezette chauffeur stak een pakje Camel-sigaretten over zijn schouder. Webb bedankte. Ze reden door felverlichte dorpen op heuvels, die eruitzagen als cruiseschepen in de hemel. Aan de linkerkant zag Webb een bergketen; dat moesten de Abruzzen zijn, waar de herders en de weerwolven vandaan kwamen. Ze reden nog een halfuur met flinke snelheid over de autostrada naar het zuiden, weg van Rome. Op een groen verlicht bord in de verte bleek bij nadering GENZANO te staan, en de chauffeur schakelde terug en sloeg af. Een eenzame, vermoeide beambte bij de tolpoortjes pakte een bankbiljet aan van de chauffeur en toen slingerden ze over een smalle landweg naar de heuvels. De weg begon steil te klimmen. De chauffeur schakelde terug naar zijn twee en de versnellingsbak jankte even. Ze reden tussen donkere huizen door, over een straat met kinderkopjes die weinig breder was dan

de auto. Toen waren ze het dorp door, maar ze bleven steil klimmen en de koplampen wezen af en toe de lucht in.
De weg maakte een bocht naar links en er verschenen populieren aan beide kanten. Weer linksaf door een brede poort, en het geluid van banden over losse stenen. De chauffeur stapte uit en sloeg het portier achter zich dicht. Webb kon vaag een villa zien. Er klonken zachte, snelle stemmen. Toen kwamen er voetstappen op de auto af. De chauffeur opende het portier met een grijns.
'Ivrea, Pascolo. Kom alstublieft met me mee, *professore*.'
In het donker volgde Webb het geluid van de voetstappen van de chauffeur. Er hing een geur van kamperfoelie. Naarmate zijn ogen zich aanpasten, kon hij een villa van twee verdiepingen onderscheiden. Hij zag eruit alsof er misschien een stuk of tien kamers waren. Er was een tuin aan drie kanten, ongeveer een hectare gras met verspreide lage struiken. In een fontein schoot een straaltje water de lucht in, dat glinsterde in het maanlicht. Achter hem stonden populieren en daarachter bevonden zich de stenige hellingen van een berg; voor zover Webb in het donker kon zien, bevonden ze zich misschien driehonderd meter van de top. De vierde zijde van het landgoed werd begrensd door een lage muur met stenen urnen erop. Achter de muur zag hij een zwarte lucht vol wintersterren, stuk voor stuk oude vrienden.
'Dit huis ligt zo afgelegen dat er zelfs geen dieven komen. Oké?'
'Ik begrijp de boodschap.'
Plotseling werd het terrein verlicht door schijnwerpers, die hem verblindden. Twee donkere gestalten kwamen om de villa heen gesprongen. Het leken net kleine, snelle pony's, maar het bleken grote, snelle Duitse herders te zijn. Ze sprongen speels tegen Pascolo op, die in Webbs ogen volgens de wetten van de newtoniaanse mechanica als een kegel had moeten omvallen.
'*Ciao, Adolfo, come stai*?' riep Ivrea, die aan hun oren trok. '*Ed anche tu, Benito!* En nu, *professore*, breng ik u naar mijn tante. *Basta, ragazzi*! Een fantastische vrouw. U logeert hier bij ons.' De honden sprongen nu opgewonden om Webb heen en begonnen te grommen. Pascolo brulde iets tegen ze en ze slopen gehoorzaam weg.
Ze stond hen op te wachten bij de hoofdingang, vol in het licht. Ze was lang, traditioneel in het zwart gekleed, en ze had heldere, waakzame ogen in een diep gerimpeld gezicht. Ze glimlachte beleefd en hief haar hand in de fascistische groet. '*Buon Natale*,' zei ze met vaste stem. Een beschaafd, Florentijns accent, vond Webb, niet het boerse dialect van Pascolo Ivrea.

'Ah, gelukkig kerstfeest. Hoe maakt u het?' antwoordde Webb in zijn beste Italiaans. 'Heel vriendelijk om me hier te ontvangen,' voegde hij eraan toe, alsof hij de keus had gehad.
De vrouw glimlachte. 'Engelsen zijn goede mensen. Pascolo, de honden, moet ik je manieren leren? Ik zal u mijn huis laten zien, professor.'
Mussolini was een geweldige man. *Il Duce* staarde Webb aan vanaf iedere vierkante meter van de gang. Nobel, bedachtzaam, inspirerend op oude foto's. Daar was hij, de grote ruiter, de grote dichter, de rondborstige plattelandsman. *Il Duce* en haar vader kenden elkaar al sinds hun kindertijd. Papa had voor de *fascisti* en hun leider op het platteland gepast. Iedereen sloot zich bij hem aan. In de goeie ouwe tijd kwam Benito hier om te ontspannen als hij even weg moest van de plannenmakers en de intriganten in Rome.
'En hier sta ik met papa,' zei de oude dame met rustige trots, en ze wees naar een slank, aantrekkelijk tienermeisje naast een paard en een lange, magere man met een rijzweep en laarzen. Naast hen stond een ontspannen en glimlachende Mussolini, die er in Webbs ogen heel menselijk uitzag als hij zich geen houding aanmat. '"Benito," zei papa altijd, "wat er elders ook gebeurt, maak je over deze streek geen zorgen. Hier in de heuvels steunen de mensen jou, ze begrijpen je." Dat was uiteraard voor de tijd van de verraders en de partizanen.'
'Natuurlijk,' zei Webb.
Hij zag ook nog de pantoffels van een of andere paus in een glazen kastje, nog meer verbleekte foto's van een edelmoedig ogende Mussolini, een steen van een of andere heilige plek en een kleine privé-kapel met pas aangestoken kaarsen. Toen verontschuldigde de oude dame zich en verdween ze door een gang, en Pascolo legde uit dat hij haar de volgende morgen naar haar strandhuis in Terracina zou brengen, 'maar volgt u me alstublieft, *professore*'.
Webb liep achter Pascolo aan een marmeren trap op naar een overloop. De man deed een solide eiken deur open. De kamer was groot, eenvoudig en comfortabel. Er stonden een tweepersoonsbed, een ladekast en een groot bureau in en ernaast was een badkamer. Op het bureau bevonden zich een bureaulamp, een stapel papier en een paar pennen, maar geen *Phaenomenis Novae*, zoals een snelle blik onthulde. Openslaande deuren leidden naar een breed balkon.
'*Va bene*?' vroeg Pascolo.
'Eersteklas, Pascolo. Dus jij gaat morgenochtend vroeg weg?'
'*Si.*'

'Heb je iets voor me?' Webb hield zijn stem nonchalant.
Er was geen enkele aarzeling. 'Natuurlijk, *professore*. Ik ga het nu halen met mijn tante.'

Hij kon nu tenminste nadenken over een manier om te ontsnappen, dacht Webb. Hij dwaalde door het enorme, lege mausoleum. Een kerstboom van bijna drie meter hoog zag er verloren uit in de grote zitkamer. Er was geen telefoon. Hij ging naar buiten. Adolfo en Benito sprongen speels om hem heen en joegen elkaar na rond het huis. Achter de lage balustrade liep de grond ongeveer negenhonderd meter naar beneden tot aan een vlakte die zich uitstrekte tot in de nevelige verten. Webb dacht dat hij een smalle, glinsterende strook aan de horizon zag, als de zee die het licht van de maan weerspiegelt, misschien tachtig kilometer verderop. Hij zag dat het dorp werd gedomineerd door een kathedraal, helemaal verlicht vanwege Kerstmis.
De autobaan waarlangs Webb hierheen was gebracht was de *autostrada del sole*, die Rome verbond met Napels. Er bewogen lichtjes over. Hij schatte dat hij zich een kilometer of tachtig ten zuiden van Rome bevond, waarschijnlijk ten noorden van Cassino en ten zuiden van Frosinone. Dan bevond hij zich hoog in de Abruzziheuvels. Over de autostrada stroomde het moderne Italië in rap tempo voorbij, maar hierboven rekenden ze in eeuwen.
Hij liep de hoofdpoort uit en de heuvel af. Het dorp leek verlaten. Hij kwam langs een groot wit gebouw, een soort cantina met een open terrein ervoor met houten banken en stoelen, vochtig van de dauw. Hij liep de smalle, steile straat af. Verschrompelde gezichten keken door de ramen naar buiten. De gesprekken stokten als hij naderde en werden hervat als hij voorbij was.
De kathedraal bevatte meesterlijke fresco's. Het hoge altaar stond vol kaarsen. Verder was hij leeg. Webb ging de straat weer op.
'*Il padre*?' riep hij naar een oude, gerimpelde en bijna tandeloze heks. Er klonk een stem achter in de kamer en een uitbarsting van gekwetter uit andere huizen. Toen kreeg Webb uit verschillende richtingen een stroom van onbegrijpelijke woorden over zich heen. Hij hoorde een paar keer '*solo domenica*'.
Hij probeerde '*servizio postale*'? Een kakelend gelach; blijkbaar had hij iets grappigs gezegd. Iemand zei dat hij in Genzano moest zijn. Er verschenen meer gezichten voor de ramen.

Webb deed nog één poging, een vraag waar hij het antwoord al op wist: '*É un telefono qui*?'
Nog meer vrolijkheid. De marsman bleek een eindeloze bron van plezier.

Een uur later begonnen de honden te blaffen en draaide er een kleine, blauwe, roestige Fiat de oprit op waaruit Pascolo, een dik vrouwtje en een verbazingwekkende hoeveelheid kinderen stapten. De kinderen verspreidden zich om het huis, plaagden de honden en gooiden dingen over de tuinmuur en in de fontein.
Het diner in de grote keuken was niet echt in kerstsfeer. Het was een kwestie van grote stomende pannen, grote borden spaghetti *al sugo*, enorme glazen koude witte wijn en kleine mensjes die voortdurend alle kanten uit schoten. Pascolo's vrouw glimlachte en knikte en kletste wat af in een zwaar dialect, waarvan Webb ongeveer een op de tien woorden begreep. Ze vertelden dat de wijn uit de wijngaarden van de fascistische tante kwam en hij zei dat ze verrukkelijk was, wat verklaarde waarom hij er zoveel van dronk. Na het toetje – een enorme strooptaart, overdekt met slagroom – verdween Pascolo.
Webb, die onwillekeurig zijn nagels in het tafelkleed had gezet, wachtte op het manuscript. Na twintig minuten gaf hij het op en sjokte naar zijn kamer. Hij schopte uit pure frustratie tegen een stoel en liet zich op de harde matras vallen. Pascolo had de hele avond eenvoud en eerlijkheid uitgestraald, maar had niets gezegd wat van enig belang was – misschien omdat hij niets belangrijks te zeggen had.
Er werd geklopt. Webb stond schrikachtig op, bang dat de moordenaars van Walkinshaw voor de deur zouden staan. Maar het was de oude dame maar. In haar hand had ze een klein, roodleren boek. Webb voelde dat ze wilde praten; hij wees haar een stoel en ging zelf op de rand van het bed zitten.
'U bent een wetenschapper. U bestudeert de geschiedenis.'
'Dat klopt.'
'Hoe bent u erachter gekomen dat ik het boek heb?'
Webb probeerde een leugen. 'Van de imker.'
Ze glimlachte blij. '*Ebbene*! Eindelijk heeft Franco gesproken. Dat was een slechte nacht.'
'Een slechte nacht?'
Ze leek Webb niet te zien, maar naar iets anders te kijken. 'Er zijn veel verschrikkelijke dingen aangericht, al die jaren geleden. Weet u zeker dat hij het heeft uitgelegd?'

'Ja, maar niet in detail. Misschien kunt u me meer vertellen.'
Toen ze aan haar verhaal begon, voelde hij dat ze dit jarenlang had opgekropt en dat ze het hierdoor eindelijk achter zich kon laten. Hij luisterde aandachtig. 'Mijn broer was partizaan. Zijn vader heeft hem onterfd en daarom is dit huis aan mij toegevallen. Het gebeurde in 1944. De geallieerden waren vanuit Anzio het binnenland in getrokken en bombardeerden Grottaferrata. Kesselring had uit het niets troepen opgeroepen en er werd zware strijd geleverd. Maar in mei vluchtten de Duitsers naar het noorden. Toen hoorden we dat ze een trein hadden volgeladen met munitie en wapens, maar ook met wijn en heilige relieken uit het klooster. Dat was te erg. Onze eigen voormalige bondgenoten beroofden ons terwijl ze vluchtten. En toen zorgde God voor een wonder. De trein met de heilige relieken, de wijn en de wapens kwam voor een tunnel tot stilstand. Een van de grote kanonnen was te breed om erdoorheen te kunnen. De *fascisti* en de partizanen sloegen voor het eerst de handen in elkaar. We vielen aan in het donker. We doodden de Duitsers. Vervolgens vond er een grote tragedie plaats. Terwijl de anderen nog bezig waren de Duitsers te doden en wij snel de wagons uitlaadden, raakten we onderling in gevecht. Ik rende in het donker weg langs het spoor, met mijn armen vol met dingen die ik had weggegrist. Maar twee partizanen besprongen me vanuit de greppel naast de spoordijk. Ze hadden machinegeweren. Die brachten ze omhoog om me neer te schieten. Overal was lawaai en rook. In het halfdonker herkende ik mijn broer en hij herkende mij. Hij had minder dan een seconde om iets te doen. Hij richtte zijn wapen op zijn vriend, een jongen uit ons dorp. Hij vermoordde zijn vriend om mij, zijn zus en vijand, te redden. We zeiden geen woord tegen elkaar. Ik rende het donker in.
We hebben er nooit over gesproken. En wat ik uit de trein had gered was maar heel weinig waard. Communiewijn, zilveren bekers, kandelaars en een paar oude boeken. Ik heb ze nooit terug durven geven.'
Ze glimlachte. 'Ik ben blij dat Franco heeft besloten eindelijk zijn mond open te doen. Hij zal wel denken dat de familie van die jongen hem na al die tijd zal vergeven.'
Er verscheen een jongetje aan de deur, gevolgd door een nog kleiner zusje met donkere ogen en een vinger in haar mond. De oude dame vervolgde: 'Uw collega zegt dat u rust nodig hebt om het boek te bestuderen. De kinderen zijn opgewonden vanwege *Natale*, maar ze gaan zo naar bed. *Non sul letto, Ghigo, tu sei senza cervello?*' De kinderen gingen er giechelend vandoor. Ze stond op.

'Ik ben u heel dankbaar, signora. Ik wens u goedenacht en veel geluk.'
Webb zette de openslaande deuren open. Hij voelde zich licht in het hoofd door een mengeling van opluchting en uitputting. Er kwam een koel briesje de kamer binnen, dat een subtropische geur meebracht. Op de verre autostrada gingen koplampen voorbij. Uit de olijfboomgaarden onder aan de heuvel kwam een dierlijke kreet en hij kon de wind horen ruisen in de populieren naast de villa.
Hij had het boek.
Hij keek naar de oude leren kaft. *Phaenomenis Novae* in vervaagde gouden letters. En daaronder stond *Tomo III*.
Het was oud en verbleekt. Het rook muf. Op het binnenblad stond een datum, 1643, en een keurig geschreven opdracht in het Italiaans:

> Voor de zeer doorluchtige, geachte en weldadige Leopoldo, Granduca di Toscana

En daaronder de naam van de schrijver, pater Vincenzo van de orde der dominicanen.
Boven aan het binnenblad had iemand met dunne, nette letters *cremandum fore* geschreven, het woord *cremandum* doorgestreept en er *prohibendum* voor in de plaats gezet.
Webb sloeg de bladzijden om.
Het was meer het aantekenboek van een astronoom dan een manuscript. Pagina na pagina verbleekte, dunne letters in het Latijn en het Italiaans; de manen van Jupiter, zonnevlekken, maankraters – allemaal gezien door Vincenzo's telescoop. De opwindende nieuwe grens van de wetenschap, bijna vier eeuwen geleden.
De sleutel tot Nemesis lag in zijn handen.
Moest hij nu de donkere nacht in vluchten?
Pascolo: gastheer of gevangenbewaarder?
De honden; lieve huisdieren of moordenaars na een vingerknip van Pascolo?
Webb keek op zijn horloge. Tien uur. Twee uur 's middags in Arizona, vier uur 's middags in Washington.
Acht uur.
Een pijnscheut in zijn kaken waarschuwde Webb dat hij die onbewust op elkaar had geklemd. Met trillende handen pakte hij het boek op en begon te lezen.

Io, Europa, Ganymedes en Callisto

22.00 uur
Honderd pagina's. Tekeningen, kaarten, aantekeningen. Geschreven in een krullerig, maar dun handschrift, waarvan de inkt na vierhonderd jaar een beetje verbleekt was. Webb kon niet weten wat de groothertog van Vincenzo's werk had gedacht, als hij het zelfs al eens gezien had.
Het schijnbare gebrek aan bewaking moest een illusie zijn; hij moest op een of andere manier in de gaten worden gehouden. Maar het vinden van de essentiële tekst zou even lang duren, waar hij zich ook bevond, en hij was nu tenminste niet over bergen aan het vluchten en kon *Phaenomenis* goed bestuderen. Webb keek op zijn horloge. Hij zou zichzelf tot middernacht de tijd geven en er dan vandoor gaan.
Vechtend tegen de aandrang om het boek snel door te kijken, begon hij langzaam en methodisch de bladzijden van *Phaenomenis* te bestuderen. Het kostte hem een halfuur.
Niets.
Hij wreef in zijn ogen en glipte stilletjes over de donkere trap naar de keuken. Uit een van de kamers kwamen de slaapgeluiden van kinderen. Hij vond de lichtschakelaar en liep de grote keuken binnen. Daar maakte hij een boterham met salami en schonk zich een rosetta in, en sloop daar vervolgens weer mee naar boven. Geen teken van gevangenisbewaarders of honden.
Eenmaal weer in zijn kamer nam Webb het boek nog eens door, regel voor regel.
Hij begon een probleem te zien met Vincenzo; er was niets *novae* aan zijn *Phaenomenis*. Hij was altijd op de tweede plaats gekomen. Zonnevlekken, maankraters, de satellieten van Jupiter; ze waren er allemaal, maar waren allemaal al eerder door iemand anders waargenomen. Galileo, Huyghens, Schroter – dat waren de intelligente mannen van de nieuwe tijd en ze waren hem allemaal voor geweest. Vincenzo had het

geprobeerd, maar als puntje bij paaltje kwam, was hij een mislukkeling.
Nog steeds niets.
Webb begon voor de derde keer opnieuw.
Regel een: *Observationes an 1613*
Regel twee: *oriens* *Januarius* *occidens*
De rest van de bladzijde werd in beslag genomen door een eenvoudige tekening.

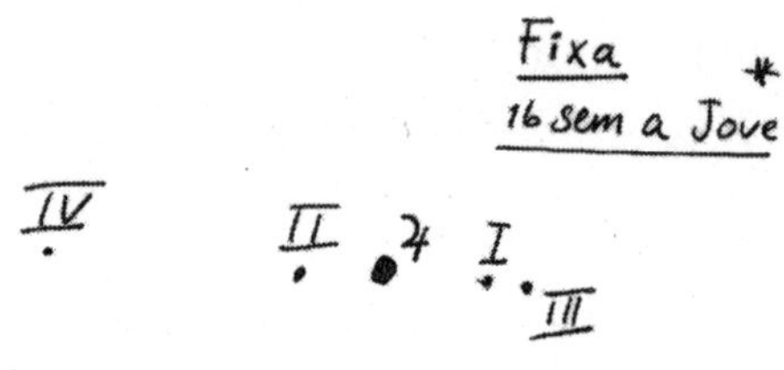

Helemaal onder aan de bladzijde stonden een paar zinnen:
Die 2, h.12 a meridie. 1 et 3 conjuncti fuerunt secundum longitudinem.
Dus op 2 januari 1613 om middernacht stonden satelliet 4 en 2 (Callisto en Europa dus) links van Jupiter, terwijl 1 en 3 (Io en Ganymedes) aan de rechterkant stonden. Vervolgens waren Io en Ganymedes in de vroege uurtjes van 3 januari van plaats verwisseld.
Dat kon allemaal in een paar minuten op een moderne computer worden uitgewerkt.
Hij nam een hapje van zijn boterham. Die was veel te scherp gekruid.
Alle andere pagina's bleken ongeveer hetzelfde als de laatste. Geen ervan hield enig verband met hysterisch schreeuwende terroristen en vastberaden moordenaars, laat staan met Nemesis.

23.00 uur
Webb nam weer even pauze; hij had moeite zijn ogen open te houden. Hij deed de lamp uit en liep de veranda op. Laag aan de hemel hing een halve maan en de velden en heuvels gloeiden zacht zilverig. Ver naar het noorden hing een oranje gloed aan de horizon; dat zouden Rome, de dorpen van de Castelli, en de steden die verspreid lagen over de Campagna zijn. Hij nam vijf minuten de tijd om de geur van de kamperfoelie op te snuiven.
Een eenzame auto stormde over de autostrada. Waarschijnlijk iemand die terugkwam voor een lang weekend bij zijn familie in Napels of

Palermo, om te ontsnappen aan een autofabriek in Turijn of Milaan, waar de jongemannen van de *mezzogiorno* groot geld gingen verdienen. Hij ging weer naar binnen, deed de lamp aan en begon voor de derde keer het boek te lezen.

23.30 uur
Charta 40.
Die 28, h.6.

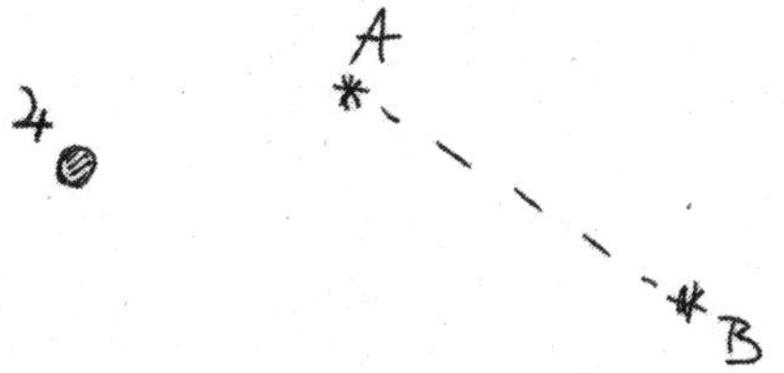

Fixa A distabat a Jove 23 semidiametres: in eadem linea sequebatur alia fixa B, quae etiam precedenti horam observata fuit.
Iets.
Webb staarde suf naar Vincenzo's gekrabbel.
Rustig aan.
Er had een ster bewogen. Vincenzo had hem getekend in positie A, terwijl hij zich het uur daarvoor op positie B had bevonden.
Intussen had Webb verschillende keren naar deze tekening gekeken. Jupiter, de planeet waar de satellieten omheen draaien, is van de aarde gezien een bewegend doelwit, terwijl de aarde zelf een nog sneller bewegend platform is. Daarom beweegt de gigantische planeet tegen de achtergrond van sterren. Als je een telescoop op Jupiter richtte, zou elke ster daar in de buurt van de ene nacht op de andere lijken te bewegen, hoewel dat voornamelijk een reflectie was van de beweging van de aarde.
Maar dat ging met misschien een graad per dag. Op de schaal van Vincenzo's tekening had deze ster ongeveer tien maal de diameter van Jupiter afgelegd. Vincenzo had Jupiter waarschijnlijk bekeken terwijl hij bijna in oppositie stond en de schijf van de planeet niet helemaal te herkennen was met het blote oog, misschien vijftig boogseconden. De ster had zich dus in de loop van een uur vijfhonderd boogseconden of acht boogminuten bewogen, of ongeveer een achtste van een graad. Drie graden per dag.
Deze ster bewoog.

Een bewegende ster, gezien in een kleine telescoop, bijna vierhonderd jaar geleden.
Een asteroïde die langs de aarde wervelde.
Ondanks zijn uitputting glimlachte Webb. Goed gedaan, Vincenzo.
En goedenavond, Nemesis.

Martini, Bianca, Giselle en Claudia

Webb keek met een wazige blik op zijn horloge.
Een halfuur voor middernacht. Om middernacht zou Bellarmines 'agressieve reactie' in werking treden, een reactie die was gebaseerd op de aanname dat Amerika vernietigd zou worden. Maar dat was middernacht in Washington. Om daar te komen, moest het zenit de Atlantische Oceaan oversteken, een reis van zes uur.
Zes uur en dertig minuten om uit deze tijdluwte te vertrekken, weg uit middeleeuws Italië, terug naar de echte wereld met echte mensen, computers en telefoons. En dan moest hij Nemesis identificeren aan de hand van Vincenzo's schets en het o zo belangrijke telefoontje plegen.
Zes en een half uur, waarvan er zes te danken waren aan de kromming van de aarde.
Hij stopte het boek veilig in zijn binnenzak en deed het knoopje dicht. Toen liep hij naar de slaapkamerdeur en deed hem stilletjes open. Er scheen een fel licht in het trapgat. Beneden meende hij een zwak geschuifel te horen, als een hond die op zijn zij gaat liggen. Waarschijnlijk uit de keuken. De geur van de spaghettisaus van die avond drong vaag tot hem door toen hij erlangs liep. Onder de tafel kwam de omtrek van een hondenkop omhoog, de oren gespitst in stille nieuwsgierigheid: Benito. De Führer zou ook wel in de buurt zijn.
Webb deed voorzichtig de voordeur open en toen was hij buiten in de warme sterrennacht, met een manuscript van tien miljoen dollar.
Zo gemakkelijk kon het niet zijn.
Het licht van Webbs slaapkamer verlichtte het terrein tot aan de muur. De halve maan kwam op en er waren donkere, stille schaduwen waarin zich van alles kon verschuilen. Hij bleef naast de fontein naar het tinkelen staan luisteren en hield zijn gezicht omhoog naar het opstuivende water. Toen liep hij naar de achterkant van het huis. Door Webbs gespannen zenuwen leken zijn voetstappen net zware laarzen

op grint, die de nachtelijke stilte ruw verstoorden. Hij kwam bij de muur en leunde erop, uitkijkend over de vallei. De stenen voelden koud onder zijn handen, het land sliep. De velden waren ook donker en overal zag hij verwrongen oude heksen, verstijfd in groteske houdingen: olijfbomen, amper zichtbaar in de duisternis. En daarachter bevond zich de zwarte massa van de kathedraal, een stille reus die over een wirwar van schaduwen gebogen stond.
Hij haalde alleen even een frisse neus.
Hij ging op de muur liggen, zwaaide er een been overheen en rolde er af. Het was een diepe val en hij raakte de aarde met een solide bons, waarna hij doorrolde tot in een geurige struik. Hij sprong hijgend overeind en rende het donker in, laag onder de muur. De muur boog weg bij een veld; twintig meter open terrein tot aan de weg.
De weg was niet beschut genoeg. Hij veranderde midden in zijn vlucht van gedachte, maakte een haakse bocht en rende het veld over naar de heksen, zonder achterom te durven kijken. Op deze manier kwam hij in het licht van zijn slaapkamer, een krachtig zoeklicht dat het veld overspoelde alsof het een voetbalstadion was.
Webb zigzagde van de ene kant naar de andere. Zijn oren waren tot het uiterste gespitst en hij verwachtte elke seconde het luidruchtige hijgen van rennende honden te horen. Zijn rugspieren deden pijn door de bange verwachting van een kogel die zich door zijn ruggengraat zou boren.
Hij kwam bij de bomen en rende er wild tussendoor, maar hij was nu buiten het zicht van de villa en de berg daarachter. Hij bleef hijgend staan, leunde tegen een boom en keek angstig omhoog, terwijl het bloed bonsde in zijn oren.
Geen honden, geen mannen met geweren, en zo gemakkelijk kan het niet zijn.
Webb besefte opeens dat hij ook van hier, tussen de bomen, in de gaten gehouden kon worden. De tijd ging voorbij terwijl hij zijn ogen aan het donker liet wennen en zijn ademhaling weer onder controle kreeg. Tijd om tussen de verwrongen zwarte vormen om hem heen te kijken.
Een zwak geschuifel, misschien dertig meter verderop. Ongetwijfeld een dier.
Nogmaals. Dichterbij.
Ver, heel ver weg hoorde hij het gejank van een auto. Hij reed voorbij. Webb draaide zich om en strompelde naar het dorp. Een dunne tak raakte hem pijnlijk in het gezicht en hij liep een kras over zijn wang

op. Tussen de bomen door zag hij lichtjes twinkelen op de vlakte achter de autostrada. Het olijfbos hield op bij wat wel een oude verdedigingsgreppel leek van ongeveer negen meter diep. De greppel liep naar rechts en ging in de verte over in een steile, rotsachtige helling. Aan zijn linkerkant zag Webb de achterkant van de cantina, ongeveer vijftig meter van hem vandaan, met de weg net daarachter.

Geen teken van een achtervolging. Geen geschuifel in de schaduwen.

Voorzichtig liep hij naar de bomenrand. Hij voelde letterlijk zijn knieën knikken. Er was een lage muur en aan de andere kant de weg die het dorp in liep. Inktzwarte, rafelige schaduwen omzoomden de keitjesweg. Het maanlicht werd fel weerspiegeld in een klein open raam in het dorp.

Hij klom over de muur en stapte geluidloos op de keitjes van de weg. Onderweg naar het dorp bleef hij zo veel mogelijk in het donker en stopte in de schaduw van het eerste gebouw, een vervallen wijnbar. Door de getraliede ramen kwam de geur van zure wijn.

Te veel schaduwen, maar stilte. Als van een kerkhof.

Een hond jankte ongeveer vijftig meter voor hem. Webb verstijfde van angst. Een andere hond op de heuvel nam de wolfsroep over. Hij keek achter zich; onder zijn slaapkamer, in wat de keuken moest zijn, was nog een licht aangegaan. De dieren vielen stil. Hij sloop haastig en bijna op zijn tenen over de keitjes van de middeleeuwse straten en kon nog net niet de huizen aan beide zijden aanraken. Als er een val was opgezet, was dit de plek. Daar was het plein voor de kathedraal. Het licht stroomde uit de open deuren.

De klokken van de kathedraal kwamen bonzend tot leven. Webb maakte letterlijk een sprong van schrik. Hij vluchtte over het plein. Een laatste stukje met huizen. Er kwamen mensen door de deuren naar buiten. Hij rende in het donker bijna tegen een ouder echtpaar aan. '*Buon Natale!*' riep hij, en toen was hij het dorp uit en maakten de keitjes plaats voor een spoor tussen de wijnranken en olijfbomen door.

Hij draafde naar beneden en rende op volle snelheid over het verlaten spoor, met het geluid van de kerkklokken in zijn oren. Ongeveer achthonderd meter van het dorp kwam het spoor uit op de weg naar de autostrada en hij ging hijgend en lachend van opluchting langzamer lopen. De man in het tolhuisje zat een krant te lezen, met een sigaret in zijn mond. Webb sloop onopgemerkt voorbij.

Hij stak de verlaten autostrada over en ging verbijsterd op een muurtje zitten. Het was te gemakkelijk gegaan. Na een minuutje zag hij

koplampen naderen uit het zuiden. Hij stapte nog steeds buiten adem de autostrada op. De koplampen beschenen hem; hij zwaaide met zijn armen en besefte opeens dat de auto wel heel erg op het juiste moment voorbijkwam, dus strompelde hij de weg weer af en ging in martelende onzekerheid op zijn hurken achter het muurtje zitten. De auto reed snel voorbij en de uitlaat brulde in de verte.
Veiliger om op een vrachtwagen te wachten.
Hij wachtte. Er reden een paar auto's voorbij aan de andere kant van de weg. Webb gebruikte de passerende koplampen om te kijken hoe laat het was en vroeg zich af of hij er wel juist aan had gedaan om de eerste auto te laten gaan.
Er ging een kwartier voorbij, waarin hij met groeiende wanhoop een beroep deed op wilskracht en gebed. Maar er kwam geen auto.
Een stem? Misschien, maar het was op de grens van zijn gehoor. Webb schreef het toe aan illusie, veroorzaakt door zijn bonzende hart en zijn overspannen zintuigen. Maar toen hoorde hij duidelijk het zachte geluid van een vrouwenlach. Hij liep over de vluchtstrook en ving af en toe flarden van een gesprek op, maar niet genoeg om te horen waarover gesproken werd.
Er stond een auto in een parkeerhaventje voor de politie, ongeveer honderdvijftig meter van de plek waar hij had staan wachten. Hij kon net menselijke gestalten onderscheiden in het rode schijnsel van de achterlichten.
'*Buona sera!*'
Een vrouw van een jaar of dertig kwam uit de schaduwen tevoorschijn. Haar minirok was van leer en absurd kort, en ze had magere benen. 'Goedenavond,' zei Webb.
'*Chi sei?*'
'*Sono un Inglese.*'
'*Ma che ci fai qui?*'
'*Mi sono perso.*'
De vrouw draaide zich om naar de schaduwen achter haar. '*Dice di essere un turista che si è perso. Forse sta cercando un letto per la notte.*'
Iemand lachte, kort en scherp.
'Ik ben Claudia,' zei ze met een zwaar accent in het Engels tegen Webb. 'Kunnen we zaken doen? Kijk, ik ben schoon.' Ze stak haar hand in haar blouse en haalde er een kaartje uit. Webb hield het in het licht van de achterlamp van de auto. Het was een foto van haar met een waarschuwing in verscheidene talen. De Engelse luidde:

Een rood stempel hier? Bij haar geen vertier.
Is het stempel blauw, dan is het aan jou.

Er stonden een heleboel stempels. Ze zagen er rood uit, maar dat kwam waarschijnlijk van het achterlicht.
'Eigenlijk zoek ik vervoer naar Rome.'
De vrouw lachte en zei iets onverstaanbaars over haar schouder. 'Je moet betalen voor onze tijd, *bell'uomo*. En we zijn met zijn vieren.'
'Dat is geen probleem.' Vier dames van lichte zeden, voor bewezen diensten. Webb moest bijna lachen om de reactie bij de administratie.
De auto was klein, had twee portieren en rook naar verschaalde sigarettenrook. Webb zat klem op de achterbank tussen Claudia, die rood haar bleek te hebben, en een meisje met lange oorbellen en een gladde huid, die zei dat ze Giselle heette.
De voorstoelen gingen achteruit en nog twee vrouwen stapten voorin. Claudia zei: 'We wilden toch net weggaan. De zaken zijn *cattivo* met Kerstmis.'
De vrouw achter het stuur keek om naar Webb. Ze had kort haar in dichte krulletjes, ze droeg een zwarte halsband en haar ogen waren zwaar opgemaakt met mascara. 'Dit is Martini en mijn naam is Bianca,' zei ze in beschaafd Engels. 'Ik ben strafpleiter. Ik verdien een heleboel geld.'
'Hoe maakt u het? Dan zijn dit zeker uw cliënten.'
'En jij, Engelsman?'
'*Un professore matto*.'
Ze lachte. '*In cerca della pietre filo sofali*.'
Nu Webbs reputatie als gekke professor was vastgesteld, draaide het autootje voorzichtig de autostrada op en snelde er toen in een ferm tempo vandoor, en vier hoeren, een zenuwachtige wetenschapper en het geheim van Nemesis begaven zich met spoed naar Rome.

De Weerwolfclub

Il Lupo Manaro, de Weerwolfclub. Een deel van Rome waar Kerstmis geen invloed had en waar wit licht het enige taboe was.
Het autootje bleek een krachtige motor te hebben en op de terugweg naar Rome hing de snelheidsmeter rond een zeer bevredigende honderdvijftig kilometer per uur. Er werd veel gepraat in een sterk plaatselijk dialect, waarvan het grootste deel langs Webb heen ging. Hij zat tussen Claudia en Giselle in gepropt en voelde hun magere bovenbenen tegen de zijne. Claudia's hand bleef naar zijn knie afdwalen.
Binnen anderhalf uur lag de grote vlakte van Rome glinsterend beneden hen en het duurde niet lang of ze ratelden luidruchtig de stille buitenwijken in, op weg naar Cinecittà. In het centrum liepen om één uur 's nachts nog steeds drommen mensen rond. Webb probeerde aan monumenten en plekken die hij kende te zien waar ze waren.
Er begon een alarmbelletje te rinkelen in zijn hoofd.
Ze sloegen bij het Colosseum links af en leken naar het zuiden te gaan, maar toen maakten ze een scherpe bocht naar het noorden. Op een bord stond CIRCO MASSIMO en op een heuvel aan de rechterkant stonden hoge, verlichte ruïnes. Vervolgens nam de strafpleiter hen mee langs de Mond van de Waarheid en over de Palatinobrug naar de andere kant van de donkere Tiber en het doolhof van smalle, drukke straatjes van het oude getto.
Hier schoot hij niets mee op; hij moest zo snel mogelijk naar het vliegveld. Hij zei nonchalant: 'Zet me maar gewoon ergens af, dames.'
Claudia giechelde, Martini lachte onbeheerst en de moed zonk Webb in de schoenen toen zijn steeds sterker wordende vermoeden dat hij helemaal niet ontsnapt was vaste vorm aannam.
De auto sloeg af bij een driehoekig plein en reed een eindje een smal straatje in, waarna hij langs de stoep werd geparkeerd. De vijf inzittenden rolden naar buiten. Martini en Bianca waren verwikkeld in een luidruchtige woordenwisseling, een en al Italiaanse uitbundigheid, en

Bianca's lange oorbellen zwaaiden als pendules. Claudia had moeite met haar stilettohakken op de keitjes en Webb had pijn in zijn benen nu zijn bloedsomloop weer ging werken; ze haakten hun armen in elkaar om elkaar in evenwicht te houden.
Moest hij haar loslaten en het op een rennen zetten? Webb vermoedde dat hij nog geen tien meter ver zou komen.
Er naderde een groepje jongemannen met hun dames, die zingend en giechelend weer verdwenen in het donker.
Een zijweggetje en daar was *Il Lupo Manaro*, die de donkere hoeken streelde met groen en roze neon. Op een bord bij de ingang stond

Mephisto
voert u mee
in een nacht van magie
vol van het geluid van
de vleeshaken

Er stonden foto's bij van een dikbuikig mannetje van middelbare leeftijd die zijn niet erg geheimzinnige trekken met een baard, een hoge hoed, een cape en een toverstok iets geheimzinnigs probeerde te geven. Zelfs om één uur in de ochtend was het een farce.
Webb zei: 'Bedankt voor de lift. Ik moet nu gaan.'
Claudia glimlachte. 'Maar je moet nog betalen voor onze tijd, weet je nog? We rekenen binnen wel af.'
'Vijf minuten?'
'Tien.' Claudia nam Webb bij de hand en voerde hem mee naar binnen. De duisternis werd doorboord door kegels ultraviolet licht van spots in het plafond. Synthetische vezels die door de lichtkegels kwamen, gloeiden dieppaars op en diamanten, als het dat al waren, sprankelden en flitsten. Webb zag een heleboel gesprankel en geflits om zich heen. Hij zag tot zijn verbazing dat Claudia's lippen en oogleden een felgroene gloed vertoonden.
Een rijpere vrouw met een houding alsof ze alles al te vaak had gezien en gedaan, zei '*Buona sera!*' en het bleef *buona sera* door een hele reeks perspex deuren naar het hart van de club. Een gloeiend paars overhemd en manchetten verschenen uit de schaduwen alsof de onzichtbare man erin zat en veranderde op het laatste moment in een persoon van onbepaalde leeftijd met oosterse trekken.
Ze werden naar een laag tafeltje midden in de zaal gebracht en gingen

in Romeinse stijl op banken liggen. Claudia en Giselle lieten zich aan weerszijden van hem vallen. Ze leken goed bekend te zijn in de club, en vooral Bianca werd van alle kanten begroet.
Op het tafeltje werden de kaarsen aangestoken. Ze brandden rood en blauw en gaven een vreemde kruidengeur af, die zich vermengde met de zware geur van sigaren. Dure nertsen werden achteloos over de rugleuning van de bankjes gegooid waarop de paartjes zich uitstrekten, het een nog horizontaler en intiemer dan het andere. Martini en Bianca deelden een bank en Martini streelde af en toe de benen van de juriste, die over die van haar lagen. Webb kreeg zo zijn vermoedens over die twee. Er kwam een kelner en Martini bestelde voor iedereen gin fizz. De warmte, de bedwelmende parfums en zijn uitputting waren net zware ketenen.
Een kleine, transparante dansvloer werd van onderen verlicht door een draaiende caleidoscoop in primaire kleuren. Er stonden een stuk of zes paartjes op en vier door de wol geverfde personages in een verlicht hoekje bij het podium speelden muziek met een fallisch ritme. Het zweterige gezicht van hun zanger vrat de microfoon zowat op en hij zong min of meer terwijl zijn grote, harige handen heen en weer vlogen tussen de onderdelen van zijn drumstel. Vanaf de muren keken grote harige gezichten met hondentanden op hen neer vanuit gloeiende afbeeldingen, die waren afgewisseld met schetsen van aantrekkelijke maagden vol oosterse beloften.
Bianca boog zich naar Webb toe. 'De politie blijft deze club sluiten,' zei ze over de muziek heen. 'Maar hij gaat steeds weer open onder nieuw management. Andere namen op de gevel.'
'Je zult hier wel een of twee klanten hebben.'
'Op een paar toeristen en provincialen na zijn het allemaal klanten.'
Webb besefte opeens dat hij in de Lupo Manaro met een bijl in stukken kon worden gehakt zonder dat iemand het zou merken.
'Hoor eens, ik zal je betalen, en dan moet ik echt gaan.' Bianca glimlachte en schudde haar hoofd. 'Eerst hebben we een verrassing voor je.'
Martini wuifde naar een donkere hoek van de club. Een dikke man in smoking boog zich over Claudia heen en maakte een opmerking zonder acht te slaan op Webb. Claudia lachte en gaf de man een zoen, die daarna in de duisternis verdween. Webb ving tot zijn verrassing de blik van een persoon met een zwarte baard in een fluwelen smoking aan een tafeltje dat een paar meter voor hem stond. De man blies hem een kushandje toe. 'Niet jij, sukkel!' zei hij, en hij wuifde naar iemand achter in de club.

Een saxofoon begon aan een langzame melodie. Martini en Bianca liepen naar de dansvloer, stevig omstrengeld, en begonnen te dansen.
'*Sei stanco*?' vroeg Claudia, terwijl ze haar magere armen om zijn hals sloeg. Haar lichtgevende lippen raakten bijna de zijne. 'Ben je moe?'
'Eh, misschien heb ik wat frisse lucht nodig.' Hij pakte zijn glas.
Ze liet hem los en lachte. 'Wat ben je toch geremd, Engelsman. Maar vannacht is voor jou de liefde gratis. Waarom ontspan je je niet? Geniet van het leven. Zolang je kunt,' voegde ze er raadselachtig aan toe.
Webb kreeg een wanhopige ingeving. 'Leer me dan de tango.'
De vrouw piepte van verrukking en nam Webb mee naar de dansvloer. Toen ze er waren, fluisterde ze iets tegen de man met de saxofoon, die grijnsde. Het tempo werd opeens scherp en ophitsend.
'Popcorn!' riep Claudia. Ze wiegde met haar heupen, stak haar armen boven haar hoofd, en schudde al draaiend met haar borsten. Het leek op geen enkele tango die Webb ooit had gezien. De vloer werd voor hen vrijgemaakt. Zijn wanhopige idee om naar de achterkant te vluchten, was verdwenen zodra hij de zware jongens naast het podium zag, die met emotieloze ogen naar zijn optreden keken. Hij concentreerde zich op Claudia en probeerde onhandig haar heftige bewegingen te volgen, terwijl zijn voorhoofd nat werd van het zweet en de levendige visioenen van een wereldramp met de minuut grotere vormen aannamen.
Na een paniekerige minuut kwam de muziek tot stilstand als een trein die een station binnenliep en leidde Claudia hem lachend en zwetend, onder wat verspreid klinkend applaus, bij de hand terug naar de bank, waar nu twee mannen en een vrouw zaten. De oudere man had Webb het laatst bij Doney gezien; zijn grijze haar leek nu roze door het licht in de club. De andere twee had hij het laatst in de donkere bossen van Tuscolo gezien toen ze Walkinshaw op kwaadaardige wijze vermoordden.
Webb nam de hem toegewezen plaats tussen de twee jonge mensen in. Claudia, die opeens nogal gereserveerd deed, ging met Giselle op een andere bank zitten. Martini en Bianca waren verwikkeld in een gesprek over vrouwenzaken. Ze schonken geen aandacht aan hem.
De man met het roze haar trok een stoel bij om tegenover Webb te kunnen gaan zitten. 'Goedenavond, meneer Fish.' Zijn brillenglazen weerspiegelden het rood en het blauw van de spots en de kaarsen. 'Bent u in uw opdracht geslaagd?'
'Ja.'
'We hebben een afspraak, weet u nog?'

'Hoe weet ik dat u zich aan uw helft van de afspraak zult houden? Zodra ik u vertel wat ik weet, kunt u me vermoorden.'
'Dat was juist wat onze overeenkomst zo interessant maakte. Geen van ons leek zich eraan te willen houden. U zou kunnen proberen het manuscript te stelen, ik zou kunnen besluiten u te doden. Maar als u het me nu niet vertelt – *allora*, mijn vriend heeft een stiletto in zijn zak, slechts een paar centimeter van uw nieren. Ik heb hem ermee aan het werk gezien. Het is een bijzonder onaangename dood.'
Er kwam zweet uit elke porie van Webbs lichaam. 'Er staat iets in het manuscript.'
Er klonk tromgeroffel. Een dik mannetje liep het podium op en zei in ratelend Italiaans iets in de microfoon, en toen kwam Mephisto op, compleet met zwart sikje, hoge hoed en een lange zwarte cape met een rode binnenvoering. Er werd gefloten en gelachen toen een kortharige kunstmatige blondine in een badpak vol lovertjes een tafel het podium op reed. De goochelaar boog en begon aan zijn act, waarin aangestoken sigaretten, glazen water en duiven verdwenen en weer opdoken...
'Iets in het manuscript,' werd er in Webbs oor gesist.
Webb prutste aan het knoopje van zijn binnenzak en haalde met trillende handen *Phaenomenis* tevoorschijn. Hij sloeg een bladzijde op en wees naar Vincenzo's Latijnse aantekeningen. 'Hier. In deze paragraaf. Een gecodeerde boodschap. Dit is gedaan door wetenschappers uit de renaissance. In plaats van hun ontdekking in gewoon Latijn op te schrijven, bedachten ze...'
'Wat is de boodschap?' viel de man hem ruw in de rede. Elke lijn van zijn gezicht was verwrongen van gretigheid.
Applaus. Er werd een guillotine het podium op gereden; een van de wieltjes piepte. Het was een zwaar houten geval van drieënhalve meter hoog, met een enorm stalen blad dat rood, wit en blauw glansde in de rondzwaaiende lichten. Het blad ging sissend naar beneden en een watermeloen viel met een zware bons in twee stukken uit elkaar. Mephisto riep onder veel vrolijkheid om een vrijwilliger. Een Schot, een dikke man uit Glasgow met het accent van de Gorbals, riep allerlei schuttingtaal toen drie van zijn even dronken vrienden hem het podium op duwden. De blondine nam hem bij de arm en zijn vrienden liepen onvast ter been en wild lachend achteruit.
'Moet ik elk woord uit uw mond trekken?'
'De hertog van Toscane heeft een deel van zijn bezittingen verstopt. Ik denk als appeltje voor de dorst. Maar het ziet ernaar uit dat hij zijn

hovelingen niet vertrouwde. Vincenzo was niet materialistisch en hij had zijn leven aan de hertog te danken.'
De Schot had Mephisto met touw en kettingen vastgebonden op een plank, met de hulp van de assistente van de goochelaar, en ze duwden de plank nu op een metalen brancard en zetten die zo neer dat de goochelaar op zijn rug met zijn keel onder het blad lag. De Schot klauterde snel het podium af.
'Ga verder, Fish!' Maar nu was het dikke mannetje het podium weer opgekomen. Hij depte zijn voorhoofd met een zakdoek en verzocht om absolute stilte vanwege de gevaarlijke aard van het experiment. De kunstmatige blondine keek plechtig. Er werd een gordijn dichtgetrokken en het publiek viel stil. De blondine trok aan een koord. Het blad viel naar beneden. Er klonk een snijdend geluid dat Webbs gespannen zenuwen deed trillen als een snaar. Een bebloed hoofd met uitpuilende ogen en dikke aderen in de hals rolde onder het gordijn vandaan. De blondine gilde hysterisch, het publiek kwam met veel rumoer overeind en toen werd het gordijn weggetrokken en stond Mephisto daar met zijn hoofd op zijn plek en de kettingen aan zijn voeten. Er volgde een uitbarsting van opluchting en gelach en een donderend applaus.
'Mijn geduld raakt op.'
'Het schijnt dat Vincenzo een deel van de schat voor de groothertog heeft verborgen, de locatie in code in zijn aantekeningen heeft vermeld, maar is gestorven voordat hij de hertog kon vertellen waar de spullen waren.' Webb had al dagenlang amper geslapen; het was het beste wat hij op dat uur kon verzinnen.
'En nu, mijn goede vrienden, nog één illusie. Nog een vrijwilliger, alstublieft.' Zijn blik ging over het publiek en bleef rusten op Webb. 'U, meneer!' zei hij met dramatisch wijzende vinger. Veertig stel ogen werden op hem gericht.
'Zitten blijven.' Maar de man in de fluwelen smoking had Webb al lachend bij de arm genomen en overeind getrokken. De zware jongens gingen aan zijn andere arm hangen. Het publiek lachte en klapte om het trekspelletje, dat snel grimmiger werd. Webb riep: 'Oké! Ik geef me over!' en er klonk nog meer applaus toen hij zich een weg tussen de stoelen door baande en op het podium klom. Hij liet het boek weer in zijn zak glijden. Vanaf het podium kon Webb zien hoe Martini en de moordenaars zich haastig naar de uitgang begaven.
'Probeer rustig te blijven,' mompelde Mephisto in het Engels, en

Webbs hart sloeg over. 'Beste vrienden,' zei de goochelaar met veel misbaar tegen het publiek, 'hier voor u ziet u een man.' Ergens achter de schijnwerpers werd gesnoven en iemand giechelde. 'Er is maar één ding mis met een man. En dat is dat hij geen vrouw is. Het is een fout die wij in onze illusionaire wereld recht kunnen zetten. God heeft de vrouw geschapen door een rib van de man te nemen.' De blondine greep Webb stevig bij de arm terwijl de goochelaar snel een feloranje kettingzaag met een elektriciteitssnoer onder het tafeltje vandaan haalde. Het publiek brulde.
'Durven we het aan om het experiment van God te herhalen?' Veertig kelen schreeuwden '*Ja! Si!*' De kettingzaag kwam met veel geraas tot leven. Mephisto haalde een halve fles sterkedrank uit een binnenzak en dronk hem in een enkele teug leeg. De blondine sprong weg toen de zaag naar haar toe zwaaide. Nog meer gelach. 'Nu is doctor Mephisto dronken genoeg. Laat de operatie beginnen. Laten we een rib uit deze man halen. Ik wil iemand vragen deze kist te inspecteren.' Hij zwaaide de zaag vragend in de richting van het publiek.
Er werd een kist naar voren gereden en de man in de fluwelen smoking beklopte de wanden, sprong op en neer op de vloer en verklaarde dat dit een prima kist was, zonder dollen. Hij hield de kettingzaag goed in het oog. De blondine zette Webb in de kist en de deur ging dicht. Hij stond in het pikkedonker. Het geluid van zware kettingen die om de kist werden geslagen klonk hierbinnen heel luid. Het gejank van de kettingzaag werd nog iets hoger en toen kwam het oorverdovende lawaai van splinterend hout. Hij ging zo ver mogelijk achteruit, maar besefte toen dat de zaag op de een of andere manier niet door de kist heen kwam. Er klonk nog een geluid, een paneel dat weggleed, vlak bij de grond. Er kwam licht naar binnen door de vloer. Een hand wenkte dringend en Webb klom een korte houten ladder af. Een man met een lichte huid en in een blauwe overall legde een vinger tegen zijn mond. Er was nog een man met het gezicht van een Romeinse patriciër en in het volledige uniform van een kolonel van de carabinieri. Hij knikte kort naar een vrouw van een jaar of vijfentwintig met een rood Venetiaans masker voor en een rode cape met lovertjes om haar schouders en zij beklom onhandig op hoge rode schoenen het laddertje. Er tinkelden belletjes rond haar middenrif toen ze Webb passeerde.
'Ze staan me bij de achterdeur op te wachten,' fluisterde Webb, knipperend tegen het licht. 'Ik zag ze naar buiten rennen.'
'Ik weet het. Ik ben trouwens Tony Beckenham, van de Britse ambas-

sade. En dit is kolonel Vannucci van de SDI, de Italiaanse veiligheidsdienst.'
'Hoe wisten jullie eigenlijk dat ik hier was?'
'Van je Amerikaanse collega's. En de mensen van Walkinshaw.'
'Maar hoe hebben jullie me gevonden? Niemand kan met enige mogelijkheid hebben geweten waar ik was.'
'Onzin. We hebben gewoon het spoor van het manuscript gevolgd. Dat oude mens in de heuvels vertelt dat verhaal al vijftig jaar.'
De kolonel keek verontrust. 'Meneer Fish, dit is niet het moment voor een praatje. Het gevaar is buitengewoon groot. We hebben minstens zeven gezochte criminelen herkend in de club. Het is een buitenkansje voor ons. Maar ze zullen u vermoorden zonder er twee keer over na te denken en zich schietend een weg naar buiten banen. Tot het *squadra* arriveert heb ik hier maar drie mensen en we kunnen op een openbare plek niet terugschieten.'
'Wat doen we dan?'
'Verstop je! Op het podium!'
'Beckenham, ik wil dat je het Planetologisch Instituut op de Via Galileo opent en ik wil een auto klaar hebben staan om me daarheen te brengen.'
'Doe niet zo idioot.'
Door de vloer van het podium drong het geluid van fluiten en klappen. Vanboven ging een houten paneel open en een paar lange benen vol lovertjes in rode schoenen met hoge hakken klom onvast het trapje af.
'Schiet op!' zei Vannucci, die Webb terugduwde naar de ladder.
'Ik wil over maximaal drie uur in Oxford zijn. Het kan me niet schelen, al moet u een Jumbo charteren.'
Vannucci duwde Webb de ladder op.
'En ik moet een snelle laptop aan boord hebben. Ik heb die van mij in het beveiligde huis achtergelaten.'
Een glimp van angst trok over het gezicht van Beckenham toen het hem duidelijk werd dat Webb het meende. Vannucci tilde de astronoom praktisch naar boven.
'Met een Linux interface,' riep Webb naar beneden.
'Wat voor ding?'
Toen hij weer in de donkere doos stond, voelde Webb dat hij een paar meter werd weggereden, waarschijnlijk net van het podium af. De band had een slaperig deuntje ingezet dat aanzwol tot een finale.

Er naderden voetstappen. Webb viel tegen de zijkant van de kist toen die werd opgetild. Hij werd misschien tien meter weggebracht toen er een enorme knal klonk. Een man riep iets, boos en bang; een vrouw gilde, rennende voetstappen.
Iemand schopte hard tegen de kist. Webb, die helemaal bezweet was, zette er twee voeten tegenaan en hij barstte open. Beckenham, de politieman en een vrouw in een zwarte cocktailjurk sleepten hem eruit en trokken hem overeind. Ze hadden alle drie een vuurwapen en de vrouw hield bovendien nog een avondtasje vast. Een portier met een walrussnor in een glazen hokje was met grote angstogen trillend achter een stoel gedoken. Het had een scène kunnen zijn uit een komedie. Webb wilde net iets zeggen toen de vrouw hem hard bij zijn haren greep en hem op zijn knieën dwong. Op hetzelfde moment sloeg er een kogel in de wit gestuukte muur naast zijn gezicht; Webb zag hem zoemend en draaiend terugkaatsen. Toen rukte de politieman een rode nooddeur open, ging er een alarm af en werd Webb een steegje in geduwd. Hij viel zwaar op de grond.
De vrouw kwam achter hem aan, sleepte Webb overeind en duwde hem voor haar uit de steeg door. Webb begreep waar ze naartoe wilde en ging er als een haas vandoor. Hij sprintte een hoek om en kwam bijna in botsing met de jonge moordenaars uit Tuscolo, die de Weerwolfclub uit kwamen rennen. Webb dook naar de grond. De harde keitjes sloegen de adem uit zijn longen. Achter hem hoorde hij twee scherpe knallen en het door flikkerende neonlampen verlichte steegje lichtte kort op door twee felgele flitsen. De jongelui vielen als zakken neer. De mensen in het steegje renden de club weer in of verdwenen in deuropeningen. Het gezicht van de vrouw uit Tuscolo bevond zich niet meer dan dertig centimeter van dat van Webb. Ze had lang zwart haar, haar ogen waren halfdicht en levenloos en er sijpelde iets als pap uit een keurig zwart gaatje midden in haar voorhoofd; de jongeman klemde een lang, dun mes in zijn handen, maar ook hij was morsdood. Het alarm was oorverdovend in het smalle steegje.
Webb stond op en zwaaide op zijn benen, op het punt van flauwvallen. De vrouw, die een meter of tien achter hem stond, deed rustig haar hoge hakken weer aan. Hij zei: ‘Kunnen we alsjeblieft opschieten?’ Maar zijn stem was niet meer dan een onhoorbaar gefluister.

Oxford, de laatste minuten

Een wagen van de *squadra volante* bracht Vannucci, de vrouw en Webb binnen vier minuten naar het *Istituto di Planetologia* aan de andere kant van de stad. De deuren waren al open en een beheerder met een verwarde bos haar was in een geanimeerde discussie verwikkeld met twee *carabinieri*, met veel theatrale gebaren. Hij stortte een stroom Italiaanse woorden uit over Webb toen de astronoom het verlichte gebouw in rende.

Hij holde de trap op en door een donkere gang naar het kantoor van Giovanni. Twee jaar geleden had hij een wachtwoord voor bezoekers gehad en er was geen enkele kans dat dat nog zou werken; hij zou Giovanni uit bed moeten bellen. Hij probeerde toch even zijn oude gebruikersnaam en wachtwoord en hoera!, het werkte; het Linux-schermpje verscheen.

Webb keek op zijn horloge en rekende nog eens om naar de Eastern Standard tijd. Hij was bijna een uur in de Weerwolfclub geweest en hij had nog vier uur om Nemesis te identificeren.

Wat hij moest doen, was de bekende aardscheerders terug laten gaan in de tijd, hun baan berekenen, rekening houdend met de invloed van de zwaartekracht van de planeten en bepalen hoe dicht elke asteroïde op 28 november in het jaar onzes Heres 1613 bij de aarde had gestaan. Hij nam een minuut de tijd om na te denken. Ze zouden hier wel software hebben die snel een baan kon berekenen, maar hij wist niet hoe die heette of werkte. Het systeem dat hij in Oxford gebruikte was ontwikkeld door de afdeling Hemelmechanica van de Armagh Observatory in Noord-Ierland. Het was gebaseerd op Bulirsch-Stoer en symplectische routines, en was waarschijnlijk net zo snel als elke andere bestaande software.

De toekomstige baan van een asteroïde of komeet kan worden benaderd met een reeks van lineaire stappen. Het kost veel tijd om elke stap te berekenen. Hoe groter de lengte van de stap, hoe minder er in totaal nodig zijn en hoe sneller de baan is berekend. Grote stappen zijn wel snel, maar leiden tot onbetrouwbare resultaten; geen enkele asteroïde bewoog ooit in een reeks van lineaire stappen. Een baan die is berekend aan de hand van hele grote stappen, wijkt steeds meer af van de realiteit. Een berekening met heel kleine stappen is hoogst nauwkeurig, maar er is veel tijd voor nodig. Webbs probleem was dat hij grote nauwkeurigheid moest hebben en maar heel weinig tijd had. Op het beeldscherm was een berichtje verschenen dat hem gelukkig kerstfeest wenste, maar er werd ook in vermeld dat men hem spijtig genoeg moest meedelen dat het mainframe van het Oxford Institute tijdens de feestdagen buiten gebruik was voor onderhoud.

Hij had geen toegang tot de computers van het Armagh.

Hij riep de homepage van het observatorium op voor het telefoonnummer en belde. Paolo had gelukkig geen geld gehad om met Kerstmis naar zijn familie in Turijn te gaan en was zoals gewoonlijk nog laat aan het werk. De Italiaanse student ging onmiddellijk aan de slag om de programma's op een anonieme FTP te zetten, zodat iedereen er toegang toe had. Webb had ze na een paar minuten op de computer van Giovanni staan en schreef ze over op een stuk of zes floppydisks, samen met de planetaire efemerides voor de laatste vierhonderd jaar en de orbitale elementen van alle bekende aardscheerders.

Nu had hij wat hij nodig had. Behalve tijd.

Hij typte een korte e-mail naar Eagle Peak:

> De zeevaarder heeft de Nieuwe Wereld bereikt.
> Inlanders vriendelijk gezind.

Het was Enrico Fermi's gecodeerde bericht in oorlogstijd, waarmee hij aankondigde dat het atoom was gesplitst. Willy Shafer zou het begrijpen, maar een doorsnee hacker niet.

Hij rende het gebouw weer uit naar de politieauto, die met blauw zwaailicht door de stad racete.

Vannucci keek Webb in het flikkerende licht van de straat aan. 'Ik zou dolgraag weten wat er aan de hand is.'

Webb zweeg.

'Een landgenoot van u wordt op brute wijze vermoord op Italiaanse bodem. Dat staat me niet aan. Als ik mijn zin kreeg, zat u nu in *La Madama* om vragen te beantwoorden.'

'Maar u wordt weerhouden door instructies van bovenaf, nietwaar?'

De politieman stak een Camel-sigaret op. 'Dat boekje van u. Was het het waard?'
Webb dacht eraan hoe Leclerc dood was gevallen, hoe Walkinshaw door kogels doorzeefd was en hoe de jonge moordenaars een gat in hun hersenen hadden opgelopen. Hij knikte. 'Beslist. Is er in die club nog iemand gewond geraakt?'
'Behalve de mensen die voor uw ogen zijn gestorven, bedoelt u? Een van mijn mannen wordt met spoed geopereerd in het San Salvadore.'
'Die twee doden waren de mensen die Walkinshaw hebben vermoord. De oudere man die bij me was in de club, was de aanstichter van de hele zaak. Ze wilden het boek hebben. Meer kan ik u niet vertellen. Een kruisverhoor in de *questura* zou u niets meer opleveren.'
Vannucci nam peinzend een trek van zijn sigaret. 'Daar zou ik maar niet zo zeker van zijn.'
'Die dame – wat een briljante schutter.' Ze keek Webb aan vanaf de voorbank en glimlachte koel. Haar Engels was goed. 'Gegeven het slechte licht vond ik dat ik het er aardig heb afgebracht.'
Die had geen psychologische hulp nodig, dacht Webb. Hij keek naar buiten en kreeg het opeens koud. 'Dit is niet de weg naar het vliegveld.'
'We brengen u naar het militaire vliegveld in Ciampino.'
Ze waren er in tien minuten. De politiewagen reed rechtstreeks de startbaan op. Er stond een jet te wachten met open deur, brandende lampen en gierende motoren. Beckenham stond bij de trap met een laptop in zijn hand. Webb pakte de computer van Beckenham aan, schudde hem even de hand en toen ging de deur dicht en reed het toestel snel weg.
Toen de jet opsteeg, keek Webb neer op Rome bij nacht, een groot, lichtend spinnenweb dat in tweeën werd gedeeld door de Tiber. Maar er was geen tijd om angst te voelen. Hij schoof de floppy's in de computer en voerde de programma's in.
Beckenham had in die korte tijd prima werk geleverd. Het was een snel apparaatje met een P5-chip en het zat goed in elkaar. Het zou misschien tien minuten duren om de geschiedenis van elke aardscheerder tot aan 1613 na te gaan. Er waren vijfhonderd bekende aardscheerders. Dus zou het identificatieproces vijfentachtig uur kunnen duren. Drieënhalve dag, dag en nacht.
Hij had drieënhalf uur.
Een supercomputer zou het karwei in een paar minuten geklaard hebben. Hij had kunnen proberen de programma's van Armagh in de

Rutherford-Appleton HPC in te voeren als hij daar toegang toe had gehad, maar dat was niet zo. Het zou dagen kunnen duren om als buitenstaander in de supercomputer te komen en ook dan hadden ze daar waarschijnlijk werk voor dagen in de planning staan. Hij kon proberen voorrang af te dwingen via de koninklijke astronoom of de voorzitter van de raad, maar dat zou de aandacht op hem vestigen en die aandacht kon leiden tot een kernaanval.

Hij kon de informatie ook doorsturen naar Kowalski. Maar er was geen mogelijkheid om een boodschap vanuit Oxford of het vliegtuig naar Eagle Peak te coderen. Een e-mail zou de hele wereld rondgaan en in een stuk of zes staten landen voor hij op de plaats van bestemming was. Te gevaarlijk; hij kon net zo goed een megafoon pakken.

En als de verrader in het team – als er een verrader in het team was – de boodschap als eerste kreeg, was niet te zeggen hoeveel kwaad hij zou aanrichten.

Nadat hij elk alternatief had afgewezen, richtte Webb zijn aandacht op het speeltje op zijn schoot.

De truc was volgens hem om de kandidaten te zoeken die het gemakkelijkst uit hun baan konden worden gebracht. Leclerc zou hem feiten over Russische ruimtesondes uit het verleden hebben gegeven en de lijst zo korter hebben gemaakt. Maar hij kon gebruikmaken van de standaardlijst met potentieel gevaarlijke asteroïden, beginnend met 1997 XF11, Nereus en andere voor de hand liggende keuzes. Met een beetje geluk stond Nemesis op die lijst en zou hij hem binnen een paar uur te pakken hebben. Dat was de theorie.

Hij klikte op een icoontje en het apparaat stelde hem een paar vragen. Wilt u de baan in de toekomst of in het verleden berekenen? Hoe ver terug wilt u gaan? Welke positionele accuratesse (in AU) wilt u hebben op de einddatum (hoe accurater de verlangde positie, hoe langzamer de berekening)?

Toen dat was afgehandeld, ging het apparaat over op de baanelementen. Eerst vroeg het naar de halve grote baanas, toen naar de excentriciteit, en toen naar de drie gegevens die de plaats van de baan in de ruimte aangeven: inclinatie, de lengte van de klimmende knoop en de periheliumafstand. Toen de omvang, de vorm en de oriëntatie in de ruimte van de baan eenmaal waren vastgelegd, vroeg het programma naar een laatste gegeven: een tijdstip van periheliumdoorgang, dus een precieze datum waarop de asteroïde zich op het punt in zijn baan bevond dat het dichtst bij de zon lag. (Juliaanse kalender, alstublieft.)

Daar moest hij nog mee oppassen. In 1582 had paus Gregorius XIII op advies van zijn jezuïtische astronoom Clavius tien dagen uit de christelijke kalender gehaald, die in de loop der eeuwen geleidelijk uit de pas was gaan lopen met de seizoenen. De katholieke landen hadden dit meteen overgenomen. Tegen de tijd dat de Engelsen zich daar in 1752 aarzelend bij hadden aangesloten, hadden er elf dagen uit de protestantse kalender gehaald moeten worden en waren de boeren in opstand gekomen omdat ze geen dubbele pacht wilden betalen. Vincenzo's observatie in het zeventiende-eeuwse Italië was gedaan op 28 november volgens de Gregoriaanse kalender. Maar Webb moest dit omrekenen naar de Juliaanse datum, een gestaag tikkende klok die door astronomen werd gebruikt om de grillen van boeren en politiek te omzeilen. Deze kalender begint op 1 januari 4713 v.C. De Juliaanse dag begint om twaalf uur 's middags. Een Juliaanse dag wijkt dus twaalf uur af van de burgerdag en twaalf uur maal vijfentwintig kilometer per seconde is het verschil tussen een misser met een miljoen kilometer en een voltreffer.
Hij keek de *Astronomical Ephemeris* in en zette Vincenzo's katholieke datum over naar de bijpassende Juliaanse datum. Van daaruit zou het gemakkelijk zijn, hoopte Webb.
Hij begon met Nereus.
Er verschenen twee stippen op het scherm, een gele en een blauwe, die snel om een vaste schijf in het midden begonnen te draaien en uiteindelijk abrupt tot stilstand kwamen toen er in de rechter bovenhoek van het scherm 28.11.1613 (Greg.) was verschenen. Het proces had ongeveer twintig minuten geduurd. De stippen bevonden zich een heel eind uit elkaar. Op naar de tweede asteroïde op de lijst van gemakkelijk uit hun baan te brengen lichamen. En vervolgens naar de derde.
De jet daalde boven het Engelse Kanaal naar de aanvliegroute en Webb toetste een opeenvolging van steeds onwaarschijnlijker kandidaten in. Het begon ernaar uit te zien dat Nemesis niet een van de bekende aardscheerders was. Op het moment dat de wielen gillend in contact kwamen met de landingsbaan, tikte hij de laatste kandidaat op zijn lijst van mogelijkheden af. Geen ervan paste bij Vincenzo's observatie. Er waren goede mannen gestorven terwijl ze jacht maakten op een geest of anders was Nemesis een asteroïde die alleen bij de Russen bekend was.
Webb ging achter in de ministeriële Jaguar zitten en begon aan de hopeloze gevallen, de asteroïden die eigenlijk niet uit hun baan konden

worden gebracht. De auto reed met honderdzestig kilometer per uur over de M25; de chauffeur nam een risico of anders was de politie gevraagd even de andere kant uit te kijken.
Er was verder niets wat hij kon doen. Ze waren hopeloos omdat ze te snel waren om uit hun baan gebracht te worden, maar vanwege hun snelheid dodelijk als dat toch gebeurde. Hij vond hem op het moment dat de auto de M40 op draaide. Hij liet het programma nog eens draaien en voerde de nauwkeurigheid zo ver hij durfde op. Het programma deed er nu dertig martelende minuten over, maar het resultaat was identiek, en opeens verdwenen alle krankzinnige gebeurtenissen die de laatste paar dagen zijn leven hadden beheerst – de inquisitie, de eigenaardige imker, de gekke, oude, fascistische dame, de inhalige moordenaar en zijn vreemde en kwaadaardige metgezellen – uit zijn hoofd en in de afvalbak van de geschiedenis. *Ik heb ze allemaal verslagen*, dacht hij triomfantelijk. Hij pakte tintelend van opwinding de autotelefoon en belde het geheime huisnummer van de koninklijke astronoom.
'Sir Bertrand, ik heb hem. Ik bevind me ongeveer een kwartier van het instituut.'
'Zeg verder niets.'
Webb stond voor de voordeur van het instituut en sloeg met zijn armen tegen de vroege ochtendkou. Er was geen verkeer. Hij wisselde hallo's uit met een groepje luidruchtige feestvierders, de mannen in smoking, hun dames rillend in baljurken met de smokingjasjes over hun blote schouders. Na een halfuur kwam er een donkere Rover uit Broad Street. De natte weg glom in het licht van de koplampen. De auto reed de stoep voor het Bodleian op, stopte en de koplampen gingen uit. De gestalten daarbinnen maakten geen aanstalten uit te stappen en hij kon ze niet zien. Misschien was het een verliefd stelletje.
Tien minuten later kwam ook de Jaguar van de koninklijke astronoom Broad Street uit. Hij reed langs de Rover over Park Road. De KA stapte uit, gekleed in een lange zwarte jas, een vilthoed en een dikke witte sjaal. Er kwam een vlaag ijskoude wind om de hoek toen de KA opendeed, de deur weer achter hen afsloot en de grendels in de vloer en het plafond duwde.
Webb ging hem zonder iets te zeggen voor naar zijn kamer in de kelder. Hij maakte ruimte op zijn bureau en ze bogen zich over Vincenzo's manuscript, dat open lag op de pagina met de bewegende ster. De KA, wiens adem wolkjes vormde in de onverwarmde lucht, keek ernaar en toen met opgetrokken wenkbrauwen naar Webb.

'Nou?'
'Volgens de Latijnse tekst is het een bewegende ster.'
'Jongen, ik las Ovidius toen jij nog in luiers liep. Wat is de betekenis hiervan?'
'Het punt is dat er verder niets opvallends in Vincenzo's aantekeningen staat. Behalve die bewegende ster wordt er alleen melding gemaakt van de ringen van Saturnus, sterrenhopen, maankraters enzovoorts. Dit kan alleen een observatie zijn van een dichtbij staand hemels projectiel.'
'Heb je me hiervoor om vier uur in de morgen uit bed gehaald?'
De moed zonk Webb in de schoenen. 'Inderdaad.'
'Ik hoopte eigenlijk dat je identificatie gebaseerd zou zijn op solide gegevens. Wil je nu echt zeggen dat je hiermee de asteroïde hebt gevonden?'
Ik kan mijn oren niet geloven. 'Jawel, meneer.'
Sir Bertrand keek Webb ongelovig vanonder zijn borstelige wenkbrauwen aan. 'Ja Webb, ik ben bang dat dat precies iets voor jou is, de omgekeerde piramide. Ik ben me er al lange tijd van bewust dat solide grondwerk, waarop dit instituut een reputatie van wereldklasse heeft gebouwd, jou te saai is. Ik ben me er ook van bewust dat je geneigd bent tot, laten we zeggen, speculatieve fantasieën. Maar bij deze gelegenheid heb je jezelf toch overtroffen. Je hebt een redenatie opgezet die ertoe moet leiden dat wij een asteroïde identificeren, waarbij de halve planeet in paniek raakt als het uitlekt, en we op goed geluk raketten de ruimte in gaan schieten, wat onvoorspelbare politieke repercussies zal hebben. En dat doe je allemaal op basis van twee punten in een vierhonderd jaar oud manuscript.'
'Sir Bertrand, ik geef toe dat ik hier soms het gevoel heb dat ik door de stroop moet waden, maar zou u me dan willen vertellen wat het anders kan zijn?'
'Een eenvoudige verkeerde identificatie van een ster. Of een interne reflectie in een slechte lens. En ze waren vier eeuwen geleden allemaal slecht. Een komeet die helemaal niets te maken heeft met de asteroïde in kwestie. Of zelfs een stel variabele sterren die op opeenvolgende nachten wel en niet te zien waren.'
'Er zijn mensen vermoord voor dit manuscript.'
'Dat wil ik niet weten.'
'Het is relevante informatie. Ze zijn niet vermoord omdat Vincenzo een interne reflectie heeft gezien.'
'Pure lariekoek. Ik kan je identificatie niet bevestigen.'

'Ik weet niet waarom mensen eigenlijk moeite doen om uw goedkeuring te krijgen. Wat weet u er eigenlijk van?' Het kon Webb allemaal niets meer schelen.
'Misschien omdat hoge beambten in Amerika de toekomst van hun land liever in veilige handen leggen dan in die van een of andere onvolwassen jonge vrijbuiter. En te oordelen naar wat ik hier heb gehoord, was dat heel verstandig van ze.'
'Ik zal u de naam van de asteroïde geven, Sir Bertrand. En als ik dat gedaan heb, moet u in gedachten houden dat de baan van het ding heel chaotisch is. Een chaotische baan kan twee dingen betekenen. Ten eerste kan een kleine verstoring, als die vroeg genoeg is opgewekt, een grote verandering van baan opleveren. Ten tweede moet je de baan met buitengewone nauwkeurigheid hebben vastgesteld om gebruik te kunnen maken van die chaos. In *Phaenomenis Novae* wordt de asteroïde niet alleen geïdentificeerd, maar wordt een tijdsbestek gegeven van vierhonderd jaar, precies wat ze nodig hadden om met die grote nauwkeurigheid te kunnen manoeuvreren.'
'Webb, dringt het dan niet tot je door?' De stem van de koninklijke astronoom klonk wanhopig. 'We moeten solide, harde bewijzen hebben, geen wilde speculaties.'
'Toen ze besloten juist deze asteroïde te gebruiken, moeten ze hebben geweten van deze observatie. Ze moeten elk manuscript uit die periode hebben bestudeerd en toen hebben besloten om de enige twee bestaande exemplaren van Vincenzo's werk achterover te drukken. Die in het Bodleian en deze, die zestig jaar geleden uit de Helinandus-verzameling is gestolen.'
'Je bent gek. Misschien moet je maar goedkope thrillers gaan schrijven.'
'Kijk dit eens,' zei Webb. Hij deed een diskette in de computer, typte iets op het toetsenbord en deed een stap achteruit. De koninklijke astronoom liet zich zwaar in Webbs bureaustoel zakken en keek toe hoe de twee punten snel hun baan beschreven. 'Ik laat de tijd achteruitlopen in het zonnestelsel. Die blauwe stip is de aarde, vandaar de cirkelvormige baan. De gele is de verdachte asteroïde.'
Terwijl de kleine blauwe aarde zijn cirkelvormige baan beschreef, volgde de gele stip die de asteroïde vertegenwoordigde een lange ellips; twee treinen, elk op een ander spoor. De digitale kalender gaf de voortgang van deze tijdmachine aan terwijl hij terugreisde door de periode van de verbrandingsmotor, oorlogen en revoluties, de val en opkomst van koninkrijken, terug door de jaren in enkele minuten. En naarmate

de tijd verstreek werd duidelijk dat de gele ellips geen vaste plek innam in de ruimte, maar langzaam roteerde terwijl de asteroïde zich erlangs bewoog. Het gebeurde verscheidene malen dat de gele stip gevaarlijk dicht bij de blauwe kwam, terwijl de wezens die de blauwe stip bewoonden zich daar helemaal niet van bewust waren, en ook niet van het feit dat de dingen die zoveel voor hen betekenden – oorlogen, verdragen, revoluties, geschiedenis – op een haar na waren weggevaagd in een enkel halfuur van brand en hitte. De gele en blauwe stippen naderden elkaar steeds verder en uiteindelijk raakten ze elkaar. De wervelende stippen kwamen tot stilstand, samengesmolten tot een enkel pixel op het scherm, en de kalender stond stil. Op 28 november, 1613 n.Chr.
'De nacht waarin Vincenzo de bewegende ster zag,' zei Webb. 'Ik heb ook de sterrenhemel op de achtergrond bekeken en alles klopt. Dat kan geen toeval meer zijn.'
De koninklijke astronoom blies een nevelige wolk adem uit. Hij gooide zijn hoed op het bureau, liep naar Webbs boekenkast en deed alsof hij de titels las. Webb gaf hem de tijd.
'Dus hij had ons bijna geraakt?' zei de KA eindelijk, terwijl hij de bladzijden van *Methods of Mathematical Physics* omsloeg.
'Jawel, meneer. Hij is op nog geen 70.000 kilometer van de aarde voorbijgekomen.'
'Wat?' Hij legde het boek neer. 'Dat is praktisch ter hoogte van de boomtoppen!'
'En gemakkelijk te zien door Vincenzo's telescoop, vooral als het een oude sungrazer betreft, die een paar eeuwen geleden misschien lichtelijk ontgast raakte. Het verbazingwekkende is dat verder niemand hem heeft gezien.'
'Welke asteroïde is het?'
'Karibisha. Excentriciteit 0,7, inclinatie net 2,5 graden, wat garant staat voor een opeenvolging van bijna-missers door de eeuwen heen. Halve grote baanas iets meer dan 2,1 AU.'
'Is hij moeilijk te ontdekken?'
'Zo goed als onmogelijk. "Karibisha" is trouwens Swahili voor "welkom".'
'Een woord van welkom. Hoe mooi, zelfs om vier uur in de morgen. Met een dergelijke excentriciteit is het geen wonder dat hij moeilijk te zien is.'
Webb knikte bevestigend. 'Hij komt uit de richting van de zon. Hij zal onzichtbaar blijven tot de laatste paar dagen of uren.'

Sir Bertrand zette het boek terug en haalde zijn hand door zijn witte haar. Hij pakte de telefoon op. 'Het volmaakte wapen. We zijn nog maar net op tijd. Als jij het mis hebt, Webb...'
'Helaas is er een probleem,' zei Webb.
'Ja?' Plotseling was de spanning te horen in de stem van de koninklijke astronoom. Zijn vingers bleven boven de telefoontoetsen hangen.
'Die onmogelijke richtlijn van honderd dagen die de NASA gebruikt voor de onderschepping.'
'Wat is daarmee?' De KA zette zich schrap als een man die een klap verwachtte.
Webb sloeg toe. 'De inslag van Nemesis is over veertig dagen.'

Deel drie

MEXICAANS CARNAVAL

Carnaval (het; -s) feest gedurende de drie dagen die aan het begin van de veertigdagentijd, dus aan Aswoensdag, voorafgaan, waarop velerlei feestelijkheden, meestal met verkleedpartijen en optochten gepaard, plaatshebben (1673) Fr.<It. *carnevale* (de tijd van onthouding van vlees)

Cape Canaveral

Veertig dagen.
Karibisha moet minimaal vijf dagen voor de inslag worden opgevangen. Je moet tien dagen uittrekken om er te komen (de snelheid van het ruimtevaartuig is op zijn hoogst de helft van die van de dodelijke asteroïde; daarom wordt de afstand die de raket in tien dagen op weg naar buiten aflegt door Karibisha op weg naar de aarde in vijf dagen afgelegd).
Trek die tien dagen reistijd af van de veertig dagen tot de inslag.
De uitkomst is de tijd die je hebt om de raket klaar te maken en te lanceren.
Het is eenvoudig: breng de honderd dagen voorbereiding terug tot dertig, anders is alles afgelopen.

'Doctor Merryweather? Het spijt me dat ik u op dit uur moet storen... Mijn naam is Rickman, Walt Rickman... Nee, we kennen elkaar niet, meneer... Voorzitter van de raad van bestuur van Rockwell Industries, de Aerospace Division... Ik heb een probleem... Het is hier ook vrij laat, ik bel vanuit Downey in Californië.'
'Is dat je zus, schat?'
Merryweather kwam moeizaam omhoog in zijn bed. 'Oké, meneer Rickman, ik geloof dat ik wakker ben. Wat kan ik voor u doen?'
'Er is mij verteld dat u de beste weerman in Texas bent.'
'Niet om drie uur in de morgen.'
'Precies, schat, zeg dat ze maar een taxi moet nemen.' Merryweather gebaarde ongeduldig dat ze haar mond moest houden.
De stem van de voorzitter van Rockwell klonk ongerust. 'Ik ben net wakker gemaakt door mijn ingenieurs op Canaveral. U weet dat we een Venussonde willen lanceren?'
'Natuurlijk.'
'Het moment van lancering is over zes uur. Ze zijn de laatste periode

van zes uur ingegaan en zijn begonnen de tank af te koelen en de brandstof te laden.'

Merryweather krabde op zijn hoofd. 'En wat dan nog, meneer Rickman?'

'Er is daar iets heel vreemds aan de hand. De MMT in Jackson negeert de weercriteria. Volgens mijn ingenieurs zijn ze daar gek geworden.'

'Wie is tegenwoordig de vluchtleider in Johnson?'

'Ene Farrell.'

Merryweather kreeg een por in zijn ribben van zijn vrouw. 'Joe Farrell. Die is zo betrouwbaar als wie ook, meneer Rickman.'

'Doctor Merryweather, we hebben hier te maken met een raket van vijf miljard dollar en ze negeren de windcriteria. Mijn mensen zeggen dat de Shuttle de lanceertoren zal raken als ze hem proberen te lanceren.'

'Meneer Rickman. Ze hebben daar op JSC een team van tien eersteklas meteorologen en een even goed team op Canaveral. Als het gaat om de weersomstandigheden bij het lanceren van Shuttles hebben ze samen honderd jaar ervaring. Als zij zeggen dat de lancering door kan gaan, kunt u van mij aannemen dat dat ook zo is.'

'De SMG heeft juist om u gevraagd. Ze willen dat u meteen naar Johnson komt. U wordt verwacht en krijgt meteen toegang. Ik heb senator Brown gesproken.'

Dat bracht Merryweather van zijn stuk. Nadat hij zelf was teruggetreden als hoofd van de Spaceflight Meteorology Group was hij opgevolgd door Emerson, een jonge, ietwat overbezorgde maar zeer capabele man. Als George Emerson om zijn voormalige baas vroeg, was er inderdaad iets heel vreemds aan de hand. Merryweather deed nog een laatste poging: 'Als de vluchtleider de veiligheidsvoorschriften niet in acht neemt, wordt hij door zijn eigen MMT teruggefloten.'

'Alleen gaat het dit keer niet zo. Het Mission Management Team lijkt wel gehypnotiseerd of zo. Hoor eens, ik heb een goed stel ingenieurs en zij zeggen dat er iets vreemds aan de hand is.'

Merryweather zei: 'Dit is een grap, hè?' Het bleef stil aan de andere kant van de lijn. 'Oké, misschien moet ik er dan maar naartoe.'

'Er is een helikopter onderweg. Die zou over vijf minuten bij u moeten zijn. U hebt geen draden of andere obstakels in uw achtertuin? Over twee uur gaat de beperkte toegang tot de lanceerkamer in, maar ik heb ervoor gezorgd dat u erin kunt. Ik ben u zeer dankbaar, doctor.'

'Dat is niet nodig. Ik heb geen enkele officiële status en kan de gebeurtenissen niet beïnvloeden. Ik ben gewoon nieuwsgierig.'

Een onhaalbare periode van honderd dagen terugbrengen tot een onmogelijke dertig dagen. Hoe?
Hoe kreeg je dat voor elkaar in een organisatie die zo openstond voor de kritische blikken van het publiek als de NASA, zowel intern als extern, en die een ethiek van veiligheid en zorgvuldige planning ingehamerd had gekregen na de rampen met de Challenger en de Atlantis?
Eerst leg je de topmanagers, de mensen van de hemelmechanica en je vluchtanalisten uit dat slaap slecht is voor hun gezondheid. Dan vertel je ze na veel beloften van strikte geheimhouding waarom. En dan doe je een stap terug en laat je ze hun gang gaan.
Je denkt niet meer aan flotatietanks en een uitgebreide training voor de astronauten. Je steekt de onervaren missiespecialisten in bestaande Hamilton Standard ruimtepakken, laat ze zien waar de zuurstofschakelaar zit en hoe ze hun afval moeten afvoeren en zegt dat ze verder nergens aan moeten komen.
Je gebruikt ervaren Shuttlepiloten en zorgt ervoor dat de missiespecialisten hun vanuit hun veilig rondcirkelende ruimtevaartuig kunnen vertellen hoe ze de kernbommen op scherp moeten zetten. Dat onderdeel moet goed gaan.
Laat elke gedachte aan tests en simulaties en dat soort dingen varen.
Gebruik grote stukken van oude interplanetaire missieplannen en ondersteuningsprotocols. Scheur de bladzijden die er niet toe doen eruit. Doe hetzelfde met de computerprogramma's aan boord en op de grond.
Improviseer.
Bid.

KSC nieuwsbericht nr. 257-02

De Venussonde heeft vandaag een belangrijke mijlpaal bereikt toen hij op de IUS van de Air Force werd getild, waarna hij in de Frontiersman Space Shuttle kan worden geladen. Om middernacht werd met de operatie begonnen en tegen één uur lag hij op de IUS. Tot op dit moment hebben de IUS en de sonde die zij meevoert integratieprocedures en tests ondergaan bij de Payload Hazardous Services Facility (PHSF) in het Kennedy Space Center. Er zal meteen worden begonnen met de verificatietests en die zullen naar verwachting binnen vierentwintig uur worden afgerond. De volgende dag, 13 februari, zal de sonde worden gesloten en zal hij in het laadruim van de Shuttle worden gezet. Daarna zal de lange rit naar Launch Complex 39-B op het Cape Canaveral Air Station beginnen.

'In dit weer? Idioten.'
'Meneer?' De jonge piloot van de Air Force keek verrast naar de witharige meteoroloog.
'Ik praat in mezelf, jongen. Dat gebeurt als je zo oud bent als ik.'
'Ja, meneer. Ik praat tegen mijn teddybeer.'
Merryweather deed het persbericht weer in zijn koffertje. Hij keek neer op de chalets en villa's van het toppersoneel van de NASA, waar ze overheen vlogen. Voor hen doken de vertrouwde omtrekken op van het Johnson Space Center, zeshonderdvijftig hectare groot. Merryweather tikte de piloot op de schouder en wees naar een plek bij de pakhuizen aan de rand van het terrein; hij wilde het laatste stuk lopen. De helikopter vloog over de pakhuizen en de testfaciliteiten, ging laag over het gebouw waarin de astronauten geïsoleerd werden en kwam zachtjes neer op een veld aan de rand van het terrein.
Merryweather pakte zijn speld en schudde een jonge, gezette man de hand. 'Hallo George. Winderig hier, west tot noordwest, vochtigheid tachtig procent. Gemiddeld wolkendek.'
'Blij u te zien, meneer. Ik word hier gek. Kom mee naar de weerkamer.'
Merryweather zag een rij bekende beeldschermen. Hij liep recht op een ervan af en keek naar een stel zwarte lijnen over een kaart van Noord-Amerika. Boven Canada, de VS en Mexico leken de lijnen doelloos rond te zwalken. Ze dwaalden helemaal naar Cuba en de eilanden van de West-Indische Oceaan. Maar net voor Mexico vormden ze strakke, concentrische cirkels.
'Aha. Iets van GOES of de DMSP's?'
'Hier.'
De volgende veertig minuten verdiepte Merryweather zich in een complexe massa gegevens van geostationaire satellieten, poolsatellieten, radars van Cocoa Beach tot Melbourne, twintig meter hoge torens rond de lanceerplek, boeien in de hoge golven tot op tweehonderdvijftig kilometer van Cape Canaveral, ballonnen op een hoogte van driehonderd kilometer in de stratosfeer en onweerdetectiesystemen

op meer dan dertig plekken rond de Cape. Telefonische berichten van de USAF 45th Space Wing Commander en het weerteam op Canaveral bevestigden wat Merryweather duidelijk voor zich zag: het weerpatroon was onstabiel en verslechterde.
Er moet voldaan zijn aan twee vereisten voordat er toestemming wordt gegeven een Shuttle te lanceren. Het weer moet goed zijn voor de lancering en het moet goed zijn voor de landing. Voor de criteria rond de lancering was alleen het weer op het moment van de lancering van belang, maar voor de landing was een voorspelling nodig. Merryweather was het eens met zijn bezorgde collega; aan geen van beide vereisten was voldaan.

Merryweather ging de Flight Control Room op de derde verdieping binnen, die werd gebruikt voor ladingen van het ministerie van Defensie. De vluchtleider zat op een bank met zijn rug naar een computer te praten met de CAPCOM, Gus Malloy, een voormalige astronaut.
'Jim, ik had al gehoord dat je er was. Fijn je te zien.' Het gezicht van de vluchtleider was in tegenspraak met zijn verwelkomende woorden. Merryweather ging meteen in de aanval. 'Joe, wat is hier aan de hand? Ze zeggen dat je tegen je weermannen in gaat. Er is niet voldaan aan de landingscriteria. Je moet een wolkenplafond hebben van meer dan vijfentwintighonderd meter en je hebt maar achttienhonderd meter. Het zicht moet acht kilometer zijn en je hebt maar zes kilometer. Je weet dat de zijwind minder moet zijn dan vijfentwintig knopen en je hebt veertig knopen. Er is zelfs kans op sterke turbulentie bij de landing en ik kan niet garanderen dat er over achtenveertig uur geen onweer komt. Wil je de Shuttle terug laten komen door aambeeldcirrus? Misschien bij onweer?'
'Jim, op zijn ergst moeten we hem in Marokko laten landen in plaats van op Edwards. Jullie zijn allemaal hetzelfde. Je weet best dat de standaard weerparameters heel conservatief zijn. We passen ze gewoon een beetje flexibel toe.'
'Een beetje? Er komt een storm hierheen vanuit de Golf. Ik kan je bijna garanderen dat het over vier uur regent op Kennedy. De windvlagen zullen ruim over de piek van vierendertig knopen uitgaan. Het verdomde ding zou op weg omhoog de lanceerstellage kunnen raken.'
'Jim, jij bent met pensioen, weet je nog?'
'Je krijgt het nooit door de stemming.'

Kon ik het maar uitleggen, dacht de vluchtleider. Maar hij haalde zijn schouders op en zei: 'We hebben onze beslissing genomen. En dat is om te lanceren.'
'Ik heb hier geen officiële status, maar ik wil genoteerd hebben dat ik het eens ben met je SMG. Er is niet voldaan aan de vluchtregels, niet aan de lanceercriteria en ook niet aan de landingscriteria. En er worden golven van meer dan zes meter voorspeld, Joe. Als je Frontiersman in dit weer lanceert, nagel ik je persoonlijk aan het kruis bij overheidsenquête.'
'Het staat genoteerd. We zijn aan het tanken en over vier uur en twintig minuten gaan we.'
'Als ik me goed herinner, krijgen de astronauten over een kwartier een briefing over het weer. Ze zullen weigeren te vliegen.'
'Dat zullen we nog wel zien.'

De eerste lanceerkamer in het Kennedy Space Center heeft zijn eigen disciplinaire code. Gesprekken worden beperkt tot lopende zaken; er is geen ruimte voor gepraat over ditjes en datjes tussen de beroepsmensen die de kamer bemannen. Er worden geen persoonlijke telefoontjes gepleegd, behalve in noodgevallen. Hier zie je geen leesmateriaal dat niets te maken heeft met het werk. De werknemers wandelen niet rond; elke man (en het zijn bijna allemaal mannen) blijft op zijn post en concentreert zich op zijn werk.
Het vocabulaire in de lanceerkamer is kort, technisch en overladen met afkortingen. Deze beknopte manier van communiceren wordt niet gebruikt om leken uit te sluiten, maar door niet essentiële woorden weg te laten, wordt een grote precisie in spraak en concept bereikt en het resultaat daarvan is dat personen elkaar in een ingewikkelde, steeds veranderende en hoogst technische omgeving volmaakt begrijpen. Als subafdeling van de Engelse taal is het heel doelmatig, ook al heeft het voor de buitenstaander iets absurds om een wc te beschrijven als een afvalmanagementfaciliteit, of het lot van een gestrande astronaut als een lopende doodssituatie.
Drie uur voor de lancering wordt de toegang tot de lanceerkamer gelimiteerd en worden bewegingen binnen de kamer tot een minimum beperkt. Twintig minuten voor de lancering, als het 'ijsteam' voor de laatste keer het ijs controleert dat zich vormt rond de tanks met vloeibare waterstof en vloeibare zuurstof en de astronauten in hun voertuig worden geholpen, wordt de deur van de lanceerkamer afgesloten. En

een kwartier voor de lancering wordt het hele lanceerteam gevraagd of iedereen akkoord is met de lancering. Dit zorgt voor een collectief verantwoordelijkheidsgevoel en beschermt het systeem tegen excentrieke of willekeurige beslissingen door hooggeplaatste mensen.

Lanceerleider: Russ, over het weer, we hebben een update.
Ruimtevaartuig: Zeg het maar.
Lanceerleider: De SMG bevestigt overschrijding van de zijwind bij landing op Edwards.
Ruimtevaartuig: Erg?
Lanceerleider: Vlagen tot veertig knopen, zes boven de limiet. Je kunt hem altijd neerzetten in Marokko. Het grote probleem is Ailsa. Ze komt sneller op ons af dan voorspeld. Dat geeft ons nu harde windvlagen en we zitten al dicht op de weerlimiet. En het wordt nog erger. We gaan nu meteen of we moeten de boel afblazen.
Ruimtevaartuig: Roger. We voelen het hier trillen. Hoe is het met de MEC?
Lanceerleider: Onze programmeurs zijn ermee bezig.
Ruimtevaartuig: Wat is de tijdsfactor met betrekking tot die zijwind?
Lanceerleider: We hebben een Jimsphere in de lucht en je oude vriend Tony vliegt nu boven ons in de T-38. SWO voorspelt een verslechtering van het weer.
Ruimtevaartuig: Begrepen. Hoor eens, Zeek, waarom lanceren we niet gewoon meteen? Geef ons een sein om T min vijf minuten en nog een op een minuut voor de lancering. JSC kan met de Mach-invalshoek spelen en een nieuw ladingsprofiel opstellen terwijl we aan het aftellen zijn.
Lanceerleider: Geduld. JSC is aan het kijken of iedereen bereid is. Laten we wachten op verificatie.
Ruimtevaartuig: De jongens in de ruimtepakken zeggen ja.
Lanceerleider: Russ, jij hebt niet eens een stem.
Ruimtevaartuig: We kunnen de tank met de hand afstoten.
Houston vluchtleiding: NTD, dit is de vluchtleiding op kanaal 212.
Lanceerleider: Zeg het maar.
Houston vluchtleiding: Het KSC Management heeft gestemd. Het eerste lanceerteam meldt geen inbreuk op de LCC.

Dat was een leugen.

Engineering bevestigt geen belemmering voor voortzetting van het aftellen. MMT Chair bevestigt dat voortzetting wordt goedgekeurd door de senior managers. Wat is de uitslag van de KSC stemming?
Lanceerleider: Wij stemmen in met voortzetting en laden een nieuw *I*-profiel.
Ruimtevaartuig: Wat gebeurt er met de staartcomputer?
Lanceerleider: Daar wordt nog aan gewerkt, en we initialiseren de IUS voor we verdergaan met aftellen.
Houston: Lanceerleider, Operations Manager hier op 212. LSEAT heeft een laatste aanbeveling gedaan. We staan enige flexibiliteit toe in de windcriteria.

Maar ze hebben net gezegd dat er geen overschrijding was van de criteria. Iemand dekte zich in.

We bevestigen dat u verder kunt gaan met aftellen.

De stemmen waren net zo beheerst en rustig als altijd. Maar in de oren van Merryweather, die verbijsterd in de stoel naast de vluchtleider zat, klonk het alsof de lanceerkamer was overgenomen door gekken.

Lanceerleider: Begrepen. Dank u.
NTD: Aftellen gaat verder over twee minuten op mijn teken. Drie, twee, een, start.
NTD: Aftellen gaat verder over één minuut op mijn teken. Drie, twee, een, start.
NTD: Stand by. Vier, drie, twee, een, start. Ground Launch Sequencer is gestart.
Orbiter Test Conductor: Start purge sequence vier.
OTC: Toestemming voor start LOX ET drukregeling.
OTC: Bemanning, sluit uw vizier. Schakel zuurstofvoorziening in.
OTC: T minus één minuut dertig seconden.
OTC: Minus één minuut.
OTC: Start auto sequence.
OTC: Vijftien seconden. Tien. Start hoofdmotor, drie, twee, een. Ontsteking.

Toen het licht de aan het donker gewende ogen van de toeschouwers bereikte, was het zo fel dat het pijn deed. Een soldeervlam spoot van

de raketten naar beneden in een caleidoscoop van schokgolven en verplaatste zich in een werveling van stoom door de ondergrondse tunnels naar buiten.
Toen de donderklap hen bereikte, brulde die over het moeras, trok ze aan de pezen en liet ze de grond en botten en vlees schudden. Toen lieten de klemmen los en schoot de Frontiersman naar boven.
Hij redde het bijna. Een plotselinge vlaag van wind en regen, een volkomen willekeurig verschijnsel, sloeg tegen het ruimtevaartuig en duwde het weg van de toren. Snel probeerden de boordcomputers dat te compenseren; het plotselinge boze brullen zou de toeschouwers twintig seconden later bereiken. Maar de windvlaag viel weg op het moment dat de computers de beweging wilden compenseren en de grote brandstofkleppen probeerden te reageren. De Frontiersman wierp zich tegen de toren als een man tegen een deur die opeens opengaat. Hij raakte hem net. Er steeg een collectief 'Aah!' op uit de kelen van duizenden mensen die de wind trotseerden op de motorkappen en de daken van hun auto's. Ze hoorden een luide klap alsof er een metalen luik werd dichtgeslagen, maar het was al duidelijk dat zich hier een ramp voltrok.
De Shuttle begon te draaien. De vlammende staart verdween op een hoogte van achthonderd meter in de wolken, maar de richting was verkeerd. Een paar seconden later lichtten de wolken op alsof er een enorme gloeilamp was gesprongen en de schokgolven sloegen over de mensen heen met een diepe bons, die eerder gevoeld werd dan gehoord. En toen was er een lichtgevende, uitdijende gele oceaan, de hitte op het gezicht, zelfs op acht kilometer afstand, en de fragmenten van tanks en boosters die uit de verlichte wolken regenden en samen met het puin de grond raakten. Daarmee was de hoop, de enige hoop, om Nemesis af te weren verdwenen.
Niet dat Merryweather, die ontzet naar het enorme scherm in de lanceerkamer keek, dat wist. Maar de hoofdingenieur wist het, en de vluchtleider wist het, en een klein groepje machtige mannen, die grimmig rond een televisie in het Oval Office stonden, wist het ook.

Het Britse ministerie van Financiën

Het was een kort berichtje, weggestopt op bladzijde twee van *The Times*:

> Cresak komt en gaat
>
> De heer Arnold Cresak, president Grants nationale veiligheidsadviseur, vloog vanmorgen naar Londen voor een lunch met de premier. Hij vloog diezelfde middag met een gewone lijnvlucht terug. De bespreking ging over normale gezamenlijke veiligheidskwesties.

Zo normaal als een kernaanval, dacht Webb die een slok nam van zijn tweede kop thee van die morgen.

Graham kwam gewichtig de zaal binnen met een stapel papieren die Webb herkende als de nieuwe formulieren voor het publiciteitsoffensief van het hoofdkantoor. Hij zag Webb en trok een gezicht dat duidelijk moest maken dat hij hem nog moest spreken en ging toen in de rij staan voor het ontbijtbuffet.

Je kunt de pot op, dacht Webb. Hij vouwde snel *The Times* op, glipte naar buiten en ging naar de zitkamer. Een rookloos kolenvuur gloeide felrood en zijn favoriete leren leunstoel was vrij. Hij pakte de *Icarus* van de salontafel, ging met een zucht van genoegen zitten en vloekte in zichzelf toen Arnold hem op de schouder tikte. Webb volgde de beheerder over de binnenplaats, nat van de miezerregen, naar de portiersloge.

'Sorry voor de troep, doctor,' zei Arnold, terwijl hij de *Sun*, de *Sporting Life* en een half opgegeten sneetje brood van een houten stoel haalde. Webb ging zitten en werd geconfronteerd met een pruilende nimf met enorme borsten. Ze droeg niet meer dan een gescheurde, korte spijkerbroek en zat op een enorme bougie. De kalender was twee jaar oud en het was te vroeg in de morgen voor weelderig geschapen nimfen.

'Dat werd tijd,' gromde de koninklijke astronoom over de telefoon. 'De Houseman wil de rechte klimming van Praesepe weten. Weer een plezierreisje voor jou, meneer Kahn.'
Webb was er al weken bang voor; hij voelde dat hij verbleekte. Hij ging snel terug naar zijn flat en duwde kleren, toiletspullen, papieren en een vals paspoort in zijn rugzak. Een toevallige luistervink zou waarschijnlijk niet weten dat een Houseman een lid was van het bestuur van Christ Church College en ook niet dat Praesepe, de Kribbe, een sterrenhoop was. Hij haalde een perspex sterrenbol van zijn kledingkast, blies het stof eraf en zocht Praesepe op: de rechte klimming, de astronomische lengte in de hemel, was negen uur en dertig minuten. Zijn horloge gaf tien over negen aan. Dat gaf hem twintig minuten om naar Christ Church College te gaan, waarschijnlijk de hoofdingang bij St. Aldates. Genoeg tijd voor Webb, maar niet voor de terloopse luistervink, die eerst moest uitzoeken wat de boodschap van de koninklijke astronoom betekende, als hij al had ingezien dat het om een code ging. Op het laatste moment griste Webb zijn laptop nog mee.
Hij voelde zich een beetje dwaas toen hij de zijdeur nam en door de achtertuin van het hoofd liep zonder naar de ramen van het huis te durven kijken. Toen hij over de tuinmuur klom, verwachtte hij half een boze uitroep, maar toen stond hij op het parkeerterrein van het college. Hij stak Parks Road over en omdat hij over zijn schouder naar Wadham liep te kijken, kwam hij bijna in botsing met een fietsende vrouw met een lange sjaal om en een Peruviaanse hoed op. Er hing niemand rond bij het college; hij zag alleen de gebruikelijke bonte mengeling van studenten komen en gaan. Hij liep met ferme pas naar het noorden, weg van Christ Church, ging op Keble Road linksaf en over een spoor dat parallel liep aan Giles Causeway weer naar het zuiden. Bij de dubbele gele lijn voor Christ Church stond een zwarte Jaguar met draaiende motor geparkeerd. De chauffeur deed het achterportier van de ministersauto open en Webb liet zich wegzinken in de roodleren bank.
Ze reden de M40 op. Het verkeer bewoog soepel genoeg over de snelweg en door de eindeloze grauwe buitenwijken Ealing en Acton, maar in Kensington begon de stroom te stollen als water dat in ijs verandert. De chauffeur keek bezorgd. Hij roffelde met zijn vingers op het stuur. Hij pulkte in zijn neus. Hij zette radio één op en weer af.
'Waar ga ik naartoe?' vroeg Webb.

'Ik moet zorgen dat u om twaalf uur precies bij het ministerie van Financiën bent, meneer,' zei de chauffeur met een blik in de achteruitkijkspiegel.
'Maak je niet druk. Ik ga wel lopen.' Webb liet de chauffeur in de file staan. Hij liep over de drukke straten naar de Mall, waar hij een kortere weg nam door St. James's Park. In de Horse Guards reageerden mannen in het rood met prachtige precisie op de scherpe, galmende bevelen van een sergeant-majoor met een uitnemend repertoire scheldwoorden. Hij liep snel Whitehall over en ging het ministerie van Financiën binnen op het moment dat Big Ben begon te luiden.
'Naam?' zei de magere man aan de balie.
'Meneer Khan.' De man keek Webb even aan, maar streepte de naam af. Webb wachtte een paar minuten in het inlichtingenkantoor tot een lange, opgewekte man, die niet veel ouder was dan hijzelf, hem kwam halen.
'Tods Murray,' zei de man met een accent dat Webb deed denken aan polo en country clubs in Henley. De handdruk van de man was slap en klam. Er was een indrukwekkende trap, maar ze wrongen zich in een kleine lift en kwamen terecht in een brede, ronde gang met rode vloerbedekking. Er hing een geur van dure koffie, waarschijnlijk Jamaican Blue Mountain. Tods Murray klopte op een deur en ging Webb voor naar een klein, comfortabel kantoor. Aan een zware tafel zaten de koninklijke astronoom en de minister van Defensie. De astronoom rookte niet en Webb vond dat hij een beetje wild uit zijn ogen keek.
'Koffie?' vroeg de minister, terwijl hij Webb naar een stoel wuifde.
'Nee, dank u, meneer.'
'Iets sterkers, misschien?'
'Nee.'
De minister keek naar sir Bertrand, die zijn hoofd schudde, en schonk toen zwarte koffie in een Worcester kopje. 'Normaal gesproken zou ik deze bespreking in Northumberland House hebben gehouden, maar we willen niet dat jullie het ministerie van Defensie in en uit lopen. Niet dat we denken dat iemand jullie in het oog houdt, zo melodramatisch is het allemaal niet. Gewoon voor alle zekerheid.'
'Dat is goed om te weten, minister. Ik weet nog wanneer ik voor het laatst dergelijke geruststellende woorden heb gehoord.'
De minister keek hem aan.
'Is dat een klacht, Webb?' vroeg de koninklijke astronoom.

'Uw theorie,' zei de minister.
'Welke bedoelt u, minister?'
'Die verdenkingen over de signalen van de robottelescoop, een verrader in het Nemesis-team enzovoorts. We hebben het allemaal aan de CIA doorgegeven. Ze hebben gemeld dat elke Amerikaan in dat team grondig nagetrokken is en dat de loyaliteit van elk van hen vaststaat. Yankee White, was de term die ze gebruikten.'
'Maar minister, er zijn vastberaden pogingen gedaan om te voorkomen dat ik dat manuscript in handen kreeg. Iemand van uw eigen staf is voor mijn ogen in Italië omgekomen. Iemand heeft deze mensen betaald om mij te vermoorden.'
Tods Murray gaf antwoord. 'Als er een lek was, was dat niet in het team van Eagle Peak.'
De minister zei: 'Uw moordenaar kan voor zover wij weten best een pathologische leugenaar zijn. De hele zaak kan een plaatselijke privé-onderneming zijn geweest. U hebt tenslotte duidelijk gemaakt dat u zeer geïnteresseerd was in dat manuscript.'
'Maar de telescoop op Tenerife dan,' zei Webb. 'Hij reageerde vanaf het eerste moment te snel. Zo snel zijn trans-Atlantische verbindingen niet.'
'Webb,' zei de koninklijke astronoom, 'je hebt net in de stille uurtjes verbinding gemaakt. Het was misschien erg rustig.'
Tods Murray voegde eraan toe: 'En de telecommunicatiemensen van de CIA hebben de routing gecontroleerd. Er is niets mis mee.'
Webb schudde koppig zijn hoofd. 'Het was bewolkt in La Palma. Ik heb het zelf gezien.'
Daar haakte de koninklijke astronoom op in. 'De weerkundige dienst heeft ons verteld dat er rond de tijd van jouw observaties gaten zaten in de bewolking, Webb. Je keek toevallig net via de Spot-satelliet toen het helemaal bewolkt was.'
'Ik heb valse beelden gekregen.'
De koninklijke astronoom zuchtte. 'Dat is belachelijk.'
'En Leclerc?'
'Er was in de bedieningshut niets te zien van schakelaars waarmee geknoeid was. Het was een ongeluk.' De stem van de minister klonk beslist. 'Laten we hier niet al te zwaar aan tillen. Uw verdenkingen zijn uitgebreid onderzocht en er is geen basis voor gevonden.' Hij deed alsof hij een vel papier las. 'Hoe dan ook, u bent hier niet uitgenodigd voor een discussie over uw latente paranoia, doctor Webb. We hebben

andere plannen voor u. Maar eerst laat ik u door Bertrand bijpraten.'
De koninklijke astronoom zei: 'Er is goed en slecht nieuws. Het slechte nieuws is dat de Amerikanen hun pogingen om Nemesis te bereiken hebben opgegeven. Er is gewoon niet genoeg tijd.'
Hij gaf Webb even om de informatie tot zich te laten doordringen en voegde eraan toe: 'Het goede nieuws is dat Karibisha zou kunnen missen. Het is fiftyfifty. Ik ben bang dat het tot op het allerlaatste moment spannend blijft.'
'Hebben ze Karibisha dan gezien?'
'Ja. Het US Naval Observatory heeft hem vlak voor de dageraad opgepikt. Ze hebben maar een kleine boog om op af te gaan. De beste schatting van de NASA is dat het perigeum eenmaal de straal van de aarde is. Hij komt vlak langs of hij schampt de aarde.'
'Hoe groot is het mogelijke inslaggebied?' vroeg Webb.
'Een heel langgerekte ellips, bijna een smalle strook, van de Stille Oceaan door centraal Mexico naar de Golf van Mexico. Een sigma op de lange as is tweeduizend kilometer, op de korte een paar honderd.'
'Dus hij kan nog steeds in de oceaan inslaan?'
'Hij kan ook missen. De asteroïde is een paar uur geleden binnen het bereik van de Goldstone-radar gekomen, dus kunnen ze de baan nu iets beter vaststellen.'
De minister onderbrak deze technische uitwisseling. 'Hier staat dat hij nadert met een snelheid van vijfentwintig kilometer per seconde en op dit moment nog zesenhalf miljoen kilometer van ons verwijderd is. Hij passeert de aarde over drie dagen en' – hij keek op zijn horloge – 'acht uur.'
'Kunt u zich voorstellen hoe het publiek zal reageren als dit uitlekt?' vroeg Tods Murray.
De minister keek alsof hij dat heel goed kon. Hij gooide wat bruine suikerkristallen in zijn koffie. 'Ik weet niet hoe lang we het nog stil kunnen houden.'
Webb zei: 'Gezien de baan van Karibisha is hij tot een paar uur van tevoren bijna niet te ontdekken. Maar als hij eenmaal vrij is van de zonneschijf, is hij vlak voor de dageraad zelfs met een verrekijker zichtbaar.'
'We willen graag dat je naar Mexico gaat,' zei de minister al roerend. 'Naar het punt waarop hij het dichtst bij de aarde komt.'
Webb blies zijn wangen bol.
'Onze satellieten zullen ons natuurlijk meteen laten weten of Karibisha

is ingeslagen, maar we zijn een beetje bezorgd dat er op het kritieke moment geen signalen zullen worden doorgegeven door de elektrische verstoring in de ionosfeer. Men weet niet of het verschil tussen op een haar na mis en raak meteen duidelijk zal zijn.'

'EMP, Webb,' legde sir Bertrand uit.

'Eerlijk gezegd,' ging de minister verder, 'willen we zo veel mogelijk communicatiekanalen hebben als we kunnen krijgen, inclusief de ouderwetse trans-Atlantische kabel. We zijn met de Amerikanen overeengekomen dat er twee wetenschappelijke waarnemers zullen zijn, een uit Amerika en een uit Europa. Omdat de zaak zo vreselijk belangrijk is, hebben we liever dat het resultaat niet alleen van afstand wordt bekeken, maar ook door een man ter plekke. U zult begrijpen dat er afhankelijk van de uitkomst binnen een paar minuten bepaalde actie zal moeten worden ondernomen.'

Tods Murray zei: 'We vragen u om de kans te nemen weggevaagd te worden.'

De minister sloeg een buitengewoon beleefde toon aan. 'U hoeft niet zelf te gaan. Hebt u liever dat we iemand anders vinden om uw plaats in te nemen?'

Webb voelde dat de koninklijke astronoom naar hem keek. 'Ik sta erop zelf te gaan,' zei Webb met bonzend hart. De minister gromde tevreden.

'Ken ik de Amerikaanse waarnemer?' vroeg Webb.

De minister keek naar een vel papier. 'Ene doctor Whaler.'

'Die ken ik.'

'Het centrum van de twee-D foutellips ligt ergens boven centraal Mexico, volgens de NASA,' zei de koninklijke astronoom. 'Dicht bij de bandietenstreek.'

De minister keek Webb scherp aan. 'U blijft ervan overtuigd dat er een samenzwering was om u ervan te weerhouden Nemesis te identificeren?'

'Inderdaad, meneer. Daarom sta ik erop zelf te gaan. Ik wil de boel in de gaten houden.'

'Mexico, Webb,' zei de koninklijke astronoom zonder aanwijsbare reden.

Webb zei: 'Ik zou het NASA-rapport graag willen zien.'

De minister deed nog wat suiker bij zijn koffie, slurpte en deed even genietend zijn ogen dicht. 'Dat is beter. Ik zal zorgen dat u het krijgt, doctor Webb.'

Tods Murray zei: 'De Amerikanen zorgen voor verbindingen vanuit het epicentrum en we zullen wachten op uw telefoontje. Mocht u om wat voor reden ook niet in de positie zijn om hun verbindingen te gebruiken, dan kunt u ons via dit nummer bereiken.' Hij schoof een kaartje over de tafel. 'We kunnen ons uiteraard niet voorstellen hoe een dergelijke situatie zou kunnen ontstaan.'

'Laat deze eenvoudige voorzorgsmaatregel geen nieuw voedsel geven aan uw fantasieën over een samenzwering, doctor Webb,' zei de minister.

'Ik word hier ten dode toe gerustgesteld,' zei Webb.

'Uw vliegtuig vertrekt over negentig minuten van Heathrow,' zei Tods Murray. 'De noodzaak tot geheimhouding is nog steeds van kracht en u bent meneer Fish vanaf het moment dat u dit gebouw verlaat.'

'Bel vanuit Mexico zodra de asteroïde is gepasseerd,' zei de minister toen Webb bij de deur was.

'En als hij inslaat?'

De minister keek verbaasd. 'Dan weten we het meteen. U belt niet.'

Judge Dredd en de Angels of Doom

Voor het ministerie van Financiën zocht Webb een telefooncel op voor een kort telefoontje. Toen ging hij naar een Barclays Bank en nam tweeduizend pond op op naam van de heer L. Fish. Vervolgens nam hij een taxi naar het Natural History Museum op Cromwell Road. In het atrium stond hij onder de kaken van de *Diplodocus* met zijn lange hals, die bezoekers van dat fantastische museum begroet, omringd door Japanse toeristen en schoolkinderen.
Na vijf minuten kwam Judge Dredd tussen de Japanse toeristen en de schoolkinderen tevoorschijn. Hij had rode ogen, was mager en krom, had lang, zwart, smerig en ongekamd haar en was gekleed in tweedehands kleren. Alles wat hij nog nodig had, dacht Webb, was de parka.
Ze schudden elkaar de hand. Webb keek naar de enigszins rood omrande ogen van zijn oude vriend. *Hij is nog niets veranderd*, dacht Webb. *Hij leeft nog steeds in de virtuele wereld terwijl de echte wereld aan hem voorbijgaat. Nog niet zo lang geleden was ik net zo.*
'Jimmy, hoe staat het leven?'
Judge Dredd haalde zijn schouders op. 'Je weet wel.'
En in sociaal opzicht nog even onhandig als altijd.
'Jimmy, ik heb je hulp nodig. Hoor eens, ik heb geen tijd en ik moet een vliegtuig halen. Vind je het erg om in een taxi met me naar Heathrow te rijden, zodat ik het onderweg kan uitleggen? Ik betaal de terugrit, maak je daar geen zorgen om. Het is me honderd pond waard als je alleen maar wilt luisteren naar mijn probleem.'
'Honderd pond? Waar haal jij in jezusnaam zoveel geld vandaan, Ollie? Beroof je tegenwoordig banken?'
Webb lachte. 'Nee, ik zit nog steeds bij het instituut in Oxford. Ze betalen me daar voor mijn hobby.'
Ze liepen op goed geluk door de menigten naar Cromwell Road. Webb hield een taxi aan, vroeg of die hen naar het vliegveld wilde

brengen en sloot het raampje tussen hen en de chauffeur. Hij gaf de ander honderd pond in kleine biljetten.
Judge Dredd bezat een zekere eerlijkheid. Hij nam het geld met genoegen aan, zonder aarzeling te veinzen of te vragen waarom. 'Nou Ollie, ik luister met allebei mijn oren.'
'Ik moet inbreken bij een zwaar beveiligde Amerikaanse instelling.'
De Judge snoof. 'Amerikaans of niet, dat maakt geen donder uit. Maar als je het over de Milner hebt, heb je een groot probleem. En als er een *air gap* is, kun je niets doen, tenzij je al toegang hebt. Wat is het, VMS, Unix, Win NT of nog iets anders?'
'Het heeft een Unix-basis.'
'Dan moet je een naam en een wachtwoord hebben. Gebruikersnamen zijn geen probleem. Maar je komt er niet in zonder wachtwoord.'
'Ik moet toegang zien te krijgen tot de Sandia Corporation in Albuquerque.'
Judge Dredd liet zijn gele tanden zien. 'Dus daar komt het geld vandaan? Je hebt je aangesloten bij de KGB, nietwaar?'
'Kom op, Jimmy, je weet dat ik pacifist ben.'
'Ja, en ik ben Napoleon Bonaparte.' Hij zweeg bedachtzaam en trommelde met zijn magere vingers op zijn knie. 'De heilige graal is het wachtwoorddossier.'
'Waar je niet in kunt, omdat je een wachtwoord nodig hebt om in te loggen.'
De man keek Webb geamuseerd aan. 'Je bent altijd een beetje een sukkel geweest, Ollie. Als het een gewoon bedrijf was, zou het niet moeilijk zijn. Dat karwei bij Citibank was niet eens erg slim. Het aantal Freds en Barneys dat ik in wachtwoorden ben tegengekomen zou je steil achterover doen slaan. Als er een modem aan de andere kant zit, kunnen we gewoon automatisch blijven bellen en ophangen.'
'Is dat geen kostbare zaak, trans-Atlantisch?'
Judge Dredd giechelde. 'Ik heb nog nooit in mijn leven betaald voor een trans-Atlantisch telefoontje. Dat zou niet professioneel zijn. Maar het is iets uit de jaren 1980 en het duurt eeuwen. En tegenwoordig word je na een paar missers meestal automatisch geblokkeerd.'
'Jimmy, ik moet binnen zesendertig uur een antwoord hebben.'
'Zesendertig uur! Je bent aan het dromen, Ollie. Zoiets duurt weken.'
'Kun je het niet?' vroeg Webb uitdagend.
Daar dacht Judge Dredd even over na. 'Ik zit te denken, ik zit te denken. Soms kun je het wachtwoorddossier te pakken krijgen via FTP of

CGI-scripts. Je hoeft niet eens in te loggen, je doet het gewoon met een anonieme download. Zo zijn de CIA en de NASA gehackt, via gewone browsers, met gebruik van een programma dat PHE heet.' Er kwam een dromerige blik over het gezicht van de man, alsof hij een vroegere triomf opnieuw beleefde. 'Maar na het hacken van het Rome Laboratory begon het leger veel meer firewalls te installeren. Een behoorlijke standaard firewall beperkt je tot een paar apparaten in het netwerk. Er zijn tegenwoordig wel manieren om daaromheen te komen met het fragmenteren van pakketten en zo. Je verspreidt de aanvallen en de aftastpogingen uiteraard, zodat er niets na te speuren is. De hackers van het Rome Laboratory zijn met sprongetjes binnengekomen via telefoonschakelingen in Zuid-Amerika.'
Hij zweeg weer even. Webb vatte dat op als een uitnodiging. 'Jimmy, ik betaal je duizend pond als je er binnen weet te komen.'
De bloeddoorlopen ogen van de man werden groter en er trok iets van schrik over zijn gezicht. 'Dit is iets groots.'
Webb knikte. In de kleine ruimte van de taxi werd de zure, ongewassen geur snel sterker.
'Het is jouw zaak waarom je erin wilt, neem ik aan. Oké, laat me even denken.' De man zweeg een minuut lang. Webb keek naar de file. Toen zei Judge Dredd: 'Die zwaar beveiligde netwerken hebben soms een zachte onderbuik. Ze vertrouwen op systemen van buiten, zoals leveranciers, onderzoekslaboratoria, openbare telefoonnetwerken en zo. Iemand in Argentinië is Los Alamos binnengekomen via een legitieme universiteitsverbinding. Het is het proberen waard, maar zelfs als je het wachtwoorddossier te pakken hebt, is er nog een ander probleem.'
Webb wachtte af.
'De wachtwoorden zijn in code. Dus moet je er een cracker op loslaten.'
'Je bedoelt een decoderingspakket?'
Er ging een pijnlijk trekje over het gezicht van de Judge. 'Je kunt een wachtwoord niet decoderen als het eenmaal gecodeerd is, niet in Unix. Dat is een systeem met eenrichtingsverkeer. Maar je kunt er wel een woordenboek op zetten. Dat past de codering toe op duizenden woorden, met onzin als Fred en Barney hoog op de lijst. Dan krijg je miljoenen mogelijkheden voor duizenden woorden. Die gecodeerde output wordt vergeleken met de gecodeerde wachtwoorden in het dossier. Als het een overeenkomst vindt, heb je het wachtwoord.'

De taxi was het centrum van Londen inmiddels uit en de snelheid werd opgevoerd. Met tussenpozen verschenen er borden met Hounslow, Staines en het vliegveld. Het stonk in de taxi naar ongewassen lijven. Webb wist dat hij met zijn volgende woorden een ernstige overtreding zou plegen op de wet op geheimhouding, maar hij zag geen alternatief. 'Jimmy, het is belangrijk dat je hier je mond over houdt. Ik moet de bron weten van berichten naar een plek in Arizona die Eagle Peak Observatory heet. Op Tenerife staat een telescoop. Die kan op afstand bediend worden via een tussenliggend knooppunt en daar kan ik je de pincode voor geven. Als ik hem vanuit Arizona bedien, zie ik beelden die van de telescoop in Tenerife lijken te komen. Ik moet weten of dat echt zo is. Ik vermoed namelijk van niet.'
Webb haalde een dikke bruine envelop uit zijn rugzak, maar zó dat de chauffeur hem niet via zijn achteruitkijkspiegel kon zien. Judge Dredd staarde er ongelovig naar.
Hij vroeg: 'Waar bevindt dat tussenliggende knooppunt zich?'
'In de afdeling Natuurkunde, Keble Road, Universiteit van Oxford.'
'En wat heeft het leger ermee te maken?'
'Ik vermoed dat de beelden eigenlijk uit het Sandia Laboratory komen.'
'Je bedoelt toch niet die Teraflop?'
'Jawel. Kun je het of kun je het niet?'
'Binnen zesendertig uur? Het is wel een megagrote uitdaging.'
Webb schoof de envelop naar hem toe. Judge Dredd ging met zijn duim langs de bankbiljetten alsof hij niet kon geloven dat ze echt waren en stopte de envelop toen in zijn zak. De vieze geur werd steeds sterker en Webb vroeg zich af wanneer Judge Dredd voor het laatst in bad was geweest.
'Maar het zou gedaan kunnen worden. Ik kom niet in de hele Teraflop box, dat is te veel gevraagd. Maar met *root access* zou ik een *packet sniffer* kunnen installeren op een netwerkschakeling. Een gewone bureaucomputer is voldoende. Je blijft rustig de data zitten bekijken en wacht af. Als een krokodil die het komen en gaan op de rivieroever in de gaten houdt. Als je dezelfde reeks signalen blijft zien bij het begin van een bericht, zou je een wachtwoord te pakken kunnen hebben. Dan sla je toe. Als je eenmaal binnen bent, maak je dat je weer wegkomt voordat iemand het in de gaten heeft. Maar je verstopt wel een paar codezinnen die je weer door de achterdeur binnenlaten wanneer je er maar zin in hebt.'

'Jimmy, het kan me niet schelen hoe je het doet, zolang je het maar onopgemerkt voor elkaar krijgt,' zei Webb.

'Dit is een behoorlijke klus, dat moet je wel weten. Als ik niet op tijd binnen kan komen, zet ik de Angels of Doom er misschien op. In het geniep. Ze zeggen dat hun nieuwste SATAN-scripts bijna overal gaten in kunnen vinden.'

Webb schreef een rij getallen op. 'Ik bel je morgen om middernacht, en ik zorg ervoor dat je de andere helft binnen een week hebt.'

Op het vliegveld gaf Judge Dredd de chauffeur opdracht terug te rijden zonder uit te stappen, en Webb baande zich een weg door de menigte naar terminal een. Hij nam grote teugen frisse lucht en voelde zich net Klaus Fuchs.

Kort nadat Webbs Jumbo zich de lucht in had gehesen kwam een onbekende, maar duidelijk vermomde man het beveiligde kantoor binnen van Spink & Son. Hij trok een geruit boodschappenkarretje achter zich aan en droeg een bruine papieren zak vol ontbijtbroodjes en blikken bonen. Hij deed een aankoop die zelfs in dat kantoor uitzonderlijk was en betaalde een fortuin in contant geld voor gouden munten. Hij kocht vooral de 'oude' sovereigns met 0,2354 troy ounce zuiver goud. Die woog hij met tien tegelijk op zijn eigen weegschaal voordat hij ze in het boodschappenkarretje deed. Daarna legde hij de broodjes en de bonen boven op de munten en ging met het karretje de straat op naar een onbekende bestemming. De transactie nam een groot deel van de middag in beslag. Op diezelfde middag was er bij Albemarle, Samuel en andere muntenverkopers in en rond Londen eveneens een run op de Krugerrand, de Maple Leaf, de Amerikaanse Eagle en de Britannia.

In Zürich en Londen, de wereldcentra voor de handel in goud, ging de prijs van het gele metaal onmerkbaar naar boven. Het was maar een duwtje, amper te onderkennen tussen de willekeurige schommelingen van de wereldmarkt.

Het grote vliegtuig begon aan de lange reis en verkleinde tot een klein vliegend insect, net boven de Atlantische Oceaan. Webb reisde eerste klas. En terwijl buiten de zon stilstond aan de hemel en een dodelijk koude lucht centimeters van zijn hoofd voorbij stroomde, dineerde hij op een hoogte van tien kilometer met gerookte zalm en champagne, keek naar de verliefde Loren en Mastroianni en maakte zich zorgen.

Terwijl het kleine insect over het water scheerde, bleef de goudprijs langzaam omhooggaan; nog steeds een fluistering, die bijna verloren ging in het dagelijkse rumoer. De beurzen in Hong Kong en Singapore waren voor de nacht gesloten, maar slimme mannen en vrouwen in Londen en New York, mensen die elke dag scherp letten op kleine fluctuaties in de onregelmatige grafieken op hun beeldschermen, hadden de trend opgemerkt; zij maakten zich ook zorgen, maar om andere dingen. Maar toen sloten ook deze markten om te wachten tot de aarde zou draaien en de zon zou opgaan en door de smog van Tokio zou dringen.

Boven Newfoundland onweerde het en boven JFK ontstond filevorming in de lucht, en de turbulentie speelde met het grote vliegtuig als een kat met een muis. Bij elke siddering keek de doodsbange Webb naar achteren, het donker in: hij kon net de motor zien, die zichzelf los leek te willen schudden van de trillende vleugel. Hij probeerde de tranen van opluchting te bedwingen toen de Jumbo soepel landde en over de landingsbaan taxiede. Een vermoeide vrouw met felgekleurde bloemen op haar revers bleef maar 'Welkom in New York' zeggen tegen de aangeslagen passagiers die de aankomsthal in stroomden. Webb zat uitgeput op een plastic stoeltje terwijl wereldreizigers in limousines naar Manhattan werden gereden of per helikopter, die in dit weer nog steeds vloog, naar East 60th Street werden overgebracht.
Er ging een uur voorbij voor er een lange indiaan verscheen met zwart haar tot over zijn schouders. 'Meneer Fish? Op weg naar Mexico? Wilt u me alstublieft volgen?'
Webb had het even helemaal gehad toen hij de indiaan volgde en via een looppad in de donkere nacht van New York terechtkwam. Het was bitter koud buiten de aankomsthal en de sneeuw dwarrelde naar beneden.
'Ik ben Free Spirit,' zei de man, die Webb in een Cadillac liet stappen. 'En dat betekent niet gratis drank. Het is mijn stamnaam en ik ben er trots op.'
'Gelijk heb je,' zei Webb.
Free Spirit stopte nog even om een oude vrouw op te pikken die al bij haar zoon in St. Louis had moeten zijn. 'Bent u ook een gestrande passagier ze hebben vier jongens en proberen nog steeds een meisje te krijgen hij zou hem moeten afsnijden en op sterk water moeten zetten

als je het mij vraagt zei u nou dat u ook een gestrande passagier was?'
Webb probeerde op het juiste moment te knikken.
De auto stopte voor het Plantation Hotel en de bediende, een kalende man van een jaar of zestig, gaf de vrouw een kamer op de begane grond en nam Webb mee naar de eerste verdieping. De man bleef verwachtingsvol hangen. Webb zei dat hij geen dollars had. De man zei dat hij ook andere muntsoorten aannam. Webb zei dat hij daar ook niets van had en de bediende ging hoofdschuddend weg. Webb sloot de deur af, nam een warme douche en liet zich op het bed vallen.
Hij lag in het halve donker te luisteren naar de nachtelijke geluiden van New York en de lift die late gasten omhoog bracht.
Er klopte iets niet en dat zat hem dwars. Hij lag er nog steeds over te piekeren toen hij wegzonk in een verwarde, rusteloze slaap vol dromen.

Terwijl Webb sliep zette de stille run op goud door, een sijpelend stroompje dat langzaam aan kracht won. Nog onheilspellender was dat de dollar in waarde begon te dalen ten opzichte van andere munteenheden.
Het zenit bewoog met zestienhonderd kilometer per uur over de Stille Oceaan, de uitgestrekte, lege, waterige hemisfeer van de aarde. Aan de andere kant van de oceaan, negentienduizend kilometer verderop, raakte de dageraad de Zee van Ochotsk en de noordelijkst gelegen eilanden van Japan. Een uur later drong de zon door de ochtendmist boven Tokio. Nog een uur later werd Singapore wakker en weer begonnen slimme mensen, dit keer in glazen torens met uitzicht op Kowloon en Clearwater Bay, zich zorgen te maken. Ze namen voorzorgsmaatregelen.
De dollar begon nu echt af te glijden.
Net voor 10.30 GMT stopten in Londen drie taxi's in New Court, een kleine binnenplaats aan een smalle straat, dicht bij de Bank of England. Er stapten drie mannen uit de taxi's en toen ze de kantoren van N.M. Rothschild binnengingen, kregen ze gezelschap van een vierde man, die te voet uit de richting van het metrostation Bank kwam. Zoals elke ochtend op dit uur werden ze naar een stil kantoortje met houten wandpanelen gebracht. De muren hingen vol met portretten van gewezen koningen, als jachttrofeeën; een herinnering aan het feit dat historisch gezien zelfs koningen de geldverstrekkers nodig hadden gehad. Elke man had een bureau waarop een telefoon stond en een kleine Union Jack. De voorzitter van Rothschild zat al op zijn stoel en hij

heette de nieuw aangekomenen met een knikje welkom: het was een routine die tweemaal daags werd afgehandeld, om 10.30 uur en om 15.00 uur.

De vijf mannen vormden een select kringetje binnen de London Bullion Market Association. Ze verhandelden goud onder elkaar zonder ooit echt het gele metaal uit te wisselen. Op hun gezag werd tweemaal daags de prijs van goud vastgesteld, zij besloten wat de waarde van het goud was en daarmee bepaalden ze ook de rijkdom van de centrale banken op de wereld, die grote goudreserves hadden.

De voorzitter van Rothschild, (N.M. Rothschild, opgericht in 1804) opende de zitting. Hij sprak met zachte, kleurloze en bijna monotone stem; hier werden goud en geld, de meest emotioneel beladen dingen die de mens kende, verhandeld in een sfeer waar bijna elk gevoel meedogenloos werd geweerd. 'Heren, we zien ons gesteld tegenover een buitengewone situatie. Mijn kantoor heeft me op de hoogte gesteld van het feit dat er de laatste uren een scherpe opwaartse beweging in het goud zit.'

De man van de Standard Chartered Bank (een dochterbedrijf van Mocatta and Goldsmid, opgericht in 1684) knikte. 'Het is een kleine, maar heel duidelijke stijging. Maar mijn kantoor kan er geen reden voor vinden.'

Er werd instemmend gemompeld. De man van Montagu Precious Metals (Samuel Montagu, een relatieve nieuwkomer en pas opgericht in 1853) tikte met een map op de tafel voor hem. 'Het is heel eigenaardig. De koopopdrachten van onze kantoren in het Midden-Oosten alleen al bedragen bijna een miljard dollar tegen de Comex-koers van gisteravond.'

De man van Deutsche Bank Sharps Pixley (Sharps, opgericht in 1750 en in 1852 samengegaan met Pixley) trok een wenkbrauw op. 'Maar hoe zit het met de beveiliging? Kunnen jullie echt zoveel goud van Londen naar Saudi-Arabië vervoeren?'

Rothschild wierp Sharps Pixley een afkeurende blik toe; de verraste toon was een beetje te sterk, te kleurrijk geweest voor dit kantoor.

De man van de Republic National Bank in New York sprak met een afgemeten, gecultiveerd Amerikaans accent. 'Mijn kantoor is van mening dat dit wordt veroorzaakt door een klein aantal personen dat om wat voor reden dan ook een zo groot mogelijk deel van de particuliere goudmarkt in handen probeert te krijgen. De markt heeft dit opgemerkt en reageert irrationeel.'

'Er mag geen paniek uitbreken,' zei Deutsche Bank Sharps Pixley met een bezorgde blik.
Rothschild glimlachte bijna. 'Paniek kan winstgevend zijn. Zoals een van mijn voorgangers heeft gezegd, moet je kopen als het bloed door de straten stroomt.'
Nu de sociale koetjes en kalfjes besproken waren, begonnen de vijf aan het hoogst serieuze karwei om de prijs van goud vast te stellen en de eeuwenoude spanning tussen koper en verkoper weg te nemen. Elke man had een portfolio voor zich liggen en confereerde constant via de telefoon met zijn kantoor. Toen de prijzen elkaar begonnen te naderen, liet elke handelaar zijn vlaggetje zakken om aan te geven dat hij het eens was met de vastgestelde prijs. De man uit New York was de laatste die overstag ging. De daling van de dollar zou rampzalig zijn, maar de kracht van de markt was overweldigend. Zodra hij zijn vlag had laten zakken, werd er een boodschapper geroepen en werd de prijs van goud wereldwijd bekendgemaakt. Die was van de ene dag op de andere bijna verdubbeld.
Meteen na de ochtendsessie bij Rothschild kwam er een gecodeerde informatiestroom op gang van Midland Global Markets naar de kantoren van de Hongkong and Shanghai Banking Corporation, die vierhonderd miljard dollar bezat. Midland Global was eigenaar van de Corporation en vierhonderd miljard dollar was een hele verantwoordelijkheid. De Corporation begon zijn derivatenmarkt van de hand te doen en probeerde stilletjes à la baisse te verkopen op de Nikkei.
Voor Zuid-Afrika, de grootste goudproducent ter wereld, was het goed nieuws. Barclays de Zoete Wedd vroeg de eigenaar, Barclays Bank, om instructies, maar de boodschap was al op weg vanuit Londen: iemand weet iets en denkt dat de toekomst er slecht uitziet. Misschien was er een niet nader gespecificeerde ramp op komst; misschien werd de stijging van de temperatuur op aarde zo groot dat de noordpoolkap af begon te breken. Wat dan ook. Dus stoot zo veel mogelijk af wat met de toekomst te maken heeft; hou op met kredietspeculaties. En doe het stilletjes, heel stilletjes. Geen paniekverkopen.
De Nikkei 225 Index haperde. Aan het eind van de dag ging hij snel omlaag. Op de Square Mile verhoogde de Bank of England de rente, en nog eens, maar de daling liep uit de hand en de druk op de valuta werd ondraaglijk.
Naarmate de zon zich voortbewoog begonnen er geruchten de ronde te doen op de markten. Wat de ramp ook mocht zijn, iemand wist dat

Amerika geraakt zou worden. Misschien stonden San Francisco en Silicon Valley wel voor een grote aardbeving. Wat dan ook.
Paniek. De daling van aandelen en valuta, die nu helemaal onbeheersbaar was geworden, versnelde en de afgrond kwam in zicht. Goud, de enige zekerheid in een onzekere wereld, werd ongehoord duur.
En dit alles gebeurde zonder enige kennis van de aard van de naderende ramp. Maar in de vroege uurtjes van de morgen, Eastern Standard Time, terwijl Webb lag te woelen in een snikhete hotelkamer, bereikte die informatie de kantoren van de *New York Times*.

De Situation Room, T-49 uur

De admiraal stond altijd om zes uur op. En elke ochtend, behalve met Thanksgiving, verjaardagen en dergelijke, stroomde om kwart over zes het warme water van de douche over zijn hoofd en zijn magere, zongebruinde nek. Hij draaide zich om, sloot zijn ogen en liet de stroom op zijn gezicht komen en over zijn borstkas en zijn strakke buik lopen. Hij tastte naar de kraan, zette hem uit en draaide zich net om naar de douchedeur toen zijn vrouw die opendeed.

'Robert. Verwachtte jij vanmorgen een auto?'

De admiraal keek verbaasd. 'Nee, helemaal niet. Wat is er aan de hand?' Hij droogde zich haastig af. In zijn tien jaar in Washington was het pas één keer voorgekomen dat hij thuis was weggeroepen, en dat was bij de uitbraak van de tweede Koreaanse oorlog geweest.

Hij kleedde zich snel aan, haalde een kam door zijn grijze, droge haar, griste een koffertje mee, nam in het voorbijgaan een slokje van de koffie die zijn vrouw hem toestak en liep naar de deur. Daar stond een jonge marineofficier te wachten, en langs de straat was een zwarte limousine geparkeerd.

De auto ging er snel vandoor en de officier nam de admiraal snel mee over Columbia Pike en langs het Arlington Cemetery voordat hij rechtsaf de Jefferson Davis Highway op reed. Admiraal Mitchell besefte al snel dat de officier niet meer wist dan dat hij bevel had om hem zo snel mogelijk naar de briefingkamer op de tweede verdieping van het Pentagon te brengen.

De vergaderzaal voor noodgevallen had een grootte van verschillende tennisbanen. Mitchell keek er verontrust op neer door de glazen afscheiding. Het krioelde in de zaal van de activiteit, en de kern van de 'gevechtsstaf' bestond uit vier officieren aan het hoofd van de enorme T-vormige tafel, die naar beeldschermen tuurden, in telefoons praatten, berichten ontvingen en bevelen gaven.

Hooper zat aan de telefoon, maar wenkte de admiraal met een arm-

zwaai. 'Mitchell, hierheen.' Om een of andere reden die niemand zich kon herinneren, sprak alleen zijn vrouw Mitchell met een andere naam aan.
'Wat is er aan de hand, Sam?'
Hooper legde de telefoon neer. 'Kijk hier maar eens naar. Je kantoor heeft het net doorgestuurd.' Hooper duwde de admiraal een stapel papieren in de hand.
Mitchell voelde dat hij rood aanliep terwijl hij de rapporten snel doornam. 'Wat zijn die lui aan het doen?'
'De Beer is op pad, wat anders?'
'Maar waarom? Wat is de aanleiding hiervoor?'
De voorzitter van de gezamenlijke chefs-staf wierp de admiraal een eigenaardige blik toe. 'Mitchell, je staat op het punt een verhaal te horen dat je gewoon niet zult geloven.'
Er ging heel even iets van angst over Mitchells gezicht. 'Ik zag een Sikorsky op het helidek staan. Dat kan niet betekenen wat ik denk dat het betekent.'
Hooper knikte grimmig. 'We verzamelen de JEEP-1 burgers. Ze worden verdeeld over locatie R en Mount Weather. En we brengen allerlei bestuurders naar de burgerlijke verdedigingsbunkers in Denton.'
'Wát?'
'Zoals ik al zei zijn er dingen gaande die je gewoon niet zou geloven. Laten we naar de Gold Room gaan. Bellarmine zit te wachten.'
De Gold Room had gevuld moeten zijn met hoge officieren en hun adjudanten. De admiraal was verbijsterd toen hij zag dat hij leeg was op de minister van Defensie na, die hem ongeduldig een stoel wees.
'Wat is dit allemaal?' vroeg de admiraal.
'Mitchell, we gaan over een paar minuten naar de Situation Room. Maar eerst moet je even heel goed naar me luisteren.'

'Ze zeggen dat er vijftig procent kans is dat Nemesis zal missen,' zei Heilbron tegen de president.
Grant trok een vies gezicht. 'Dat betekent dat we vijftig procent kans hebben dat hij zal inslaan. Gelijke kansen om uitgeroeid te worden. Is er nog nieuws over die sonde?'
'Ze hebben hun pogingen gestaakt. Ze hadden meer tijd nodig.'
'Dus we kunnen niets doen.'
De Situation Room had een laag plafond, was klein en benauwd en had donkerhouten panelen op drie van de vier wanden en een groot

gordijn voor de vierde. De minister van Defensie, de directeur van de CIA, de nationale veiligheidsadviseur en de voorzitter van de gezamenlijke chefs-staf zaten rond een grote teakhouten tafel die de kamer domineerde. Hoewel hij geen lid was van de NSC, zat admiraal Mitchell ook aan de tafel, rechts van Hooper.

'Meneer de president,' zei de CIA-directeur, 'ze hebben de baan van de asteroïde nauwkeuriger bepaald naarmate hij dichterbij kwam. Dat betekent dat we hoe dan ook in de volgende negenenveertig uur zekerheid zullen hebben.'

President Grant schoof een la in de tafel open en haalde er een telefoon uit. Hij sprak er even in en toen week het gordijn achter hem uiteen. Een groot deel van de wand werd in beslag genomen door een enorm scherm. De landmassa's van de Verenigde Staten en Rusland lagen tegenover elkaar, met de Noordpool ertussenin. 'Admiraal Mitchell, hoe zit het met die bewegingen van de marine?'

Mitchell stond op en liep naar het scherm. 'Meneer de president, de Russen zijn aan het mobiliseren. Ze verplaatsen hun hele Baltische Vloot.' Zijn hand ging over het beeld. 'Het ziet ernaar uit dat ze het schiereiland Kola evacueren. En hun schepen stromen hier uit, door het Kattegat. Men zegt dat de Zweden langs de wegen staan om het te zien. Normaal gesproken is slechts een derde van hun Noordelijke Vloot op zee, maar ze lijken nu hun hele oppervlaktevloot naar de Atlantische Oceaan te sturen. En hier beneden, meneer, zijn ze een abnormale hoeveelheid goederen aan het vervoeren door de Bosporus.'

Grant zei: 'Vertel me over hun onderzeeboten.'

'Ik wil u eraan herinneren, meneer, dat het Navy Operations Intelligence Center in de afgelopen dagen een scherpe toename van onderzeebootactiviteit heeft waargenomen. SIGINT pikt de uitgewisselde berichten op als de onderzeeërs hun aanlegplaats verlaten. Hier in Petropawlowsk hebben ze volgens ons een stuk of zestig onderzeeboten uitgestuurd, waarvan drie in de Akula-klasse. We kunnen hen zo nodig het vuur na aan de schenen leggen in de Stille Oceaan, maar hier, in Poljarny, kunnen ze hun onderzeeërs redelijke luchtdekking verschaffen. Zoals u weet, meneer, hebben we SOSUS-kabels rond Moermansk en de Kolabaai. Ook op deze locaties pikken ze al een paar dagen abnormaal verkeer op.'

'Abnormaal verkeer; wat wil dat precies zeggen?' wilde Grant weten.

'We denken dat ze in dat gebied misschien tachtig onderzeeërs hebben samengetrokken, waarvan de helft met kernwapens. Om het maar rechtstreeks te zeggen, meneer, laten ze hun hele vloot onderzeeërs uitvaren.'

'Dank u, admiraal Mitchell. Nu u weet van Nemesis, wilt u misschien bij deze bespreking aanwezig blijven.'

Mitchell ging zitten. 'Meneer, gaan we kernwapens inzetten?'

Die vraag lag Bellarmine ook op de lippen. Nu kon hij zich niet langer inhouden. 'Meneer de president, de bewegingen van die onderzeeboten spreken voor zich. Stemt u eindelijk in met een tegenaanval?'

Cresak bemoeide zich ermee. 'Wat we hier zien, is een defensieve reactie op onze Fase Oranje.'

Hooper tikte op de tafel. 'Het gaat gebeuren, heren. Ze weten dat we op de hoogte zijn van wat ze met Nemesis uitspoken. Ze willen als eerste aanvallen.'

Bellarmine liet zich ook weer horen. 'Meneer de president, we moeten de oorlog vanaf een veilige plek leiden.'

Grant keek verbaasd. 'Oorlog? Waar heb je het over, Bellarmine? De asteroïde zou kunnen missen en Cresak zou gelijk kunnen hebben. Dit is niet noodzakelijk het voorspel voor een kernaanval.'

Hooper keek wat glazig uit zijn ogen. 'Dat kunt u toch niet menen?'

De telefoon die voor de president stond ging over. Hij nam op en luisterde. 'Ja, breng maar binnen.'

Er ging een deur open en een adjudant marcheerde naar binnen. Hij overhandigde de president een vel papier en vertrok weer. Grant voelde zich licht in het hoofd toen hij het bericht las. Hij gaf het door aan Bellarmine en het vel papier ging de tafel rond en eindigde bij Hooper.

LAATSTE NIEUWS
VAN: CINCEUR VAIHINGEN GE
AAN: CHEFS-STAF WASHINGTON DC//J9 NMCC
TOPGEHEIM
(T1/S1) SIGINT MELDT EVACUATIE KAZERNES DOOR RUSSISCHE TROEPEN IN KIEV, GOMEL, VITEBSK, MINSK EN WEST-MOSKOU. TANKBEWEGINGEN AAN SLOWAAKSE GRENS BIJ TATRANSKA LOMNICA IN HOGE TATRAS. GROOTSCHALIG OPROEPEN RESERVISTEN. TANKBEWEGINGEN TEN OOSTEN VAN PRIPET-MOERAS EN (ONBEVESTIGD) DOOR KARPATEN. ADVISEER ONMIDDELLIJKE UPGRADE VAN DEFCON EN BESLUIT OVER EUCOM VERSTERKING VAN SLOWAAKSE EN DUITSE TROEPEN. GEDETAILLEERD RAPPORT VOLGT.

Hooper zei: 'Het is logisch. We weten dat ze de kazernes evacueren en overal helikopters voor troepentransport vandaan laten komen, van de Oekraïne tot Chechnya. Ik veronderstel dat deze stromen samenkomen in een massale troepenbeweging door centraal Slowakije naar het gebied rond Pilzen.'
'Pure speculatie,' zei Cresak.
De zoemer ging weer. Dit keer liep Bellarmine naar de deur en nam hij de papieren aan van de adjudant. De minister van Defensie draaide zich met een grauw gezicht om. 'Meneer de president, het wordt nog veel erger.'
'Ga verder,' zei Grant.
'Ze halen Backfires van de oostelijke vliegvelden naar Kola. Ongeveer honderd.'
'Aha.'
'Meneer de president,' zei Hooper, 'ze laten er geen gras over groeien. Zodra Nemesis ons verwoest heeft, rollen ze over Europa heen. Wij hebben in Europa geen tactische wapens meer en de Britten en de Fransen durven hun strategische wapens niet in te zetten als wij er niet zijn om hen in de rug te steunen.'
Bellarmine zei: 'De verleiding moet onweerstaanbaar zijn. Als de asteroïde ons raakt, wordt heel Europa één chaos. De Russen zullen hun tanks sneller naar binnen laten rollen dan het besluitvormend apparaat in Europa het beleid kan bepalen. Als wij dood zijn en Europa onder de voet is gelopen, bezitten ze de hele wereld.'
Cresak zei: 'Onze scenario's gaan uit van een kernoorlog van tweeduizend seconden. Als ze ons willen bestoken met kernbommen, wat heeft het dan voor zin om een mobilisatie in te zetten die pas over een maand voltooid kan zijn? En de troepenverplaatsingen kloppen niet als ze Europa willen aanvallen. We zijn altijd uitgegaan van een aanval over de noordelijke vlakten. Wat moeten ze dan met al die tankbewegingen aan de grens met Slowakije?'
'Ze hebben ons al die tijd om de tuin geleid,' zei Hooper.
'Het patroon in Europa past niet bij een dreigende invasie,' hield Cresak vol. 'Waar blijven de Spetsnaz-aanvallen? Waar is de luchtmacht? Ze zouden zich klaar moeten maken om het vliegveld van Bremen in te nemen en naar de Weser en de Rijn op te rukken. Backfire-bommenwerpers op Kola, daar heb je niets aan bij een aanval op Europa.'
'De eerste en oudste regel van de oorlogvoering,' zei Hooper. 'Misleiding. U praat over de ideeën die zij in ons hoofd hebben geprent.

De bommenwerpers op Kola zijn op ons gericht via een route over de Pool. Ze willen in de verwarring zorgen dat ze ons volledig afmaken. En als wij weg zijn, wie heeft er dan nog commando's nodig? Het is niet nodig iedereen te waarschuwen met D-1-invasies. Het is veel veiliger om over Europa heen te rollen zonder het eerst in puin te gooien.'
'Maar de bewegingen aan de Slowaakse grens...'
'Voorbereidingen voor een flankaanval door Beieren of zelfs een aanval via Frankfurt. Verdomme, als wij uit de weg zijn geruimd, kunnen ze Europa binnenvallen zoals ze maar willen. Laat het oorlog voeren nou maar aan de soldaten over, Cresak.'
'Ze laten hun tanden zien. Wat we hier zien, is een verdedigende reactie op onze Fase Oranje,' hield Cresak vol. 'Niemand gaat waar dan ook een invasie doen.'

Anton Vanysek werd wakker omdat zijn bed trilde.
Aanvankelijk klonk het alsof er een ongewoon zware vrachtwagen langs zijn flat van zeven verdiepingen reed. Maar het gerommel bleef maar aanhouden. Hij gooide de dekens van zich af en deed het raam open. Er stroomde bitter koude lucht de kamer in. De straat onder hem was leeg, maar toen zag hij tussen de hoge flats door donkere vormen op een weg op ongeveer een kilometer afstand. Het was in de vroege ochtendschemering niet te zeggen wat het waren. Hij kwam in de verleiding terug te gaan naar zijn warme bed, maar het hele gebouw schudde. Hij kleedde zich snel aan, negeerde de slaperige vragen van zijn vrouw, pakte zich warm in en rende de stenen trap af.
Trnava was een typische middelgrote stad in Slowakije. De pittoreske oude binnenstad werd omringd door hoge flats, witte uniforme gedrochten uit de tijd van de communisten, waarvan de betonnen gevels allang waren gebarsten en afgebrokkeld. Het hele district werd ontsloten door een netwerk van wegen vol scheuren en gaten. Tussen die grote konijnenburchten bevonden zich fabrieken en chemische installaties die vreemde geuren uitstootten en geheimzinnige uitslag veroorzaakten bij kinderen, zenuwklachten bij mensen van middelbare leeftijd en longproblemen bij ouderen.
Anton Vanysek had al meer dan twintig jaar kleine geldbedragen ontvangen in ruil voor verslagen over plaatselijke politieke activiteit, roddeltjes, alles wat zijn opdrachtgevers maar interesseerde, die deze informatie naar hij vermoedde doorgaven aan de CIA. Behalve in de

spannende dagen van de geweldloze revolutie was zijn informatie altijd nogal banaal geweest, maar de geldbedragen waren dan ook wel bijzonder klein.
Maar toen hij die morgen nerveus naar de hoofdweg door het centrum liep, zag hij tot zijn verbazing dat de donkergroene vormen tanks waren. Zijn verbazing sloeg om in angst toen hij dichterbij kwam in het zwakke licht en de rode sterren op de zijkant zag.
Deze informatie zou hem ofwel een heleboel geld opleveren of hem voor het vuurpeloton brengen.
Voor het eerst in vijftig jaar rolden Russische tanks Slowakije binnen.

De weg naar Mexico

In het bleke ochtendlicht leek het hotel niet zozeer aftands, maar de instorting nabij. Er zaten een stuk of twaalf zeer uiteenlopende gasten in de eetzaal, waarschijnlijk gestrande reizigers van de avond tevoren. Het rook in de zaal naar goedkope wafels en in oud vet gebakken bacon, maar er hing nog iets anders in de lucht. Webb voegde zich bij een groepje mensen rond de kranten op een tafel en keek over hun schouders mee.

In de *Examiner* stond:

DODELIJKE ROTS BEDREIGT AMERIKA

De kop werd gevolgd door een schril en grotendeels verzonnen verhaal over astronomen die geheime vergaderingen hielden. Er werden ongelooflijke woorden in de monden van nuchtere collega's gelegd. Alleen de bekende Britse expert Phippson, dacht Webb, had de woorden die aan hem werden toegeschreven daadwerkelijk kunnen uitspreken. De *New York Times* hield het iets rustiger.

AARDSCHEERDER NADERT

met de subkop

Geen gevaar volgens nasa

en

Financiële markten kelderen

De NASA had natuurlijk allang de Minor Planet Circulars overgenomen. Om te zorgen dat het publiek niet onnodig verontrust werd door

vals alarm, werden de banen van aardscheerders routinematig beoordeeld en er waren richtlijnen voor mediacontacten. Een paar wetenschappers maakten zich al een hele tijd zorgen over dit proces, dat een Amerikaanse overheidsinstelling de macht gaf te besluiten wat de wereld mocht weten. En nu onderging de procedure de vuurproef en de uitkomst daarvan was, dat de NASA zei dat er geen gevaar was. Hij bekeek snel de artikelen over de schouder van een jong zwart meisje met gekleurde kralen in haar haar. Er werden bijna geen bijzonderheden gegeven en hij vroeg zich af hoe dit goed bewaakte geheim aan de geruststellende blik van Big Brother had kunnen ontsnappen. Hij vond een tafeltje met een redelijk schoon kleedje erop en bestelde bacon, eieren en thee. De kelner, een man met een kromme rug en Griekse trekken, kwam na een paar minuten terug met roereieren en koffie.
'Het nieuws gezien?' vroeg hij.
'Mediahype.'
'Dat denk ik ook. Ik heb aandelen in Chrysler. Zeg, weet u zeker dat u roereieren had besteld?'

Free Spirit bracht Webb terug naar JFK. Het verkeer reed bumper aan bumper en op de toegangsweg naar het vliegveld ging het nog maar stapvoets. Een groepje mannen en vrouwen paradeerde met haastig in elkaar gezette borden bij de ingang en werd genegeerd door de politie. Een man met wit haar en een sandwichbord met de tekst ZIET IK KOM SPOEDIG liep voor de auto langs en Free Spirit ging vol in de remmen. 'Hebt u dat gezien, meneer? Hebt u dat gezien? Dat is precies mijn probleem,' zei Free Spirit lachend en klappend.
In de vertrekhal was het een chaos. Ondanks de verklaring van de NASA leek half de staat New York opeens te hebben besloten met nieuwjaar op vakantie te gaan in Europa.
De internationale vertrekruimte voor de vlucht naar Mexico-stad was juist een oase van rust; er waren die morgen blijkbaar tweehonderd afzeggingen binnengekomen en een even groot aantal passagiers was niet komen opdagen. Webb nam een kop koffie en deelde de ruimte met zo'n twintig families chassidische joden, waarvan de mannen lange baarden hadden en brede zwarte hoeden droegen. Hij had geen idee wat ze in Mexico gingen doen. Behalve de joden en Webb waren er alleen een paar Mexicaanse zakenmannen, die waarschijnlijk terugkeerden naar huis en haard, en een blonde vrouw met een ietwat ouderwetse jurk en een zwarte schoudertas. Ze keek op van haar tijd-

schrift, wierp een korte blik op hem en las verder. Webb stemde zijn gedrag daarop af en negeerde haar.
Eastern Airlines nam hen mee de heldere, zonnige hemel in. Ze vlogen schuin over Manhattan en de Hudson en draaiden nog steeds klimmend naar het zuiden. Toen het vliegtuig weer recht hing, stak de jonge vrouw het gangpad over en kwam ze naast hem zitten; ze waren de enige twee die eerste klas reisden. 'Oliver! De held keert terug.' Ze gaf hem onverwachts een zoen op zijn wang. Ze gebruikte nog steeds goedkoop parfum.
'Hallo Judy, ze hebben me verteld dat jij zelf hebt aangeboden dit te doen.'
'Je weet hoe het gaat. Sommige politici gebruiken morele chantage om hun zin te krijgen.'
'Wat deed je in New York?' vroeg Webb.
'Ik moest wat mensen van de VN briefen. Heb je het laatste nieuws over Karibisha gehoord? Ze hebben de foutmarge van het perigeum teruggebracht tot – luister goed – achthonderd kilometer. En het is nog steeds fiftyfifty of hij zal inslaan.' Ze lachte. 'Ik zou wel een testament willen maken, maar wie kan er nog erven?'
'En wat is er allemaal op Eagle Peak gebeurd?'
'Ik wou dat je erbij geweest was toen jouw bericht doorkwam. Noordhof en Herb gingen er als gekken vandoor en we hebben ze nooit meer teruggezien. Ze zijn waarschijnlijk heel Washington aan het briefen. En ik heb ook niets meer van Willy gehoord. Hij zal wel zijn teruggegaan naar zijn strandhuis, of anders is hij stilletjes naar Antarctica geëmigreerd. In wezen was er niet veel te doen totdat Karibisha uit de blinde hoek kwam. Kowalski is gebleven om de lopende zaken af te handelen.'
'En als ze hem kunnen zien?'
'Dan breekt de hel los. Herb en Kowalski zullen zeer nauwkeurige astronomische gegevens krijgen.'
'Van de tweehonderdachtendertig?'
'En de Hubble. Ze hebben een directe link getest.'
'Heb jij nog een manier gevonden om Karibisha af te wenden?'
'Hebben ze je dat niet verteld? Een reeks van explosies. Het idee was om een stuk of twaalf kleine kernbommen voor Karibisha langs te leggen, als kralen aan een snoer, en om elk daarvan in zijn gezicht te laten ontploffen om hem te vertragen; zoiets als een sneltrein laten stoppen door ertegen te blazen.'

'Hoe klein waren ze?'
'Een derde van een megaton per stuk. We moesten vier Shuttles lanceren in twee sets van twee. Van elk paar Shuttles had er één een raket in zijn laadruim en de ander zes bommen. De bommen moesten ter plekke door missiespecialisten met elkaar worden verbonden. Zes bommen waren op zich niet genoeg, daarom moesten we nog twee Shuttles lanceren. Na het ongeluk was het schema niet meer haalbaar.'
'Daar zat natuurlijk de Venussonde in, ha ha. Wat vervoerde hij in werkelijkheid?'
'Helaas, zes van mijn B61's, aangepast met neutronengenerators. Ze moeten een verschrikkelijke hoop plutonium opruimen op Cape Canaveral. Laat me je een goed advies geven, Oliver, en eet de volgende miljoen jaar geen tonijn.'
Webb keek het lege eersteklascompartiment rond. 'Hoe dicht zijn we bij een oorlog?'
'Wie zal het zeggen? Maar ik kan je wel iets anders vertellen.' Judy boog zich naar Webb toe. Haar toon was samenzweerderig. 'De Teraflop is de laatste tijd enorm langzaam.'
'Je bedoelt...'
Ze fluisterde bijna in het grote, lege vliegtuig. 'Ze voeren iets in hun schild.'

Langs de moerassen van Florida zag Webb groepjes huizen op kleine open plekken. Daarna een streep zand die gelijk liep aan de lijn die het vliegtuig volgde. Een paar boten lieten lange witte hekgolven na en toen was er niets meer dan blauw water: de Golf van Mexico. Ze kregen een menu. Webb bestelde *mignons de filet de boeuf Rossini* en Judy nam gepocheerde zalm met een mousselinesaus. Ze bekeek de wijnlijst nauwkeurig en vier halve flesjes champagne hielpen hen vrolijk de Golf over.
In het begin van de middag veranderde het geluid van de motoren en voelde Webb druk op zijn oren; de Lockheed daalde. Ze vlogen over beboste bergen. Brede snelwegen liepen de heuvels in zonder schijnbaar ergens naartoe te leiden. Een paar minuten later zochten ze zich een weg tussen heuvels vol huizen en wegen door. Mexico-stad, een ongeorganiseerde massa gebouwen, strekte zich uit naar de horizon. Het was groter dan Tokio, Londen, Singapore of New York City, Sacheverells 'onbetekenende rookwolkje.' Een paar jongens schopten tegen een voetbal op het gras aan de rand van de landingsbaan toen het

vliegtuig met schuinstaande flappen langs stormde. Ze keken niet eens op.
De piloot sprak de hoop uit dat ze allemaal zouden genieten van hun verblijf in Mexico en dat ze snel weer met Eastern Airlines zouden vliegen. De stewardessen bij de deur glimlachten, maar Webb kreeg het gevoel dat het een beetje geforceerd was. Uit de richting van de vertrekhal kwam het geluid van een opstootje.
'Jullie blijven niet in Mexico?' vroeg Webb de purser bij de deur van het toestel.
'Absoluut niet, meneer. We tanken bij en maken dat we wegkomen. Dit is onze laatste vlucht hiernaartoe.'
Toen ze de bagagehal naderden, werd het lawaai steeds erger. Het was net een voetbalwedstrijd met boze supporters. Ze kwamen de laatste hoek van de gang om en daar zagen ze de grote hal en een vechtende, brullende menigte. Tussen de menigte en de internationale vertrekhallen bevond zich een dunne, onregelmatige rij tienersoldaten.
Een gestage stroom passagiers met de levensreddende boardingpas in de hand dook onder de armen van de soldaten door. Er was geen sprake van paspoort- of veiligheidscontrole. Achter de rij beende een luitenant nerveus op en neer.
Webb, Judy en de orthodoxe joden kwamen dichterbij. De luitenant draaide zich verbaasd om. Hij hief zijn handen.
'U kunt er niet door!' riep hij boven het gebrul uit.
'Het moet toch!' riep Webb terug. 'Het is dringend.'
'Maar señor, u ziet dat het onmogelijk is.'
'Ik zou graag uw meerdere willen spreken.'
'Ik ook. Hij heeft zich de hele morgen niet laten zien.'
'We zijn hier voor diplomatieke zaken. We moeten erdoor.'
De man tuitte zijn lippen, marcheerde naar zijn mannen, gaf hen een bevel en kwam weer terug, terwijl hij zenuwachtig de holster van zijn pistool betastte. 'Ik kan maar tien man missen. U moet bij elkaar blijven. Als u elkaar kwijtraakt, bent u verloren.'
De soldaten vormden een smalle wig. Ze waren duidelijk bang. Op een bevel begonnen ze tegen de menigte aan te duwen. Webb en Judy groepten samen met de joodse gezinnen en volgden de wig.
De soldaten begonnen op een gewelddadige, paniekerige manier hun geweerkolven te gebruiken. Langzaam worstelden ze zich weg van de incheckbalies, waar het personeel met van spanning vertrokken gezichten willekeurig bundels geld of tickets uit een zee van opgestoken

handen leek aan te nemen. Een goed geklede zakenman sloeg iemand herhaaldelijk op zijn hoofd. Zijn slachtoffer schopte tegen de schenen van de zakenman. Webb ving een glimp op van een vrouw op haar knieën.
Halverwege de hoofduitgang dook er een arm op uit de menigte die aan Webbs mouw trok. Hij werd met een kolf weggeslagen. De arm kwam terug en trok nog eens. Een man in een donker pak en met een pokdalig gezicht. 'Doctor Webb?' riep hij. 'Signorita Whaler? Ik ben señor Rivas. Welkom in Mexico. Kunt u alstublieft deze kant uit komen?'
Ze verlieten de beschermende wig. Het mannetje drong zich door de menigte en Webb kwam als laatste. Een paar paniekerige momenten raakte hij het overzicht kwijt, viel half en kreeg geen adem, maar toen dwong hij zichzelf weer overeind en zag hij een paar meter voor zich Judy's blonde haar. Aan de rechterkant kreeg hij een solide falanx van zwarte hoeden en baarden in het oog en toen had de menigte hen opgeslokt.
De dichtheid van de massa verminderde bij de ingang van het vliegveld. Een beambte met een groen uniform en het ondoorgrondelijke gezicht van een Azteek stond als door een wonder hun koffers en Webbs laptop in de kofferbak van een auto te laden, een zwarte Lincoln Continental met verduisterde ramen. Rivas opende het rechter voorportier voor Judy. Webb stapte achterin en ving nog net een glimp op van een holster met een pistool onder de oksel van de man. Het was koel in de auto.
Plotseling klonk er gebrul vanuit de hal. Webb keek achterom; de menigte had de linie doorbroken. De mensenmassa golfde naar de vertrekhallen.
'Goed om je weer te zien, Oliver,' zei Noordhof, die weinig aandacht schonk aan de rel die op enkele meters afstand uitbrak. Zijn handdruk was stevig en zakelijk. Hij droeg een lichte geelbruine broek en een jasje. 'Het is op dit moment raadzaam om burgerkleren te dragen in Mexico-stad,' zei hij zonder verdere uitleg.
'Wat kom jij hier doen, Mark? Je had voor hetzelfde geld ergens diep in een kalksteengrot kunnen zitten.'
'Ik ben verantwoordelijk voor jullie. Maar ik zal niet zeggen dat de gedachte niet bij me is opgekomen.'
Rivas ging achter het stuur zitten en ze reden zwijgend weg. Hij nam hen mee over de toegangsweg van het vliegveld, langs erbarmelijke

krottenwijken en naar de Avenida Fray Servando Teresa de Mier naar het centrum.
De auto voerde hen stil mee over brede straten. Toen ze wat verder van het vliegveld af waren, leek alles weer een beetje normaal te worden, op de machinegeweren na die ze hier en daar op strategische kruispunten boven zandzakken zagen uitsteken, en voor zover Webb wist was dat normaal in Mexico-stad.
Judy was net een kind in een tovertuin en bleef naar hem omkijken en enthousiast wijzen naar straatmarktjes en met mozaïeken versierde gebouwen die waren ontworpen door architecten van Mars.
'Je lijkt een beetje gespannen, Oliver,' zei Noordhof. 'Waarom ontspan je je niet een beetje?'
Webb bracht een hand naar zijn voorhoofd. 'Ontspannen? Morgen om deze tijd zijn we misschien twinkelende sterretjes aan de hemel.'
De kolonel legde zijn handen tegen elkaar alsof hij ging bidden.
De Mexicaan nam hen snel mee over de brede Avenida Insurgentes. Op een heleboel gebroken glas na waren er nog steeds niet veel tekenen van een totale ineenstorting. Toch was Rivas zichtbaar gespannen; hij speurde elke weg die ze passeerden af en liet in het algemeen geen tijd verloren gaan.
'University City recht vooruit,' zei Noordhof. 'Als we dat eenmaal gehad hebben, zijn we erdoorheen.'
'Erdoorheen?'
Er stond een file voor hen en in de verte zagen ze zwaailichten. Een legertruck haalde hen met hoge snelheid aan de rechterkant in. Noordhof zei: 'Ja. Mexico-stad wordt afgesloten. Het heeft iets te maken met het feit dat de wegen naar het noorden helemaal volgelopen zijn.'
'Maar wij gaan naar het zuiden.'
Een eindje verderop sprongen de soldaten uit de truck. Er werd prikkeldraad over de straat gelegd. Een officier keek scherp op en sprong opzij toen de grote auto zich door het gat wrong, maar toen was de Lincoln de hoek om en hadden ze het beeld alweer achter zich gelaten.
Op een bord stond een jachtje op golven; onder het jacht bevonden zich de woorden 'Acapulco 400 km'.
De weg begon te klimmen en het duurde niet lang voor ze door een landschap van hoge bergen reden, die oprezen uit velden die geel waren van de maïs. Noordhof keek op zijn horloge. 'Gas, Rivas. Je moet sneller zijn dan een asteroïde.'
Rivas drukte het gaspedaal in. Helaas bleek hij wel snel te zijn, maar

verder niet erg goed te kunnen rijden. Hij nam een bocht te wijd en de auto kwam op een haar na in botsing met een rode bus, tot op het dak volgestouwd met Mexicanen met strohoeden. Rivas schreeuwde iets kleurrijks, er werd getoeterd en toen was de bus in een spoor van blauwe rook verdwenen.

Ze raasden door een stoffig dorpje. Een huwelijksprocessie stoof snel uiteen. De boze kreten en het blaffen van een hond vervaagden in de verte.

Een uur later remde Rivas af. Ze kwamen bij een bocht, een open parkeerterrein en een wachthuisje. De auto kwam tot stilstand. Rivas en Noordhof hielden hun identiteitskaarten omhoog. Judy en Webb haalden hun paspoorten voor de dag, die nauwgezet werden bekeken door een Amerikaanse soldaat. De soldaat zocht hun namen op een lijst en wuifde dat ze door konden rijden.

'Oaxtepec,' zei Rivas. 'Ik heb jullie op tijd hier gekregen, niet? Dit is een ontspanningsoord van de overheid. De Amerikaanse soldaten en u zijn onze gasten tot de asteroïde voorbij is. Ik hoop tenminste dat ze voorbij vliegt.' Rivas reed nu op zijn gemak over een goed onderhouden weg. Grote grasvelden werden hier en daar afgewisseld met zwembaden en kleurrijke bloembedden. De weg ging omhoog en na een tijdje stopten ze bij een huis dat eruitzag als een grote ranch.

Noordhof verontschuldigde zich en legde uit dat hij onder aan de heuvel een bungalow had. Rivas werd naar een kamer in het hoofdgebouw gebracht. Een man van indiaanse afkomst in een wit jasje en een donkere broek ging Judy en Webb voor naar twee naast elkaar gelegen kamers.

Webbs kamer was ruim en het meubilair was rijk versierd en solide. Een van de wanden bestond helemaal uit openslaande deuren naar een grasveld met palmbomen en subtropische struiken. Een ventilator nam de helft van het plafond in beslag. Hij gooide zijn rugzak en jasje op een stoel, liep naar het raam en keek naar de wiegende bomen.

De telefoon ging. Noordhof zei: 'Ze hebben hem opgepikt in Gran Sasso, Nice en Tenerife, en de HST houden hem in de gaten. Goldstone heeft hem op de radar.'

'Baan?'

'Het Harvard-Smithsonian, JPL, Finland en Palomar zijn het eens over het perigeum. Hij bevindt zich in een smalle boog van oost naar west van ongeveer honderdvijfenveertig kilometer breed. Een flinke rit ten zuiden van ons.'

'Hoe groot is de kans dat hij inslaat?'
'Nog steeds fiftyfifty.'
Webb legde de hoorn neer en keek op zijn horloge. Het was net drie uur geweest. Nemesis, alias Karibisha, zou om 06.15 uur, over iets meer dan vijftien uur, bij hen zijn.
Als hij bestond.

Webb veegde het zweet uit zijn ogen. Hij haalde een paar keer diep adem en probeerde zijn stem te beheersen. Het zweet in zijn handen maakte de hoorn glibberig.
Judge Dredd nam op met een vermoeid: 'Ja.'
'Hoe is het gegaan?' vroeg Webb.
'Ollie! Helemaal verkeerd. Ik kon gewoon geen root access krijgen bij de Teraflop. Ik word niet vaak verslagen, maar er is niets aan te doen.'
Webb kreunde.
'Het spijt me enorm, Ollie.'
'Je hebt het geprobeerd. Bedankt, Jimmy.'
'Het spijt me echt. Maar ik heb wel antwoord op je vraag.'
'Wat?'
'O ja, dat was gemakkelijk. Ik heb de telescoop op Tenerife gewoon tegelijkertijd instructies gegeven via Eagle Peak en de computer in Oxford. Ik kreeg verschillende beelden. Óf die telescoop kijkt in twee richtingen tegelijk, óf de beelden via Eagle Peak zijn zo vals als maar kan.'
Webb voelde zich licht in het hoofd worden. 'Jimmy, je zult nooit begrijpen hoe dankbaar ik je ben. Ik zie je volgende week. Maar denk intussen aan de tweede helft van onze afspraak.'
'En die is?'
'Zwijg hierover, anders zit ik in de problemen.'
Het antwoord klonk gekwetst. 'Zit jij in de problemen! Wat dacht je van mij? Als de sociale dienst erachter komt dat ik wat bijverdien...'
Webb legde de hoorn neer. De duizeligheid was erger geworden; hij kreeg het gevoel alsof hij alles van een afstand bekeek, alsof zijn ziel buiten zijn lichaam was getreden en vanaf een punt net onder het plafond neerkeek op zijn gekwelde geest. Hij liep naar de badkamer en ging met zijn ogen dicht en zijn hoofd in zijn handen op het toilet zitten.

Xochicalco

Judy tikte tegen de openslaande deur. Ze had een felgele handdoek onder haar arm en droeg een gehaakte, crèmekleurige bikini met een bijpassende sjaal over haar schouders. Webb sleepte zich uit zijn uitgeputte slaap naar de bewuste wereld.
Ze stak haar arm door de zijne. Webb liet zich een lange heuvel af leiden, langs zwembaden en door grote gedeelten zorgvuldig aangelegde tuin. Haar arm trilde een beetje. De aanraking van haar huid, haar stembuiging, de intimiteit van haar aanwezigheid en zelfs de lichte transpiratie op haar lichaam – hij vond het allemaal zowel verrukkelijk als verontrustend.
Hij voelde dat ze hem iets wilde vertellen.
Een kwal op stelten bleek bij nadering een enorme ronde parasol te zijn, waaronder zich een kleine subtropische jungle van orchideeën en palmbomen bevond. Ze stonden op een hoog bruggetje onder de parasol en zagen het vulkanische bronwater onder hen door stromen. Het rook er zuur en zwavelig en de vrouw nam hem mee langs een smal pad door de tropische begroeiing.
Eenmaal uit de buurt van de warme bron was de lucht zwaar van de geuren. Vlinders ter grootte van zakdoeken fladderden om de palmbomen en de orchideeën heen. Judy keek samenzweerderig en ze ging op een bankje zitten. 'Ik moet je iets vertellen.'
Ze zweeg. Een jeep kwam met grote snelheid de heuvel af.
'Ja?'
Het voertuig kwam voor de parasol tot stilstand. Op de motorkap wapperde een Amerikaans vlaggetje.
'Zeg het nou, mens!' Webb slikte de brok in zijn keel weg.
Ze legde een beschermende hand op die van Webb. 'Oliver, we zijn hier allebei in groot gevaar.'
Een stevige soldaat met een hoofd als een kogel stapte uit de jeep. Judy boog zich naar voren. 'Later. We moeten hier niet in de hacienda over praten.'

De soldaat stond op het bruggetje. 'De complimenten van kolonel Noordhof, mensen,' zei hij met het accent van Brooklyn. 'Hij wil graag dat jullie een hapje met hem komen eten. Jezus, het stinkt hier.'
De soldaat bracht hen in stevig tempo de heuvel weer op, in een rechte lijn langs de zwembaden en zo nodig dwars door de bloembedden.
Ze kwamen bij elkaar in het grote restaurant, dat een en al hout en hoge plafonds was en een enorme, lege open haard had. Afstammelingen van de Azteken droegen witte jasjes en stonden met ondoorgrondelijke gezichten paraat. Webb begreep niet waarom ze zo rustig bleven. Misschien geloofden ze in de geruststellende verklaringen van hun regering over Nemesis of anders kon het ze niet schelen opgeblazen te worden; geen van beide leek erg waarschijnlijk. Judy was verschenen in een kort spijkerrokje, een wit katoenen topje en wandelschoenen. Ze droeg lange, bungelende zilveren oorringen en een canvas schoudertas. Na de spannende ontsnapping uit Mexico-stad leek Noordhof in een goed humeur, en als de astronoom niet zo gespannen was geweest, zou de schattende blik die hij af en toe kreeg toegeworpen hem misschien zijn ontgaan. De soldaat bleef grapjes maken over Jane Fonda; de aard ervan deed Webb vermoeden dat ze afkomstig waren uit het leger. Ze kregen enchilada's met kip en een saus met kleine jalapeñopepers erin, en gekarameliseerde zoete aardappels als bijgerecht. Er werden twee schaaltjes met saus voor Webb neergezet, een rood en een groen.
'Dat gebruiken de kelners als een mannelijkheidstest,' legde Noordhof uit. 'De groene saus is voor dames en slappelingen. De rode is voor de echte mannen.'
'Ik zie niets in die opgeblazen ideeën over mannelijkheid,' verklaarde Webb. Hij doopte een dun plakje van een soort knol in de groene saus, kauwde erop, werd rood, begon te sputteren en probeerde vervolgens de Orinoco leeg te drinken. De Azteken glimlachten goedkeurend.
'Of was het andersom?' vroeg Noordhof zich af.
Ze beëindigden de maaltijd met een dessert van gebakken banaan en geklopt eiwit met daaroverheen zoete gecondenseerde melk, en spoelden alles weg met koffie met vanille en kruidnagel over room en ijsschilfers.
Uiteindelijk keek Noordhof op zijn horloge met de woorden: 'Wil je zien hoe het op ground zero is, doctor?'
'En mijn siësta dan?' vroeg Webb met een volle buik.
Ze sleepten zich de houten trap van de hacienda op. Bij de voordeur

stond de jeep te wachten. Judy en Webb gingen achterin zitten. Kogelhoofd gaf gas en ze gingen met een vaartje de heuvel af en het complex uit, op weg naar de zon en het achterland.
De weg was smal en stoffig. Tussen de velden stonden hier en daar huizen, weinig meer dan hutten van ijzeren golfplaten met drie muren, waar magere kinderen ondanks alles vrolijk speelden of met emmers water sjouwden. De dunne laag aarde was steenachtig en werd doorbroken door rotsuitsteeksels. Uiteindelijk waren er zelfs geen huisjes meer te zien en namen de cactussen het over, hoge, uitgeteerde reuzen als roerloze triffids. Hoog in de bergen beschreven kalkoengieren grote, luie cirkels. Dit paste weer in het scenario van Sacheverell, maar hij had niet de warme, vochtige lucht beschreven die langs de legerjeep stroomde. Webbs shirt was nat van het zweet. Het deed pijn als je metaal aanraakte. Judy droeg een donkere zonnebril en haar vaquerohoed. Voor hen, laag aan de horizon in het zuiden, kwamen donkere wolken opzetten.
Terwijl ze gestaag naar het zuiden en naar de donkere horizon reden, steeg de temperatuur onverbiddelijk. Een lange sliert stof van anderhalve kilometer markeerde hun pad. Webbs keel veranderde in een hete, uitgedroogde buis en hij voelde dat zijn gezicht zo rood als een biet werd. Noordhofs conversatie begon te verslappen en stierf ten slotte weg, en er hing een stemming van grimmige volharding toen ze door dit verlaten inferno reden. Webb had last van een jetlag; hij legde zijn hoofd op de rugleuning en probeerde zich uit te rekken.
Hij zag een Noorse maagd. Haar ogen waren zo blauw als een gletsjer en ze droeg een witte jurk. Ze stond tot haar middel in een plas turkooizen smeltwater, dat van Buachaille Etive Mor stroomde en hen allebei nat spetterde. Ze glimlachte raadselachtig en waadde naar hem toe met een groot glas cola met ijs op een zilveren blad. Ze hield Webb het blad voor. Hij stak zijn hand uit naar het koude glas, maar plotseling klonk het gebrul van een lawine en kreeg hij een rotsblok op zijn hoofd, en toen hoorde hij een ratelende koppeling en schoot hij opzij. De ijsmaagd was weg en de meedogenloze zon brandde in zijn ogen.
De jeep ging langzamer rijden en de chauffeur verliet de weg. Ze gingen hotsend en stotend een ezelpad op. Het pad kronkelde om rotsblokken heen omhoog door het voorgebergte. De soldaat moest hard werken aan het stuur, al vloekend en zich verontschuldigend tegenover de dame, terwijl de ophanging van de jeep protesterend piepte. Voor hen stond een houten hut, een vreemd gezicht in deze oeroude

omgeving, als een telefooncel op een bergtop. De jeep reed erheen en stopte kreunend. Er kwam haastig een soldaat met een rood gezicht naar buiten, die in de houding ging staan. Zijn overhemd was nat van het zweet.
Noordhof stapte uit en maakte zich lang. Het zweet stond op zijn voorhoofd. Hij grijnsde als een wolf. 'Dat was het gemakkelijke deel. Het epicentrum ligt recht voor ons. Van hieruit moeten we lopen.' Hij salueerde scherp naar de soldaat en ging het groepje voor.
Er hing een nog warmere, zwaar geurende lucht. Terwijl ze omhoog klommen, werden ze omringd door het gezoem en geklik van miljarden onzichtbare insecten. Webb begon zich irrationeel genoeg opgesloten en overweldigd te voelen. Wij zijn de ware heersers van de aarde, zeiden ze. Jullie zijn maar tijdelijke gasten. Wij waren hier miljarden jaren voor jullie en zullen hier miljarden jaren na jullie nog zijn. Ze klauterden in grimmig zwijgen over het met rotsblokken bezaaide terrein naar boven. Er vloog een helikopter met twee rotoren over, met een jeep aan een lange kabel eronder. Hij verdween over de horizon en de insecten deden zich weer gelden. Na een halfuur werd het terrein vlakker en begonnen ze sporen te ontwaren van een oude cultuur. Het pad voerde over terrassen. Voor hen bevond zich een heuveltop en toen ze die naderden, zagen ze bouwwerken zich aftekenen tegen de hemel. Eenmaal boven keken ze neer op een kleine stad. Een lang vergane gemeenschap had de grond geëffend. Overal stonden stenen piramiden, muren en tempels. Achthonderd meter naar rechts waren honderden tenten in een groene camouflagekleur opgezet, en in de stad krioelde het van de soldaten.
Noordhof maakte een armzwaai. 'Ground zero. De beslissende plek.'
'Mijn voeten doen pijn,' zei Webb.
'Ik moet naar de baas,' zei Noordhof, en hij liet hen staan. Hij had zich een ferme, militaire stijl aangemeten en marcheerde eerder dan dat hij wandelde. Judy en Webb kregen tegelijkertijd een busje met een open zijkant en een luifel in de gaten. De vrouw die glazen koude cola overhandigde was van middelbare leeftijd, gerimpeld en ze droeg een vormeloze kaki overall, maar voor Webb was ze de ijsmaagd uit zijn droom. Ze dronken snel achter elkaar twee glazen leeg en Webb had het idee dat er misschien toch nog een god bestond.
Er kwam een soldaat aangewandeld. Hij leek een jaar of zestien. Hij was klein en had sproeten en roodblond, gemillimeterd haar. 'Bent u de Brit?'

Webb knikte.
De soldaat likte nerveus langs zijn lippen. 'Zeg, die asteroïde, ze zeggen dat hij gaat missen. Anders zouden we hier niet zijn, toch?'
'Nee,' zei Webb geruststellend.
De jonge soldaat was niet gerustgesteld. 'U mag het eerlijk zeggen, meneer. Komt het echt wel goed?'
Er naderde een lange, magere sergeant met een bril. 'Heb je pijn, Briggs?'
'Nee, sergeant.'
'Dat is vreemd, want ik sta op je haar. Laat het knippen.'
De soldaat haastte zich weg. 'Zal ik jullie even rondleiden?' vroeg de sergeant, die kort naar Webb knikte, maar toen een brede grijns op Judy vestigde. Webb zwaaide even en wandelde weg.
Er zat beeldhouwwerk in bas-reliëf op de zijkanten van de vierkante, stenen gebouwen: gewapende strijders, mensenoffers, armen en benen en lichamen zonder ledematen. Wachtend op de hemelgod. Aan één kant van een afgetopte piramide herkende Webb een gestileerde kosmische slang met veren en vleugels, het aloude symbool van de rampen brengende hemel, van de Noorse landen tot Ceylon, van China tot Mexico; de oude reuzenkomeet, vader van wel honderd Karibisha's.
Hij beklom de oude treden van een piramide. Een dikke zwarte kabel liep omhoog naar het observatieplatform en slingerde naar de onderkant van een grote glanzende telescoop met een paraboloïde spiegel, die op een vast punt in de blauwe hemel gericht was. Aan de bovenkant van de spiegel was de blauwe bliksemstraal afgebeeld die het logo was van Mercury Inc. De vallei van Morelos, die werd geflankeerd door steile bergen, strekte zich uit tot aan de zuidelijke horizon. Wie vroeger deze oude heuveltop in handen had, had de macht over de vallei, het passerende verkeer en waarschijnlijk ook het gebied ver daarachter. De donderwolken in het zuiden kwamen snel opzetten. Áls Papabeer kwam, was het uit die richting.
'Dat zijn dertig megabytes per seconde waar je nu naar staat te kijken, jongen,' zei een stem. Een kleine man met wit haar in een kaki shirt en een buik die over zijn riem hing keek naar Webb op. Kleine blauwe ogen lagen diep in een rond hoofd.
'Ik ben onder de indruk.'
'We gebruiken hem om de beelden via een van onze geosynchrone DSP's recht naar het Witte Huis te sturen. Je kunt met deze schotel ook rechtstreeks inloggen op je Whitehall-nummer, dus als de Heilige Voorbijkomst eenmaal is geschied, pak je gewoon die telefoon daar en

laat je het ze weten. Dus jij bent de Brit die Nemesis heeft geïdentificeerd. Generaal Arkin.'
'Hoe maakt u het, meneer?'
'Met mij gaat alles prima. Wat gaan we zien?'
'Bij een impactparameter van driehonderdtwintig kilometer? Een snel opkomende maan. Hij trekt in een paar seconden langs de hemel en gaat in die tijd door alle fasen. Ik denk dat Nemesis een ruw oppervlak vol kraters zal hebben.'
Arkin knikte bedachtzaam. 'En als hij wat dichterbij komt?'
'Stel dat hij de stratosfeer raakt. Dan laat hij een zwart rookspoor achter en is het morgen donker.'
'En nog dichterbij?'
'In dat geval zal Nemesis niet veel lijken te bewegen, generaal. We zien een kleine, heel heldere sikkel laag aan de ochtendhemel, daar ergens.' Webb wees in de richting van de donderwolken. 'De sikkel zal snel groeien en in een paar seconden uitdijen tot een gele boog die van horizon tot horizon de hemel zal overspannen.'
'En wat dan?'
'De hemel gaat gloeien, maar ik betwijfel of uw hersenen tijd zullen hebben om dat feit te registreren.'
'En dan is het vaarwel Amerika. We hadden die schoften lang geleden al kapot moeten bombarderen.'
'Er hangt veel af van de communicatie, generaal, en het gaat onweren,' zei Webb, die naar het zuiden wees. 'Stel dat uw systeem wordt geraakt door de bliksem?'
'We hebben in dit leger van alles twee exemplaren. Twee back-upsystemen, twee generators' - de hand van de soldaat bewoog over het plateau – 'en de beste communicatiemensen op de wereld. Allemaal opdat jij en ik een telefoontje van tien seconden kunnen plegen.'
'Misschien weten de Russen dat. Misschien proberen ze u buiten gevecht te stellen om verwarring te zaaien. Hoe zit het met de Spetsnaz-activiteit?'
Arkin lachte. 'Jongen, je hebt het hier tegen Task Force One Sixty, uit Fort Bragg in Carolina. Jij wilt iets weten over activiteiten achter de linies: vraag het ons, wij hebben het boek geschreven. De dichtstbijzijnde Russen zitten tweehonderdvijfentwintig kilometer verderop in Mexicostad en we houden ze in de gaten. We hebben hier een volledige brigade met de zegen van de Mexicaanse regering, die hoogst behulpzaam blijkt omdat ze ook niet veel zin hebben om in rook op te gaan.'

De zon flikkerde even en Webb voelde opeens een windstoot. Er ging heel stil een helikopter voorbij, die een paar honderd meter verder op een leeg stuk grond landde.
'Zie je dat, jongen? Dat is een McDonnell-Douglas MH Sixty Pave Hawk. Zo stil als een muis, want hij is bestemd voor infiltratiedoeleinden. Hij ziet alles in elk weer, heeft 7,6 millimeter machinegeweren en zeven centimeter raketten. Hij haalt een snelheid van driehonderd kilometer per uur en vliegt twee keer naar Mexico-stad en terug zonder bij te hoeven tanken. Daar hebben we er ook twee van.'
'Generaal Arkin, zo te zien hebt u van alles twee exemplaren.'
'Nou en of. Had je zelf iets nodig?' De generaal keek Webb taxerend aan, en toen haalde hij een grote sigaar tevoorschijn en stak hem op. Honderd meter achter hem kreeg Judy de ins en outs van een dieselgenerator uitgelegd door een stuk of tien soldaten.
'Ik wil graag terug. Kan ik een jeep vorderen?'
'Ja hoor, en een chauffeur. Zeg maar dat ik het gezegd heb.'
'Er bestaat een oud grapje, generaal Arkin. "Dames en heren, u zit nu in het eerste volledig automatische vliegtuig. U hoeft zich geen zorgen te maken, want er kan niets verkeerd gaan kan niets verkeerd gaan kan niets verkeerd gaan..."'
De soldaat lachte nog eens en blies een ring van rook. 'Jongen, wat ben jij een kniezer.'

Op de terugweg werd de jeep ingehaald door lage, donkere wolken, waarachter de hete zon verdween. Noordhof was gebleven omdat hij nog dingen moest bespreken met Arkin, en Webb had Judy eindelijk weg weten te krijgen van haar enthousiaste technische instructeurs en had daarna de kleine dikke chauffeur opdracht gegeven hen terug te brengen. Het voorwereldse landschap leek dof en vreemd, alsof het op een andere planeet thuishoorde. De broeierige atmosfeer was hier bijna tastbaar. De chauffeur deed zijn koplampen aan en verzekerde hen dat ze het zwaar te verduren zouden krijgen, Jezus, neem me niet kwalijk, mevrouw. Hij stopte met piepende remmen. De luchtvochtigheid was enorm en zijn korte dikke nek glinsterde van het zweet. Er hing een onnatuurlijke stilte. Hij begon gehaast aan het zeil te trekken, alsof hij zo snel mogelijk weer weg wilde. Webb sprong uit de wagen om hem te helpen toen de eerste hagelsteen met een harde tik op de motorkap van de jeep sloeg, en ze hadden amper de tijd om weer naar binnen te klauteren voordat er een hagelstorm uit de hemel kwam.

Het eerste flikkerende blauw etste een felle kerstboom op Webbs netvlies en er klonk een diep elektrisch geknetter om de bergen. Judy gilde van verrukking en daarna vermengde het krachtige, weergalmende knallen van de ene donderklap na de andere zich met het gebrul van de hagelstenen op de jeep, terwijl de wind aan het zeil trok en de flitsen het landschap steeds kort verlichtten, zodat ze wel in een schokkerige oude film leken te zitten. Het had geen zin om iets te zeggen, maar de chauffeur wist toch een gestage stroom schuttingwoorden te produceren.

Op een gegeven moment liep het hotsen en glijden door de modder uit de hand; de chauffeur was per ongeluk van de weg af geraakt. Hij remde, maar de jeep begon weg te glijden en ze belandden in een angstaanjagende, niet te beheersen glijpartij die hen zijdelings naar een afgrond voerde. Ze wilden net uit de auto springen om het vege lijf te redden toen de jeep een meter van de rand tegen een rotsblok terechtkwam en met een bons stilviel. Webb kreeg uitzicht op een razende, gele rivier, twaalf meter onder hen, en een gevallen boom die vastzat tussen zwarte rotsen.

Judy en Webb sprongen uit de wagen en begonnen te trekken terwijl de chauffeur trillend en met een wit gezicht langzaam achteruitreed naar de weg. De draaiende wielen wierpen de modder in een boog naar achteren en ze werden allemaal doornat en geelbruin en hun angst ontlaadde zich in hysterisch gelach.

Uiteindelijk kwamen ze weer op de weg terecht, waarna de chauffeur met zijn neus op de voorruit en wat krachtige uitroepen van de Special Reserve veilig terug wist te komen in Oaxtepec.

Judy hield Webb even tegen toen hij zijn kamer in wilde lopen. Modder en water vormden een steeds groter wordende plas om hun voeten. Ze zei zachtjes: 'Dat was geen ongeluk, Oliver.'

Webb staarde haar aan. 'Kom op, Judy, de chauffeur kon de weg niet meer zien.'

'Er waren markeerpalen weggehaald. Onlangs nog. De gaten stonden nog niet helemaal vol water. De palen zijn waarschijnlijk in de rivier gegooid. En er stonden voetsporen in de modder. Niet die van ons.'

'Hoe kan dat? Niemand heeft ons op de terugweg ingehaald.'

Judy veegde het water uit haar ogen. 'De helikopter had ons kunnen inhalen.'

'De helikopter? Weet je wel wat dat betekent?'

Ze legde een vinger tegen haar mond. 'Niet zo hard. We moeten praten.'

'Niet in deze toestand. Later.'
Webb nam een douche. Hij was behoorlijk van streek. Het was onaangenaam vochtig en hij sloeg een handdoek om zich heen. Zo ging hij onder een laken liggen kijken naar de regen die over de openslaande ramen liep en luisteren hoe het water sissend op het gras neerkwam, terwijl de hele hemel knetterde en flikkerde.
Hij viel in een uitgeputte slaap vol nachtmerries. Toen hij wakker werd, was het donker. Hij kleedde zich snel aan en liep gehaast naar de receptie. De grote ranch lag er verlaten bij, op de vrouw achter de balie na. De regen trommelde op het dak. Ze had strakke welvingen en zwart haar in een paardenstaart, en een witte kanten blouse met een laag decolleté, dat werd bewaakt door een gouden kruis. De receptioniste glimlachte toen Webb aan kwam lopen.
'Ah, señor, er is een boodschap voor u. Hij kwam vlak voor de storm.'
Ze gaf hem een fax:

WANNEER IS EEN TAART GEEN TAART? OOM WILLY LUMPARN

Het adres was dat van een kiosk in Coolidge, Arizona.
'Ik zou graag internationaal willen bellen, naar Londen.'
'Maar de telefoon doet het niet.'
'Mexico-stad dan?' De vrouw pakte de hoorn op, luisterde even en haalde haar schouders op.
'Gebeurt dat vaak?'
'Altijd als het onweert.'
'Wanneer doet de telefoon het weer?'
'Als het onweer is overgetrokken. Misschien.' Webb knikte en wandelde bedachtzaam naar de overdekte gang.
Er was maar één weg tussen Oaxtepec en Mexico-stad en het enthousiaste verhaaltje van generaal Arkin over de ontzagwekkende helikopters was opeens heel logisch. Plotseling leek alles heel logisch.
Er hingen tussen de tweehonderd miljoen en een miljard levens af van de vraag of hij ergens kon telefoneren. Maar hij bevond zich in afgelegen bandietenland en werd omringd door een elitaire commando-eenheid.
En die zou hem nooit laten telefoneren.

Tinker Air Force Base T-9 uur

Vice-president Adam McCulloch ging in de linker voorstoel van het passagiersgedeelte zitten en keek op zijn horloge, dat hij sinds zijn vertrek uit Washington DC niet gelijk had gezet om lastige aftreksommetjes te vermijden. Het was kwart over tien. Twee uur vliegen naar Andrews, waar hij aan boord van de Nightwatch dacht te gaan om in het niets te verdwijnen. Het duizelde hem nog van de briefing door de adviseur van de president en hij vroeg zich af waar de Nightwatch heen kon gaan om veilig te zijn voor die vliegende berg. Of misschien zetten ze hem in de presidentiële helikopter en brachten ze hem naar een onderaardse commandopost.

Door het ovale raampje zag hij de generaals en militaire specialisten de trap van de verbouwde C-130 op komen. Elke man was een inktzwarte schaduw met een verlichte rand door een reeks felle lampen. Admiraal Tozer en zijn adjudant gingen aan de andere kant van het gangpad zitten. Tozer knikte vriendelijk naar de vice-president, die begon te denken aan de heupfles die zijn assistent voor hem meesjouwde in het koffertje.

De deur werd dichtgedaan en de grote hendel werd overgehaald door een stevige man in een luchtmachtuniform. Het licht ging aan en de vice-president klikte zijn veiligheidsgordel vast. Beneden op de startbaan stond een man te zwaaien. Het was generaal Cannon. McCulloch maakte zijn gordel weer los, stond snel op, beklom de drie treetjes naar de deur van de cockpit en maakte hem open. Hij tikte de copiloot op zijn schouder. 'Nog niet weggaan. En doe de deur open.'

De deur werd opengetrokken en McCulloch riep boven het gebrul van de enorme motoren uit: 'Moet jij niet mee?'

De generaal zette zijn handen aan zijn mond. 'Ik ga vooruit. Er is een hoop te doen. Er staat een jet voor me klaar zodra jullie zijn opgestegen.'

McCulloch stak zijn duimen op en ging weer naar binnen. Hij deed zijn jasje in de bagagebak boven zijn hoofd, maakte zijn gordel weer vast en de deur werd opnieuw dichtgedaan. Een van de propellers begon hard te draaien en het transportvliegtuig draaide. Toen ging het toerental van alle vier de motoren omhoog en hobbelde het enorme vliegtuig met trillende vleugels naar de startbaan.

Cannon keek onbewogen toe terwijl het transportvliegtuig zich opstelde op de startbaan. De straal van de koplampen sneed door de duisternis. Het geluid van de vier motoren zwol aan tot een machtig crescendo, de grote propellers versnelden tot ze enkel nog een grijs waas waren en het vliegtuig reed naar voren. 'Vaarwel, McCulloch,' zei Cannon bijna tegen zichzelf. Toen wendde hij zich tot zijn adjudant. 'Oké, Sprott, we gaan.'

Het personeel van de verkeerstoren zag de Hercules over de startbaan razen en voor hen langs opstijgen met de vice-president, zes generaals, vier admiraals en enkele tientallen adjudanten en experts aan boord. Vijftien minuten eerder hadden twee Cessna verkenningstoestellen met nachtkijkers en radardetectors een corridor van tachtig kilometer ten oostnoordoosten van de basis verkend en verslag uitgebracht. Het was een routinemaatregel tegen eventuele terroristen met raketten. De Cessna's cirkelden nu boven de baan, wachtend tot ze konden landen. Rode lampen flikkerden vanaf hun onderbuik; verder was het rustig in de lucht. Ze hoefden alleen maar Cannons jet het signaal te geven dat hij kon opstijgen.
McCulloch zag de verkeerstoren, een oase van licht in de zwarte nacht, onder hem langs schuiven en toen volgde het vlakke panorama van landelijk Oklahoma, amper zichtbaar in het maanlicht, met hier en daar lichtjes van een boerderij.
Terwijl het grote vliegtuig klom, liep de adviseur van de president het steil oplopende gangpad door, scheef tegen de acceleratie in leunend en met een bruinrood koffertje in zijn hand. Hij tikte de vice-president op zijn schouder. McCulloch knikte en wees op de stoel naast hem, en de man liet zich erin vallen.
De vice-president keek alsof hij iets niet begreep. 'Bozo, misschien kun jij me iets vertellen. Als die berg uit de ruimte ons raakt, wat moet ik daar dan in godsnaam aan doen?'

'Balls Niner, u hebt toestemming om op te stijgen.'
'Balls Niner, Roger.' De piloot duwde de gashendel naar voren en het vliegtuig jankte snel over de startbaan, klom soepel de lucht in en maakte een vlakke bocht. Daarna bracht de piloot het snel naar twaalfduizend meter en trok het toestel vlak.

McCulloch keek op van de papieren waarvan de adviseur de inhoud aan het uitleggen was. Hij schudde zijn hoofd alsof hij zijn gedachten wilde verhelderen en keek naar buiten. Een eenzame auto reed over een eenzame weg. 'Dat is vreemd,' zei hij.
'Meneer?'
'Je hebt toch ogen, Bozo. Kijk dan. We zijn vlak bij de grond.'
De adviseur keek naar buiten en glimlachte toegeeflijk. 'Dat denk ik niet, meneer.'

De piloot wisselde wat gegevens uit met de toren. Hij keek bezorgd achterom naar generaal Cannon. 'Meneer, er is misschien een probleem.' Cannon ging op de vrije stoel van de copiloot zitten.
De piloot zei: 'Eagle Five reageert niet op Tinker.'
Cannon zette de koptelefoon op. De piloot boog zich voor hem langs en drukte op een knop. 'Met wie spreek ik?'
'Generaal Cannon?' antwoordde een angstige jonge stem. 'We krijgen geen contact met het vliegtuig van de vice-president.'
'Leg dat eens uit, alsjeblieft.'
Er kwam een andere stem aan de lijn, ouder en met iets van gezag. 'Generaal Cannon, u spreekt met luitenant-gezagvoerder Watson. De toren heeft Eagle Five drie minuten geleden om haar positie gevraagd. Ze hebben ons hun verwachte aankomsttijd in Washington gegeven en een stand-by voor de huidige positie en toen was er niets meer. We hebben een burgerradar ingeschakeld. Ze liggen op koers en moeten over vier minuten op een hoogte van vierenhalfduizend meter Missouri in vliegen. Maar ze zitten op drieënhalfduizend en verliezen hoogte. Maak daar maar ruim drieduizend meter van.'
'Hebben ze een noodsein afgegeven?'
'Nee meneer, dat is het probleem. We horen helemaal niets. Maar op deze manier liggen ze straks in het gras.'
'Geef ons een vector, dan vliegen we erheen.'

De vice-president staarde naar buiten. De adviseur keek naar de andere kant van het gangpad. Admiraal Tozer zat een rapport te lezen en zijn adjudant lag met open mond te slapen. De adviseur boog zich naar McCulloch toe. Het vliegtuig ploegde gestaag verder, de enorme propellers, die werden verlicht door een lamp onder het toestel, draaiden geruststellend en het gedempte brullen van de motoren klonk uiterst regelmatig. Maar het licht van de verspreide boerderijen leek helderder en de C-13 helde duidelijk achterover. Hij maakte rustig zijn gordel los en ging de drie treden naar de deur van de cockpit op.
Het eerste dat de adviseur opviel, was de omvang van de ruimte, die er niet zozeer uitzag als een cockpit, maar eerder als de brug van een schip. De duisternis werd verbroken door een reeks veelkleurige lichtjes.
Het tweede dat hij zag, was dat de bemanning bewusteloos of dood was. Ze waren naar voren of opzij gezakt en werden op hun plek gehouden door de gordels.
Het derde dat de zintuigen van de adviseur opvingen terwijl hij zich omdraaide om te schreeuwen, was een korte, overweldigende duizeligheid toen hij de vergiftigde lucht inademde, gevolgd door een heftige samentrekking van zijn halsslagader, en het gevoel dat hij naar de vloer van de cabine zweefde.
Een automatisch mechanisme in de staart van de Hercules merkte op dat het toestel achterover helde en voerde een correctie uit. Maar de correctie was te groot en het vliegtuig, bemand door levenloze piloten, dook op de grond af, drie kilometer onder hen. Het mechanisme registreerde dit, trok het vliegtuig weer omhoog en de cyclus werd herhaald, deze keer steiler. Het was weer op weg naar beneden toen admiraal Tozer de lijken van de adviseur, een kapitein van de luchtmacht en zijn eigen adjudant opzij duwde en op zijn beurt de vergiftigde lucht inademde. De bakboordvleugel van het vliegtuig raakte een toren, zodat er een hagel van stenen en een tien meter lang stuk van de vleugel op de stad Carthage in Missouri terechtkwamen. Hij trok aan de joystick, maar zijn longen stonden op springen en even werd alles zwart. Hij leek naar het plafond van de cockpit te zweven. Een groepje oranje lichten naderde snel uit de hemel. Hij was zo gedesoriënteerd dat het even duurde voor hij inzag dat het de lichtjes van een stad waren. De lichtjes schoten over zijn hoofd en toen werd alles zwart.

De jet cirkelde op een veilige hoogte over de feloranje vuurbal. Auto's stroomden Carthage uit in de richting van de vlammen net buiten de stad.
Cannon keek zonder enige emotie naar de fel brandende brokstukken van het vliegtuig waarin hij had moeten zitten. 'Ik moet me aan mijn schema houden. Vlieg door naar Andrews. En vraag Tinker me door te verbinden met het Witte Huis. We kunnen ze beter laten weten dat de vice-president net een tragisch ongeval heeft gehad.'

Het bubbelbad

Webb liep door de overdekte gang en voelde zijn zenuwen tintelen. Aan zijn linkerkant stortte een kleine waterval zich van het dak.
Het telefoontje naar zijn oude vriend had negenennegentig procent zekerheid omgezet in honderd procent. Nemesis bestond niet. Het was allemaal een monsterlijke samenzwering.
Hij dacht dat hij wist waarom en het antwoord maakte hem doodsbang.
Webbs kamerdeur zat niet op slot en het licht was aan. Van binnen kwam het geluid van stromend water. Naast de slaapkamer was een lange badkamer met een bubbelbad. Judy zat tot aan haar kin in het schuim.
'Hallo, Oliver!' Ze wuifde met een hand vol schuim toen de astronoom langskwam.
Noordhof zat op een omgedraaide zwarte stoel midden in de slaapkamer. Zijn armen lagen gevouwen op de rugleuning.
Webb schopte zijn schoenen uit en ging op het bed zitten, bij het kussen en met zijn rug naar het versierde houten hoofdeind.
Het geluid van stromend water hield op.
De kolonel liep naar de telefoon, tilde de hoorn op en toetste een nummer in. 'Alles goed hier. Tien minuten.' Hij keerde terug naar zijn stoel en vouwde zijn armen weer op de rugleuning, maar deze keer had hij een Colt revolver met een ivoren kolf in zijn handen.
'Wat gebeurt er over tien minuten?' vroeg Webb met droge mond.
Judy kwam de badkamer uit in een witte badjas en met haar blonde haar in een handdoek. Ze ging aan een kaptafel zitten en begon iets met haar wimpers te doen.
Noordhof zei: 'Het is niet persoonlijk, Oliver. Ik mag je graag. Je bent maar een klein mannetje, verwikkeld in zaken die veel te groot voor je zijn. Maar voordat de mannen komen, wil ik weten hoeveel je weet. Weet je eigenlijk wel iets?'

'Ik weet dat Nemesis niet bestaat.' Webb bleef naar Noordhof kijken, maar hij voelde dat Judy aan de kaptafel was verstard.
Noordhof keek verbaasd en toen gleed er iets van bewondering over zijn gezicht. 'Hoe ben je daar in godsnaam achter gekomen, doctor?'
'Instinct.'
'Was dat alles?'
'De dood van Leclerc was de eerste echte aanwijzing. Ik denk dat André het eerder doorhad dan ik. Hij kwam bezorgd naar me toe, maar bleef niet lang genoeg leven om te vertellen waarom. Ik denk dat hij erachter was gekomen dat het Russische ruimteprogramma een geschiedenis heeft die niet te rijmen is met de veelvuldige bezoeken die nodig zouden zijn geweest voor een heel precieze baanverandering. En ik vermoedde dat hij in de uren waarin hij vermist werd, voordat hij stierf, tot het besef was gekomen dat we werden beetgenomen en Eagle Peak wilde verlaten.'
'Dat probeerde hij. Jullie werden allemaal constant vanuit het bos in de gaten gehouden, Oliver. Mijn mensen zagen André, grepen hem en namen hem mee in de kabelbaan. Als je nagaat dat het eruit moest zien als een ongeluk, vind ik dat ze zich echt van hun beste kant hebben laten zien op zo'n korte termijn.'
De soldaat wuifde aanmoedigend met het pistool en Webb ging verder. 'Het tweede punt was het manuscript van Vincenzo. Heel toevallig dat ik dat aan het vertalen was net voordat ik met enige dwang in het team werd opgenomen.'
'Je was langzaam van begrip, Oliver. We dachten dat we je het boek door de strot zouden moeten duwen.'
'Ik snapte niet waarom de Russen de aandacht op *Phaenomenis* zouden vestigen door het onder mijn neus vandaan te stelen als er echt iets belangrijks in stond. Wat zat er achter die diefstallen? Ik begon te vermoeden dat het de bedoeling was dat ik Vincenzo's boek te pakken zou krijgen en dat ik met behulp daarvan Nemesis zou identificeren.'
Judy was klaar met haar wimpers en schoof haar stoel naast die van Noordhof.
De kolonel krabde bedachtzaam met de loop van de revolver over zijn hoofd. 'Goed gedacht, Oliver.'
'Maar er waren een paar dingen die de alarmbellen echt aan het rinkelen brachten.'
Noordhof wachtte beleefd af.
'Karibisha. Hij is te groot. Als moordmiddel is hij een beetje te hoog

gegrepen. Met een miljoen megaton zou hij de hele wereld in vuur en vlam zetten. De vuurbal zou de atmosfeer vergiftigen met stikstofmonoxide. De Russen zouden evenals de rest van de planeet enorme schade oplopen. Ze beschikken over eersteklas mensen in deze tak van sport en die zouden weten dat een inslag van Karibisha de hele wereld zou verwoesten.'

Noordhof probeerde nonchalant te klinken. 'Heb je je vermoedens aan iemand doorverteld?'

'Dat zou je wel graag willen weten.'

Judy zei: 'Ik denk het niet. Hij wist niet wie hij kon vertrouwen. En ik denk dat hij al hier was voordat zijn argwaan vaste vorm kreeg.'

Webb bleef praten. 'Ik wist dat ik gemanipuleerd werd. Ik ging erin mee omdat ik moest weten wie en waarom. Iemand wilde dat ik dat boek in handen kreeg, wilde dat ik er een asteroïde in zou vinden. Wie zou dat willen, en waarom? Daar heb ik lang en hard over nagedacht.'

'Is dat alles?' vroeg Noordhof.

'Er waren nog andere dingen. Karibisha kon zo dicht bij de zon nooit met de opgegeven precisie zijn gezien. Het NASA-rapport dat je me gisteren hebt laten zien, moest vals zijn. Daarna begonnen de stukken snel op hun plaats te vallen.'

De kolonel haalde zijn schouders op. 'Ja, dat NASA-rapport was haastwerk. Je verraste ons door erom te vragen. Al die valse observaties van het US Naval Observatory, de gegevens van de Goldstone-radar enzovoorts. Verdomme, je gaf ons nog geen dag.'

'Waarom ik, Mark? Waarom koos je mij voor je team?'

'We hebben je met zorg uitgezocht, Oliver. We wisten dat je erop gebrand was om een komeet in die oude sterrenkaarten te vinden. Dus gaven we je in plaats daarvan een asteroïde. We haalden alle exemplaren van Vincenzo weg, op één na, om je in je dikke kop te prenten dat het boek belangrijk was en om ervoor te zorgen dat je niet ging vergelijken. Je had een makkie moeten zijn, maar je bleek een enorme lastpak. Ik wist dat we problemen met je zouden krijgen toen ik zag dat je de schakeling van de kabelbaan controleerde. Dat was niet de bedoeling, Ollie. En die verdomde robottelescoop van jou heeft ook nog voor aardig wat paniek gezorgd. Ik moest je een hele dag tegenhouden terwijl wij het circuit door een team lieten onderbreken. En nog doorzag je het.'

Judy had de handdoek van haar hoofd gehaald en wreef haar haar ermee droog.

'Ik ben blij dat ik lastig was, maar toch hadden jullie me tot op zekere hoogte beet. Ik dacht dat jullie wilden voorkomen dat ik de asteroïde zou identificeren. Het duurde even voordat ik doorhad wat jullie echt aan het doen waren, dat jullie in plaats daarvan wilden voorkomen dat ik zou ontdekken dat er helemaal geen asteroïde is.'
Noordhof zei: 'Dat gedoe met dat manuscript was de CIA op zijn best. Ze hebben een echte artiest gebruikt, de beste vervalser van renaissance-documenten die er bestaat. Zelfs de ganzenveer klopte met de periode, voor het geval iemand op het idee kwam om een neutronenactivatie-analyse uit te voeren op de inkt. Vincenzo's boek was natuurlijk wel echt. Die vent hoefde alleen een bewegende ster toe te voegen. De beweging moest passen in de baan van een echte aardscheerder en het moest goed genoeg zijn om een expert op het gebied van manuscripten voor de gek te houden. En, zoals je zei, moesten we elk exemplaar weghalen behalve dat met de toevoeging, voor het geval iemand eraan dacht ze te gaan vergelijken.'
'Ik vermoed dat hij helaas een ongeluk heeft gekregen?'
'De vervalser? Die heeft zoutzuur binnengekregen, kun je je dat voorstellen?' Noordhof schudde bedroefd zijn hoofd. 'Maak je geen zorgen, Ollie, ik zal een menselijker methode kiezen. En je hebt nog vijf minuten.'
'Er is nog één ding waar ik wel nieuwsgierig naar ben,' zei Webb om het gesprek op gang te houden. 'Wat had mijn zogenaamde huurmoordenaar ermee te maken?'
Noordhof keek somber. 'Een zijstapje dat verkeerd uitpakte. Ik had het zo geregeld dat je dat verdomde manuscript zou moeten kopen. Uncle Sam moest er een paar miljoen dollar voor geven, de helft voor mij, de helft voor mijn Italiaanse tegenhanger. Niet dat hij lang genoeg zou hebben geleefd om het geld te kunnen innen. Maar die kerel werd inhalig. Hij komt op de gedachte dat het manuscript veel meer waard zou kunnen zijn, dus vertelt hij je dat hij opdracht heeft je te vermoorden en probeert het geld zelf te houden.'
Een donderklap deed de kamer trillen en het licht flikkerde even.
Webb vroeg: 'Wat gebeurt er als ik op T is nul geen rapport uitbreng?'
'Nog een ongeluk, uiteraard.'
'Denk je dat je daarmee wegkomt?'
Noordhofs ogen glinsterden. 'Ollie, we denken weg te komen met een kernaanval.'
Webb liet het langzaam tot zich doordringen. 'Daar was ik al bang voor.'

‘Ja, en wie let er op een Brit die zoekraakt in Mexicaans bandietenland als er een paar duizend kernbommen op het Rijk van het Kwaad neerdalen?’ De soldaat keek op zijn horloge. ‘Je hebt nu trouwens nog vier minuten. Wat vliegt de tijd toch als je je vermaakt.’
Judy was inmiddels haar benen aan het droogwrijven met de handdoek. Ze keek om zich heen en trok een salontafel met een doos papieren zakdoekjes en een zware marmeren asbak naar zich toe.
‘Is de president hiervan op de hoogte?’ vroeg Webb.
‘Arme Ollie, die zit nog steeds op de planeet Mars. Zo werkt dat niet, vriend. Als de baas ervan wist, hoe zou hij het dan kunnen ontkennen? We beschermen hem. Nemesis is de knop voor de kernaanval, maar om te werken, moet de baas er wel in geloven.’
‘Ik geloof dat ik begrijp hoe het werkt,’ zei Webb. ‘De niet-bestaande asteroïde schampt langs de atmosfeer. Een elektromagnetische schok maakt alle elektronische systemen onklaar en jullie verliezen elk contact met het Witte Huis. Dus denkt de president dat die niet-bestaande asteroïde is ingeslagen, dat de schokgolven eraan komen en Amerika op het randje van de vernietiging staat. Dus gooit hij alle kernbommen eruit die hij er nog uit kan gooien.’
‘In één keer goed,’ zei Noordhof met oprechte bewondering. ‘Wij hebben de volledige controle over alles wat de War Room in komt en de president bereikt, wat het ook is. Er zal een volmaakte simulatie plaatsvinden van de inslag van een asteroïde en als de rook optrekt, blijkt het maar een schampschot te zijn, zoals je zegt, maar tranen en vreugde en laat de klokken luiden, Amerika is er nog en de Beer is dood.’
‘En Karibisha?’
‘We wilden het perigeum op het laatste moment bijstellen en hem in de Golf terecht laten komen, maar met dit weer ziet niemand hem hier, dus waarom zouden we moeite doen?’
‘En wat is er daarna mee gebeurd?’
‘De aarde heeft hem weer teruggekaatst naar de zon.’
‘Maar de EMP! Je kunt dat niet nabootsen voor heel Amerika.’
‘Nee, maar terwijl we Rusland bombarderen, zullen een paar van onze bommen te vroeg afgaan en ons een echte elektromagnetische schok geven. Wie zal het verschil opmerken?’
‘En Rusland laat het allemaal maar gebeuren.’
‘BMDO zegt dat we de reactie wel aankunnen. Als we ervan uitgaan dat we een overweldigende eerste aanval uitvoeren, blijft ons verlies ac-

ceptabel. En als er een paar Russische kernbommen doorheen komen, hebben we nog meer EMP om de verwarring nog groter te maken.'
'Acceptabele verliezen,' zei Webb bedachtzaam. 'Ik heb nog een vraag.'
'Tuurlijk.' Noordhof wuifde uitnodigend met de Colt. 'Je hebt nog drie minuten.'
'Waarom? Vanwege Zhirinovsky, zeker?'
'Zhirinovsky, zeker. We hebben op dit moment een overweldigende nucleaire overmacht. Maar hij loopt snel in. Over een paar jaar zijn we weer aan elkaar gelijk, net als vroeger, maar dit keer zitten we met een krankzinnige gek en is het slechts een kwestie van tijd voordat hij besluit ons met kernbommen te bestoken, alleen houden wij van ons land en proberen we daar een stokje voor te steken.'
'Die vent is niet meer dan een opgeblazen schreeuwlelijk. En hij overleeft de volgende Russische verkiezingen waarschijnlijk niet.'
'Dank je, Oliver, je zit vol verrassingen. Ik wist niet dat je ook talent had voor politieke analyse.'
Noordhof boog zich naar voren om nog iets te zeggen en wuifde met de revolver naar Webb. Er klonk een geknetter en een geweldige klap en toen gingen alle lampen uit. Webb verstijfde in het donker. Toen de lichten een seconde later weer aangingen, waren Noordhofs ogen wijd opengesperd en hield hij de Colt op armlengte voor zich uit, recht op Webbs borst gericht. De soldaat sloeg zijn armen weer over elkaar.
Webb wierp een blik op Judy, maar haar ogen verraadden niets. 'Nog een laatste vraag.' Hij bedwong de opkomende paniek. 'Hoe zit het met die schorpioen uit New-Mexico hier?'
Judy glimlachte kil.
'We moesten iemand in het team hebben. Een wetenschapper die ervoor kon zorgen dat alles soepel verliep, dat jullie allemaal op het juiste moment de juiste ingevingen kregen en dat niemand verkeerde ideeën kreeg. Doctor Whaler is ons persoonlijk aanbevolen door weldenkende mensen op het hoogste niveau van de nationale veiligheidsdiensten.'
'Mijn werk is tenslotte om met alle mogelijke revolutionaire en visionaire middelen de vrede te bewaren,' zei Judy.
'Revolutionair? Dat geloof ik niet. Nemesis is een aftandse misleiding, een grensincident dat in het leven wordt geroepen om de oorlog te rechtvaardigen.'
Ze zei: 'Maar wat een fantastische uitdaging! En moreel te verdedigen, in tegenstelling tot wat jij lijkt te denken. Wat is de zin van een kort-

durende vrede als die niet meer is dan een interval voor de volledige verwoesting? We zien ons gesteld tegenover een Djengis Khan met kernbommen. De dreiging van zijn massavernietigingswapens is gewoon te groot. Marks filosofie is toch juist? Grijp je kans en handel de hele kwestie voor eens en voor altijd af.'
'En lap al die saaie wetten maar even aan je laars,' antwoordde Webb.
Een nieuwe donderklap deed de ramen trillen.
De kolonel zei: 'Je weet wat ze altijd zeggen, Ollie. Mijn land, goed of fout.'
'Respect voor die saaie wetten is wat de mens onderscheidt van de apen. En jou van mij.'
De soldaat glimlachte geforceerd. 'Nee, Oliver. Het grote verschil tussen ons is dat ik de revolver in handen heb.' Hij keek nog eens op zijn horloge. 'Wil je nog meer weten?'
'Je gaat me niet neerschieten.'
Noordhof trok een wenkbrauw op.
Webb haalde diep adem. Hij kon bijna geen woord uitbrengen. 'Ik heb me hiertegen gewapend.'
'Natuurlijk. Ik popel om het te horen.'
'Ik heb een paar uur geleden een fax ontvangen. "*Wanneer is een taart geen taart?*" De receptie zal het bevestigen.'
'Hij heeft gelijk,' zei Judy.
'Ja, dat weten we. We hebben ons het hoofd erover gebroken. Hij had onderschept moeten worden, maar die stomme meid...'
'Hij was getekend door mijn oom Willy Lumparn, die niet bestaat,' zei Webb, die probeerde zelfverzekerd te klinken. 'Maar je moet Lumparn maar eens opzoeken in de atlas. Ga maar kijken. Het is een rond meer met een doorsnede van een paar kilometer in Åland, een Baltisch eiland dat eigendom is van Finland.'
'Misschien moest je maar snel terzake komen, Ollie. Je tijd is om.' Noordhof hief de revolver en richtte hem op Webbs borst. Er gleed iets van onzekerheid over het gezicht van de soldaat.
Webbs universum werd beheerst door het donkere gat in de loop. 'Ik zal het eenvoudig houden, Mark. Lumparn is een oude inslagkrater. In Laurel en Hardy-films wordt met taarten gegooid. In de fax wordt me gevraagd of we in een situatie zitten waarin er met taarten wordt gegooid. Er wordt gevraagd of er met een asteroïde wordt gegooid, of Nemesis echt is. Ik ben hier om daarachter te komen. Je denkt toch zeker niet dat ik mijn vermoedens voor me heb gehouden? En als ik

niet op het juiste moment het juiste gecodeerde antwoord stuur, knalt Project Nemesis met een klap uit elkaar, lanceert de president geen kernbommen en moet jij proberen een deel van de wereld te vinden waar je je kunt verstoppen, bijvoorbeeld de bodem van de Marianatrog. Alles staat op het punt in elkaar te storten, Mark, jij en je krankzinnige plan.'

Noordhof stond op. Zijn zelfvertrouwen was verdwenen. Hij beende door de kamer en wierp onzekere blikken op Webb. Toen schopte hij de stoel opzij, stevende op de astronoom af en zette de Colt tegen zijn hoofd, en Webb voelde dat de angst toesloeg. Noordhof zei ruw over zijn schouder: 'Jij kent deze vent, Judy. Wat denk je? Zit hij te bluffen?'

Ze stond op, rekte zich uit en keek Webb schattend aan. 'Wie heeft die fax verstuurd, Oliver?'

'Willy Shafer.'

Judy's glimlach werd breder en Noordhof hapte naar adem van opluchting voordat hij lachend zijn hoofd in zijn nek gooide. 'Ik denk dat je het nieuws niet gevolgd hebt, Oliver. Willy's strandhuis is eindelijk van de klip gevallen met die arme Willy erin. Man, hij heeft die fax twee dagen nadat we hem hebben vermoord verstuurd, of anders heb jij hem na aankomst aan jezelf gestuurd, voor de zekerheid. Goed geprobeerd, man, ik had de schrik goed te pakken!' Hij lachte nog even, maar niet zo hard dat de revolver bewoog. Webb voelde dat hij verbleekte.

Judy geeuwde en liep naar het hoofdeind van het bed. 'Het spijt me echt. Ik heb het zo niet gewild. Maar als je bedenkt wat er op het spel staat, kunnen we eigenlijk niet anders. Mark, ik ben moe en wil slapen. Waarom zou je op je doodseskader wachten? Haal bij de volgende donderklap de trekker over. Vaarwel, Ollie.'

De Situation Room, T-1.30 uur

De telefoon naast het bed van de president in de kamer van de First Lady ging nooit voor half acht, het tijdstip waarop een telefonist van het Witte Huis hem goedemorgen wenste. De situatie met Nemesis maakte het nodig hem vroeger te bellen, en dat zou om kwart over drie gebeuren.
Maar nu ging de telefoon nog een uur eerder, om kwart over twee.
'Meneer de president.'
Het was Billy Quinn, de chef-staf van het Witte Huis.
Iets in zijn stem. Grant, nog helemaal suf van de slaap, worstelde zich overeind.
'Billy? Ik dacht dat we om vier uur naar Site R zouden vertrekken.'
'Meneer, verlaat onmiddellijk het huis.'
'Wat?'
'Gaat u alstublieft niet in discussie. U zou in gevaar kunnen zijn. Vertrek nu meteen, snel.'
De verbinding werd verbroken.
Grant gooide de dekens van zich af en liep snel door de slaapkamer van de president – eigenlijk een studeerkamer met een dieprood interieur – naar de badkamer. Hij kleedde zich snel aan en deed geen moeite om een jasje aan te trekken en een das te strikken. Terug door de rode kamer. Toby, de bastaardhond die zijn kinderen vele jaren geleden van de dood hadden gered, keek hem met opgestoken oren vanaf het voeteneind van het bed aan. De president keek onzeker naar zijn slapende vrouw en besloot haar te laten liggen. Toby liep achter hem aan naar de keuken en klom met een zucht weer in zijn mand, en Grant liep door de hal.
De deur van de lift was open. Jim Greenfield, zijn persoonlijke assistent, stond te wachten. Ze gingen naar beneden, waar een vermoeid ogende Quinn zich bij hen voegde. De drie mannen liepen zwijgend door de gang naar het Oval Office, Greenfield iets voor de andere

twee. Ze liepen er voorbij en Greenfield, die nog steeds vooropliep, stak over naar het Executive Building en liep een trap af. Er scheen licht onder een deur door. Hij ging open en een man van de geheime dienst met een uiterst gespannen gezicht pakte de president bij de arm, trok hem naar binnen en keek de gang door voordat hij de deur weer dichtdeed. Hallam, Cresak en een legerofficier stonden bij het begin van de bowlingbaan. Hallam kwam snel naar hen toe.
'Godzijdank,' zei hij emotioneel.
'Wat is er in godsnaam aan de hand?' vroeg Grant.
'Meneer, vice-president McCulloch is dood. We hebben het nieuws nog geen tien minuten geleden gekregen.'
'Wat is er gebeurd?'
'Er is een vliegtuig neergestort bij Carthage in Missouri. Hij was van Tinker onderweg naar hier. Meneer de president, het is mogelijk dat het geen ongeluk was.'
Grant probeerde de woorden tot zich te laten doordringen. 'Geen ongeluk? Heeft Zhirinovsky hier de hand in gehad?'
'Nee meneer, uw eigen mensen.'
De president voelde een doffe pijn opkomen in zijn borstkas.
De legerofficier zei: 'Meneer, er is een samenzwering om u af te zetten.'
'Wie bent u, verdomme?'
'Kolonel Wallis. Ik sta aan het hoofd van de DCO-eenheid.'
'De nieuwe man. Ik heb u rond zien lopen.'
'Meneer de president, generaal Hooper en minister Bellarmine staan op het standpunt dat u uw plicht verzaakt. Ze willen u afzetten als de asteroïde inslaat, tenzij u dan onmiddellijk bevel geeft tot een tegenaanval op de Russen.'
'Wie is hier verder nog bij betrokken?'
'Daar heb ik geen harde informatie over.'
'Wilt u eens raden?'
'Alle drie de bevelvoerende officieren zouden erbij betrokken kunnen zijn. En ook de CIA, waarschijnlijk tot aan de directeur toe.'
'Heilbron? Dat bestaat niet.' Grants stem was grimmig.
Quinn zei: 'Baas, ze hebben u geïsoleerd. Nu McCulloch er niet meer is...'
'Ik heb het laatste woord.'
Quinn ging verder: 'Ze kunnen Wallis voor de zekerheid verkeerd hebben ingelicht voor het geval hij hen zou verraden. Ik weet gewoon niet wat ze echt van plan zijn.'

De president wendde zich weer tot Wallis. 'Wanneer bent u hier achter gekomen?'
'Toen ze me vroegen me bij hen aan te sluiten. Een maand geleden.'
'U loopt hier al een maand mee rond?'
'Ik heb gezegd dat ik meedeed.'
'U deed alsof?'
'Nee, meneer. Ik dacht dat ze er goed aan deden.'
'Maar u hebt zich op het laatste moment bedacht.'
'Ja, meneer. Ik vermoed dat ik doodgeschoten zou moeten worden.'
Grant verraste Wallis. 'Maak je daar maar geen zorgen over, jongen.' Hij wendde zich tot zijn nationale veiligheidsadviseur, wiens mond nerveus trok. 'Arnold, heb jij nog iets te zeggen?'
'Alleen dat u niet het risico kunt lopen terug te gaan naar uw woonvertrekken.'
Grant streek met zijn hand over zijn gezicht. 'Billy, het kan op wapens aankomen. Regel discreet dat er wat mannen paraat staan. Arnold, ga naar de Situation Room en houd je mond dicht.' Grant keek op zijn horloge. Hij pakte een bowlingbal en richtte op de verre kegels.
Hallam zei: 'Meneer, over vijf uur arriveert Nemesis.'
De president liet de bal over de houten baan rollen. 'Hé, heeft Francis Drake dit ook niet gedaan voor de Spaanse Armada?'

Bellarmine beende geagiteerd door de gang voor de Situation Room toen Grant naderde. Zijn gezicht was bleek en hij klemde onbewust zijn kaken op elkaar. Hij deed zijn ogen even dicht van opluchting toen de president opdook.
'Jezus christus, meneer, waar hebt u gezeten? We hebben het hele huis binnenstebuiten gekeerd om u te zoeken. Vice-president McCulloch is anderhalf uur geleden omgekomen bij een vliegtuigongeluk.'
'Dat weet ik. Waar is zijn vervanger?'
'Caroline Craig is onderweg vanuit Seattle, meneer. Ze stellen haar tijdens de vlucht op de hoogte, maar ze is hier nooit op tijd.'
'Oké, praat me bij. En Nathan, dit is een goed moment om kalm te blijven.'
Een soldaat kwam afgemeten de Situation Room uit met een aantal papieren in zijn hand. 'Meneer de president, we hebben meldingen van verdere tank- en troepenbewegingen in Slowakije. Ze verzamelen zich aan de Tsjechische kant van het Zwarte Woud.'
'Oké.'

Er kwam een andere adjudant bij hen staan. 'Meneer.'
'Nou?' zei Grant ruw.
'Het Pentagon zegt dat de hotline dood is. Ze kunnen het Kremlin niet bereiken.'
'Pas op waar u loopt, meneer,' zei een technicus toen president Grant zich een weg zocht tussen de bundels kabels. Overal zwermden technici rond, en geen van hen schonk veel aandacht aan de binnenkomst van hun baas. Foggy Wallis naderde. De twee mannen wisselden een blik.
'Deze kant uit, meneer de president. Uw hele team is er al. Pas op uw hoofd.' De president bukte en ze gingen door een open deur, waarbij ze de route volgden van nog meer kabels die zich als lange, glanzende zwarte slangen over de vloer uitstrekten. De ruimte was fel verlicht met studiolampen. Een man of tien, sommige in uniform, zaten rond de grote tafel in het midden. Ze stonden op toen de president binnenkwam.
Bij Grants stoel stonden twee telefoons, een rode en een zwarte, en twee boeken, ook een rood en een zwart. Hij keek dof naar de boeken en ging op de stoel zitten met net zoveel enthousiasme als een man die op het punt staat geëlektrocuteerd te worden. De gordijnen voor de achterste muur waren weggetrokken, zodat er een groot scherm te zien was met speakers aan weerszijden. De walnotenhouten betimmering was van de muren gehaald om rijen televisieschermen zichtbaar te maken. Sinds hij de kamer twee dagen eerder voor het laatst had gebruikt, waren er bureaus en computers in gepropt en hij zag er inmiddels uit als een miniatuurversie van de set van Star Trek. Een stuk of tien mannen en vrouwen, sommige in uniform, zaten naar de televisieschermen te kijken. Twee mannen stonden met opgerolde hemdsmouwen in een verre hoek van de kamer, een met een videocamera en de ander met een microfoon aan een stang, zodat ze alles konden opnemen voor welk nageslacht er ook maar over mocht blijven.
Het was benauwd en vol in de kamer. Hij deed claustrofobisch aan.
'Hoe lang nog voor de inslag?' vroeg Grant.
'Vijfennegentig minuten,' zei Hooper. 'Meneer de president, waar was u?'
De president ging zitten. Hij wendde zich tot Hooper. 'Activiteit bij de silo's?'
'We verwachten niet iets te zien tot hun raketten de lucht in gaan,' zei

Hooper. 'We hebben een uur geleden een paar Cobra's vanuit Shemya gestuurd om de regio Kamchatka in het oog te houden. De piloten melden dat ze verblind zijn met laserstralen. We proberen ze weer naar binnen te praten.'
Grant wendde zich tot Cresak. 'Wat is de diplomatieke situatie?'
'De Veiligheidsraad houdt over een paar uur een noodvergadering. Ambassadeur Thorp is drie uur geleden het Kremlin in gegaan en we hebben daarna niets meer van hem gehoord.'
'Wat heeft Kolkov te zeggen?'
Cresak wierp een boze blik op Hooper. 'Die zit boven. Hij beschuldigt ons ervan dat we ons klaarmaken om de eerste klap uit te delen. Hij zegt dat zijn land zichzelf voorbereidt op de verdediging.'
'En dat van de mannen die ons Nemesis hebben gegeven,' zei Bellarmine. 'Die verdomde hypocriet.'
Een vrouw in een luchtmachtuniform liep naar de president. Grant keek haar aan. 'Falcon haalt de GPS uit de lucht, meneer.'
De global positioning satellieten konden door een vijand worden gebruikt voor een precisieaanval op Amerikaanse doelen. De strategie was om ze uit de lucht te halen als Amerika werd bedreigd. De duizenden Jumbo-jets die zich op elk gegeven moment in de lucht bevonden, gingen nu landen. Er zou niets meer opstijgen tot Karibisha voorbij was. Maar het uit de lucht halen van de satellieten zou onmiskenbaar een gevaarlijk signaal zijn voor de andere partij.
Grant knikte.
'Meneer de president, Silk Purse is opgestegen in Europa. We hebben de toestemming van de Britse premier nodig om onze F1-11's op de Engelse bases te gebruiken. Hun minister van Defensie houdt ons aan het lijntje. Meneer, we hebben niet veel tijd meer om een besluit te nemen. We moeten de beveiliging van de nucleaire wapens opheffen.'
'Geen sprake van.'
'Meneer.' Hooper sloeg een boek open bij een van tevoren gemarkeerde pagina. Hij probeerde een zakelijke, juridische toon aan te slaan. 'Ik verwijs u naar JSOP/81-N. We staan op het punt vernietigd te worden en u moet daarom verdergaan naar Fase Rood. Als onze B-2's op tijd weg moeten zijn voor de klap van de asteroïde, moeten ze nu naar de poolkap.'
'Voorbij hun failsafes. Sam, de beslissing om kernwapens te gebruiken ligt nog steeds bij mij, niet bij een stelletje eensterrengeneraals. We weten niet eens of de asteroïde zal inslaan.'

'Maar we weten wel dat het gebruik van Nemesis als wapen een oorlogsdaad is. Het is ons recht en onze plicht om te reageren op die oorlogsdaad. Meneer de president, ik wil even wat kille logica introduceren. Het is onze plicht om het belang van het Amerikaanse volk te dienen. Als we geraakt worden, zijn we er te erg aan toe om ons te verdedigen tegen daaropvolgende vijandelijkheden. Het Amerikaanse belang wordt het beste gediend door toekomstige potentiële vijanden te vernietigen zolang we dat nog kunnen. Daarom hebben we u alleen de optie voor Grand Slam gegeven.'
'Dus de flexibele reactie is afgeschaft.'
'Grand Slam is de enige optie die onze kinderen enige toekomst kan bieden.'
De president wendde zich tot Wallis. 'Kolonel, geef me een overzicht van onze verbindingen.'
'We hebben drie onafhankelijke verbindingen met het grondstation bij het epicentrum in Xochicalco. Een via de satelliet, een via kortegolfradio en een directe kabelverbinding. De kabelverbinding hebben we tot stand moeten brengen met gebruik van de commerciële landlijnen in Mexico. We hebben onze beste communicatiemannen in het leger ter plekke. Alles wordt beschermd door een commando-eenheid. Een paar MH6 helikopters in het geval van ongeregeldheden.'
'Meneer,' viel een soldaat hem in de rede, 'de Carl Vincent heeft zijn coördinaten bereikt. Ze sturen de Phantoms de lucht in.'
Wallis zei: 'Behalve Xochicalco hebben we de marine op ongeveer duizend kilometer van de Atlantische kust liggen, meneer. De asteroïde komt uit de richting van de zon, maar het is daar net voor zonsopkomst en het Naval Observatory zegt dat we hem met het blote oog zouden moeten kunnen zien en dat het ding recht over hen heen zou moeten gaan. Het stormt op de Atlantische Oceaan, veel lage bewolking en regen. Xochicalco heeft te lijden van zware regenbuien, maar de verbindingen worden er niet door aangetast.'
'Ik moet meteen weten of het ding is ingeslagen of niet.'
'Op het kritieke moment vliegt er een Franse Spot-satelliet over centraal Mexico. Als Nemesis inslaat, zullen we daar genoeg van zien. De beelden worden doorgestuurd via Goddard en we zien ze zodra ze arriveren.'
'Waar moet ik op de knop drukken?' vroeg de president rustig.
'Er staat een helikopter klaar. U bent binnen een kwartier op Raven Rock. MYSTIC is geactiveerd. U hoeft alleen maar bevel te geven.'

'Niets van het Kremlin?' vroeg Grant aan Wallis.
De soldaat schudde zijn hoofd.
'Oké, dan gaan we naar de Rock.'

De hacienda

Webb trilde zo erg dat hij zijn voeten niet in zijn schoenen kreeg. Judy was teruggegaan naar haar kamer om zich aan te kleden en Noordhof worstelde zich kreunend op zijn knieën. Hij hield zijn hand tegen een oor, en het felrode bloed sijpelde tussen zijn vingers door. De marmeren asbak lag op de grond, in twee stukken na de enorme klap die Judy had uitgedeeld. De revolver lag binnen handbereik naast Webb op het bed.

Noordhof worstelde zich overeind tot hij zat. Hij was duidelijk versuft en leed veel pijn.

De vitrage bewoog even toen Judy terugkwam in een zwarte broek en trui. Ze schoof de glazen deur dicht, wierp een kille blik op Noordhof en zei: 'Dood hem.'

De lampen gingen weer uit. Uit het pikkedonker kwam een scherpe pijnkreet, maar die kon zowel van een man als van een vrouw zijn. Webb vloekte en liet zich op het bed vallen, tastend naar het vuurwapen. Op het moment dat hij de koude metalen loop voelde, hoorde hij glasgerinkel. Plotseling sloegen wind en regen de kamer in. Hij rende naar het raam en kwam in botsing met Judy. Ze viel met stokkende adem achterover en toen rende hij in zijn sokken over gebroken glas. Een bliksemflits, een felverlichte hemelse boom die een fractie van een seconde op zijn netvlies werd gebrand; een glimp van Noordhof die heftig probeerde de vitrage af te schudden. Webb rende naar voren en schoot in het donker. Hij had nog nooit een vuurwapen gebruikt en het eerste salvo bezorgde hem een pijnlijke schok in zijn pols. In de lichtflitsen uit het wapen verscheen Noordhof in een reeks van stilstaande beelden, korte opnamen van een zigzaggende man. Toen lag de soldaat vijftig meter verderop voorover op de grond en klikte het lege wapen nog slechts, en daarna was er alleen nog maar regen en wind en duisternis.

'Oliver!'

‘Hier! Ik geloof dat ik hem gedood heb.’
‘Noordhofs mannen zijn onderweg. We moeten rennen.’
Webb sprintte terug naar zijn kamer. ‘Ik moet een telefoon hebben!’ riep hij, terwijl hij zijn bloedende voeten in zijn schoenen wrong.
‘Een telefoon? Waar?’
‘In de hacienda. Bij de receptie.’
‘Je bent gek!’ riep Judy terug. Een flits lichtte scherp haar gezicht op; wilde ogen en druipend haar: een heks uit *Macbeth*.
‘Ik heb geen keus.’
‘Ze maaien je neer.’
‘Geen tijd om erover te praten. We gaan in een wijde cirkel achterom en naderen de ranch van de voorkant. Op die manier komen we dat team niet tegen. Weet je iets van auto’s?’
‘Daar ben ik mee opgegroeid.’
‘Steel er een. Breng hem naar de voorkant.’
‘Ollie, als je die hacienda binnengaat, ben je dood.’
‘Ik moet het proberen. Kom op!’
Ze renden over de doorweekte grond weg van de ranch en maakten een wijde bocht naar de voorkant. Een enkele bliksemflits had hen kunnen verraden, maar er was op dat moment slechts een ver flikkeren aan de horizon te zien. Ze gingen op de donkere, vierkante omtrek van een klein gebouwtje af. Het bleek een dugout en ze arriveerden er hijgend op het moment dat een bliksemflits het hele landschap verlichtte en met een klap insloeg. Ze stonden achter in het gebouwtje te hijgen en keken door een waterval die van het golfplaten dak af stroomde. Bij de ingang van de hacienda was een doffe gloed te zien.
‘Ik geloof niet dat we gezien zijn.’
‘Twee rode stippen, ongeveer dertig meter links van de ingang.’
‘Rokende soldaten. Ik geloof dat ik een jeep zie.’
‘Als je het maar uit je hoofd laat. Hij staat nog geen twintig meter van hen af.’
‘Er hangen drie draden achter de stuurkolom. Twee daarvan moeten met elkaar verbonden worden. Dan leg je de derde ertegenaan en de motor start.’ De hemel flitste blauw op en ze vingen een korte glimp op van drie soldaten met capes om, in elkaar gedoken onder een bosje bomen. Niet ver van hen vandaan stonden drie jeeps geparkeerd. Maar de bliksemflits had nog iets anders laten zien: een tableau van vier soldaten die doelbewust over de veranda liepen in de richting van de kamers.

'Oliver,' zei ze zachtjes. 'Je doodseskader.'
Webb voelde zijn scrotum weer samentrekken, en dit keer deed zijn hoofdhuid mee. Hij zei: 'Een jeep, vooringang, negentig seconden,' en rende het donker in. Bij de hacienda kwam hij nonchalant de schaduwen uit gewandeld, een excentrieke buitenlander die doornat in de regen liep te wandelen. Er kletterden dobbelstenen op de hardhouten vloer. Een stuk of zes soldaten slaakten uitroepen en wisselden papiergeld uit. Aan het eind zaten Arkin en een paar officieren in leunstoelen koffie te drinken. Arkin keek verrast op, maar herstelde zich snel en wuifde tegen Webb. Hij wuifde even terug en veegde het natte haar uit zijn ogen. Een vermoeide korporaal met een lang gezicht zat achter de balie de *Playboy* te lezen.
'Doet de telefoon het al?' vroeg Webb.
'Ja, hoor. Waar wilt u naartoe bellen?'
In Londen was het vroeg in de morgen. Webb gaf hem het geheime nummer van de koninklijke astronoom. De korporaal begon te draaien. De gezette sergeant met het kogelvormige hoofd liet het spelletje in de steek en kwam naar hen toe.
'Hallo, doc,' zei hij overdreven terloops. 'Problemen?'
'Niet echt.' Geef hem geen kans. Arkin liep ook op hen af. Webb voelde zich licht in het hoofd en hij zweette, en Arkins gezicht vertelde hem waar hij al bang voor was geweest; dat hij dat telefoontje nooit zou plegen.
'Hij belt, meneer,' zei de korporaal, die hem de hoorn toestak.
Arkin was bij hen. De sergeant bleef op een armlengte afstand staan.
'Hallo doc, jij bent al vroeg op,' zei de generaal.
Webb nam de hoorn aan. 'Ik kon niet slapen met al dat lawaai.'
De koninklijke astronoom zei met vermoeide stem: 'Waterstone-Clarke.'
Arkin verbrak de verbinding met een dikke vinger. 'Ik kan je niet laten bellen, doc. Veiligheidsredenen.'
'Veiligheidsredenen?'
'Dat klopt. Veiligheidsredenen.'
De sergeant voelde de spanning en deed nerveus een stap achteruit.
'Dat hoor ik voor het eerst, generaal. Ik moet met mijn contact in Londen spreken.'
'Dit is een open lijn, jongen. We weten niet wie er mee kan luisteren. Geen Londense contacten tot Nemesis is overgekomen.'
Webb knikte en stelde een nieuwe prioriteit voor zichzelf vast: *zorg dat je hier levend wegkomt.*

'Trouwens,' voegde Arkin eraan toe, 'kolonel Noordhof was naar je op zoek.'
'Ik zal naar hem uitkijken,' zei Webb, die naar de trap liep.
'Hij zal zo wel komen. Drink een kop koffie met ons.'
'Bedankt, maar ik moet me even afdrogen. Ik ga naar mijn kamer.'
'Ik sta erop,' zei Arkin.
'Goed.' Hij liep naar de trap. 'Ik kom zo.'
'Ik geloof dat je oren niet zo goed zijn, jongen. Kom bij ons zitten.'
'Ja, goed. Ik kom zo.'
Woordspelletjes. De sergeant keek onzeker van de een naar de ander. Zijn lippen trokken. Een paar meter verderop speelden de soldaten hun eigen esoterische woordspelletje terwijl de dobbelstenen over de vloer kletterden: kom niet, het is een gewone. Arkin bleef verbijsterd en met strakke lippen staan. Langzaam de houten trap op. Langzaam het korte eindje naar de deur. Je bent er bijna. Niet rennen, in godsnaam, niet rennen. Doe langzaam de deur open. Draai je om naar Arkin, zwaai nog even. Nonchalant, ongehaast. Verpest het nu niet, niet rennen.
Verder naar de veranda. De regen joeg naar beneden. Iemand riep wat. Een jeep zonder verlichting kwam aanbrullen. Webb voelde dat de deur van de ranch openging. Er renden donkere gestalten over de veranda en de laarzen kletterden over de stenen tegels. Weer een geroep, dit keer van Arkin. Een luid bevel.
'Houd ze tegen!'
Webb springt al rennend in het voertuig. Iemand pakt hem bij de kraag. Webb stompt hem hard tegen zijn neus en hij slaakt een kreet door de onverwachte pijn in zijn knokkels, maar de sergeant wankelt achteruit en slaat zijn handen voor zijn gezicht.
'Plankgas!' roept Webb.
Ze trapt op het gaspedaal.

De piloot sprintte de honderd meter van de Portakabin naar de helikopter, spetterend door de plassen en dubbel gebogen tegen de regen. Hij klom er snel in, gooide zijn honkbalpet van zich af, zette zijn koptelefoon op en doorliep met bovenmenselijke snelheid de controleroutine. Toen de rotor begon te draaien, keek hij op de radar: de andere helikopter bevond zich zestien kilometer naar het zuiden en zeshonderd meter boven de grond en volgde de van tevoren vastgestelde patrouillelijn. Er was een korte uitwisseling via de radio. De

piloot trok aan de collective en de helikopter rees boven de piramiden en de paraboloïde spiegels uit. Het hele complex werd van bovenaf verlicht als een bizar Alcatraz. Hij maakte een scherpe bocht over de oude stad, zette de infraroodcamera aan en volgde de weg naar het noorden.
Tien minuten later pikte hij de lampen op van Xochicalco. Elk detail van het complex was zichtbaar, bleek en spookachtig als een groengetint sneeuwlandschap. Het dak van het hoofdgebouw gloeide alsof het in brand stond. Hij zweefde over het complex heen en kreeg Noordhofs bungalow in het zicht. Er stond een man voor en de piloot zette de schijnwerper aan toen hij daalde.
Noordhof rende onvast naar de helikopter, alsof hij dronken was. Hij hield een hand tegen de zijkant van zijn hoofd. De piloot boog zich naar de zijdeur en maakte hem open. De kolonel gespte zijn gordels vast. Er kwam bloed uit een wond van acht centimeter voor zijn oor.
'Daar moet u naar laten kijken, meneer.'
'De weg naar Mexico-stad. Ze hebben een jeep.'
De helikopter steeg snel weer op.
'Wat is hun voorsprong, meneer?'
'God mag het weten.' Noordhofs woorden klonken moeizaam. Misschien een hersenschudding, dacht de piloot, of pijn, of misschien kon de soldaat niet goed spreken door de enorme blauwe plek bij zijn kaak. 'Ik ben misschien tien minuten bewusteloos geweest. Jij deed er tien minuten over om hierheen te komen. Ik denk dat ze een voorsprong van twintig minuten hebben.'
'Geen probleem, meneer. We hoeven alleen maar de weg te volgen. We hebben ze over vijf minuten te pakken.'

'We moeten van de weg af!' schreeuwde Webb boven het gejank van de motor uit. Judy, die voorovergebogen zat als een bijziende oude vrouw, negeerde hem. De regenvlagen stroomden door de lichtkegels van de koplampen. De snelheidsmeter zweefde rond de honderddertig kilometer per uur, niet beïnvloed door de bochten in de door storm geteisterde weg. Hij probeerde het nog eens met zijn natte gezicht dicht bij het hare, terwijl hij zich grimmig vasthield aan het dashboard.
'De helikopter in Oaxtepec, die heeft een infraroodcamera. Hij hoeft alleen maar de weg te volgen. Hoor je me, heks dat je bent? Zelfs als je je lampen uitzet, valt de hitte van je uitlaat op als een hoer in de kerk.'
'Heb je een kaart, sukkel? Waar moeten we dan van de weg af?'

'Nog tien minuten op deze weg en we zijn dood. Pas op, een bocht. O, mijn god. Waarom wachtte je tot de allerlaatste seconde voordat je Noordhof te pakken nam? Ik begon me zorgen te maken.'
'Een schorpioen uit New-Mexico ben ik, hè? En hoe wist je trouwens dat ik niet aan Noordhofs kant stond?'
Er kwam weer een glinsterende bocht en Webb greep haar bij de arm om te blijven zitten. Bogen modder en water schoten langs zijn hoofd. De jeep dook een diep gat in en even bevond hij zich in een vrije val.
'Die glijpartij naar de afgrond. Als je bij hen had gehoord, had je me nooit verteld dat het een moordaanslag was. En als het Gods bedoeling was geweest dat je me om de tuin zou leiden, zou hij je hersens hebben gegeven.'
'En die varkens vonden dat ik opgeofferd kon worden,' riep ze woedend. 'Ze hebben je gerekruteerd en...'
'... en ik ging erin mee om te zien hoe diep het ging. Ik wist net als jij niet wie ik kon vertrouwen, Oliver.'
'Ga binnen vijf minuten van die weg af, anders zijn we er geweest...'
'De varkens, de verraderlijke, leugenachtige varkens!'
'... en daarmee ook de halve planeet.'

Mexico, het laatste uur

Ze vlogen op een hoogte van tweehonderd meter in het pikkedonker. Het toestel bokte door de wind, maar met de infraroodcamera konden ze de weg beneden hen zelfs in de stromende regen gemakkelijk volgen. Er verscheen een felgroene stip boven aan het schermpje, dat langzaam naar beneden ging. De piloot gromde tevreden. 'Contact. Drie kilometer voor ons.'

Noordhof keek door de regen de duisternis in. Hij dacht dat hij een zwak licht zag, maar het verdween weer. Een seconde later dook het weer op, dit keer sterker, en het leek aanvankelijk onnatuurlijk snel over de grond te bewegen voordat het het schijnsel bleek van koplampen die van de ene kant naar de andere bewogen terwijl de chauffeur bochten volgde.

'Ik zie ze,' zei Noordhof. En toen: 'Blaas ze op.'

'Meneer?'

'Ben je doof, jongen?'

'Meneer, is dat een geautoriseerd bevel? We bevinden ons in Mexico. We zijn niet in oorlog met Mexico, meneer.'

'Nou en of, jongen,' loog Noordhof. 'En je bevindt je inderdaad in Mexico. En als je nog eens mijn bevelen in twijfel trekt, ruk ik je kop van je lijf.'

De piloot trok aan de collective en de helikopter schoot de wolken in en trok op zeshonderd meter weer recht. De storm speelde met het toestel als een kind met een rammelaar. Ze konden niets zien, ze hadden in dit weer steeds minder aan de infraroodcamera en de piloot begon zich zorgen te maken over de bergen. Uiteindelijk durfde hij het niet meer aan en liet hij het toestel tot onder het wolkendek zakken. Noordhof keek achterom; ze waren de koplampen een heel eind voorbij.

De piloot vloog nog even verder en liet het toestel toen draaien. Hij duwde de knuppel naar voren om omlaag te gaan en zette de helikopter zachtjes neer op de weg, met de voorkant naar een bocht. Hij laad-

de een enkele raket, drukte op een knop om hem op scherp te stellen en zette zijn duim op de knop om te vuren, met zijn vrije hand klaar om het zoeklicht aan te doen zodra de jeep verscheen. Op deze afstand had hij geen computerbegeleiding nodig; het was gewoon een kwestie van het licht aandoen, een seconde nemen om te richten en te vuren.
Er scheen licht over een veld vol stenen. De piloot verstrakte. De koplampen kwamen zo'n driehonderd meter verderop in zicht. Hij begon zijn duim tegen de knop te duwen en zette het zoeklicht aan, en de natte verf van een vrachtwagen vol meloenen glinsterde fel in de lichtstraal. De piloot schakelde de lamp met een enkele vloek uit en vloog weg. De chauffeur van de vrachtwagen ging vol in de remmen en sloeg keer op keer een kruisje.
Ze vlogen nog vijf minuten door en volgden de bochtige weg.
'Oké,' zei Noordhof eindelijk. 'Dus ze zijn slim. Ze zijn de weg af gegaan.'
'Waar dan, meneer? Het zijn hier allemaal bergen.'
'Ze bevinden zich niet op de weg. Dus moeten ze eraf zijn gegaan.'
'Ik zal teruggaan en zigzaggen om ze te zoeken, meneer.'
'Als je maar zorgt dat je niet tegen een berg aan vliegt.'
Het was bijna niet te geloven, maar het weer verslechterde nog. De watermassa doorbrak het signaal van de infraroodcamera en het beeld werd steeds slechter. De radar was één massa sneeuw. Hij trok de knuppel naar links, boog van de weg af en begon op geringe hoogte een zigzagpatroon van ongeveer acht kilometer breed te beschrijven. Hij vroeg zich af of ze misschien toch niet zo gek waren.

Webb zat ongemakkelijk op een meloen, drukte zijn rug tegen een dunne metalen balk met touwen eromheen en spreidde zijn benen voor zo veel mogelijk laterale stabiliteit. Hij kon vaag de gedaante van Judy in een hoek zien zitten, met haar knieën bijna tegen haar oren. Hij keek op zijn horloge en kon net de cijfers 4.59 onderscheiden op de verlichte wijzerplaat. De piloot zou er misschien een halfuur over doen om de lege jeep te vinden en het omringende terrein af te zoeken voordat hij het doorkreeg. Het kon iets langer duren, maar ook iets minder lang.
Judy en de chauffeur hadden in het Spaans met elkaar gepraat en Webb begreep dat er een dorp was met een telefoon, die heel vaak werkte. Als Julio's luie zoon meer werk had gemaakt van de carburator, zouden ze er over een halfuur of zo zijn, maar nu, wie kon het zeggen?

Van daar konden ze een garage bellen om hun auto te laten repareren. Hij kon zijn neef Miguel aanbevelen, die er geen bezwaar tegen zou hebben om wakker gemaakt te worden door gringo's.
Maar als het ophoudt met regenen, dacht Webb, wordt het zicht van de piloot veel beter en vindt hij de jeep binnen een paar minuten. Het geroffel van de regen op het zeildoek was oorverdovend en Webb genoot ervan. Maar als de motor af en toe haperde, had dat het tegenovergestelde effect.

Hij had niet verwacht dat hij onder in een ravijn zou liggen en hij miste de vage, wazige vlek op het beeldscherm bijna. Hij liet het toestel zakken tot honderd meter boven de grond en schakelde het zoeklicht in. Er joeg een kegel van regen door de felle straal.
De jeep lag op zijn zijkant, voor driekwart onder het zwarte, snelstromende water. Het ravijn was ongeveer tien meter diep en de grond aan weerskanten ging steil omhoog. Hij liet de helikopter dalen zo ver hij durfde en de rotorbladen zwiepten het water onder hem omhoog. 'Nee, meneer!' riep hij, maar het was te laat. Noordhof had een deur geopend en was uit het toestel gesprongen. De kolonel verdween met een plons onder water, kwam meteen weer boven en dreef snel naar de jeep. Hij greep hem beet toen hij erlangs kwam en hield zich stevig met beide handen vast, zijn gezicht meer onder water dan erboven. Toen was hij weg. De piloot bracht de helikopter geschrokken naar beneden tot het landingsgestel bijna het water raakte. De bladen bevonden zich amper dertig centimeter van de zijkanten van de kloof. In die smalle ruimte deed het gebrul van het zo stille toestel gewoon pijn aan zijn oren.
Noordhof kwam weer voor de dag, hapte naar adem en ging weer onder. Hij bleef onder water. De piloot hield onbewust zijn adem in. Hij was bijna in paniek toen Noordhof weer opdook en zijn handen opstak naar het landingsgestel. Hij miste en de stroom nam hem meteen mee naar de duisternis buiten de lichtkegel. De piloot stuurde zijn toestel naar voren, pikte een hoofd op, stak het landingsgestel in het water en vloog mee met de stroming. Noordhof pakte de stang vast en wist zich er dit keer op te hijsen. De piloot liet het toestel opstijgen uit de kloof en zette het neer op een vlak stuk terrein. Noordhof hees zich druipend naar binnen.
'De vrachtwagen!'
De piloot rukte boos aan de gashendel en vloog over de weg.

Inslag

Rond kwart over vijf begon het roffelen van de regen op het canvas dak minder te worden en tegen kwart voor zes was de storm overgetrokken. De hemel was nog steeds zwart, behalve in het oosten, waar Webb door een snee in het zeildoek de horizon kon zien. Het land was hier vlakker en tussen de velden stonden hier en daar huizen. Ze kwamen een paar keer langs een groepje adobehuizen, en een andere keer denderden er een paar vrachtwagens voorbij die de andere kant uit gingen. Op deze geografische breedte zou het volgens Webb over tien of vijftien minuten licht zijn.

De motor haperde, liep nog een paar honderd meter en viel toen uit. De vrachtwagen ging langzamer rijden en kwam met piepende remmen tot stilstand. De chauffeur, wiens oudere gezicht werd gesierd door een grijze snor, tikte tegen het glas en riep iets kleinerends over zijn zoon. Judy klauterde over de meloenen en er volgde een luidruchtige uitwisseling in het Spaans. Ze kwam weer terug. 'Dat gebeurt als het erg nat is. Dan houdt de bougie ermee op. Hij zegt dat we moeten wachten tot de hitte van de motor het elektrische circuit heeft opgedroogd.'

Webb trok het canvas opzij en ze sprongen uit de wagen. De chauffeur stapte ook uit zijn cabine, leunde tegen het portier en stak een sigaret op.

Ze bevonden zich op een ruw, open stuk terrein vol rotsblokken en cactussen. Er was geen huis te zien.

'Oliver, er is geen plek om ons te verstoppen.'

Webb keek op zijn horloge. Hij zei zachtjes: 'De tijd om ons te verstoppen is voorbij, Judy. Óf ik maak contact en maak bekend dat Nemesis niet bestaat, óf de Amerikanen beginnen kernwapens te lanceren.'

'Godallemachtig. Hoe lang hebben we nog?'

'Vierentwintig minuten.'

'Ik zal een schietgebedje doen. Maar Oliver...'
'Ja?'
'Stel dat de piloot de jeep heeft gevonden?'
'We hebben ons best gedaan.'
Judy stapte op de chauffeur af en voerde een kort gesprek met hem. Ze kwam terug en zei: 'Een eindje verderop is een stadje, ongeveer twintig minuten rijden. De chauffeur zal zijn sigaret oproken en de motor proberen te starten.'
'Heb jij geld bij je?'
'Ik zal hem vriendelijk toespreken.' Er volgde nog een geanimeerde uitwisseling en Judy kwam terug met een handvol munten. Webb wuifde dankbaar naar de chauffeur, die opgewekt knikte, zijn peuk weggooide en zich in zijn cabine hees. Webb en Judy klommen weer in de laadruimte. De chauffeur kwam naar buiten, rekte zich uit en stak nog een sigaret op. Toen ging hij luidruchtig aan de kant van de weg staan plassen in een waterplas. Daarna stapte hij weer in. Vervolgens probeerde hij een radiokanaal te vinden en mopperde luid terwijl hij de ether doorzocht. Toen gaf hij het op en probeerde hij te starten.

Het geluk was de piloot welgezind. Toen de regen minder werd, werd het bereik van zijn camera beter. Hij ging hoger vliegen. Aan de rechterkant verschenen rode vlekjes aan de horizon; over een paar minuten zou het licht zijn. Hij voelde dat de jacht een hoogtepunt bereikte. Hij zette het gas helemaal open en liet het toestel hellen om de grootst mogelijke snelheid te bereiken.

'Kun je hem niet harder laten rijden?'
'We zijn hier in Mexico. Als ik het hem vraag, stopt hij om erover te praten. We zitten er nog maar een paar minuten vandaan.'
Webb klauterde naar de achterkant en trok het klepperende zeildoek opzij. De hemel was grijs, met felrode en zwarte strepen in het oosten. Het was nu al warm. Hij boog zich naar buiten en keek in de richting waarin ze gingen. Ze reden tussen een paar huizen door en er was een stadje, ongeveer drie kilometer verderop.
'Ongeveer vier minuten verderop ligt een stadje. Misschien redden we het net.' Webb zweeg, zich er plotseling van bewust dat de dame haar aandacht ergens anders op had gericht.
'Oliver, achter je.'

De piloot zette de camera uit. Hij kon huizen, grote cactussen en zelfs struikgewas zien.
Hij zag de stofwolk voor hij de vrachtwagen zelf zag. Het was dezelfde vrachtwagen; hetzelfde grijs, hetzelfde klapperende zeildoek. Hij bevond zich zo'n drie kilometer van een stadje, recht vooruit. Hij glimlachte zuinig, voerde een kleine koerscorrectie uit en duwde de knuppel naar voren. Hij begon hoogte te verliezen en vloog recht op het slingerende voertuig af.

'Als de chauffeur afremt, spring je eruit en zoek je dekking.'
'Hij vermoordt je, Oliver. Je gaat dood.'
'Het licht is niet perfect. Ik hoop dat hij de vrachtwagen zal raken,' zei Webb. De helikopter was nog anderhalve kilometer van hen vandaan en kwam langzaam aangevlogen; de piloot had geen haast meer en genoot van het moment.
'Maar die oude man...'
'Die heeft het gehad. Ik moet bellen.'
De vrachtwagen ging langzamer rijden. Webb keek om zich heen. Een smalle kruising voor hen. Een rij adobehuizen in felle kleuren. Een groen geschilderde cantina met luiken voor de ramen op de hoek. Dertig meter daarvandaan de toegang tot een straat.
De vrachtwagen remde af tot zestig kilometer per uur... vijftig... veertig...
'Wat doe je?' riep Webb. 'Spring eruit!' Maar zij bleef met gespreide benen en een boos gezicht staan.
'Judy, kom op. Ik moet hier weg!'
'Ga dan! Ik leid de piloot af en breng hem in de waan dat we nog steeds in de vrachtwagen zitten. Spring, Oliver, spring! Denk je nog eens aan me terug?'
Webb liet haar achter. Hij sprong uit de vrachtwagen, viel zwaar neer en rolde buiten adem verder op de harde aarde, met het geld in zijn hand. Hij sprong op en rende naar de straat. Zijn ribben deden pijn. Hij sprintte de hoek om en de straat door. Aan beide kanten waren kleine winkels, gesloten en met luiken voor de ramen. Er was geen telefooncel. Hij schoot de straat over.
Hij voelde de wind van de rotor voor hij het fluisterende geklop hoorde. Een blik achterom en hij dook naar de grond toen het donkere toestel langs zoefde. Hij stond op en rende terug. Het toestel ging scheef hangen en vloog achteruit. De achterste rotor ging heen

en weer en joeg stof op. Webb zigzagde en liet zich toen doodsbang vallen. De bladen misten zijn hoofd op een paar centimeter. De wind was zo sterk dat het was alsof hij een klap in zijn gezicht kreeg en toen was er een ongelooflijke pijn, een vreselijke snee in zijn bovenbeen en bloed dat uit een gescheurde broekspijp spoot. Hij zag een smal steegje, kroop onder de helikopter door en ging er wankelend op af, waarbij hij uit alle macht probeerde niet flauw te vallen. Er volgde een enorme klap en een hittegolf en hij zweefde door de lucht, en toen schoot een stapel plastic zakken en dozen op de grond naar hem toe en rolde en tuimelde hij tussen het keukenafval. Versuft worstelde hij zich overeind. De straat die hij net had verlaten, was een felgele vlammenzee. Hij had het gevoel alsof hij zijn gezicht in een oven had gestoken. De achterkant van zijn hoofd deed angstwekkend pijn.

Hij begon over de weg te hinken en sloeg een andere in, weg van de hitte, en toen weer een andere. Hij bevond zich in een doolhof van smalle straatjes vol tafels en stoelen, met wasgoed boven zijn hoofd. Een magere hond blafte opgewonden toen hij passeerde. Boven de daken hing een lijkwade van zwarte rook. Volgens zijn horloge was het drie minuten voor Nemesis en alleen wilskracht lag tussen hem en de bewusteloosheid. Zijn been was warm en kleverig, maar hij durfde er niet naar te kijken.

De weg kwam uit op een groot open plein. Een paar mensen renden naar waar de rook vandaan kwam. Hij zag een witte kerk, een cantina en daarvoor een telefooncel. Hij keek naar de hemel. Geen teken van de helikopter. Hij rende over het plein naar de cel. Hij greep de hoorn zonder te weten wat voor geluiden hij kon verwachten, staarde stom naar de munten, probeerde ze in de gleuf te krijgen, liet ze vallen, pakte ze op, schoof er een paar in die leken te passen en begon met heftig trillende handen het internationale nummer te draaien.

De zwarte helikopter verscheen boven de daken. Het stof wervelde omhoog toen de piloot zich op het plein liet zakken. Webb vroeg zich af wat hij zou gebruiken, het machinegeweer of de raketten. Er rinkelde een telefoon, een bekend geluid, een laatste herinnering aan thuis in dit verre en vreemde land.

De piloot bleef op een afstand van een meter of dertig en bijna twee meter boven het plein hangen, midden in een okerkleurige stofwolk. Hij bracht het toestel op zijn gemak in positie, al kauwgomkauwend. Noordhof, levend en wel, leek hem aan te sporen. Webb voelde dat de

piloot een raket zou gebruiken en vroeg zich af hoe het zou zijn om dood te gaan.
'Northumberland House,' zei een goed opgevoede vrouwenstem. De vrachtwagen met meloenen schoot de hoek om. De piloot probeerde verrast op te stijgen, maar het dak van de vrachtwagen raakte een van de stangen van het landingsgestel en het toestel werd op zijn rug geworpen. Stukken zeildoek en meloen schoten door de lucht.
'Eh, Tods Murray, alstublieft. Dit is Oliver Webb vanuit Mexico.'
Webb keek gehypnotiseerd toe toen er uit het niets een meloen op hem afschoot. Hij sloeg tegen een hoek van de telefooncel, veranderde in een rode moes en bekogelde Webb met glasscherven. Een helikopterblad cirkelde hoog, hoog in de lucht. Zijn koers had een grillig verloop en Webb zag hem lui omdraaien en naar de telefooncel vallen. De vrachtwagen kwam tot stilstand. Judy sprong eruit en rende met wapperende haren voor haar leven.
'Ik probeer u te verbinden.'
Met een plotselinge klap veranderde de vrachtwagen in een vuurbal; het blad was gedraaid, kreeg vaart en kwam regelrecht op de cel af. Webb dook naar buiten op het moment dat het blad erdoorheen ging. Iets sneed diep in zijn al gewonde bovenbeen en hij bleef huilend van de pijn op de stoffige grond liggen. Er hing een geur van brandende kerosine en de vlammen verspreidden zich rond de restanten van de helikopter. Er dropen stukken brandend plastic op de grond en de cockpit vulde zich met zwarte rook. De piloot leek bewusteloos te zijn. Noordhof hing op zijn kop in deze vissenkom en schopte wanhopig met beide voeten tegen een deur.
De telefooncel was een verwrongen massa glas en plastic, maar de hoorn lag op de grond.
Het snoer zat er nog aan. Was het mogelijk?
Een uitbarsting van vlammen en hitte, te heet om te verdragen. Een van Webbs ogen liep vol bloed. Kogels uit het machinegeweer knalden als rotjes. Een plas met blauwe vlammen liep weg van het toestel. Webb kroop naar de hoorn en dwong zichzelf bij bewustzijn te blijven. Hij hield het ding tegen zijn oor. Grote rode mieren haastten zich door het stof, vluchtend voor de naderende vlammen. Er klonk gekraak in de hoorn. Van de helikopter kwam het angstaanjagende brullen van een raket, dat aanzwol tot een onvoorspelbaar crescendo.
'Webb, waar heb je in godsnaam gezeten? En wat is dat voor lawaai? Ben je carnaval aan het vieren of zo?'

In een bunker diep onder een granieten berg besliste een handvol gewone mannen over het lot en de toekomst van het leven op deze planeet, onder ontstellende emotionele stress, die garant stond voor vooringenomenheid, een overdaad aan informatie, groepsdenken, hallucinaties, misvattingen, cognitieve vervorming en ouderwetse domheid.
De minister van Defensie stond op. 'Iedereen weg van de deur,' zei hij luid. 'Meneer de president, heren.' Er viel een verbijsterde stilte, alsof iemand de pin uit een granaat had getrokken. Admiraal Mitchell kwam boos overeind, maar Grant gebaarde dat hij weer moest gaan zitten. Alleen Bellarmine en Grant bleven staan en keken elkaar over de tafel heen aan.
'Meneer de president. Met alle respect, u wordt ontheven van uw positie als president en opperbevelhebber van de gewapende macht van de Verenigde Staten van Amerika. Dit is een actie van mijzelf en de gezamenlijke chefs-staf. Vanaf dit moment zal generaal Hooper de militaire operaties leiden, met mijzelf als waarnemend president. We hebben de gouden codes.'
Grant zag grauw. 'Zijn de kabouters er vandoor met je verstand, Nathan?'
'Drie minuten,' klonk het in de naastgelegen kamer.
'Er komt straks een detachement mannen om u weg te geleiden, meneer. Intussen vallen de Rots en het communicatiepersoneel onder ons gezag en we hebben een boel te doen.'
'Je staat onder arrest, Bellarmine. Ga zitten.'
De nationale veiligheidsadviseur stond bleek en trillend op en snauwde: 'Als ik een wapen had, schoot ik je neer. Aan welk gezag ontleen je deze idiotie?'
Achter in de kamer ging een telefoon, en het aanhoudende gerinkel sneed door de stilte die geleidelijk over de ruimte was gevallen toen iedereen zich verbijsterd bewust was geworden van wat er gebeurde. Iemand nam op en er volgde een dringend gesprek. Toen zei de korporaal: 'Eh, het is de Carl Vincent.'
'TWEE MINUTEN.'
'Ik neem hem wel,' zei Bellarmine bits.
'Nee. Verbind hem met de tafel,' zei de president grimmig. De korporaal verstijfde zo volledig en plotseling alsof hij in steen was veranderd.
'Op welk gezag?' blafte Cresak.
'Dat van het 25e amendement. De president weigert het land te ver-

dedigen onder een fatale aanval. Hij weigert zijn ambtseed te vervullen en heeft zich daarmee gediskwalificeerd voor dat ambt.'
'Dat is niet aan jou om te beoordelen,' snauwde de admiraal. 'Dit is verraad, niet meer en niet minder.'
'Over twee minuten zijn we er geweest. Wil jij soms de senaat bijeenroepen?'
'De Carl Vincent!' zei de korporaal. Het kwam eruit als een gedempt gekwaak.
'Geef hier, zei ik,' zei Bellarmine zwetend. Er klonk een kort, boos salvo van een vuurwapen. Van de andere kant van de deur kwam een kreet van pijn. Toen klonk er een bons en het geluid van iemand die langs die deur omlaag gleed.
'Je hebt me gehoord, soldaat,' bitste Grant. 'Naar de tafel, nu!'
'EEN MINUUT.'
De korporaal, die grote happen lucht nam, wendde zich tot Wallis. 'Wat moet ik doen, meneer?' smeekte hij.
Hooper snauwde: 'Hou op met dat gejank, jongen. Je hebt het gehoord. De president is van zijn post ontheven. Je neemt bevelen aan van...'
'Negeer dat,' viel Wallis hem in de rede. 'De president is je opperbevelhebber. Dit is een couppoging zonder enige wettelijke grond.'
'Verraderlijke schoft dat je bent,' gromde Bellarmine.
De ogen van de korporaal rolden in zijn hoofd en hij kreunde: 'O, heilige moeder van god!'
'We raken Xochicalco kwijt!' riep Fanciulli. 'Er is een boel statische storing.'
Er begon een rood licht te knipperen boven de eiken deur.
'Blijf waar je bent,' snauwde de minister van Defensie. Hij beende naar de deur en rukte hem open. Hij deinsde ontzet terug toen het slappe lichaam van een man van de geheime dienst tegen zijn benen viel. Het ronde, blozende gezicht staarde omhoog, de zuinige mond stond halfopen en het witte overhemd vertoonde een rij rode vlekken. Een jonge marinier stapte hijgend en met een straaltje bloed aan de zijkant van zijn hoofd over het lichaam de kamer in en salueerde naar de president.
'Wat is hier aan de hand?' vroeg de president.
Hallam kwam achter de marinier aan de kamer in. Zijn wang was rood en dik. 'We hebben het min of meer onder controle, Sam. Iemand heeft met de schakelborden geknoeid, maar daar zijn we mee bezig.'
'O, jezus,' zei Hooper. Bellarmine keek alsof hij op het punt stond

flauw te vallen. Hij liet zich in zijn stoel zakken en sloeg zijn handen voor zijn gezicht.
'Meneer!' riep Wallis, die over een scherm gebogen stond. 'De Backfires bevinden zich twaalf minuten van het Canadese luchtruim. Er liggen er nog achttien op koers naar Kansas, twee zijn afgebogen naar Alaska, de Prudhoe Baai.'
'Meneer!' riep een soldaat. 'We hebben misschien een indringer in het Californische luchtruim, die laag ten noorden van Pendleton vliegt. Niets op de radar.'
'De stiekeme schoften. Terwijl wij naar de troepenverzameling op Kola kijken, hebben zij Stealths vooruit gestuurd vanuit de Oeral,' zei Hooper. 'Onze tijd is op.'
'De Carl Vincent,' riep de president. 'Op de luidspreker, NU.'
'Meneer,' hijgde de korporaal. 'Dat wilde ik u zeggen. Ik ben haar twintig seconden geleden kwijtgeraakt. Ik krijg alleen maar ruis.' De luidspreker op tafel kwam knetterend tot leven. Er klonk een stem onder lagen geruis, zo verwrongen dat er geen enkele kans was te ontcijferen wat hij zei.
'Begrijpt iemand dit?' riep Grant.
'Het is de asteroïde,' zei Bellarmine getergd. 'Hij is ingeslagen. Ziet u dan niet dat we terug moeten slaan?'
'Meneer!' riep een soldaat. 'Volgens NORAD zijn er nog tachtig Backfires opgestegen vanaf Kola.' Hij wees naar een televisiescherm.
Er was een stukje startbaan te zien in een verlaten sneeuwlandschap bij een groepje gebouwen. Kleine zwarte motten gleden over de startbaan en staken als zwarte, bewegende silhouetten af tegen de sneeuw. Grant zei: 'O alsjeblieft God, dat niet.'
Hooper zei: 'Wat is er nog meer voor nodig, Sam? De schokgolven zijn op weg hiernaartoe!'
Een zwart meisje wenkte en wees. 'Meneer de president, we hebben beeld van Goddard. Op het scherm.'
'Sergeant, Hooper en Bellarmine staan onder arrest. Iedereen die zijn hand uitsteekt naar de rode telefoon wordt neergeschoten. Geen waarschuwingen, gewoon schieten.'
'Ja, meneer.' Het beeld bestond uit een gloeiende, onbepaalde nevel.
'Wat moet dit voorstellen?' snauwde Grant. 'Is hij ingeslagen of niet?'
'Ze werken aan een maximale entropie, meneer.'
'Een wat?'
'Ze proberen het scherper te krijgen.'

'Wallis, wat zijn de berichten uit Xochicalco?'
'Statisch geruis op alle kanalen, meneer. We krijgen niets door.'
'Meneer de president,' zei Hooper, 'hoe het ook zit met de wettigheid van onze actie, we kunnen nu elk moment worden weggevaagd. Wat uw reden ook is om niets te doen, u kunt dat niet langer volhouden. Amerika wordt aangevallen. Stuur onze raketten meteen weg. We hebben nog maar een paar seconden.'
'Meneer de president, ik smeek u op mijn knieën, lanceer!' smeekte Bellarmine.
'Dus hij is ingeslagen?'
'Meneer,' zei een man in marine-uniform, 'hij kan ook alleen de bovenlaag van de atmosfeer hebben geschampt. Dat geeft EMP, maar geen inslag.'
'Waar blijft dat verdomde Kremlin?'
Wallis zei: 'Meneer, iedere verbinding met het Kremlin lijkt te zijn uitgevallen. We gaan het proberen met een gewone, commerciële telefoonlijn.'
'Waarom komt Goddard niet met de beelden?'
'Meneer, ze zeggen dat ze eerst bewerkt moeten worden.'
'Hoe lang nog, mens?' riep de president zo hard hij kon.
Ze kromp zichtbaar in elkaar en zei snel iets in de telefoon. 'Vijf minuten, meneer.'
'Vijf wát?' riep Grant, en het meisje kreeg tranen in haar ogen.
Wallis zei: 'Meneer, als u een effectieve reactie wilt, hebt u misschien nog een minuut, misschien nog minder.'
'Schiet ze af, Grant!' brulde Hooper met opgeheven vuist. Hij kwam half omhoog van zijn stoel, alsof hij op de telefoon af wilde springen. De marinier richtte met een blik van pure doodsangst zijn geweer op de generaal. Hooper liet zich weer vallen en sloeg een paar keer met zijn vuist op tafel.
De president hief zijn armen als een ouderwetse prediker. Het werd stil in de kamer. Iemand in de andere kamer begon met een rustig zuidelijk accent een oud gebed op te zeggen.
Onze Vader die in de hemel zijt...
Hij zoekt zich een weg over de kabels en staart naar de videocamera die hem volgt. De camera staart onverschillig terug. Hij staat bij de vlag die naast de deur hangt. Het zwarte meisje naast hem zit stil te snikken. Hij legt zijn hand op haar schouder. De vlag wordt wazig en tot zijn verrassing beseft Grant dat hij zelf ook huilt.

Hij kijkt zonder enige schaamte rond, terwijl de tranen over zijn kin lopen. Hij bevindt zich niet meer in een commandopost, diep onder de grond, maar in een wassenbeeldenmuseum. En op de een of andere manier is het museum tegelijkertijd een zee, een oceaan van gezichten die zich over de aardbol uitstrekt, gezichten van geborenen en ongeborenen, allemaal wachtend op de beslissing van deze ene man, deze plattelandsjongen uit Wyoming. Er kriebelen insecten onder zijn huid. Ze hebben rukkende tangen als kaken. Een krab in zijn maag scheurt zich een weg naar buiten en verslindt onderweg zijn ingewanden. Er sijpelt zuur door zijn keel, dat in zijn slokdarm brandt. De doffe pijn in zijn borstkas is allang uitgegroeid tot een strakke band.
Het is natuurlijk duidelijk. Dat is het altijd geweest.
Een stem fluistert: 'Meneer de president, we hebben misschien nog dertig tot zestig seconden voor de schokgolven ons raken.'
'Een verdomd zware beslissing voor een boerenjongen uit Wyoming, Nathan.'
De stem fluistert weer. 'Meneer, u moet een beslissing nemen.'
'Ik weet niet hoe we in deze toestand verzeild zijn geraakt. Misschien is het iets waar de mens geen macht over heeft. Misschien maakt de wereld cyclussen door en is het mijn pech om op de hoogste stoel te zitten als het moment komt om in rook op te gaan. U hoefde niet in opstand te komen, Heer, ik was al toe aan mijn eigen asplaneet. Dus vaarwel, mijn kinderen, en heil aan de mutanten.'
En verlos ons van het kwade...
'Wallis, schiet op. Hooper, ga door met Grand Slam. Mitchell, vuur je Tridents af.' De soldaten lopen snel naar de computerschermen en beginnen in telefoons te praten. Grant steekt zijn hand uit naar de rode telefoon. Wallis breekt een verzegelde envelop open.
Want U is het koninkrijk...
Iemand, een vrouw, zegt nerveus: 'Meneer de president, het is de Britse premier.' Haar stem gaat verloren.
De macht en de heerlijkheid...
'Kan iemand hier een eind aan maken?' vraagt een andere vrouw. 'Ik heb kinderen.'
Tot in eeuwigheid. Amen.
Wallis gaat aan een bureau achter in de beschermde kamer zitten. Een camera draait om hem te volgen. Hij begint getallen op te lezen in een telefoon, stuk voor stuk, met een heldere, besliste stem. De president pakt de rode telefoon en de camera zwaait snel naar hem terug. Maar

Grant ziet wazig en zijn hand trilt. Hij probeert iets te zeggen, maar de woorden willen niet komen. Bellarmines ogen staren hem aan en dwingen de president verder te gaan. Hallam staat in het midden met zijn handen voor zijn ogen als een kind dat een angstwekkend monster op afstand wil houden. Hoopers kaken zijn zo vast op elkaar geklemd dat hij amper een woord kan uitbrengen.
Een oud telexapparaat, een lachwekkend ding, een museumstuk te midden van de nieuwste technologie uit Silicon Valley, komt ratelend tot leven. 'O lieve Jezus o lieve Jezus. Meneer, het is president Zhirinovsky.'
Tegelijkertijd klinkt de stem van de Britse premier over de luidspreker, zo duidelijk alsof hij in de naastgelegen kamer zit. 'Ah, goedemorgen, meneer de president. Ik bel toch niet ongelegen?'

De Sonorawoestijn

De meteoor vliegt hoog boven de Sonorawoestijn. Hij heeft een lange, lichtende staart en werpt bewegende schaduwen op de grond ver onder hem. Aan het eind van zijn vlucht vlamt hij op, splijt in tweeën en dan is hij verdwenen uit de hemel vol sterren.

'Zag je dat?' vroeg Judy, die om de veranda van het huis heen kwam.

'Een sporadische, denk ik,' zei Webb. 'Er zijn geen zwermen in deze tijd van het jaar.' In het licht van de sterren kon Webb nog net zien dat ze dezelfde gehaakte sjaal droeg als in Oaxtepec, en dezelfde gehaakte bikini, en dat ze hetzelfde elegante lichaam had. Ze droeg voorzichtig twee grote glazen, die tot de rand waren gevuld met een vloeistof die oranjerood leek te gloeien. Ze gaf hem er een en ging met gekruiste benen op een kleed zitten dat naast het bad lag. Webb vond haar net een tevreden boeddha.

Hij bewoog zijn been. De verpleegster in het ziekenhuis had eindelijk het dikke verband verwijderd. Judy had haar Pontiac Firebird voor hem achtergelaten met een kaart en hij had de grote, psychedelisch uitziende wagen over de I-10 door Tucson en vervolgens over Gates Pass laten gorgelen en was ten slotte naar het noorden afgeslagen, over een smalle weg die door het Saguaro National Park heen liep. De vijftien centimeter lange snee in zijn been deed nog pijn van de reis, maar het warme water van het grote bubbelbad begon de pijn te verlichten. Om hem heen staken in het donker grote saguarocactussen af, als stille wachtposten of triffids.

Ze nam een slokje uit haar glas. 'Hoe is het met je been?'

'Beter, Judy. Bedankt voor de uitnodiging, trouwens. Ik ben onder de indruk.' Hij maakte een wuivend gebaar dat de Sonorawoestijn, de cactussen, de donkere, besneeuwde bergtoppen en de grote hemelkoepel die alles klein deed lijken omvatte. Hier in de woestijn waren de sterren veel helderder. Hier en daar kon je het licht zien van huizen, als kaarsen in een donkere kathedraal.

'Nou, je moest rusten. Dit is een goede plek om dat te doen. Ik noem het Oljato, Navajo voor de Plek van Maanverlicht Water.'
'Maar het gezelschap is saai.'
Ze trok verrast haar wenkbrauwen op. 'Voorzichtig, Oliver. Er zitten hier ratelslangen.'
Webb nam een slok van zijn drankje. Het was koud en had een heel aparte smaak, die hij associeerde met Mexico maar verder niet kon plaatsen. 'Wat heeft je mol in Fort Meade voor nieuws?'
'Ze zijn nog bezig met het onderzoek. Het schijnt dat de operatie is voorbereid door een groepje slimme mensen in de NSA. Het was een soort omgekeerde Cyberwars.'
'Cyberwars?'
'Informatieoorlog. Kijk naar de schade die een enkele hacker aanricht als hij doordringt tot een systeemcomputer. Denk dan aan een geplande aanval door honderden van die lui, gestationeerd in een vijandig land, die duizenden computers infiltreren. Ze kunnen onvindbare achterdeurtjes openen over een lange tijdsperiode en dan allemaal tegelijk toeslaan. Ze kunnen vliegtuigen laten neerstorten, dossiers wissen van bedrijven en laboratoria, het spoornetwerk infiltreren, een financiële chaos veroorzaken, het bevel en de beheersing over wapensystemen omvergooien, alles voor de veiligheid van hun eigen land en met gebruik van niet meer dan een paar computers.'
'Maar dat is toch zeker een erkend probleem,' zei Webb.
Judy knikte. 'Maar wat de mensen voor ogen hadden, was een vijand vanbuiten. Niemand dacht dat de vijand vanbinnen zou kunnen komen.'
'En omdat zij de systemen beschermen, weten ze ook hoe ze in elkaar zitten,' opperde Webb. 'En ze weten alles wat er te weten valt over een informatieoorlog.'
'Die kennis is door een kleine groep binnen het National Security Agency gebruikt tegen het Amerikaanse leiderschap. De chefs-staf, de president, de minister van Defensie, ze hebben iedereen voor de gek gehouden.'
'Het oude probleem,' zei Webb. 'Wie beschermt ons tegen onze beschermers?'
'Deze mensen waren geen verraders, Ollie. Ze waren patriotten. Ze hadden het duidelijke idee dat het land zich moest beschermen tegen een toekomstige aanval door als eerste in actie te komen. Die actie kon niet ondernomen worden door een regering die een vreedzame co-existentie verkondigt.'

'En de CIA zat ook in het complot?'
'Mijn mol denkt dat het ook hier om een klein kliekje binnen de organisatie ging. Ze hadden maar een paar mensen nodig. De leiding werd om de tuin geleid, net als alle anderen.'
Webb leunde achterover en zakte tot zijn hals in het warme water. 'Ik geniet van de manier waarop ze dit proberen af te wikkelen. Hoe ze het verhaal van de samenzweerders verkopen aan het publiek. Een gewone aardscheerder die heel dichtbij kwam, een fout in de observaties van het Naval Observatory, enzovoorts. Daar komen ze nooit mee weg.'
'Daar zou ik maar niet zo zeker van zijn, Ollie. Nemesis zou uit zijn baan zijn gebracht door de zwaartekracht van de aarde en weer teruggegaan zijn naar de blinde zone.'
'Vergeet het maar.'
Judy trok de sjaal dichter om haar schouders. 'Volgens de *Enquirer* was het een complot van de CIA om de president zo ver te brengen kernbommen op Rusland te gooien, heb je dat gezien?'
Webb grinnikte. 'En geen mens gelooft ze. Hoe zit het met de paleisrevolutie?'
'In het Kremlin? Dat weten de analisten niet. Ik denk dat het Russische Leger tot de conclusie is gekomen dat Zhirinovsky gewoon te gevaarlijk was om in de buurt te hebben.'
'Het scheelde niet veel. Ik ben blij dat de ontsteking van die vrachtwagen werkte.'
'Maar ze hebben zich teruggetrokken uit Slowakije en er is weer een soort van democratie ingesteld. We zullen wel zien wat de verkiezingen brengen.'
Webbs ogen waren nu helemaal aan het donker gewend. Een kleine citroenboom die bijna naast het bubbelbad stond, gloeide zachtjes. Op deze breedte stond zijn oude wintervriend Orion de Jager hoog aan de hemel. Sirius, een withete A-ster, verlichtte de woestijn van een afstand van negen lichtjaren. De Melkweg verhief zich hoog boven zijn hoofd en deelde de hemel in tweeën. En Mars wenkte vanuit de dierenriem, vast en rood. Hij werd bevangen door een vreemd gevoel, hetzelfde gevoel dat hij een miljoen jaar geleden had ervaren in een klein kerkje aan een met keitjes bestraat steegje in Rome. Het was verontrustend, dit gevoel één te zijn met alles; hij begreep het niet. Een woestijn bij nacht was een spirituele ervaring, voelde Webb.
'De wereld wordt gevaarlijk, Judy. Op een dag bouwen we een ark,

net als Noach, en vertrekken we. Een zaadje, het eerste van vele, om onze beschaving en onze genen te verspreiden over de sterren. Als we ons eenmaal een beetje verspreid hebben, kan niets ons meer uitroeien.'
Ze glimlachte. 'Ik ben zeker een beetje uitgeschoten met de tequila. Ik kan geen hoogte van je krijgen, Oliver. Ben je een visionair of een gek?'
'Ik ben een rustige geleerde die verder wil met zijn onderzoek.'
Ze zette haar glas op de grond, rekte zich uit en geeuwde als een kat. 'En je eigen mensen?'
Webb zei: 'Ik heb de minister gehoord op de World Service terwijl hij het Huis toesprak. Onze ijverige hemelbewakers enzovoorts. Wat een schaamteloze hypocriet! Hij heeft aan alle kanten op ons bezuinigd.'
Hij dronk de tequila sunrise op. Het duizelde hem een beetje, maar het was een aangenaam gevoel. 'En hoe ben jij in deze dingen verzeild geraakt, Judy?'
'Op een vrolijke avond met Clive – dat is mijn baas, die nu geschorst is – kreeg ik het gevoel dat men wilde weten wat mijn politieke ideeën waren. Ik dacht eerst dat hij gewoon nieuwsgierig was. Toen bedacht ik dat er misschien twijfel bestond aan mijn loyaliteit. Het ging een paar dagen door. Niets wat opviel, begrijp je, alleen af en toe een opmerking. Ik had het gemakkelijk kunnen missen. Ik begon te denken, hier is iets vreemds aan de hand, dus hoe langer hij ermee doorging, hoe wildere meningen ik verkondigde. Uiteindelijk leek ik zo rechts dat ze moeten hebben gedacht dat ik J. Edgar Hoover een communist vond. En op een warme avond in La Fuente, met zacht licht, zoete mariachi-muziek en een barbecue, stelde Clive me voor aan Mark Noordhof. Het hele plan werd me voorgesteld op basis van 'stel dat'. Ik moet de juiste geluiden hebben gemaakt, want op dat moment vertelde Mark me dat er iemand in het team van Eagle Peak moest zitten die alles wist van kernbommen, en had ik misschien zin om me aan te sluiten en ervoor te zorgen dat jullie op het juiste spoor bleven. Ik stemde ermee in.'
'Maar je hebt dit allemaal voor je gehouden.'
'Ik probeerde erachter te komen hoe hoog het ging,' zei Judy. 'Ik wist net als jij niet wie ik kon vertrouwen. Maar genoeg over mij, Ollie. Je hebt ontslag genomen bij je instituut.'
'Ik ben losgebroken, zou ik liever zeggen. Ik heb nooit in het groepsdenken gepast.'

'Het wordt koud.' Ze stond op, liet haar sjaal vallen, klom in het bad en begon golfjes te maken. 'Wat ga je nu doen?' vroeg ze, terwijl ze onder water haar bikini uittrok.
Webb dacht: gebeurt dit echt? Hij zei: 'Ze hebben me een positie aangeboden bij de Universiteit van Arizona.'
'Dat is wel het minste wat ze konden doen.'
'Dit is een fantastische plek. Hoe vaak kom je hier?'
'In Oljato? Wanneer ik maar kan. De meeste weekenden. In New-Mexico heb ik een klein appartement in het centrum.'
Webb schraapte al zijn moed bij elkaar en zei het. 'Ik vroeg me af of ik het van je zou kunnen huren. Het is maar een halfuur van de universiteit.'
Judy lachte verrukt. 'Ollie!'
'Een zuiver platonische afspraak, Judy. Je bent in wezen niet interessant.'
Judy's mond viel wijd open. Ze spatte hem nat. 'Waarom zo beledigend?'
'Ik probeer een nieuwe techniek. Geleerd van de meester der charme, een oude vriend die zich Judge Dredd noemt. Het zou alle vrouwen verblinden. Eerst negeer je ze, en dan beledig je ze. En daarna, zo verzekert Judge Dredd me, eten ze uit je hand. Werkt het?'
'Fantastisch.'
En weer staat Webb de rationalist met zijn mond vol tanden, dacht hij. Als ik een blinde machine ben in een zinloos universum, hoe kan ik dit dan allemaal voelen? Kan computersoftware pijn voelen? Kan een verzameling draden verliefd worden?
Hij besefte opeens dat van alle mysteries die hij had onderzocht het grootste naast hem zat, met haar blonde haardos onder het sterrenlicht en een nonchalant onderzoekende teen. Haar aanwezigheid op zich deed hem al smelten.
Judy stak haar hand over de rand van het bad om een schakelaar om te zetten. Hij ving een glimp op van een borst. Het water begon krachtig te bruisen. Ze leunden achterover en lieten de warme stralen hun lichamen teisteren. In het bijna-donker kon hij net haar gezicht onderscheiden; ze leek zich ergens over te verkneukelen. Haar teen hervatte zijn onderzoekingstocht. Hij tilde hem opzij, maar hij kwam terug.
Nu zwom ze naar hem toe.
Ze pakte een stuk zeep en ging op hem zitten. Haar borsten waren glinsterend nat en haar tepels waren hard, donkere cirkels tegen wit, rond vlees. 'Jouw rug of de mijne, Ollie? Strikt platonisch, uiteraard.'

'Teresa, Teresa, wat doe je hierbuiten?' zei Vincenzo vermanend.
In het sterrenlicht kon hij nog net zien dat zijn vrouw een katoenen mantel over haar nachtkleding droeg, maar haar witte haar was onbedekt en het was kil.
'Wanneer kom je naar binnen, Vincenzo?' vroeg ze, en ze gaf hem een glas warme wijn.
'Zo meteen.'
'Wanneer ga je nou eens op een redelijk uur naar bed? Je bent geen jongeman meer.'
'Bemoei je met je eigen zaken, vrouw. Maak dat je uit de kou komt.'
Vincenzo hoorde de zich verwijderende voetstappen van de vrouw over het grindpad. Hij zette het glas naast de flakkerende kaars en genoot van de kortstondige warmte van de vlam bij zijn hand. Hij zette zijn oog weer tegen de kleine telescoop, die op een driepoot op een marmeren voedertafel voor vogels stond. Hij keek door de koperen buis, oriënteerde zich op Aldebaran in de Hyades sterrengroep, en bewoog zijn telescoop naar een zwakke ster links van het oog van de Stier. De zwakke, wazige ster was er nog steeds, amper zichtbaar door het oculair van zijn instrument. Hij had bewogen, een volle graad sinds de vorige nacht. Hij had geen staart, maar leek verder op een komeet.
Het elfde, geheime deel van zijn aantekenboek was bijna vol en lag open bij een bladzijde bijna achterin. Hij vond het altijd moeilijk om de omvang van de sterren te beoordelen; ze leken van nacht tot nacht te variëren. Maar hij schatte de positie van de wazige ster. Hij noemde hem 'A' en trok een lijn naar een andere ster, die hij 'B' noemde. Daaronder schreef hij een paar regels uitleg in het Latijn.
Er klonk een stem in het donker. 'Vincenzo, je gaat nog dood van de kou. Kom naar bed, anders sluit ik je voor vannacht buiten.'
Vincenzo Vincenzi zuchtte. De wegen van God zijn ondoorgrondelijk, dacht hij, en nooit erger dan wanneer ze zich manifesteerden via een vrouw.
Hij blies de kaars uit en nam een slokje van de kruidige wijn. De oude man sloeg het aantekenboek dicht, het laatste deel van zijn levenswerk, en schuifelde over het brede grindpad door de tuin vol cipressen en maagdenpalmen, standbeelden en tinkelende fonteinen. Orion de Jager begeleidde hem op zijn pad. Sirius glinsterde boven het dak van de villa, en boven hem verhief zich hoog de Melkweg, die de Italiaanse hemel in tweeën deelde. Een vallende ster kwam en ging. Hij

vroeg zich af of de mens ooit de sterren zou bereiken. Cardano van Pavia had gezegd dat Leonardo de Florentijn had geprobeerd te vliegen, maar dat het hem niet was gelukt. Even werd hij overweldigd door het besef van zijn eigen onbetekenendheid; hij voelde zich verpletterd door het oneindige.
Bij de deur stond zijn vrouw met een lantaarn. Ze nam hem bij de arm en keek naar hem alsof hij een dwaas kind was. Vincenzo glimlachte. Waarom zou hij bang zijn voor het oneindige? Was de liefde van God niet even grenzeloos?
En misschien, dacht Vincenzo, ben ik ook wel een dwaas kind. Niemand zal ooit iets geven om mijn zwakke pogingen om de tijdloze wonderen van de hemel in kaart te brengen, of de zwerftochten van de kleine kometen.
Toch?

Fixa A distabat ad Aldebaran 37 semidiametres: in eadem linea sequebatur alia fixa B, quae etiam precedenti nocte observata fuit.

Bill Napier is in 1940 geboren in het Schotse Perth. Hij heeft astronomie gestudeerd aan de Universiteit van Glasgow en heeft het grootste deel van zijn carrière als astronoom doorgebracht in observatoria in Schotland, Italië en Noord-Ierland. Hij woont momenteel met zijn vrouw in Zuid-Ierland en verdeelt zijn tijd tussen het schrijven van romans en onderzoek met collega's in Wales en Californië. Hij heeft een eredoctoraat van het Centre for Astrobiology van de Universiteit van Cardiff en er is een asteroïde – 7096 Napier – naar hem vernoemd, die een chaotische, excentrieke baan volgt, maar nog niet in botsing dreigt te komen met de aarde. Hij houdt van koken, maar heeft op dat gebied stevige concurrentie van zijn vrouw en kinderen. Zijn website is www.bill-napier.com.

Lof voor Bill Napier:

Buitengemeen spannend. Een listig uitgedacht verhaal – *Literary Review*

Een nagelbijtend spannend boek – *Edinburgh Times*

Snel en scherp – *FHM Magazine*

Een fascinerende inleiding over het kraken van codes en het belang van kalenders in de menselijke geschiedenis – *Irish Independent*

Uitstekende fictie; een goede manier om bij te lezen over natuur- en planeetkunde terwijl zich een onderhoudend en spannend verhaal ontvouwt. Het verhaal bezit een rauwe authenticiteit – *New Scientist*